D1199178

FOKUS DEUTSCH

BEGINNING GERMAN 2

INSTRUCTOR'S EDITION

ANKE FINGER
Texas A&M University

ROSEMARY DELIA
Mills College

DANIELA DOSCH FRITZ

STEPHEN L. NEWTON
University of California, Berkeley

LIDA DAVES-SCHNEIDER
Chino Valley (CA) Unified School District

KARL SCHNEIDER
Chino Valley (CA) Unified School District

Chief Academic and Series Developer
ROBERT DI DONATO
Miami University, Oxford, Ohio

Boston   Burr Ridge, IL   Dubuque, IA   Madison, WI   New York   San Francisco   St. Louis
Bangkok   Bogotá   Caracas   Lisbon   London   Madrid
Mexico City   Milan   New Delhi   Seoul   Singapore   Sydney   Taipei   Toronto

McGraw-Hill Higher Education

*A Division of The **McGraw-Hill** Companies*

This is an ⊟🄳 book.

Fokus Deutsch
Beginning German 2

This book is printed on acid-free paper.

1 2 3 4 5 6 7 8 9 0   VNH VNH   9 0 9 8 7 6 5 4 3 2 1 0 9

ISBN 0-07-027597-1

Editor-in-Chief: Thalia Dorwick
Senior sponsoring editor: Leslie Hines
Development editors: Sean Ketchem, Paul H. Listen
Senior marketing manager: Karen W. Black
Project manager: Terri Edwards
Senior production supervisor: Richard DeVitto
Designer: Francis Owens
Cover designer: Vargas/Williams Design
Illustrators: Wolfgang Horsch, Manfred von Papan, Eldon Doty, Anica Gibson, maps by Lori Heckelman
Art editor: Nora Agbayani
Editorial assistant: Matthew Goldstein
Supplement coordinators: Louis Swaim, Florence Fong
Compositor: York Graphic Services, Inc.
Typeface: New Aster
Printer and binder: Von Hoffmann Press

Cover photographs Center image © Jeff Hunter/Image Bank; bottom photographs are from the **Fokus Deutsch** video series.

Library of Congress Catalog Card Number: 99-64748

http://www.mhhe.com

INSTRUCTOR'S EDITION

This *Instructor's Edition* insert contains classroom tips, video episode synopses, and a summary of the German spelling reform for instructors using *Fokus Deutsch Beginning German 2* in conjunction with the video series.

The classroom tips material for each chapter suggest additional practice and expansion activities, guides the instructor in utilizing the resources on the *Fokus Deutsch* Instructor's Resource CD-ROM, offers comments on photographs and readings found in the student text, provides information and suggestions for cultural topics, describes supplemental grammar exercises, and outlines ways to coordinate *Fokus Deutsch Beginning German 2* effectively with the video series. Plot and content summaries of level two video episodes follow after the classroom tips. These synopses are meant as a quick reference tool for the instructor. Finally, a brief summary of the most important new German spelling rules is provided, along with a list of old versus new spellings of common words in *Fokus Deutsch*.

CONTENTS

EINFÜHRUNG
CHAPTER OPENER
p. 1 *Chapter opening photo*

Ask students what they associate with contemporary Germany. What are their primary historical associations? Point out that Frankfurt was a center for reform in Germany in the nineteenth century. The German National Assembly gathered at the famous *Paulskirche* in Frankfurt in 1848, and it was intended to serve as the parliament building for the new Federal Republic exactly one hundred years later. Frankfurt's role today is as a leading global financial center and the home of the new European Central Bank.

VOKABELN
p. 2 *Aktivität A*

You can also go around the room and point out other objects that might not appear on the visual. Additional activity: Ask students to describe the objects: *Welche Farbe hat die Kreide? die Tafel?*

p. 3 *Aktivität C*

Some of the vocabulary topics touched on in this brief review include family names, parts of the body, weather terms, and names for different rooms and buildings. You can use the individual sentences as a starting-off point to activate more knowledge about these categories. *Was macht man in der Küche? Wie viele Zimmer hat Ihre Wohnung? Wie ist das Wetter heute? Wie ist das Wetter im Sommer?*

p. 5 *Aktivität E*

If students are familiar with **Fokus Deutsch,** *Beginning German 1,* ask them what they recall about the people in the pictures. *Wer sind diese Leute? Welche Probleme hatten die Koslowskis? (Herr Koslowski war arbeitlos . . .) Wer ist Michael? Woher kommt er?*

STRUKTUREN
p. 6 *Übung B*

For conversational practice, ask students various questions about each sentence. *Wem gibt Herr Koslowski einen Fußball? Was gibt Herr Koslowski seinem Sohn? Wer gibt Lars einen Fußball? Was bekommt Lars und von wem?*

p. 6 *Übung E*

Now that the room has been decorated, ask students where these things are located, emphasizing the dative forms. *Wo steht die Lampe? Die Lampe steht auf dem Tisch. Wo hängt das Poster? Das Poster hängt an der Wand.*

PERSPEKTIVEN
p. 7 *Aktivität B*

There are many other holidays than the ones listed here. Ask students to talk more about the different holidays in German-speaking countries and North America. Which holidays are not celebrated in one country or the other? If both countries celebrate a similar holiday, how is it different? Recall, for instance, that German children receive presents from St. Nicholas on *Nikolaustag.* National holidays are different as well: The German national holiday is *Tag der deutschen Einheit* on the first of October.

p. 7 *Aktivität C*

The German school system might seem quite complex to North American students. A crucial difference is the division between university-bound *Gymnasiasten* and the dual system of apprenticeship and study. Note that this division begins when the pupil is roughly twelve years old, though it is sometimes possible to move between the two tracks at a later age. What are the advantages of such a system? What might be the disadvantages?

KAPITEL 13
CHAPTER OPENER
p. 10 *Chapter opening photo*

Have students describe what the *Azubis* in the photograph are doing. Ask questions that lead them to understand that the *Azubis* are in a training program.

p. 11 *Chapter opening correspondence*

Provide the context of this letter for the students: *Michael schreibt an seinen Jugendfreund Jürgen und erzählt ihm über seine Lehrstelle in Hamburg.* Have students identify words in the letter that have to do with work. Suggested activity: Have students reread the correspondence after they have viewed the video episode. Ask them to identify information that Michael leaves out of the letter but which appears in the video. Expansion: As a homework assignment have students write a similar letter describing their first day at a new workplace. If they have not yet had a job, they can assume the identity of a character from the video series, such as Marion, Silke, or Rüdiger, or even a fairy tale character, such as *Rumpelstilzchen* or *Aschenputtel*, and describe their first day in a new working environment.

VIDEOTHEK

p. 12 *Wissen Sie noch?*

As an alternative to summarizing what happened in the last episode, students could reenact the events in class.

p. 12 *In dieser Folge*

Before viewing, spend some time reviewing Michael's story from previous episodes. Since this is the first episode students have seen in a while, it is important to reestablish the story line.

p. 13 *Aktivität D*

To make Hamburg come to life for the students, bring in realia about and from that city. Photos, magazines, slides, or even samples of regional culinary specialties, will all make interesting supplements to the activity.

VOKABELN

p. 14 *Die Arbeitswelt*

Use the listed vocabulary items to describe the scene. Have students repeat key phrases after you. Then, elicit answers to questions such as: *Wo sitzen die Mitarbeiter? Was machen die Mitarbeiter? Wo steht die Chefin? Was macht sie? Was macht der Azubi? Was trägt jede Person?* This display provides an opportunity to reinforce dative case with two-way prepositions.

p. 15 *Aktivität B*

As an alternative to plenum responses, have students work in pairs or small groups; then follow up with the whole class. For an additional vocabulary and writing activity, have students take the role of Silke and write a response to Michael's letter.

p. 15 *Aktivität C*

Follow-up and expansion: After students have interviewed each other about what they think is important

in a workplace and why, have the class as a whole report their answers and rank them on the board. Then have them speculate: How might the results of a general survey taken in the U.S. or Canada compare with one conducted in Austria, Germany, or Switzerland. At this point you might also want to add such criteria as vacation, social benefits, flexible hours (*gleitende Arbeitszeit*), opportunity for promotion (*Aufstiegschancen*) and so forth. Realia such as graphs from the Globus-Kartendienst would nicely augment such an activity.

p. 16 *Berufe*

IRCD. Show the drawings on an overhead transparency. Have students repeat the names of the professions, male and female forms, after you. Point out the weak masculine nouns, marked *–n* masc. or *–en* masc., and mention that many masculine nouns for professions fall into this category.

p. 16 *Berufe*

IRCD. Collect photos and illustrations of people at work from magazines, newspapers, and other sources. Have students identify each occupation and describe what the person is doing.

p. 17 *Aktivität A*

Expansion: You can easily expand this activity to include more occupations. Make an effort to keep the verbs simple and focus on the terms for occupations. Ask questions such as: *Wer übt eine Praxis aus? Wer übt Kunst aus? Wer schreibt Artikeln? Wer bäckt Brot und Kuchen? Wer arbeitet in Geschäften? Wer muss Chemie studieren?* and so forth. Game: This activity can also be transformed into an identity game where students are assigned occupations but do not know which ones. Each student wears a placard on his/her back with an occupation written on it, such as *Ärztin*. Other students have to say what that student does: *Du hast Medizin studiert.* The goal is for each to correctly deduce what his/her occupation is, based on the description provided by others. Alternative game: Tell students about the popular German TV show called „*Was bin ich?*" and then have volunteers mime a profession while other students guess what it is.

p. 17 *Aktivität B*

Draw students' attention to the pattern: *Sie war Schauspielerin* (with no indefinite article). Emphasize that *ein/eine* is not typically used with professions, but: *Sie war keine Schauspielerin. Sie war die bekannteste Schau-*

spielerin in Deutschland. Wie heißt diese Schauspielerin? and so forth. Answers and alternative activity: Students may not have heard of some of the names. If this is the case, you might turn the activity into questions/answers: *Willy Brandt war Politiker. Wer war auch Politiker?* Additional or alternative activity: Students can play a game. Five to seven students are in a hot air balloon. Each is a famous persona from history. Suddenly the balloon begins losing gas. Only one person can remain in the balloon. Everybody gets a chance to argue why he or she and his or her profession should survive. The rest of the class decides who constructed the best argument. Make sure to give the winner a prize.

p. 17 *Aktivität C*

Follow-up: Have students discuss which characteristics or criteria are associated with each profession, for example *Prestige, hohes Einkommen,* and so forth.

p. 17 *Additional activity*

Ask students if they know three German-speaking persons whom they can interview about their careers and associated activities. If not, you might give each student the names and phone numbers of three speakers of German (graduate students, personal acquaintances, or businesspeople in the community). Before students conduct their interviews, have a brief brainstorming session with the whole class, writing suggested interview questions and expressions on the blackboard. As a follow-up activity, students can record their interviews and play them to the class. The other students listen for specific information, such as salary, responsibilities, workplace, and so forth.

p. 17 *Additional activity*

Have students interview one another. Possible questions include: *Was willst du werden? Warum? Welchen Beruf interessiert dich? Warum? Welche Fächer musst du dafür belegen?* You might turn this into a class *Umfrage,* in which the final result is a summary of what everyone in the class wants to become.

p. 17 *Additional exercise*

Have students write a short paragraph about a friend and his or her work. Questions to consider include: *Was sind seine/ihre Aufgaben? Wen trifft er/sie bei der Arbeit? Was gefällt ihm/ihr (nicht)?* For example, the paragraph could begin: *Mein Freund Mark ist Flugbegleiter. Er wünscht den Touristen einen guten Flug.* You might as-

sign this exercise as homework. Make sure to point out the dative verbs in the questions and in the example.

STRUKTUREN

p. 19 *Übungen B–C*

Remind students that weak masculine nouns take an *–n* or *–en* ending in all cases but the nominative. Practice formulating these sentences with varying word order.

p. 21 *Übung A*

Have students state some of these commands as though they were speaking to Michael. To make the context of his nightmare more immediate, encourage students to use an impolite tone of voice.

p. 21 *Übung C*

Encourage students to vary the tone of their commands with *bitte* to be polite, *doch* to add emphasis, and *mal* to soften the request.

PERSPEKTIVEN

p. 24 *Lesen Sie!*

Ask students if they know any other Austrian, German, or Swiss candies.

p. 24 *Zum Thema*

You might assign these questions as homework. Encourage students to gather information in the library or on the Internet about candy companies in the United States or Canada. Students should find out the location, number of employees, production, earnings, and so forth.

p. 26 *Interaktion*

Follow up with group presentations of their company and product(s).

p. 26 *Schreiben Sie!*

Some students may want to work on this project in the same groups as in, and as an extension of, *Interaktion.* Others may prefer to work individually. Encourage speaking and writing in German only, by asking students questions, discussing their plans, or offering expressions. You might bring in German ads from newspapers, magazines, or the Internet that students can thumb through and look over for ideas.

Fokus Chat

p. 28 *Gummibärchen*

Students should first fold an index card in half and write the name of their hometown, their handle, and their real name, then set the index card on their desk for the other classmates to see. Read through the list of participants (*Wer da?*) with the class, then have students read the lines of the chatroom participants. Finally, students continue the chatroom by coming up with their own statements about the topic and by reacting to the statements of others.

KAPITEL 14
CHAPTER OPENER

p. 30 *Chapter opening photograph*

Brainstorm with students about what is going on in the photograph. Ask: *Was machen sie? Wer stellt Fragen? Welche Fragen stellt er/sie wahrscheinlich? Warum? Warum ist die Person so schick angezogen?* and so forth.

p. 31 *Chapter opening correspondence*

Michael's letter summarizes the plot of Episode 14. You may wish to have students work through *Was denken Sie?* before they read the letter.

VIDEOTHEK

p. 32 *In dieser Folge*

Before viewing this episode, make sure students understand that Michael is boarding the ship to tour it and not to take a voyage. Ask students to watch for the moment in the video when Michael realizes the ship is leaving the dock.

VOKABELN

p. 34 *Lebenslauf*

IRCD. If available, bring in sample résumés and CVs from German-speaking countries. Have students compare a German *Lebenslauf* with examples of resumés in North America. Ask why they think résumés in North America generally do not incude photographs or birthdates.

p. 35 *Aktivität C*

Additional activity: Have students make a virtual visit to Hamburg on the Internet and then report back the next

class period: What did they see and do? Their responses should be framed in the perfect tense, for example: *Wir haben den Hamburger Hafen besucht. Dann sind wir in das Thalia Theater gegangen und haben ein Stück von Botho Strauß gesehen.*

PERSPEKTIVEN

p. 45 *Zum Thema*

Situated high above the Rhine River near Rüdesheim, "Germania," a female figure with sword and shield, was erected by Bismarck to represent German Empire. This bronze statue of "Bavaria," the patron saint of the state by the same name, dates to 1844 and stands in the Theresienwiese in Munich. Visitors can climb the 66 steps all the way to her head!

p. 46 *Interaktion*

You might also wish to get students to think about the (un)fulfilled expectations of immigrants, and at the same time the perceptions of immigrants by the inhabitants of the country. If your school or class has many recent immigrants, highlight issues that are most relevent to your students.

Fokus Chat

p. 48 *Traumjob*

Students should first fold an index card in half and write the name of their hometown, their handle, and their real name, then set the index card on their desk for the other classmates to see. Read through the list of participants (*Wer da?*) with the class, then have students read the lines of the chatroom participants. Finally, students continue the chatroom by coming up with their own statements about the topic and by reacting to the statements of others.

KAPITEL 15
CHAPTER OPENER

pp. 50–51 *Chapter opening photograph*

Ask students what the person is doing. *Was macht diese Person? Was kocht diese Person? Wie wissen Sie das?* Turn then to the caption and ask students what it means. Have them keep this saying in mind as they view the video.

TEACHING NOTES

VIDEOTHEK

p. 52 *In dieser Folge*

Suggestion: Have students listen and watch for references to seasoning the food. Key words include *abschmecken, Salz,* and *Würze.*

p. 53 *Kulturspiegel*

Have students speculate as to why this might be the case. Is it perhaps considered an insult to suggest by asking for salt or pepper that the cook did not properly season the food? Were salt and pepper perhaps so expensive or scarce at one time that people could not put them on the table for casual use? Are salt and pepper not considered the basic seasonings of German cuisine? and so forth.

VOKABELN

p. 57 *Aktivität D*

Groups can choose to play the scene straight, using the cues and information from the menu—or they can inject problems and humor. Either way, encourage creative touches within the framework. Improvisation: You might unexpectedly walk into the restaurant scene as a group performs and demand immediate service, or order everything on the menu (or nothing that is on the menu), or complain that the soup is cold or that there's a hair in the salad, or throw in some other type of problem that the *Kellner/Kellnerin* and/or other guests will need to deal with. Alternative activity: Have students—in groups or individually—write out dialogues, using the given expressions and the information from the menus they created.

PERSPEKTIVEN

p. 64 *Zum Thema*

Ask students if they have relatives or acquaintances who lived through World War II. If so, ask students to interview these individuals about daily life, especially with respect to food, and report to the class. Point out that even though Americans were spared the destruction that was present in parts of Germany, they experienced rationing throughout the war. Furthermore, all types of food were not always available. If possible, arrange for a native informant to talk to the class about living through the war and the post-war years in Germany.

p. 66 *Zum Text*

Have students read up through the line „*Er sah zum Fenster hin,*" then ask them to draw a picture of the scene in the kitchen. They should pay attention to details, for example: *Welche Gegenstände gibt es in der Küche? Wie sehen die Frau und der Mann aus? Was tragen sie?* Students could work on the picture as a group activity. One student draws the picture, as the others provide details from the story. Stress that the drawings should convey comprehension of the story and will not be judged on artistic ability.

p. 67 *Interaktion*

Have students research Wolfgang Borchert and the era in which he lived. To get students started, provide them with information and questions: *Wolfgang Borchert hat vor allem über den Alltag in Deutschland in der Zeit kurz nach dem 2. Weltkrieg geschrieben. Was wissen Sie über die Verhältnisse in Deutschland zu dieser Zeit? Finden Sie Informationen zu den Themen Wohnungs-und Hungersnot, Infrastruktur, Todeszahlen. Überlegen Sie sich noch einmal, warum Borchert über Brot schreibt.* Provide students with as much information on Borchert as you think is interesting or necessary for your particular course: biography, style, *Trümmerliteratur,* and so forth. Additional activity: This activity could be structured as a creative project. Students could produce a poster, brochure, or booklet about conditions in Germany after the war. Students could concentrate on types of food available in the post-war years, the *Rosinenbomber* over Berlin, and other efforts made by foreign countries to feed the German populace. Depending on the group of learners, students could be encouraged to discuss the topic of food and hunger. Is hunger a problem for people in their city, state, in other countries? Why (not)?

p. 67 *Schreiben Sie*

Have students who are willing share their stories either in small groups or with the whole class.

WIEDERHOLUNG 5

VOKABELN

p. 71 *Aktivität A*

Have students work in small groups. Each student in the group should express his/her interests, following the examples in the activity. The other students should advise him/her about career options. Follow up with the whole class, by calling on each group to name their suggested occupations. After suggesting a career option, students should also come up with two drawbacks or characteristics that might make a person unsuitable for that particular occupation: *Ein Flugbegleiter soll niemals Luftkrankheit haben! Ein Flugbegleiter ist immer unterwegs.*

p. 71 *Aktivität B*

You might follow up on *Schritt 2* with the whole class. Have students come up with as many different steps as possible, listing each on the board. Then ask questions such as: *Welche Informationen stehen auf einem Lebenslauf? Welche Fragen stellt ein Arbeitgeber vielleicht im Vorstellungsgespräch? Welche Fragen möchte ein Bewerber vielleicht stellen?* Additional activity: Have volunteers describe the workplace or a typical working day in the life of a famous person (president, pope, football player) without giving away the person's name. The other students guess who it is.

p. 72 *Aktivität C*

Depending on their diets and preferences, students may have different ideas about what constitutes appetizers, main dishes, and side dishes—especially since most of the choices do not specify preparation. Encourage students to express their individual tastes, but watch for the appropriate use of articles and correct forms in terms of gender and number. Additional activity: Explore differences in culinary culture. Present a scenario to students: *Stellen Sie sich vor, Sie essen in Ihrem Lieblingsrestaurant und Sie haben Besuch aus Deutschland. Was sagen Sie dem/der Deutschen über das Restaurant und über die Essgewohnheiten in den USA?* You could handle this activity in one of several ways. (1) Students can write out a script as homework; (2) the class as a whole can discuss the topic as it relates to their particular region; (3) small groups can role-play the scene; (4) you could play the guest from Germany and students could tell you about the restaurant and the eating customs and answer any questions you may ask. Additional activity: Have students ask each other what kind of food they liked/disliked when they were kids. Additional activity: An exchange student from Germany would like a recipe for a typical American meal. As a homework assignment ask your students to write a simple recipe. They should start with the ingredients and the amounts. Encourage them to accompany each cooking step with a little drawing.

STRUKTUREN

p. 73 *Übung B*

Expansion: Have students role-play an office situation using TPR. Additional activity: Ask students to think back to a job they once had and describe the tasks they performed, using the perfect tense.

p. 73 *Übung C*

Expansion: Personalize the sentences by asking students questions such as: *Haben Sie manchmal die Kleidung Ihrer Freunde oder Familienmitglieder getragen? Erklären Sie, welche Kleidungsstücke sie getragen haben, und wem sie gehört haben. Wie finden Sie die Familienmitglieder Ihrer Freunde?* Students should volunteer different answers, each with a genitive phrase.

p. 75 *Perspektiven*

Additional activity: Ask students what they associate with Prussia and the Prussian army. Use words such as *durchhalten* and *eiserne Ration* (from the text) as point of departure to discuss Prussian values such as discipline, rationing, and order. Additional activity: Ask students to do some historical research on Germany's war against France in 1870–71. Additional activity: Ask your students to put together a menu plan for a three-day camping trip to the back country.

KAPITEL 16
CHAPTER OPENER

pp. 76–77 *Chapter opening photo*

Ask students: *Was machen diese Leute? Ist es morgen, nachmittag, oder abend? Woher wissen Sie das?*

VIDEOTHEK

p. 78 *Wissen Sie noch?*

You might have students work in pairs to come up with well-constructed answers to the questions. Then, follow up with the whole class, by calling on four pairs to answer one question each.

p. 78 *In dieser Folge*

Before the students view *Folge 16*, group them in pairs and have them speculate on what their partners like to do on a typical Saturday. Then ask them to speculate on how the Schäfers will spend their Saturday.

p. 79 *Aktivität B*

Students may need to watch this sequence twice. After they combine the names with the activities, ask students to group the activities according to the different age groups. Additional activity: Have students interview each other about what they like to do on weekends. As a follow-up, have students determine the three most popular leisure activities in the class.

p. 79 *Aktivität C*

Spend three minutes as a class brainstorming on the topic of leisure time activities; write students' contributions on the board. Ask students to comment on similarities and differences between leisure activities in their area and those described in the video. If available, provide students with a statistic about what Germans like to do on weekends (*Globus Kartendienst*). As a homework assignment students could conduct interviews with German-speaking people in the community about what they like to do on weekends.

VOKABELN

p. 80 *In der Freizeit*

Working in pairs, students might take turns acting out the activities as their partners guess what they are doing. Ask students to identify the international words.

p. 82 *Einkaufen*

You might want to point out to students that in German-speaking countries you cannot buy prescription medicine in a *Drogerie* but only in an *Apotheke*.

p. 83 *Aktivität B*

Discuss breakfast habits in your area, and call on volunteers to give their personal answers. Expansion: Write the following questions on the board as a general outline, then have students pair up and interview each other: *1. Um wieviel Uhr frühstückst du wochentags? Um wieviel Uhr frühstückst du am Wochenende? 2. Was isst du wochentags zum Frühstück? Was trinkst du? Und am Wochenende? Wo kaufst du das? 3. Frühstückst du normalerweise zu Hause oder in einem Café?* Follow-up: Call one or two students to report on their partner's breakfast habits.

STRUKTUREN

p. 85 *Übung A*

Additional activity: Ask the whole class questions such as: *Welcher Student trägt heute ein grünes Hemd? Welche Studentin schreibt mit einem farbigen Stift?* and so forth.

p. 85 *Übung C*

Personalize this activity by having students work in pairs and ask each other questions such as: *In was für eine Wohnung wohnst du? Was für ein Auto würdest du gern fahren? Was für Kleidung trägst du gern?* and so forth.

p. 86 *Two-way prepositions*

As a reminder to students you might write the following chart on the board.
an, auf, in = to
an → vertical surfaces and edges
auf → horizontal surfaces, public buildings, and social events
in → locations one can enter

p. 87 *Übung A*

Divide the class in half. One half asks questions: *Wo finde ich den Joghurt und den Käse? . . . Wohin gehe ich für den Joghurt und den Käse?* The other half answers: *Du findest den Joghurt und den Käse im Supermarkt. . . . Für den Joghurt und den Käse gehst du in den Supermarkt.*

p. 87 *Übung B*

Have students ask each other the location of certain objects in the classroom.

p. 87 *Übung C*

Have students work in small groups and come up with a new plan for the classroom. One student in each group should write down all the ideas: *Das Lehrerpult stellen wir in die Mitte. An diese Wand hängen wir einen Kalender mit deutschen Feiertagen.* Encourage creativity.

PERSPEKTIVEN

p. 90 *Kulturspiegel*

Ask students what they already know about Heinrich Böll. Fill in some essential biographical highlights, being sure to mention his experience in the war, his position as a socially critical writer during the years of rebuilding and economic miracle, his preoccupation with the themes of materialism, alienation, and repression of the Nazi past, as well as his frequent use of humor and irony in his stories. Ask the class what they associate with the term *Anekdote* and write their contributions on the board. Make sure that the following characteristics are mentioned: it is a compactly narrated event building up to a clear resolution (*Pointe*); it illustrates typical characteristics of a person or type of person, and it is generally entertaining, humorous, or ironic. Note: Ask students to reflect on attitudes toward work and leisure in the United States versus Germany (*Arbeitszeiten, Ferien, Reiselust,* and so forth). If students don't bring it up, point out the particular importance of the term *Arbeitsmoral* in the German post-war period of reconstruction, when this story was written (1962).

p. 90 *Lesen Sie!*

Before actually reading the first two paragraphs, set up the story by describing the essentials of the opening scene: in a harbor in the west of Europe a fisherman is sleeping in his boat, a tourist comes along who wants to photograph the scene. The noise of the camera awakens the fisherman. Have students speculate on the conversation between the tourist and the fisherman: what could they be talking about.

p. 92 *Zum Text*

Have students speculate on the identity of the tourist: *Woher kommt er? Was ist er von Beruf? Hat er eine Frau? Kinder?* Remind students to pay attention to the narrator's attitude to the characters while they read the text. They should support their observations with evidence from the text.

p. 92 *Aktivität B*

Have students work in groups of two or three as they divide the story into sections and title each. Call on groups to share their results with the class.

KAPITEL 17
CHAPTER OPENER

p. 97 *Chapter opening e-mail letter*

As a homework assignment or in small groups, have students respond to Uwe's question at the end of the letter: *Hast du einen Vorschlag?*

VIDEOTHEK

p. 98 *Wissen Sie noch?*

Have students answer the questions in pairs. Then, they should tell each other what they did last Saturday (*letzten Samstag*).

p. 98 *In dieser Folge*

As a vocabulary review, ask students what *Familie Cornelius* is eating for breakfast.

p. 99 *Aktivität A*

Ask students how they get to school/work. Also ask what moves they have made in their lives and why.

p. 99 *Aktivität D*

Expansion: Ask students to describe a time when they felt homesick.

VOKABELN

p. 101 *Aktivität A*

Ask students to each give a short report on one of the German federal states. As a review of different foods, you might encourage students to look for information on regional specialties.

p. 101 *Aktivität C*

Expansion: Ask students questions about the federal states, such as:
In welchem Bundesland / In welchen Bundesländern . . .
1. *ist die Stadt Erfurt?*
2. *liegt die ehemalige Hauptstadt der BRD?*
3. *fließt die Ruhr?*
4. *ist der Schwarzwald?*
5. *fließt der Rhein?*
6. *wohnen die meisten Menschen?*
7. *gibt es die größte Landfläche?*
8. *sind die ostfriesischen Inseln?*
Expansion: Have students come up with additional questions each and then quiz each other. This exercise also lends itself to a preview of comparative and superlative forms: *Welches Bundesland hat die meisten Einwohner? Durch welche Bundesländer fließt der längste Fluss?*

p. 103 *Aktivität D*

You might divide the class into five groups. Have each group take one of the characters and spend a few minutes thinking up and writing down as many points as they can about the story. Then have each group tell the class what they came up with. You might fill in with additional details where necessary.

STRUKTUREN

p. 105 *Übung C*

Ask students to speculate on their lives in the year 2010. Begin by asking what they think will be "in" or "out": *heiraten, rauchen, Gentechnologie, Psychotherapie, Umwelt, Tätowierungen, Pauschalreisen, Diät, Hosen mit Schlag, alternative Medizin, gleitende Arbeitszeit.* You might start two columns on the board with the headings "in" and "out." Jot down all ideas from students, then ask why some of these things will be in or out.

p. 107 *Übung B*

Additional activity: Students could prepare short reports on Goethe, Schiller, Bauhaus, Buchenwald, and other subjects relating to the geographical area.

EINBLICKE

p. 108 *Briefwechsel*

Have students compare Dieter's advice with the suggestions that they had made earlier. If available, provide students with charts about how many former West Germans moved to the east after the *Wende* and how many former East Germans went to the west (*Globus-Kartendienst*). Discuss with the class possible reasons for moving east or west in Germany.

p. 109 *Die Geschichte des Hamburger Doms*

Before reading the text, ask students if they have ever been to an amusement park and if so, what their favorite rides or attractions were. Write vocabulary of main attractions on the board. Additional activity: As a homework assignment, have students use the map and describe an imaginary visit to the *Frühlingsdom.*

PERSPEKTIVEN

p. 111 *Zum Thema*

In pairs, have students discuss answers to Questions 2 and 3. Ask students if home necessarily means a place or if it could also be a person, a feeling, or something else. Have students look up translations for *Heimat* in a dictionary. Make sure to point out the difference between *Heim* and *Heimat* in German. You might want to show your students an excerpt from Edgar Reitz' film *Heimat.*

p. 112 *Zum Text*

Introduce the word *Fernweh* to your students. Ask students why they think Germans on the one hand don't like to move their residences, but on the other hand they love to travel. Wolfgang Bächlers poem "Die Sesshaften" exemplifies this ambivalence very well.

"Die Sesshaften"
Oft beunruhigt sie das Glück,
sesshaft geworden zu sein.
Sie planen Umzüge, Reisen,
wechseln das Stammlokal, wechseln
die Stellung, den Standpunkt, die
Frau.

Sie träumen von fremden Ländern
und hoffen in anderen Räumen
verändert zu erwachen.

Sie suchen den neuen Spiegel
für ihr altes Gesicht
und sehnen sich manchmal
nach Feuersbrünsten,
ohne versichert zu sein.

p. 112 *Zum Text*

As in previous chapters, you might engage the entire class in answering the questions. The two concepts of *Seßhaftigkeit* and *Vorurteil*, especially, need clarification through class discussion. Once these concepts are clear, the text will seem a lot simpler to students.

p. 112 *Interaktion*

This exercise could also be entitled *Woher kommen Stereotype?* The text suggests a focus on the United States, but any other country would work just as well. If the class, or a large percentage of it, has ever been on an exchange program to another country, students could easily draw on their own expectations and experiences. Ask if their stereotypical expectations had been met and how friends and family at home reacted to their experiences abroad.

KAPITEL 18

CHAPTER OPENER

pp. 116–117 *Chapter opening photo*

Ask students to summarize what they already know about Hamburg. Ask questions such as: *Was wissen Sie schon über Hamburg? Wo liegt Hamburg?*

VIDEOTHEK

p. 118 *In dieser Folge*

Before viewing the video, put students in groups of four. Each student takes on the role of one of the Cornelius family members. Give students a few minutes to speculate on what their characters will say as the family discusses the job offer in Thuringia and all it implies. Then have the groups act out their family discussions. Additional activity: After showing the first part of the mini-drama to students, have them compare their discussions with the discussion in the video.

VOKABELN

p. 123 *Kulturspiegel*

Bring in the international abbreviations for all EC countries (D, A, E, GB) and ask your students to give the full names. Additional activity: Bring in the flags of all EC countries in black and white and have your students fill in the colors. For reference you can point your students to an almanac.

p. 123 *Aktivität A*

Time permitting you might encourage students to gather information about the different German states, Austrian provinces, and Swiss cantons, and then give mini-presentations with visuals.

p. 123 *Aktivität C*

Mention (or bring in pictures of) famous people from different countries. Have students say the names of the countries, nationalities, and native languages.

p. 123 *Aktivität D*

Ask students about the origins of their ancestors: *Woher kommen die Urgroßeltern? die Ururgroßeltern?*

STRUKTUREN

p. 124 *Genitive prepositions*

Practice the preposition *wegen* individually, contrasting it with *weil*; students tend to mix up these two words. Do a quick substitution exercise: *Warum studieren Sie hier? Wegen (die Lage, das Wetter, der Ruf der Uni / des Colleges, der Preis, die Studenten, meine Freundin, ?)* Now ask students to rephrase the answer with *weil*. Repeat the question *Warum studieren Sie hier?* Provide cues using the substitution nouns: *Der Ruf der Universität (das Wetter, die Lage, . . .) ist sehr gut.* Students say: *Weil der Ruf der Uni sehr gut ist.* Have students note that the preposition *innerhalb* can be used temporally (*innerhalb einer Stunde*) as well as spatially (*innerhalb der Grenzen*), whereas *außerhalb* can only be used with regard to location.

p. 125 *Übung B*

Ask students to offer more statements about the Cornelius family's move to Thuringia. Each sentence should contain a genitive preposition: *Wegen der neuen Stelle zieht Herr Cornelius um. Während der Woche . . .*

p. 127 *Übung A*

Have your students write down four sentences about Mr. Cornelius' new situation using *noch nicht* and *nicht mehr: Herr Cornelius war noch nicht technischer Leiter bei einer Firma.*

p. 127 *Additional activity*

Have students work in pairs and ask each other questions with *schon: Weißt du schon, was du mal werden willst? Bist du schon mal umgezogen?* Additional activity: Have students interview each other and use *immer noch* in their questions: *Wohnst du immer noch bei deinen Eltern?*

EINBLICKE

p. 129 *Berlin*

As a homework assignment have students take a one hour walk through their hometown or college town. They should record their impressions in German either during the walk or right afterwards. Encourage students to use different genres. They could film, photograph, or draw their impressions; write lyrics to a song; write an article for a travel magazine; and so forth.

p. 129 *Wortschatz zum Lesen*

A *Schlaraffenland* is a fantastic place where food and drink are at one's fingertips. Typically it is described as a place where sausages hang from trees and rivers are full of milk.

p. 129 *Einblick photograph*

Christo's wrapping of the Reichstag building in 1995 was a controversial event. While tourists and many residents of Berlin celebrated the event for days, some residents were not pleased with the way the city was put on display, particularly given the historical background of the Reichstag building itself and its association with negative events in German history.

p. 129 *Berlin*

Additional activity: Have students conduct interviews with German-speaking people, asking them to comment on what they like and dislike about their town. Additional activity: Have students interview each other about where they would most like to live and why.

PERSPEKTIVEN

p. 130 *Hören Sie zu!*

Explain to students that more than 90 percent of all women in the former GDR had a job compared to 50 percent in the FRG. The state-organized *Kinderkrippensystem* allowed women to go back to work. After unification only 33 percent of the women in the former GDR still had a job. In 1992, there were 1.35 million unemployed people in East Germany, of which 63 percent were women.

p. 131 *Zum Thema*

In groups of two or more, have students write up a short newspaper article, using the photos as their starting point.

WIEDERHOLUNG 6
STRUKTUREN

p. 138 *Übung A*

Additional activity: Ask your students to plan a trip to Germany. They should include appropriate attributive adjectives and the future tense with *werden*.

p. 138 *Übung B*

Ask students if they have moved away from their families and, if so, what they do to maintain family ties. They should use the genitive prepositions *trotz, während, wegen, innerhalb*.

p. 139 *Übung C*

Additional activity: Have students work in pairs to design their future home. Step One: Give each student two identical floorplans of a house and two identical sets of cut-out furniture (from a magazine or self made). Provide them with different colored pens. Step Two: Students arrange the furniture on one of the floorplans as they wish. Step Three: Without showing their floorplan to their partner, students now tell each other how they arranged their furniture using *hängen, stellen, legens*, and adjectives. The other student arranges the extra set of furniture on the empty floorplan according to the description. Step Four: Students compare floorplans, a) checking that they followed the descriptions correctly and b) noting how the interior designs differ from each other.

EINBLICKE

p. 139 *Aktivität B*

As authentic material you might want to bring in some short texts by famous authors, for example: Luther's *Thesen*, a poem by Goethe, Schiller, or Novalis. Spread the texts out on a table for students to look over. Students can then choose one that interests them and talk about it at the next class meeting. They should also mention why they chose this text.

PERSPEKTIVEN

p. 141 *Interaktion*

Be sure to tell students to concentrate on a few aspects in their web-page presentations rather than giving too much information.

KAPITEL 19
CHAPTER OPENER

p. 143 *Chapter opening photo*

Have students talk about how university life is organized in the United States. Point out that German universities are largely state-owned. There are virtually no U.S.-style colleges. While German universities do offer dorm space, many students rent rooms or live together in a house or a large apartment, called a *WG* (*Wohngemeinschaft*). Ask students if they have ever had problems enrolling in a course. Due to overcrowding at German universities, many students must wait years to take courses needed to complete their degrees.

p. 143 *Chapter opening correspondence*

Have students read the letter up to „*Als ich da ankam . . .*" They should then speculate on what kind of problems Klara might have to face.

VOKABELN

p. 147 *Aktivität A*

Explain to students that the majority of courses in Germany consist of lectures and seminars. Explain further that *Klausuren* are usually written during the semester break, which is called *semesterfreie (vorlesungsfreie) Zeit*.

p. 147 *Aktivität B*

Explain that German universities don't charge an American style tuition. You might want to have an in-class debate about the pros and cons of having to pay tuition.

p. 147 *Aktivität C*

Assign the list of social and extracurricular activities as homework. As a follow-up activity have students compare their lists. Write the most popular activities on the board. Additional activity: Read Brecht's poem *"Vergnügungen"* and together in class:

Der erste Blick aus dem Fenster am Morgen
Das wiedergefundene alte Buch
Begeisterte Gesichter
Schnee, der Wechsel der Jahreszeiten
Die Zeitung
Der Hund
Die Dialekt
Duschen, Schwimmen
Alte Musik
Bequeme Schuhe
Begreifen
Neue Musik
Schreiben, Pflanzen
Reisen
Singen
Freundlich sein

As a homework assignment, have students write their own „*Vergnügungen*" poem. Collect and make a collage of all your students' poems. As a follow-up activity, have students guess who wrote which poem. Have them compare poems and categorize the pleasures mentioned: *Familie, Natur, Sport, Musik,* and so forth.

p. 148 *Lebensmittel*

IRCD. Use the overhead transparencies to introduce the vocabulary. Then go over the units: (*das*) *Stück*, (*das*) *Kilo(gram*), (*das*) *Gram*, (*der*) *Pack*, (*die*) *dreiviertel-Liter-Flasche*, (*die*) *Vakuumverpackung/vakuumverpackt*. Also point out the currency: *die Mark, das Pfenning*. Help students practice saying amounts and prices, by asking questions such as: *Wie viel kostet 500 Gram Brokkoli? ein Kilo Kartoffeln? ein Stück Kopfsalat? Was kostet 3 Mark 99? Was kostet nur 99 Pfenning?* . . . Additional activity: Ask students to find out the current exchange rate. Was it better or worse than they expected?

p. 149 *Aktivität A*

Have students work in pairs. Each student writes a separate shopping list for a three-course dinner. The other student has to guess what will be served for dinner, by looking at the items on the shopping list. Additional exercise: Ask your students to dicuss the stores in which they would shop for their food.

p. 149 *Aktivität B*

Have students search the Internet for information on German table etiquette, for example, how do Germans set a table properly? The German *Knigge* might be a good starting point.

STRUKTUREN

p. 150 *Reflexive verbs and pronouns*

It may be helpful for students to remember that the subject and the object of the reflexive verb are the same person or thing.

p. 151 *Übung A*

Additional activity: Have students pantomime daily activities such as *sich duschen, sich anziehen,* and *sich beeilen*.

p. 151 *Übung C*

Additional activity: Ask students to talk about the grooming habits of Klara, Markus, and other *Fokus Deutsch* characters. *Wie oft / Wann putzt er/sie sich die Zähne? nie? manchmal? jeden Tag? einmal im Jahr? morgens? abends?*

p. 152 *Comparatives and superlatives*

Point out that German does not distinguish between adjectives and adverbs the way English does. Furthermore, the endings -*er* and -*est* apply to German adjectives and adverbs with very few exceptions, even in cases where the English uses the words "more" and "most." In this regard, German is much simpler. Make sure that students do not translate directly from English and incorrectly use *mehr* or *meist-*.

p. 153 *Übung A*

Personalize this activity by having students come up with their own comparisons regarding features of their own student lives. Additional activities: Encourage students to boast about their home state or city using the superlative. Also, as a homework assignment have students write riddles: *Was ist leichter als Federn aber wertvoller als Geld?* (*Luft*)

PERSPEKTIVEN

p. 156 *Hören Sie zu!*

Remind students that Mehmet is talking about his school experience as a child in Turkey and then in Germany. Point out that there is a large Turkish population in the former western districts in Berlin, with a concentration in Kreuzberg.

p. 156 *Zum Thema*

Distribute maps of German, Austrian, and/or Swiss cities and ask students to look for streets, squares, or institutions named after people. List all names on the board, as students call out answers to the last question. What pattern do students detect in this list of names? Alternative activity: Write the following list of names and professions on the board and have students explain who did what: *Konrad Adenauer war der erste Bundeskanzler.*

Konrad-Adenauer-Allee	Komponist
Franz-Josef-Strauss-Ring	Schriftsteller
Lutherstraße	Bundeskanzler
Goetheplatz	Architekt
Riemenschneiderstraße	Reformer
Balthasar-Neumann-Promenade	Maler
Mahlerplatz	Dramatiker
Schubertstraße	Wissenschaftler
Stifterstraße	Bildhauer
Grünewaldstraße	Schriftsteller
Röntgenstraße	Dichter

p. 158 *Aktivität B*

Assign one statement per group and give students enough time in order to decode the message(s) of each quote. Ask students to imagine possible reactions of the dictatorship, based on the knowledge they have about the Third Reich.

p. 159 *Schreiben Sie!*

Talk to your students about the formal aspects of an effective *Flugblatt* (*emphatisch, appellativ, rhetorische Fragen, . . .*). As a homework assignment, have students create a *Flugblatt* about something they believe in. As a whole class activity, ask students how they would go about distributing their *Flugblätter* in this day and age and how much they would be willing to risk to communicate their message.

KAPITEL 20

CHAPTER OPENER

pp. 162–163 *Chapter opening photo*

Ask students why there might be such a concentration of industry along the Rhine, and what that means for other uses of the river, such as tourism. How can Germany balance its industrial needs with environmental concerns? Ask students what other countries share the Rhine with Germany, and how different uses of the river might affect them.

p. 163 *Chapter opening letter*

This letter sets the theme for the video. After students watch the video, come back to the correspondence and ask them to express similarities and differences between the events as Klara describes them and the events as students remember them from the video. Additional activity: Ask students how they would have reacted to the litterbug.

VIDEOTHEK

p. 164 *In der letzten Folge*

Use this opportunity to have students speculate about where Markus's and Klara's romance is heading.

p. 165 *Aktivität B*

Ask students to write on the board what they would have written on the windshield. Additional activity: Have students work in pairs. Each student thinks of a place that is special to him/her. The other student asks questions such as: *Ist dieser Ort drinnen oder draußen? Ist es dort leise oder laut? . . .*

VOKABELN

p. 167 *Aktivität A*

Expansion: Ask students what kind of trash they commonly see on the streets or in vacant lots. Write each item on the board. What options do people have for dealing with these items? Ask students what recycling options exist in their neighborhood. Do they have a pick-up service? Or, do they need to take items to a drop-off location with recycling containers?

p. 167 *Aktivität B*

As a homework assignment, ask students to keep a detailed log of their actions, even the seemingly insignificant ones, for one day. At the end of the day, they should divide the list into two categories: *umweltfreundlich* and *umweltfeindlich*. They should make sure that they have done at least one positive thing to protect the environment. Which of their lists is longer? Additional activity: Have students give short reports on a company and its environmental politics. They can get the information either via the Internet or by actually visiting a company site. Additional activity: Brainstorm with the class about ways to make a business more environmentally conscious: What are alternative ways of packaging, saving of energy and water, and so forth. Then, working in small groups, have students plan an environmentally-friendly business. They should then identify their business and write an ad or, if a video camera or tape recorder is available, produce a short commercial for their new business.

p. 168 *Probleme der modernen Gesellschaft*

Introduce the topic by brainstorming with the class. Ask questions such as: *Welche Probleme gibt es hier auf der Uni? in Ihrer Nachbarschaft zu Hause? in Ihrer Heimatstadt oder Ihrem Heimatstaat? Welche dieser Probleme sind Ihnen wichtig? Was machen Sie, um Lösungen zu finden oder diese Probleme zu vermindern?*

p. 169 *Aktivität A*

As a homework assignment, ask students to look through a newspaper and cut out headlines dealing with major problems. As a whole class activity, spread all the headlines on the table and have students group them into bigger categories, such as *Umwelt, Politik, Gewalt*, and so forth. You might bring in headlines from various German publications to mix in with those from students. Do students find an equal number of English/German headlines in each category, or do some problems seem more significant in one language or another? Finally, ask students to look for any particular sentiments or slants in the wording of the headlines.

STRUKTUREN

p. 171 *Übung A*

Expansion: Have students work in pairs. After the first student makes a request with the *du*-imperative, the second student says: *Etwas höflicher bitte.* The first student then restates the request: *Würdest du . . . .* They continue with several more exchanges, alternating roles. Additional activity: Have students make up a list of polite requests directed toward people who disregard the environment: *Könnten Sie bitte etwas langsamer fahren? Würden Sie bitte nicht so viel Lärm machen?*

p. 172 *Kurz notiert*

Point out to students that English and German differ in a number of ways with regard to relative pronouns and clauses, as the examples illustrate. Therefore, it is better simply to think in terms of German and to follow the established rules for relative clause formation in that language.

p. 173 *Übung B*

Kettenspiel: You might divide students into four groups and assign each group one sentence from the exercise. The group should add more and more relative clauses to the sentence, creating a *Satzschlange*, which the group can then share with the class. Use the first sentence as an example: *Markus zeigte mir den Wald, in den er als Kind gegangen ist, in dem er mit seiner ersten Freundin gestanden hat, die nur acht Jahre alt war, dessen Freund Markus auch nur acht Jahre alt war, der schon Student auf der Universität in München ist, . . .*

p. 173 *Übung C*

Additional activity: Ask students to bring their own special photos to class. Working in pairs, students should use relative clauses to identify the people, places, things, or events in the photos: *Das ist der nette Herr, den wir auf unserer Reise kennen gelernt haben. Das ist das Haus, in dem ich aufgewachsen bin.* Their partners should also pose questions: *Ist das die(selbe) Studentin, die ich im letzten Foto gesehen habe?*

p. 173 *Übung D*

Encourage students to produce additional statements with relative clauses about the characters pictured. Additional activity: Have students work in pairs and take turns describing famous people with relative clauses. The first student starts with one sentence with a rela-

T-17

tive clause. He/she must continue giving clues, each with a relative clause, until his/her partner guesses the name.

EINBLICKE

p. 174 *Briefwechsel*

As a whole class activity, have students develop a project similar to the one Nina describes in the letter.

p. 175 *Wohin mit dem Müll?*

Have students find more information on Freiburg to share with the class.

PERSPEKTIVEN

p. 176 *Lesen Sie!*

You might want to add some additional information about Hilde Domin. The Inter Nationes author series includes a video about her.

KAPITEL 21
CHAPTER OPENER

p. 182–183 *Chapter opening photo*

Ask students what types of clothes they like to wear. Ask them what they wear on different occasions: to school, to work, or when they go out. Have they ever had difficulties in a certain situation only because of the way they were dressed?

p. 183 *Chapter opening correspondence*

Ask students what is currently "in" and if they consider themselves fashion-conscious. You might also introduce the words *Modepuppe* and *Modemuffel*. Additional activity: Ask students where they go to buy clothes. Additional activity: Tell students to wear something unusual to class the next day. Give them a few minutes to look at everyone and try to remember who is wearing what. Have students then sit in a circle facing out. Call on one student to describe another's clothes from memory.

VIDEOTHEK

p. 185 *Aktivität A*

After students have seen Thomas' new outfit, have them imagine a dialogue between Thomas and the salesper-

son who helped him. Have students first develop and practice their dialogue in pairs; then call on pairs to act it out for the whole class.

VOKABELN

p. 186 *Kleidung und Mode*

Bring in pictures of clothing or of people wearing different articles of clothing and ask students to describe what they see. Additional activity: Bring in a chart that lists North American and European sizes for clothing. Have students figure out their German clothing and shoe sizes. Additional activity: Invite volunteers to give a fashion show in class, in which they model their clothes and other students describe what they are wearing. Review expressions such as: *passt gut zu . . . steht ihr/ihm gut . . .*

p. 188 *Aktivität A*

Loriot's parody „Fernsehabend" would fit very well with this activity, as would Nina Hagen's song „Ich glotz TV". Students might also enjoy a very funny animated short film called „Sei lieb zu deinem Fernseher", featured in the Deutsche Welle/Goethe-Institut series „Die Deutschstunde".

p. 189 *Aktivität B*

Before students do this activity, engage them in a brainstorming session regarding additional questions they might ask each other about TV habits: *Hast du einen Fernseher/Videorekorder/Kabelanschluss? Wie oft, wie lange und wann siehst du fern?* Additional activity: Have each student write his/her name on a piece of paper and then put it face down on the table. Mix up the paper, then have each student pick one. After looking at the name, he/she writes down his/her assumptions about the person's TV habits. In addition, he/she should choose one show from the TV listing that he/she thinks this person might enjoy. Students then read their comments aloud about the students whose names they picked. Each student, in turn, then responds to the assumptions made about him/her.

STRUKTUREN

p. 190 *Passive voice*

Review the conjugation of *werden*. You might also want to review the various functions of *werden* (main verb, future auxiliary, subjunctive, passive auxiliary). Additional activity: Give students pictures of instruments or machines. Tell them to imagine they have to explain the function of these objects to someone who lives 500 years from now. Students should use the passive voice: *Das ist ein Auto. Es wurde gefahren.*

p. 194 *Echt Schick!*

As a homework assignment, have students gather information on fashion trends in North America through the decades and then compare their findings with Jäckel and Heide's fashion review.

WIEDERHOLUNG 7
VIDEOTHEK

p. 202 *Videothek*

Have students describe pictures in as much detail as possible using prepositions and adjectives. Have students reenact the dialogues from the second part of the activity in pairs, changing or embellishing it as they desire.

EINBLICKE

p. 206 *Einblicke*

Before listening to the announcement, it may be helpful to ask students whether they have worked as interns before. Ask them if they would be interested in doing an internship in a foreign country.

KAPITEL 22
CHAPTER OPENER

pp. 208–209 *Chapter opening photo*

Point out that Berlin is famous for its many museums—the *Museumsinsel* with the *Pergamonmuseum, das Ägyptische Museum,* and the museums in Dahlem, just to name a few. Students can take a virtual trip to many Berlin museums on the web.

p. 209 *Chapter opening correspondence*

Since the episode in this chapter takes place in Berlin, have students work with a map of Berlin and find the places mentioned in Evelyn's letter. Have students spec-

ulate about where Evelyn's family might live. Point out that there is an antique mall located next to a city train station Friedrichstraße. Point out to students that Berlin has a distinctive dialect, reflected by the words *keeken* and *jut* in Mimi's letter. The video contains many other examples. Ask students to speculate about Mimi's new furniture, the old picture, and what type of new picture she might want to buy. Ask students if they have ever bought or sold anything at a flea market, and to describe the items. Chain reaction: Ask students to recall Marion's trip to Rügen and some of the details of her stay. One student begins with a sentence, then other students follow, each adding one sentence to the story. One student could be the *Protokollführer* and write the episode down. Depending on the group of learners, students could change the facts to make up a new story about Marion's trip to Rügen.

VIDEOTHEK

p. 211 *Aktivität B*

Additional activity: Ask students to role-play a dialogue between a customer and a seller at the flea market and bargain over an item. Additional activity: Bring in slides, photos, or reproductions of paintings (preferably by German artists) and have students describe what they see. You might also want to bring excerpts from different pieces of music by German composers and have students decide which piece of music fits the style or mood of which painting.

p. 211 *Aktivität D*

Ask students if they like going to museums or galleries. What kind of museums do they like to visit? Encourage students to share their opinions about museums.

VOKABELN

p. 212 *In der Innenstadt*

IRCD. Use overhead transparencies to introduce vocabulary. Additional exercise: To review the passive voice, ask students which sentences in the display have constructions in the passive voice. Ask how students restate these sentences in the active voice with *man.*

p. 213 *Aktivität A*

Additional activity: Have students work in pairs and tell each other what furniture they have, how they arranged it, and where they bought it. You might want to first review furniture vocabulary and prepositions for this exercise.

p. 213 *Aktivität C*

Ask students if they ever worked in a store and what qualifications they needed. Additional activity: Ask students in which of the six stores they would most like to work and why: *eine Tierhandlung, eine Galerie, ein Juweliergeschäft, ein Reformhaus, ein Flohmarkt, eine Buchhandlung.*

p. 214 *Nach dem Weg fragen*

Kafka's short story *"Gib's auf!"* lends itself to discussion on directions.

p. 215 *Aktivität A*

Additional activity: Have students work in pairs. Give each student a map of a city in a German-speaking country. Tell each student to write down a destination, without revealing it to his/her partner. The first student then describes how to get to that destination from a given starting point. If his/her partner is able to follow along and get to the right destination, the first student gets a point. Then they reverse roles.

STRUKTUREN

p. 217 *Übung A*

As a homework assignment, have students use the past tense to write a short summary of Frau Stumpf's story.

p. 217 *Übung C*

This activity reviews the past tense of modal verbs, which students learned in *Beginning German 1.* For more practice and review of other verb forms, have students do the exercise a second time without the modals: *Ich wurde Künstlerin. Ich bin früh aufgestanden,* and so forth.

p. 219 *Übung A*

Students will not as likely confuse *wann* with *wenn* or *als,* if they remember that *wann* is a question word. Start this exercise by reviewing *wann*-questions. Ask questions such as: *Wann sind Sie zum ersten Mal an die Universität gekommen? Wann gehen Sie in die Bibliothek? Wann möchten Sie nach Deutschland fahren?* Have students ask *wann*-questions of you and their classmates. Help them realize that *wann* can refer to a general or specific time in the past, present, or future.

EINBLICKE

p. 220 *Briefwechsel*

Ask students to recall the incident with the beach umbrellas at the *Karneval* celebration in *Folge 5.* Additional activity: Have students bring in their favorite picture, poster, or photo. Have them describe the picture and tell why it is important to them.

p. 221 *Gabriele Münter—Das Leben einer Künstlerin*

Bring in slides and/or photos of German expressionist paintings. Ask students why they think the Nazis forbade Gabriele Münter to paint and why she had to hide her paintings and those of her friends from the Nazis. You might want to compare the so-called "degenerate" works of art (*entartete Kunst*) exhibition with fascist ideas about the criteria and purpose of art.

Point out the many simple past-tense forms in the text and ask students to produce the infinitives. Point out patterns such as *bleiben/blieb, erweisen/erwies,* and ask students if they can find any more verbs that fit the same pattern.

PERSPEKTIVEN

p. 222 *Lesen Sie!*

Encourage students to visit the numerous web pages with photos of Hundertwasser's art and the various houses and factory buildings that he rebuilt in Vienna, Bad Soden, Selb, and so forth. Most of these pages show how various buildings looked before and after Hundertwasser's reconstruction. Additional activity: Mention that Hundertwasser changed his name from Friedrich Stowasser to Friedensreich Hundertwasser. Ask students why he may have done this. What associations do they have with his original name? With his chosen name? Encourage your students to think up a *nom de plume* for themselves. Additional activity: Ask students to research the history of the building they live in: When was it built? What is the architectural style? How would they describe it? What changes would they make?

KAPITEL 23
CHAPTER OPENER

pp. 228–229 *Chapter opening photo*

Have students write down what they see in the picture in as much detail as possible. Then have them compare their observations with another student. Ask students how their families divide up the household duties. What do they think of more traditional arrangements, in which the father works and the mother stays home and cares for the family and the household? What difficulties do people face when they must juggle career and family? What are some possible solutions?

p. 229 *Chapter opening e-mail correspondence*

Ask students what advice they would give Heiner. Collect suggestions on the board. Additional activity: Have students work in pairs on the following questions: *Mögen Sie Kinder? Haben Sie Erfahrung im Umgang mit Kindern? Hatten Sie kleinere Geschwister, auf die Sie aufpassen mussten? Können Sie sich vorstellen, einmal als Au Pair zu arbeiten? Wenn ja, wo?* Additional activity: Ask students if they could imagine switching traditional roles. Have them describe a typical day in the life of a *Hausfrau/Hausmann.*

VOKABELN

p. 235 *Aktivität A*

Follow-up: Have students work in pairs and ask each other the following questions: *Treibst du gern Sport? Welchen Sport treibst du besonders gern? Wie oft machst du das? (jeden Tag, einmal in der Woche, . . .) Bist du in einem Verein? Wie oft trainierst du? Gibt es typische Sportarten für deine Region? Hast du dich schon mal verletzt? Wie findest du Leistungssport? Kannst du verlieren? Hast du schon einmal einen Preis gewonnen?*

STRUKTUREN

p. 238 *Übung C*

Having students throw a ball to each other to solicit advice makes this activity more dynamic and fun. The expression *an seiner/ihrer Stelle* allows students to practice the subjunctive without having to formulate a complex conditional clause with *wenn.* Create short sentences with weak verbs, such as *warten, sparen, kaufen, reisen, studieren, sagen,* and so forth. Tell students: *Ich habe*

keine Zeit zum Sport machen. Encourage them to respond with advice: *An Ihrer Stelle, . . .*

p. 238 *Übung D*

Additional activity: As a homework assignment, have students write a short essay with one of the following questions as a starting point. *Wenn ich eine Zeitmaschine hätte, würde ich (einen Tag, einen Monat, ein Jahr) (in der Steinzeit, in dem Mittelalter, im achtzehnten Jahrhundert, während der Jahrhundertwende, im Jahr 2100) leben. Wenn ich wiedergeboren würde, wäre ich gern . . .*

EINBLICKE

p. 241 *Hausmann sein—Das kann (fast) jeder*

Put students in groups of four. After they role-play a dinner conversation between the Stein family members, call on one or two groups to act out the scene for the whole class.

PERSPEKTIVEN

p. 242 *Hören Sie zu!*

As a homework assignment, have students formulate a letter from Heiner to the *Aupairmädchen* he found through the agency. Heiner should explain his and Roswita's situation and ask pertinent questions of the au pair. You might want to brainstorm such questions with the whole class beforehand. Writing as Heiner, students might also want to add some cultural aspects about Germany that the *Aupairmädchen* should know before she comes.

KAPITEL 24
CHAPTER OPENER

p. 248–249 *Chapter opening photo*

Ask how many students have had experiences as a babysitter, an au pair, or with childcare in general. Have they sometimes cared for a younger sibling or cousin? What are some of the possible benefits of being an au pair? What are the disadvantages?

p. 249 *Chapter opening journal entry*

Inéz mentions in her journal entry that she met some nice women at the park. Ask your students to speculate:

Was haben die Frauen Inéz vielleicht gefragt? Wie hat Inéz diese Fragen beantwortet? Welche Fragen hat Inéz vielleicht an die Frauen gestellt?

VOKABELN

p. 253 *Aktivität B*

Brainstorm with the class the advantages and disadvantages of different means of transportation, for example: *Das Flugzeug ist schneller als der Zug, aber im Zug sieht man mehr von der Landschaft. Mit dem Auto ist man flexibler als mit dem Zug, aber mit dem Zug gerät man nicht in einen Stau.* You might want to review the comparative before doing this exercise.

p. 255 *Aktivität D*

In groups of four, have students discuss the customs in their own country and how they would explain them to an au pair. Then write a list on the board of the customs that most students mentioned.

STRUKTUREN

p. 257 *Übung D*

Additional activity: Have students create a chain story. First, suggest a topic, such as a shopping spree at the mall, then have them work in pairs and write a string of sentences in the past tense. During the actual activity, one student starts by reading a sentence. He/she then names another student or throws a ball of wool at that student (so that they actually "spin a story"), who continues the chain. In the response, the new student uses *bevor* or *nachdem* to combine the previous sentence with one of his/her own, changing the tense of one clause to the past perfect. He/she then calls on someone else, and so forth.

WIEDERHOLUNG 8
EINBLICKE

p. 271 *Einblicke*

Before listening to the text, ask students what they know about ancient Greek and Roman cultures and the ancient cultures of the Middle East. Tell students that there are many artifacts from these cultures in various museums in Berlin, and one of the most famous collections can be found in the Pergamon Museum. Inform students that a *Leistungskurs* in the twelfth class at a Gymnasium is roughly equivalent to a twelfth-grade advanced-placement class at an American high school.

VIDEO EPISODE SYNOPSES

What follows is a summary of each episode of Level 2 of the *Fokus Deutsch* video course. Included for each episode are:

- a synopsis of the mini-drama story line,
- a synopsis of the outer frame story line involving Professor Di Donato and Marion,
- a summary of the communicative expressions introduced, and
- the topic for the guest speaker commentaries.

EPISODE 13: DER AUSZUBILDENDE

Since this is the beginning of Level 2, the episode starts with a review of Marion's story from the very beginning. Back in the Goethe Institut, Professor Di Donato wants to know why Marion is carrying so many books. Since they've been working together for a while now, he offers her the *du* form, the informal form of address, and asks her to call him "Bob." He wonders how the story is going. After having read quite a bit, Marion is sure the thing to do is to concentrate on the world of work. She begins to write the story of Michael Händel who is an apprentice at a large shipping company in Hamburg. Professor Di Donato describes Hamburg, Michael's new home.

In the mini-drama, we first see Michael getting dressed to go to his new workplace. He asks a passer-by where the closest bus stop is. Michael shows up at his new workplace and introduces himself to the secretary. He then meets his boss, Dieter Schäfer, who shows him around the office. He meets the people with whom he'll be working. Herr Schäfer takes him to the wharf where one of the company's ships is waiting to depart. On the way his boss asks him how he likes the firm and the city of Hamburg. And he invites Michael to dinner on Friday evening.

Back in the Goethe Institut, Professor Di Donato finds the story about a day in the life of an apprentice interesting and wonders how usual it is that a boss would invite an apprentice to dinner. He comments on how Michael has dressed up for his first day of work and that he took the bus, instead of driving. He also comments on what the office looks like and asks Marion why Michael has to be an apprentice in the story.

Marion replies that not everyone in Germany goes to the university. Some people want to learn a trade. Professor Di Donato comments that Michael seems to be a different person here than the Michael on Rügen, to which Marion replies that upon entering the work world, Michael has become more mature.

This discussion offers a segue to the guest speakers, who comment on friends of theirs who have learned a trade and what the apprenticeship was like for them. Professor Di Donato would like Marion to include more of her story. But Marion counters that Michael's story reflects how German youth are searching for their own identity. Professor Di Donato suggests they change something in Michael's story. Marion knows just what to do.

Episode 13 also presents expressions for introducing oneself, introducing someone else, inviting someone to a meal, accepting an invitation. Three guest speakers also talk about friends who have worked on an internship.

EPISODE 14: DER TRICK

In this mini-drama, Michael and his boss arrive on the ship where Michael is introduced to the captain and the crew. The first officer wants to know if Herr Schäfer wants to go with them but he says he can't and suggests they show Michael the ship. Not long after the first officer begins to do so, the ship suddenly begins to leave the port. Michael leans over the railing and shouts that he's got to get back to land. He asks the crew to stop the ship but they reply that the next stop would be America. Michael doesn't know what to do.

Back in the Goethe Institut, Marion asks Professor Di Donato for his reaction. He doesn't react at first, but then says he didn't like the story at all. He simply can't believe the story. Marion wants to maintain her freedom as an author, to which Professor Di Donato agrees, but he wants to make a few suggestions. He wants to add a narrator to the story as well as something unusual, a mysterious song perhaps. Marion replies, saying, the sea can be cruel. Michael's boss leaves him aboard ship. The ship leaves the port and sails into the open sea. Professor Di Donato is still not happy with this story line. They have to figure out a way to get Michael off the ship. As it happens, a certain Herr Friedrichs is leaving the ship on a small boat and can take Michael along back to the dock. One of the crew, Jens Jensen, retorts that it's a shame to lose Michael, as he could have become the ship's cook.

Back in the Goethe Institut, Marion thinks this ending is all right, but both she and Professor Di Donato are still not happy. Still, they both think the story was worthwhile in terms of learning German. They both agree that it might have been a mistake to try to make Michael more interesting. He has become a caricature of himself. Veering off into another direction, Marion thinks his story should have shown the historical conflict between workers and bosses. Professor Di Donato thinks that's far too political. Michael should remain a nice guy who is trying to learn a career in the business world. Once again, Professor Di Donato suggests that Marion return to her own story but she thinks it's too late. At that point, she coyly suggests that maybe someone else is writing the stories and holds a mirror up reflecting the cameras and crew associated with the telecourse. Professor Di Donato maintains that there is only Marion and himself.

Episode 14 also presents expressions for getting someone's attention, reacting to an incredible situation, and wishing someone a good trip.

EPISODE 15: ZU VIEL SALZ

In this episode Professor Di Donato invites his assistant Marion to dinner at his home in Boston, where he prepares an Italian meal. Marion arrives and has brought the professor a small gift—chocolates. They are a type of candy called "Mozartkugeln." Professor Di Donato explains that the apartment doesn't belong to him but has been rented for the duration of his work on the course. After the ravioli caprese, they have Schwarzwälder Kirschtorte, which Professor Di Donato has purchased from a small pastry shop nearby. Marion is too full to have a piece of the torte, but finally gives in. Over coffee, they discuss birthday customs in Germany and how the person who has the birthday often invites guests to dinner either at home or at a restaurant.

In the mini-drama, Herr Schäfer is making a special dish for dinner, rack of lamb provençale. As the "birthday boy," he is responsible for the cooking, but his wife and daughter, who claim he never seasons his food properly, get into the act, too. Friends of the Schäfers, Uwe and Renate Cornelius, arrive and are greeted. Uwe offers Dieter a bouquet of flowers. Afterwards Michael arrives. In the meantime, Herr Schäfer, his wife, and his daughter each takes a turn seasoning the meat and vegetables, especially with salt, when the others are not watching. In the end the meal is ruined. As a solution, the daughter Eva suggests they go to a restaurant. This proves more difficult than they had thought. The first restaurant is closed that day (*Ruhetag*) and the other is hosting a private party. Michael has a suggestion: They head to a snack bar on the wharf where they can get Bratwurst, French fries, herring, and other "delicacies."

Back in the Goethe Institut, Marion and Professor Di Donato agree that Michael's story is getting a little more interesting, but they think it's perhaps time to concentrate on the Schäfer family in the next episode. But first, it's time for a review.

Episode 15 also presents expressions for asking someone for clarification, when you're not certain about something, making suggestions, and asking for general information. Guest speakers also talk about how they celebrate their birthdays.

Review Episode (*Wiederholung*) 5 contains the uninterrupted mini-dramas from Episodes 13–15.

EPISODE 16: AM WOCHENENDE

The beginning of Episode 16 finds Marion and her sister Sabine in a gym in Boston. Marion doesn't feel like working this weekend and laments the fact that she has agreed to do so. Sabine keeps reminding her what a big help she is to Professor Di Donato in developing the German course. In the meantime, Professor Di Donato is sitting on the balcony of the Goethe Institut on a mild sunny day and talking to the viewers about what he likes to do on the weekend. This leads into statements by the guest speakers who also discuss what they like to do on the weekend. When Marion arrives at the Goethe Institut, Professor Di Donato and she sit down at a table for coffee and cake. Marion has a new idea for the next story: She wants to show what people in Germany typically do on the weekend. Professor Di Donato thinks it's a great idea.

In the mini-drama, we experience the Schäfer family's weekend routine: from getting the car washed to mowing the lawn, from grocery shopping to installing a new shelf in the garage. In the afternoon Uwe and Renate Cornelius come by for coffee and cake and the two men watch a soccer game on television. They then decide to go jogging in a nearby park, and remember to take along waste paper and glass to be thrown into the recycling bins located there. During their jog they make a small detour to a *Gaststätte* or tavern where they sit and talk over a beer. Uwe tells Dieter that his firm may transfer him to Thuringia where the company has bought a plant. He hasn't told his wife Renate yet about the possibility and asks Dieter to keep the information to himself.

In front of a large map at the Goethe Institut Marion and Professor Di Donato are discussing Uwe Cornelius's possible move to Thuringia and the fact that before German reunification Thuringia was a part of the German Democratic Republic. They talk about the events of November 1989, the fall of the Berlin Wall, and the reunification of Germany. Marion states that there were and still are many difficulties associated with the reunification of Germany, and Professor Di Donato suggests that she write about some of these in her next stories.

Episode 16 also contains vocabulary for weekend activities, and guest speakers talk about what they do on their weekends.

EPISODE 17: NACH THÜRINGEN?

This episode focuses on the Cornelius family and how they deal with a possible move to Thuringia. In the beginning of the episode we find the family at breakfast: Uwe, Renate, and their daughter Nina, who is heading off for school. Uwe has to catch the S-Bahn, a commuter train, into the city. Klara, their older daughter, is just getting up. Meanwhile, back at the plant, Uwe Cornelius greets some of his co-workers. He then gets called to his boss's office. At the same time, we see Renate, who teaches at a local school, in the middle of a geography lesson. Back in his boss's office, Uwe discusses the move to Thuringia. The plant wants to send him there for two years as their technical manager. He shows him where the plant is located on a map and tells him the firm really needs him in Thuringia. Back in her Boston apartment, Marion tells Sabine that she is trying to write a family drama with a deeper message. She's uncertain as to how it is going. Marion is also homesick.

Episode 17 also presents expressions for asking someone how things are going, how to request specific information, and how to convince someone to do something.

EPISODE 18: DIE LÖSUNG

At the beginning of the episode Marion and Sabine are at the Goethe Institut. Sabine had not been there before and is curious to see where Marion is working with the professor on the German course. Marion wants to tell Professor Di Donato who she really is, but Sabine tries to dissuade her from it. She'll eventually discuss it with the professor, just as Uwe and Renate Cornelius discuss the move to Thuringia and find a solution to their dilemma. Excerpts from the mini-drama show how the family reacts to news of the possible move.

At the Goethe Institut Sabine hears someone coming and disappears, urging Marion not to tell Professor Di Donato her true identity just yet. Professor Di Donato introduces Marion to Manfred von Hoesslin, a colleague at the Goethe Institut, whom he thanks for the use of the facilities in filming the German course. After Manfred leaves, Marion starts to tell the professor who she is but then loses courage.

In the mini-drama, we're back at the Cornelius home where there is lots of discussion about the move. Renate Cornelius doesn't want to give up her job as a teacher. Klara is going off to study the following year anyway, so it doesn't matter to her if the family moves or not. Nina thinks school is a drag anywhere, so she's not against the move.

The next day, in the plant cafeteria, Uwe talks to a colleague, Willi Lehmann, about the move. Willi's family isn't thrilled about it either and he tells Uwe they've worked out a compromise: Monday through Friday he will be in Thuringia and weekends in Hamburg. Later that day, Renate and Uwe are sitting on a park bench near the "Binnenalster," a small lake near the center of Hamburg. Renate realizes this move is a good opportunity for Uwe. She suggests he go to Thuringia during the week and come back to Hamburg on the weekends. Uwe thinks it's a good idea and they reminisce about the commuting they did in their student days. As the mini-drama comes to a close, we see a kite flying off in the distance.

Professor Di Donato likes the symbol of the kite that Marion uses to visualize Uwe and Renate's problem. Marion and Professor Di Donato discuss the compromise that Uwe and Renate reached. She gives the professor a list of all the topics she has covered from the world of work with Michael to the ruined dinner at the Schäfers', from leisure time activities to problems families encounter when a job transfer occurs. This discussion leads to the guest speakers who comment on what they like to do in their free time. Marion suggests more ideas for stories and already has a good idea for the next one.

Episode 18 also gives expressions for saying that one is looking forward to doing something, how to wish someone a nice meal, and how to express apathy. Guest speakers also talk about how they spend their leisure time.

TEACHING NOTES

Review Episode (*Wiederholung*) 6 contains the uninterrupted mini-dramas from Episodes 16–18.

EPISODE 19: DER SPAGHETTI-PROFESSOR

In this mini-drama, Klara, a new student at the University of Munich, wants to register for a practicum. But she soon finds out that there is no room in the course and that she might have to wait until the next year to take it.

Back in the Goethe Institut, Marion tells Professor Di Donato that she likes the idea of presenting a story about a student at the university and what she has to do to succeed there. After all, next year Marion herself will be off to a university. He asks to see the script which Marion begins to outline, but he doesn't want her to give away the ending. Professor Di Donato is surprised to find out Marion wants to call the episode "Il Professore Spaghetti."

Back in the mini-drama, Klara and her friend, Sonja, are in line at the university *Mensa* (cafeteria) and talk about the practicum Klara has to sign up for. After lunch, she goes to the office to sign up, where she encounters a large group of waiting students. When the professor comes out, she finds that the practicum is full and that she will have to wait until next year. Markus, a fellow student, offers her his space in the course. Later Klara meets with Sonja and she tells her about what happened. Klara only knows the first name of the student who gave her his spot. They both go to the library where Klara spots Markus but then loses his trail. Before they leave the library, Sonja invites Klara to dinner at the dormitory that evening.

Professor Di Donato is still puzzled about the title of the episode. Marion insists that Klara's dilemma has to have a big finale but Professor Di Donato isn't at all convinced that Klara has a dilemma in the first place. Marion feels that Klara is experiencing a tension between academic knowledge and personal happiness at the university.

Later, in the mini-drama, a group of international students gathers at the dormitory. Sonja introduces Klara to the group. Unnoticed by Klara, Markus is standing at the stove cooking dinner. He is introduced to her as "Il Professore Spaghetti." Klara can't believe her eyes.

Professor Di Donato thinks the story is too superficial. Marion disagrees but wants to know if the story was useful for learning German. At the end of the episode Marion decides that she wants to drop the topic of the university and get into a more politically engaging subject. She suggests pollution.

Episode 19 offers expressions for asking someone to come along and for saying that one has no time to do something.

EPISODE 20: DER UMWELTSÜNDER

In this episode, Klara and Markus are going to visit Markus's mother. In the car Klara wants to know how long it will take to get there. Markus says that he told his mother they would come by for coffee in the afternoon. As they approach the small town where Markus's mother lives, they find they are a bit early. Markus tells Klara to drive into the woods; he wants to show her the spot where he always rode his bike with his girlfriend when they were eight. Suddenly they spot someone throwing trash down a hill in the woods. Klara wants to notify the police. But then she has another idea.

Back in the Goethe Institut, Professor Di Donato wants Marion to tell him what Klara is going to do. Marion replies in vague terms: "She'll do what she has to." Rejoining Markus and Klara in the woods, we see that Klara has sneaked up to the polluter's car and, in the dirty windshield, has left a little message for him. Later, when Markus and Klara arrive at Markus's mother's house, they see his brother Thomas. Markus introduces Klara to Thomas and starts criticizing Thomas's clothes. They tell Markus's mother about their encounter with the polluter. Markus says they forgot to write down the license plate number, but Klara had already done so on her palm with lipstick.

Professor Di Donato is very pleased with the episode. Marion liked the idea of putting a "bad guy" into the story and adding a little dramatic tension. Outside the Goethe Institut, Professor Di Donato asks Marion what she's going to do over the weekend. She thinks she might go to the disco with a friend from Germany. Again she tries to tell Professor Di Donato about herself, but he is in a hurry and must break off the conversation. Back at Marion's apartment, Marion and Sabine get ready to go out and experience some night life.

Episode 20 presents expressions for asking whether someone has done something, asking how long something will last, what to say when one is disgusted, and what to say when one has an idea.

EPISODE 21: DIE FALSCHEN KLAMOTTEN

Marion and Sabine are in front of a Boston disco where Marion is lamenting the fact that she can't go in because she's too young. Sabine suggests that they get something to eat or go to the movies but Marion really wants to dance. She resigns herself to not being able to go and thinks she might use the situation as an idea in her next story.

In the mini-drama, Thomas is in his room playing at the computer when his cousin Laura Stumpf (who is visiting) comes in. She asks if he'll go to a concert with her at the Roxy, where "Die heißen Ohren" are playing. As usual, Thomas isn't interested. Laura tries to make him feel guilty by telling him that the next day is the last day of her visit and that the least he could do is accompany her to the door of the disco. A while later Thomas decides to go to the Roxy with her after all. Both Thomas's mother and Laura are surprised that she was able to persuade him to go. Once at the disco, Laura heads right in, leaving her cousin behind. As Thomas is about to enter, he finds that he can't get in. As it happens, the clothes he is wearing are "out." Minutes later, Laura comes out and asks the doorman if he's seen her cousin, to which he replies "no."

Back in his room Thomas looks at himself in the mirror. His mother is also surprised that he's home. Thomas asks his mother where his bank book is. Laura returns and chastises Thomas for not going to the Roxy with her. He explains that the doorman didn't let him in because his clothes weren't "right." Laura recommends that he get some new duds because "Die heißen Ohren" will be back for another concert in four weeks. Later, Thomas goes out and purchases new clothing. He tries on his new "far out" outfit, and his mother barely recognizes him. He tells her he's going to the concert at the Roxy. At the door of the Roxy, however, he is once again denied entrance.

In the Goethe Institut, Marion explains to Professor Di Donato that most young people do not have much money for clothes. Professor Di Donato says Thomas wouldn't have gotten into the disco anyway because he's too young, to which Marion replies that Germany is more liberal in this regard. Professor Di Donato asks Marion how old she is. She cryptically replies that "Marion" is 18, but that she is 19, something he does not quite understand. At this point, "Marion" finally tells him that she's not "Marion." Professor Di Donato is confused by the whole thing but "Marion" can't explain it at this point. She has to meet her sister at the museum. Professor Di Donato is left in a state of confusion.

Episode 21 also presents phrases for expressing regret, for kidding someone, and for telling someone to get lost.

Review Episode (*Wiederholung*) 7 contains the uninterrupted mini-dramas from Episodes 19–21.

EPISODE 22: EIN NEUES GEMÄLDE

At the opening of the episode, we see Susanne Dyrchs and her sister, Sabine, walking through Busch Reisinger Museum in Boston and looking at paintings by Beckmann, Feininger, and others. They stop to comment on Franz Marc's „*Die roten Pferde*" ("The Red Horses"). Susanne would like to have a poster of it. After a moment, she suddenly has an idea for the next episode: an adventure with art and forgeries.

In the mini-drama, we see the Stumpf family living room, where Evelyn Stumpf, Laura's mother, shows her son-in-law, Heiner, and her other daughter, Roswita, their new couch. Roswita thinks the old painting hanging above it doesn't fit anymore. Even though the painting comes from Evelyn Stumpf's grandfather, it simply clashes with the couch. Evelyn and her husband Karl look at the price of a painting at a gallery. Two thousand marks is just too much to pay. They go to a flea market where they find a painting they like very much but the frame is damaged. Karl is able to get the painting for much less money. They take it to an art restorer who thinks the painting may be very a valuable Macke. Macke paintings are worth 300,000 marks in today's market.

Once back at home, Karl Stumpf falls asleep in his chair and begins dreaming that he's at an art auction. His wife wakes him up and Karl tells her that their picture is worth 300,000 marks. However, once they return to the restoration artist's shop, they learn that the picture is not a Macke and therefore isn't worth anything at all. However, as it turns out, the frame is worth something, and the artist offers them 2000 marks for it. But Evelyn Stumpf doesn't want to sell it. She's happy to have bought something of value and likes the idea of having it in her home.

Back at home, Karl Stumpf tries to hang the new painting on the wall. Heiner walks in and compliments them on their choice of a new painting. Karl Stumpf asks where Roswita is. Heiner explains she has to work overtime. Evelyn explains that Roswita is working and Heiner is a house husband, which does not elicit a favorable response from Karl. He mutters something about the husband being boss.

Meanwhile, back at the museum, Susanne and Sabine continue to view the paintings. Sabine notices Professor Di Donato entering the hall. Susanne introduces Sabine to Professor Di Donato who says that he knew who "Marion" was all the time. He has let Susanne continue to play Marion, his assistant, because he thought the viewers could learn more that way. He tells Susanne that they still have two stories to tell. Susanne suggests they tell the story of a modern family where the wife works and the husband stays home.

Episode 22 also presents expressions for calling attention to something and offering a solution to a problem. Viewers also see several examples of German art from the Busch Reisinger Museum in Boston.

EPISODE 23: DER HAUSMANN

In this mini-drama, Heiner Sander is at home taking care of his son Kai. Everything imaginable is going wrong. The phone rings, the milk boils over, Kai is furiously crying. Evelyn Stumpf, his mother-in-law, is waiting at the park for the two of them to show up. While she's waiting, she starts up a conversation with a woman sitting next to her on the park bench and explains that her son-in-law is probably having a few problems with the baby. The woman on the bench thinks Frau Stumpf's daughter must be ill, but Frau Stumpf explains that her son-in-law has *Erziehungsurlaub* (paternity leave). Finally, Heiner and Kai arrive.

Later, back at the apartment, Heiner is getting restless because Roswita hasn't come back from the office yet and this is his night to play court soccer. He will have to take Kai with him. Meanwhile at the gym, Heiner's friends begin to wonder where he is. He eventually shows up with Kai. Back at their apartment, Roswita Sander arrives home and reads the note left by Heiner. She heads for the gym and arrives while the men are playing ball. Heiner's friends get more and more upset because he's interrupted so often by a crying Kai. Roswita leaves and takes Kai home with her. Later, back at their apartment, she tells Heiner that Kai didn't want to eat and that he cried all the time. Heiner tells her Kai is teething and that's why he bought Dentinox. She's surprised that he knew that. Heiner is happy that his *Erziehungsurlaub* is almost over and that it's now Roswita's turn to take care of Kai. But Roswita's boss offers her a new opportunity, and so she suggests to Heiner that they consider having an au pair care for Kai.

Back at the Goethe Institut, Professor Di Donato and Susanne discuss the idea of bringing an au pair into the Sander's household for the next episode. Susanne isn't sure she can write another episode but the professor is encouraging. He suggests they show the experiences of an au pair from Mexico in a German family. But Susanne is tired of writing, and insists that Professor Di Donato try his hand at the story.

Episode 23 also offers phrases for expressing approval, resignation, and frustration.

EPISODE 24: DAS AU PAIR

In the Goethe Insitut, Professor Di Donato and Susanne take official leave of "Marion" and greet Susanne Dyrchs. They present the story of Inéz, an au pair, and her experiences with a German family.

In the mini-drama, Roswita and Heiner arrive a little late at the airport, though with great anxiety, only to find out that Inéz' flight from Mexico will be two hours late. Later as they are looking for her in the crowd that is deplaning, they believe they spot her. Roswita goes up to her and asks if she's Inéz. Neither one is sure how to greet the other. Heiner welcomes her with a handshake.

At the breakfast table the next morning Roswita is in the process of leaving as Inéz saunters into the kitchen. She tells Inéz to say "du" to her. Heiner offers her some breakfast which she tries. Later that day, Inéz gets into a conversation with several young mothers at the park. She shows them pictures of her family in Mexico. Inéz suddenly remembers she has to go food shopping, but it's four o'clock on Saturday and the women tell her that the stores close at four.

Meanwhile at the Sanders' apartment Roswita is getting a little uneasy waiting for Inéz and Kai. On the street Inéz finds out she can still go to the main train station to buy groceries. Back at the Sanders' apartment, both Heiner and Roswita are getting more and more worried. Roswita asks if they should call the police. Heiner wants to go looking for the two of them. As he's about to leave, Inéz and Kai finally arrive home and Roswita asks where they were. She and Heiner find out that Inéz was at the train station buying groceries.

On another day, we see Inéz in front of the Goethe Institut in Berlin. She is talking to a group of classmates. Later, at home, she asks Roswita and Heiner if she can invite a few friends over to cook a Mexican meal. They like the idea. The party has lots of dancing and celebrating.

In the Goethe Institut in Boston, Professor Di Donato and Susanne are wondering whether the course has helped viewers learn German. Professor Di Donato mentions the books and other materials that people use as they follow the course. He also asks if Susanne will stay on a while longer to continue with the course. She wants to continue but now the format will be different. Instead of stories, real issues will be presented and discussed.

Episode 24 also provides expressions for how to ask for specific information, what to say when one wants to welcome someone, and how to react to something when one is agitated.

Review Episode (*Wiederholung*) 8 contains the uninterrupted mini-dramas from Episodes 22–24.

TEACHING NOTES

SPELLING REFORM

With the German spelling reform, a handful of common words are now spelled differently. The new rules also affect capitalization and compounding. The vocabulary lists at the end of each chapter and at the end of the student edition present the new spelling. Below is a brief summary of the most important new rules. Also provided are words appearing in vocabulary lists and exercises that are affected by the spelling reform, along with the old spellings. (This list is not a complete list of words affected by the spelling reform.)

- ß or **ss**? The new rule is simple. Write **ss** after a short vowel, but **ß** after a long vowel or diphthong.

OLD	NEW
aufpassen (paßt auf), paßte auf, aufgepaßt	aufpassen (passt auf), passte auf, aufgepasst
ein bißchen	ein bisschen
Erdgeschoß, Erdgeschösse	Erdgeschoss, Erdgeschösse
essen (ißt), aß, gegessen	essen (isst), aß, gegessen
Eßtisch	Esstisch
Eßzimmer	Esszimmer
Fluß, Flüsse	Fluss, Flüsse
häßlich	hässlich
lassen (läßt), ließ, gelassen	lassen (lässt), ließ, gelassen
müssen (muß), mußte, gemußt	müssen (muss), musste, gemusst
Schloß, Schlösser	Schloss, Schlösser
vergessen (vergißt), vergaß, vergessen	vergessen (vergisst), vergaß, vergessen
wissen (weiß), wußte, gewußt	wissen (weiß), wusste, gewusst

- Some words are now two. Many of these were formerly compound verbs.

OLD	NEW
kennenlernen, lernte kennen, kennengelernt	kennen lernen, lernte kennen, kennen gelernt
radfahren (fährt Rad), fuhr Rad ist radgefahren	Rad fahren (fährt Rad), fuhr Rad, ist Rad gefahren
spazierengehen (geht spazieren), ging spazieren, ist spazierengegangen	spazieren gehen (geht spazieren), ging spazieren, ist spazieren gegangen
soviel	so viel
wieviel	wie viel

T-30

- When three of the same consonant follow each other in a compound word, all are kept.

OLD	NEW
Schiffahrt	Schifffahrt

- Some words that used to be written separately are now compounds.

OLD	NEW
weh tun (tut weh), tat weh, weh getan	wehtun (tut weh), tat weh, wehgetan
irgend etwas	irgendetwas
irgend jemand	irgendjemand
Samstag morgen, . . . mittag, . . . abend	Samstagmorgen, -mittag, -abend

- Several common words are affected by new capitalization rules.

OLD	NEW
auf deutsch	auf Deutsch
heute morgen, . . . mittag, . . . abend	heute Morgen, . . . Mittag, . . . Abend
leid tun	Leid tun
morgen mittag, . . . abend	morgen Mittag, . . . Abend
recht haben	Recht haben

- Second person familiar pronouns are no longer capitalized in letters, unless they follow terminal punctuation.

OLD	NEW
Du, Dich, Dir, Dein, Ihr, Euch, Euer	du, dich, dir, dein, ihr, euch, euer

- When two independent main clauses are conjoined with **und,** a comma is no longer mandatory. It is recommended, however, if it aids comprehension.

OLD	NEW
Kaiser Wilhelm regierte in Deutschland, und Franz Josef herrschte in Österreich.	Kaiser Wilhelm regierte in Deutschland und Franz Josef herrschte in Österreich.
Kaiser Wilhelm regierte in Deutschland, und Österreich war unter den Hapsburgern.	(no change)

FOKUS DEUTSCH

FOKUS DEUTSCH

BEGINNING GERMAN 2

ANKE FINGER
Texas A&M University

ROSEMARY DELIA
Mills College

DANIELA DOSCH FRITZ

STEPHEN L. NEWTON
University of California, Berkeley

LIDA DAVES-SCHNEIDER
Chino Valley (CA) Unified School District

KARL SCHNEIDER
Chino Valley (CA) Unified School District

Chief Academic and Series Developer
ROBERT DI DONATO
Miami University, Oxford, Ohio

Boston   Burr Ridge, IL   Dubuque, IA   Madison, WI   New York   San Francisco   St. Louis
Bangkok   Bogotá   Caracas   Lisbon   London   Madrid
Mexico City   Milan   New Delhi   Seoul   Singapore   Sydney   Taipei   Toronto

McGraw-Hill Higher Education

*A Division of The **McGraw-Hill** Companies*

This is an ⊡ book.

Fokus Deutsch
Beginning German 2

Copyright © 2000 by the WGBH Educational Foundation and the Corporation for Public Broadcasting. All rights reserved. Printed in the United States of America. Except as permitted under the United States Copyright Act of 1976, no part of this publication may be reproduced or distributed in any form or by any means, or stored in a data base or retrieval system, without the prior written permission of the publisher.

This book is printed on acid-free paper.

1 2 3 4 5 6 7 8 9 0 VNH VNH 9 0 9 8 7 6 5 4 3 2 1 0 9

ISBN 0-07-027594-7

Editor-in-Chief: Thalia Dorwick
Senior sponsoring editor: Leslie Hines
Development editors: Sean Ketchem, Paul H. Listen
Senior marketing manager: Karen W. Black
Project manager: Terri Edwards
Senior production supervisor: Richard DeVitto
Designer: Francis Owens
Cover designer: Vargas/Williams Design
Illustrators: Wolfgang Horsch, Manfred von Papan, Eldon Doty, Anica Gibson, maps by Lori Heckelman
Art editor: Nora Agbayani
Editorial assistant: Matthew Goldstein
Supplement coordinators: Louis Swaim, Florence Fong
Compositor: York Graphic Services, Inc.
Typeface: New Aster
Printer and binder: Von Hoffmann Press

Cover photographs Center image © Jeff Hunter/Image Bank; bottom photographs are from the ***Fokus Deutsch*** video series.

Because this page cannot legibly accommodate all the copyright notices, page I-5 constitutes an extension of the copyright page.

Library of Congress Catalog Card Number: 99-64748

http://www.mhhe.com

CONTENTS

VI

VIII

XIV

XVII

APPENDICES

APPENDIX A

GRAMMAR TABLES

1. Personal Pronouns A-1
2. Definite Articles and **der-**Words A-1
3. Indefinite Articles and **ein-**Words A-1
4. Question Pronouns A-2
5. Attributive Adjectives without Articles A-2
6. Attributive Adjectives with **der-**Words A-2
7. Attributive Adjectives with **ein-**Words A-3
8. Prepositions A-3
9. Relative and Demonstrative Pronouns A-3
10. Weak Masculine Nouns A-4
11. Principal Parts of Irregular Verbs A-4
12. Common Inseparable Prefixes of Verbs A-6
13. Conjugation of Verbs
    Present Tense A-6
    Simple Past Tense A-7
    Present Perfect Tense A-8
    Past Perfect Tense A-8
    Subjunctive A-9
    Passive Voice A-10
    Imperative A-10

APPENDIX B

Alternate Spelling and
    Capitalization A-11

VOCABULARY

German–English A-13
English–German A-69

INDEX

Part 1: Grammar I-1
Part 2: Topics I-2

PREFACE

Welcome to **Fokus Deutsch** *Beginning German 2*, the second part of a complete video-based course for beginning and intermediate learners of German. **Fokus Deutsch** brings German language and culture to life with a video series that spans three levels of instruction. Whether you have used **Fokus Deutsch** *Beginning German 1*, or are just starting with **Fokus Deutsch** *Beginning German 2*, you will find that the approach offers a seamless transition for using the textbook and the video series. The textbooks feature a uniquely clear and user-friendly organization, with both levels containing an identical chapter structure, while the video series begins a new format and story line. Overall, the self-contained modules of the **Fokus Deutsch** series maximize flexibility for your German course.

THE FOKUS DEUTSCH SERIES

WHAT IS *FOKUS DEUTSCH*?

A video-based course for German language and culture, **Fokus Deutsch** consists of three levels that span the introductory and intermediate stages of learning. Each level of the video series consists of twelve fifteen-minute episodes and four fifteen-minute reviews. A total of twelve hours of video across the three levels of the program brings the richness of German language and culture to beginning and intermediate learners.

The video series for **Fokus Deutsch** Level 1 follows the lives of the fictional Koslowski family: Marion, her brother Lars, and their parents Vera and Heinz.

Level 2 presents a number of mini-dramas that offer insights into the lives of other speakers of German. Level 3 offers cultural, historical, and personal perspectives on themes of interest to instructors and learners. This intermediate course can follow any beginning level program.

THE CONCEPT OF THE VIDEO SERIES

Fokus Deutsch integrates mini-dramas, authentic cultural and historical footage, and personal testimonials to provide learners with an in-depth view of German language, society, culture, and history. The

Fokus Deutsch series develops a simple concept: A young German student (Marion Koslowski) comes to the United States to help an American professor (Dr. Robert Di Donato) create a contemporary German language course that focuses on historical and cultural studies. Together through the videos, they teach German language and culture as they present a variety of issues important to German-speaking people today and offer insights into the historical concepts of these topics.

A "GERMAN STUDIES" APPROACH

Fokus Deutsch uses a "German studies" approach; that is, the series teaches language while covering a wide array of cultural and historical topics from many different perspectives. Topics range from everyday life, family, work, and daily routines to political and social issues that affect German-speaking people today. Themes also include the worlds of art, theater, and film. In Levels 1 and 2, Professor Di Donato and Marion introduce the topics, which unfold within the context of the mini-dramas and through commentaries of speakers of German from Austria, Switzerland, and Germany. Cultural footage, interspersed throughout, provides actual views of life in various geographical locations and authentic treatment of topics such as the **Abitur** and **Karneval.** Level 3 picks up the topics introduced in Levels 1 and 2 and

explores them from a documentary perspective through historical and contemporary cultural footage. This German studies approach to language learning enables viewers (1) to gain a wide variety of insights into German culture, society, and history of speakers of German; (2) to explore topics from multiple perspectives; and (3) to gradually understand and communicate in German.

Fokus Deutsch enables students to focus on the following "Five Cs of Foreign Language Education" outlined in *Standards for Foreign Language Learning: Preparing for the 21st Century* (1996; National Standards in Foreign Language Education Project, a collaboration of ACTFL, AATG, AATF, and AATSP). *Communication* and *Cultures:* With the *Fokus Deutsch* approach, students communicate in German in meaningful contexts, as they learn about and develop an understanding of German-speaking cultures. *Connections:* The videos, readings, activities, and exercises all encourage students to connect their German language study and other disciplines with their personal lives. *Comparisons: Fokus Deutsch* helps students realize the interrelationships between language and culture and compare the German-speaking world with their own. *Community: Fokus Deutsch* offers many opportunities for learners to relate to communities of German-speaking peoples through a variety of interactive resources, including the Internet.

HOW TO USE FOKUS DEUTSCH

Fokus Deutsch offers several options for using the materials in a traditional classroom setting. For example, an instructor may

- use both the Textbook and video series in the class, assign most of the materials in the Workbook and Laboratory Manual for homework, and follow up selected activities and discussions in class.

- use only the Textbook in class, and students view the video episodes at home, in the media center, or in the language laboratory.

  Fokus Deutsch is also designed as a complete college-credit telecourse for the distant ("at-home") learner: Telecourse students can watch each episode and complete all sections of the Textbook and Workbook and Laboratory Manual.

  In all cases, students should watch each episode from beginning to end without interruption. They can replay and review selected segments once they are familiar with the content of an episode. The Instructor's Manual provides more detailed suggestions for using the **Fokus Deutsch** materials.

OTHER OPTIONS FOR USING *FOKUS DEUTSCH*

The **Fokus Deutsch** materials can also be used:

- as the foundation for a classroom-based beginning and intermediate German course at the college level.

- as an offering for adult or continuing education students.

- as the foundation for a classroom-based first-, second-, and third-year German course at the high school level.

- as a supplement to beginning, intermediate, or advanced courses, at all levels of instruction.

- as a resource for informal learning.

- as training materials for German-language classes in business and industry.

- as an important addition to library video collections.

THE VIDEO SERIES

The **Fokus Deutsch** video series consists of 36 fifteen-minute episodes. A video review follows every third episode. The videos are time-coded for easier classroom use.

STRUCTURE OF LEVELS 1 AND 2

Each fifteen-minute episode features the following basic structure.

1. Preview: A preview of the mini-drama introduces the characters and sets up the context and the action of the mini-drama. Actual scenes from the mini-drama illustrate the preview and aid comprehension.

2. Introduction to the communicative expressions: Brief scenes from the mini-drama introduce expressions for saying hello or good-bye, requesting information, getting someone's attention, and so forth to alert viewers to the contexts in which these expressions occur.

3. Mini-drama: The complete mini-drama runs approximately four to five minutes and illustrates the principal story line of the *Fokus Deutsch* video series. The story of Marion Koslowski, found in Level 1, gives way in Level 2 to a series of shorter mini-dramas containing characters and situations that illustrate various aspects of life and culture in the German-speaking world.

4. Review and summary: Professor Di Donato reviews the characters and summarizes the plot in simple, straightforward German. The review contains basic structures and vocabulary along with images of the corresponding scenes to ensure viewer comprehension. The review of the mini-drama also serves as a model for extended discourse, as it uses several sentences to summarize content.

5. Text of communicative expressions: On-screen text appears with the communicative expressions in the context of the corresponding scenes to facilitate the comprehension and acquisition processes.

CAST OF CHARACTERS

CHARACTERS IN THE FRAMEWORK OF *FOKUS DEUTSCH*

Robert Di Donato, an American professor of German, is developing a video-based language and culture course. He brings Marion Koslowski to the United States to assist him in this task.

Marion Koslowski, played by Susanne Dyrchs, is an eighteen-year old student at the Gymnasium in Rheinhausen, Germany. She comes to the United States to help Professor Di Donato develop and teach the German course.

Sabine Dyrchs, Marion's (or rather, Susanne's) real-life sister, shows up in Boston to give her sister moral support.

CHARACTERS IN THE LEVEL 2 MINI-DRAMAS

Dieter Schäfer is Michael's boss at the shipping firm in Hamburg, where Michael is taking his internship. One evening he invites Michael to have dinner with him and his family. The dinner ends up a disaster, but Michael saves the day.

Karin Schäfer, Dieter's wife, follows the family's usual weekend routine of shopping, doing chores, and inviting friends for afternoon coffee.

Eva Schäfer, Dieter's and Karin's daughter, suggests they all go out to a restaurant since the family dinner is ruined.

Uwe Cornelius, a friend of the Schäfers, discloses that his firm plans to transfer him to a small town in Thuringia to manage a factory. He worries about how the family will react to the news.

Sonja Hofmann, Klara's friend at the university, formally introduces her to Markus Schops.

Renate Cornelius is a teacher in Hamburg. She is not happy about her husband's job transfer and refuses to give up her teaching position. Together they find a solution to their dilemma.

Markus Schops is a student at the University of Munich. He gives up his spot in the practicum for Klara. Later he gets the nickname *il professore spaghetti*.

Nina Cornelius, the younger daughter, supports her father in his job transfer and wouldn't mind at all moving to the small town in Thuringia.

Inge Schops is Markus' mother. Markus and Klara are on their way to visit her when they stumble onto an environmental polluter.

Klara Cornelius, the older daughter, is against the move to Thuringia. Later, she attends the University of Munich where she meets Markus Schops.

Thomas Schops is Markus' younger brother. When it comes to clothing, Thomas just can't get it right. He seems to wear the wrong clothes at the wrong time.

Laura Stumpf, Thomas' and Markus' cousin, visits the Schops and talks Thomas into going to a concert with her. However, Thomas is turned away at the door because his clothes are "out."

Heiner Sander has elected to take a paternity leave to care for his and Roswita's son Kai. Soon he plans to return to work while Roswita stays home with Kai.

 **Karl and Evelyn Stumpf,** Laura's parents, live in Berlin. At a flea market they find a painting to go with their new sofa and become jubilant when they hear it may be very valuable.

 **Inéz** arrives from Mexico as an au pair to live with the Sanders and take care of Kai so they both can work. At first unfamiliar with the customs and traditions of German life, Inéz soon finds a place in the family.

Roswita Sander, the Stumpf's married daughter, works while her husband Heiner stays home to take care their son Kai. Heiner's paternity leave is nearly up and Roswita is supposed to take her leave from work to care for Kai, but her boss offers her an irresistable opportunity.

THE TEXTBOOKS: A GUIDED TOUR

Three main textbooks correspond to the three levels of the **Fokus Deutsch** video series. Each textbook contains twelve regular chapters and four review chapters. Each chapter corresponds to one episode of the video series. Review chapters, in which learners review the video story line, vocabulary, and grammatical structures, follows every third regular chapter.

ORGANIZATION OF *BEGINNING GERMAN 1* AND *BEGINNING GERMAN 2*

Fokus Deutsch features a uniquely clear and user-friendly organization. Each regular chapter consists of the following self-contained teaching modules that maximize flexibility in designing a German course.

VIDEOTHEK

Pre-, and post-viewing activities coordinate directly with the video episode to help learners gain a thorough comprehension of what they see and hear.

CHAPTER OPENER

Chapter learning goals and chapter opening correspondence prepare learners for what is to come in the chapter and in the accompanying video episode.

VOKABELN

Two sections, each with illustrated and thematically grouped vocabulary, expand the vocabulary of the mini-dramas and offer abundant exercises for vocabulary development.

STRUKTUREN

Two sections, each introducing a single grammatical point through clear and concise explanations, offer a wide array of practice, from controlled and form-focused exercises to open-ended and creative activities.

EINBLICKE

The response to the chapter-opening correspondence offers further insights into cultural points raised in the video. A reading and accompanying activities deepen students' awareness and understanding of cultural aspects suggested in the chapter.

PERSPEKTIVEN

The chapter culminates in four-skills development through this final section, which includes the following features.

HÖREN SIE ZU! features testimonials, interviews, narratives, and other types of listening passages, along with follow-up comprehension exercises.

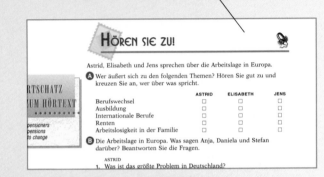

LESEN SIE! exposes learners to a wide variety of German texts, including author-written passages, as well as authentic literary and non-literary reading selections.

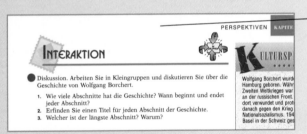

INTERAKTION, a combination of role-playing, partner, and group activities, gives students a chance to integrate what they've learned in real communication with others.

FOKUS CHAT incorporates testimonials from the German-speaking world into a virtual chatroom and functions as a springboard to communication.

SCHREIBEN SIE! guides learners carefully through the pre-writing and editing processes and facilitates their use of chapter vocabulary and grammatical structures in a personalized context.

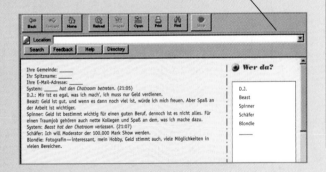

OTHER FEATURES

Many other features round out the chapters of *Fokus Deutsch.* The linguistic notes in *Sprachspiegel* offer practical insights into the similarities between German and English. *Tipp zum Horen, Tipp zum Lesen,* and *Tipp zum Schreiben* aid learners in developing listening, reading, and writing skills.

SIND SIE WORTSCHLAU? Vocabulary notes offer tips for learning and expanding vocabulary in German.

KURZ NOTIERT Grammar notes provide brief but essential information for understanding language structures and/or for carrying out a particular activity.

FOKUS INTERNET Cues direct learners to the *Fokus Deutsch* Web Site where they can connect to sites on the World Wide Web and explore cultural concepts more fully.

KULTURSPIEGEL Cultural notes provide information pertaining to concepts presented in the videos, readings, or activities.

WORTSCHATZ ZUM VIDEO / WORTSCHATZ ZUM HÖRTEXT / WORTSCHATZ ZUM LESEN Brief vocabulary items aid viewing, listening, and reading comprehension.

XXIX

PROGRAM COMPONENTS

BOOKS AND AUDIO MATERIALS AVAILABLE TO ADOPTERS AND TO STUDENTS

STUDENT EDITION

The three main textbooks correlate to the three levels of the video series and contain viewing activities, vocabulary activities, grammar explanations and exercises, cultural and historical readings, listening comprehension activities, and reading and writing activities.

LISTENING COMPREHENSION—AUDIO CD OR CASSETTE

The 45-minute listening comprehension audio CD or cassette correlates to the listening comprehension activities in the Student Edition.

WORKBOOK AND LABORATORY MANUAL

A combined Workbook and Laboratory Manual accompanies the Student Edition. Each chapter is divided into sections that mirror the sections in the main textbook, and each section, as appropriate, may contain both laboratory and workbook exercises. All sections provide practice in global listening comprehension, pronunciation, speaking, reading, and writing.

STUDENT AUDIO PROGRAM

Correlated with the Laboratory Manual section of the combined Workbook and Laboratory Manual, each set of audio CDs or audiocassettes offers six hours of additional listening material.

STUDENT VIEWER'S HANDBOOK

Ideal for those courses in which the video supplements other course materials, the Handbook offers a variety of viewing activities for use with all three levels of the *Fokus Deutsch* videos.

McGRAW-HILL ELECTRONIC LANGUAGE TUTOR

Available in both Mac and IBM formats, this optional software program by John Underwood (Western Washington University), features comprehension, vocabulary, and grammar activities that supplement those in the Student Edition and Workbook and Laboratory Manual.

WORLD WIDE WEB

Correlated with the **Fokus Internet** feature in the Student Edition, this feature allows students to explore links by connecting to the www.mhhe.com/german web site. Available in fall 1999, this site also includes engaging web-based activities.

BOOKS AND AUDIO MATERIALS AVAILABLE TO ADOPTERS ONLY

INSTRUCTOR'S EDITION

The Instructor's Edition is identical to the Student Edition, except that it contains suggestions and other annotations pertaining to the many features throughout each chapter.

INSTRUCTOR'S MANUAL

The Instructor's Manual provides additional background information on the *Fokus Deutsch* series as well as syllabus planning, sample lesson plans, and answer key for the Student Edition. It also offers suggestions for working with videos in the classroom and in distance-learning environments.

INSTRUCTOR'S AUDIO PROGRAM

The Instructor's Audio Program, available on audio CD or cassette, contains the same material as the Student Audio Program, but the package includes an Audio Script.

AUDIO SCRIPT

Packaged with the Instructor's Audio Program, the Audio Script contains the complete recording script of the Audio Program.

INSTRUCTOR'S RESOURCE CD-ROM

The Instructor's Resource CD-ROM contains visuals taken from all three levels of the main texts and video for creating overhead transparencies, as well as PowerPoint™ slides for classroom use, and the complete Testing Program in Microsoft Word 97 format. The Testing Program offers a complete set of chapter quizzes, review tests, and a final exam.

INSTRUCTOR'S VIDEO GUIDE

The Instructor's Video Guide provides information on the structure of each level of the video series, a complete list of the characters, and a summary for each episode. In addition, it contains suggestions and helpful hints for using the videos in the classroom.

DISTANCE LEARNING FACULTY GUIDE

The Distance Learning Faculty Guide contains useful information on implementing a distance learning course and how to incorporate the *Fokus Deutsch* video series and the print materials in that environment.

ACKNOWLEDGMENTS

A project of this magnitude takes on a life of its own. So many people have helped with the video series and print materials that it is impossible to acknowledge the work and contributions of all of them in detail. Here are some of the highlights.

MEMBERS OF THE ADVISORY BOARD, THE ANNENBERG/CPB PROJECT AND WGBH

Robert Di Donato, Chief Academic and Series Developer
Professor of German
Miami University of Ohio

Thalia Dorwick
Vice-President and Editor-in-Chief–Humanities, Social Sciences, World Languages, and ESOL
The McGraw-Hill Companies, Inc.

Gregory Trauth
Senior Development Editor, World Languages
The McGraw-Hill Companies, Inc.

Keith Anderson
Professor Emeritus and Acting Director of International Studies
St. Olaf College

Thomas Keith Cothrun
Past President, American Association of Teachers of German
Las Cruces High School

Richard Kalfus
German Instructor and Foreign Language Administrator
Community College District, St. Louis, Missouri

Beverly Harris-Schenz
Vice Provost for Faculty Affairs and Associate Professor of German
University of Pittsburgh

Marlies Stueart
Wellesley High School

Dr. Claudia Hahn-Raabe
Deputy Director and Director of the Language
  Program
Goethe-Institut

Jurgen Keil
Director
Goethe-Institut Boston

Manfred von Hoesslin
Former Director of the Language Department
Goethe-Institut Boston

REVIEWERS AND FOCUS GROUP PARTICIPANTS

John Austin, Georgia State University
Helga Bister-Broosen, University of North Carolina
  at Chapel Hill
Donald Clark, Johns Hopkins University
Sharon Di Fino, University of Florida
Ingeborg Henderson, University of California, Davis
Richard Kalfus, St. Louis Community College,
  Meramec
Alene Moyer, Georgetown University
Barbara Pflanz, University of the Redlands
Donna Van Handle, Mount Holyoke College
Morris Vos, Western Illinois University

The authors of *Fokus Deutsch* would also like to extend very special thanks to the following organizations and individuals:

- The Annenberg/CPB Project (Washington, D.C.), especially to Pete Neal and Lynn Smith for their support across the board.

- WGBH Educational Foundation, especially to Michelle Korf for her guidance in shaping the series, to Project Director Christine Herbes-Sommers for her tireless work on the project and for her wonderfully creative ideas, and to Producer-Director Fred Barzyk for his creative leadership.

- The Goethe-Institut, especially Claudia Hahn-Raabe for her stewardship in developing the series, and to Jurgen Keil in Boston for his creative and intellectual support and for sharing the use of Boston's beautiful Goethe-Institut building.

- InterNationes, especially to Rudiger van den Boom and Beate Raabe.

- Gregory Trauth, of The McGraw-Hill Companies, for his constant support of WGBH, Bob Di Donato, and the authors in the planning stages, on location, and far into the project.

Finally, the authors wish to thank the editorial, design, and production staff at McGraw-Hill and their associates, especially Sean Ketchem, Paul Listen, Peggy Potter, Leslie Hines, Anja Voth, Jeanine Briggs, Diane Renda, Francis Owens, Sabrina Dupont, Sharla Volkersz, Nora Agbayani, Terri Edwards, Rich DeVitto, Florence Fong, and Louis Swaim, all for their patience and dedication to a project that was complex beyond belief.

Deutschland und Luxemburg
Einwohner
Deutschland (1998): 82,0 Mio
Luxemburg (1998): 418 000
Maßstab 2,0 cm = 100 km

ISLAND — Reykjavik
NORWEGEN — Oslo
SCHWEDEN — Stockholm
FINNLAND — Helsinki
ESTLAND — Tallinn
LETTLAND — Riga
LITAUEN — Wilna
(ZU RUSSLAND)
WEISSRUSSLAND — Minsk
Kiew
NORDSEE
Schottland
Nordirland
ATLANTISCHER OZEAN
IRLAND — Dublin
England
Wales
GROSSBRITANNIEN
London
Der Ärmelkanal
DIE NIEDERLANDE — Den Haag
Brüssel
BELGIEN
DÄNEMARK — Kopenhagen
OSTSEE
DEUTSCHLAND — Berlin
POLEN — Warschau
Prag
TSCHECHIEN
DIE SLOWAKEI
MOLDAWIEN — Kischinew
LUXEMBURG
Paris
LIECHTENSTEIN
FRANKREICH
DIE SCHWEIZ — Bern
ÖSTERREICH — Wien
UNGARN — Budapest
SLOWENIEN — Ljubljana
RUMÄNIEN — Bukarest
Mailand
Venedig
Zagreb
KROATIEN
BOSNIEN UND HERZEGOWINA — Sarajevo
Belgrad
SERBIEN UND MONTENEGRO
BULGARIEN — Sofia
Skopje
ANDORRA
MONACO
Korsika
VATIKANSTADT
Rom
ADRIATISCHES MEER
Tirana
ALBANIEN
MAKEDONIEN
PORTUGAL — Lissabon
Madrid
SPANIEN
Mallorca
Sardinien
ITALIEN
TYRRHENISCHES MEER
GRIECHENLAND — Athen
IONISCHES MEER
Straße von Gibraltar
Algier
Sizilien
Tunis
MALTA
KRETA
MITTELMEER
Rabat
MAROKKO
TUNESIEN
ALGERIEN
Tripolis
LIBYEN

XXXIV

Europa, Nordafrika und der Mittlere Osten

Maßstab 2,0 cm = 500 km

Moskau

RUSSLAND

KASACHSTAN

ARALSEE

USBEKISTAN

KRAINE

KASPISCHES MEER

TURKMENISTAN

Tiblis
Baku
GEORGIEN ASERBAIDSCHAN
ARMENIEN
Eriwan

HWARZES MEER

Ankara

DIE TÜRKEI

Teheran

DER IRAN

Nikosia
SYRIEN
Bagdad
ZYPERN
Beirut Damaskus
DER IRAK
DER LIBANON

Tel Aviv
Amman
JORDANIEN
TOTES MEER
ISRAEL

KUWAIT
Kuwait
PERSISCHER GOLF

Kairo

PTEN

SAUDI ARABIEN

EU-LÄNDER (1998)	EINWOHNER (1998)
Belgien	10,2 Mio.
Dänemark	5,3 Mio.
Deutschland	82,0 Mio.
Finnland	5,1 Mio.
Frankreich	58,5 Mio.
Griechenland	10,5 Mio.
Großbritannien	58,9 Mio.
Irland	3,6 Mio.
Italien	57,5 Mio.
Luxemburg	0,4 Mio.
Niederlande	15,6 Mio.
Österreich	8,0 Mio.
Portugal	9,9 Mio.
Schweden	8,9 Mio.
Spanien	39,3 Mio.
Gesamtbevölkerungszahl	373,7 Mio.

Österreich

Einwohner (1998): 8 Mio

Maßstab 1,5 cm = 50 km

Die Schweiz und Liechtenstein

Einwohner

Schweiz (1998): 7,1 Mio
Liechtenstein (1998): 30 000
Maßstab 2,0 cm = 50 km

NIDW = NIDWALDEN
OBW = OBWALDEN

EINFÜHRUNG

Die Stadt Frankfurt hat in der deutschen
Geschichte eine große Rolle gespielt.
Heute ist die Stadt eines der wichtigsten
Finanzzentren der Welt.

In this chapter, you will

- review a number of basic
  concepts, words, and grammar
  points you have encountered in
  your past study of German.

- talk about and describe people,
  family, and places.

- review the forms of German
  nouns, articles, and pronouns.

- review the forms of the present
  tense in German.

- talk about events in the past
  using the present perfect tense.

- check your knowledge of
  culture and everyday life in
  German-speaking countries.

1

Bob Di Donato, Professor für Deutsch.

Welcome to Book Two of *Fokus Deutsch.* You are probably coming back from a vacation or a break, and you might feel that you have forgotten everything from your previous study of German. This chapter will provide a brief review of vocabulary, grammar, and cultural topics you might already recall from your study. This will help you not only see how much you remember, but also point out areas you might need to review some more. That's the goal of this short introductory chapter. Remember, work closely with your instructor and your fellow classmates, and always use German as much as you can.

Now, let's review!

VOKABELN

A Im Klassenzimmer. Wie nennt man diese Sachen?

MODELL: Nummer eins: Das ist ein Tisch.

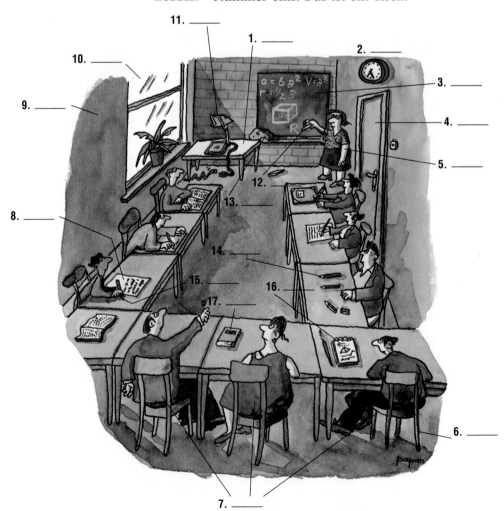

B Beschreibungen

SCHRITT 1: Wer sind Anna und Jens? Hören Sie ihnen gut zu. Machen Sie sich eine Tabelle wie die folgende, und ergänzen Sie sie mit den richtigen Informationen.

	ANNA	JENS	IHR PARTNER / IHRE PARTNERIN
Alter			
Geburtsort			
Nationalität			
Studienfach			
Adresse			
Telefonnummer			
Freizeitbeschäftigungen			

SCHRITT 2: Und Ihr Partner / Ihre Partnerin? Arbeiten Sie jetzt mit einem Mitstudenten / einer Mitstudentin. Bitten Sie ihn/sie um Information über die obigen Punkte, und füllen Sie Ihre Tabelle aus. Stellen Sie danach Ihren Partner / Ihre Partnerin der Klasse vor.

C Welche Vokabeln wissen Sie schon? Ergänzen Sie die Lücken mit den Wörtern von der Liste unten.

1. Juttas Vater hat eine Schwester, Helga. Helga ist die _____ von Jutta.
2. Ernst war gestern krank, aber jetzt fühlt er sich wieder _____.
3. Klara, _____ du gern Musik?
4. Ich kann diese Jacke nicht kaufen, weil sie zu _____ ist.
5. Mein Vater kann sehr gut _____ spielen.
6. Meine Wohnung hat eine kleine _____, aber ich esse lieber im Restaurant.
7. Früher habe ich bei meinen Eltern gewohnt, aber jetzt wohne ich _____.
8. Meine Mutter hat eine neue Arbeit, und wir müssen jetzt nach Dresden _____.
9. Am 31. Dezember feiert man _____.
10. In Hamburg ist das Wetter oft ziemlich _____.
11. Karl hat sich das _____ gebrochen und kann nicht laufen.
12. Es regnet! Zieh doch einen _____ an!
13. Ich fahre nie auf der Autobahn. Ich finde sie zu _____.
14. Unser Hotelzimmer liegt im dritten _____.
15. _____ du in der Nähe?
16. Der Rhein ist ein sehr wichtiger _____.

a. wohnst	**e.** Regenmantel	**i.** Fluss	**m.** Tante
b. neblig	**f.** hörst	**j.** Bein	**n.** umziehen
c. gesund	**g.** Küche	**k.** Silvester	**o.** allein
d. Klavier	**h.** gefährlich	**l.** Stock	**p.** teuer

D Ein Mensch. Wie heißen diese Körperteile?

MODELL: Nummer eins: Das ist das Haar.
oder: Das sind die Haare.

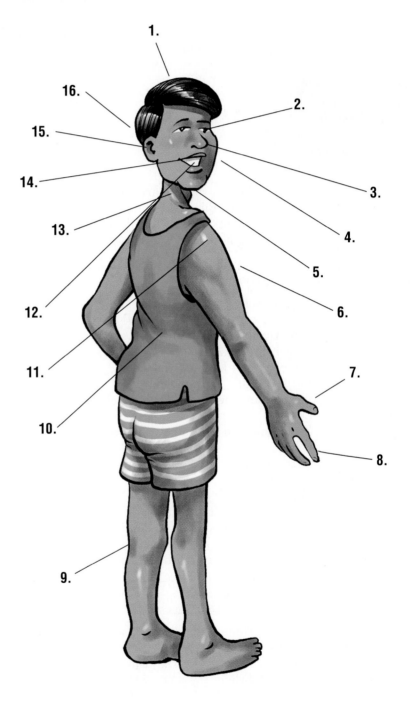

E Kleidung. Beschreiben Sie die Personen. Was tragen sie?

1. Michael und Marion

2. Marion mit ihrer Mutter

3. Michael in Herrn Boltens Büro

4. Heinz und Vera Koslowski mit Herrn Becker

STRUKTUREN

A Wortsalat. Bilden Sie Fragen.

MODELL: du / machen / hier / im Sommer / was →
Was machst du hier im Sommer?

1. deine Freundinnen / heißen / wie
2. ihr / Studenten / sein
3. ihr / gern / Pizza / essen
4. du / oft / Filme / sehen
5. du / ich / morgen / anrufen
6. dein Vater / Zeitungen / gern / lesen
7. ich / etwas sagen / dürfen
8. du / ich / helfen / können
9. deine Schwester / immer / ein Hut / tragen
10. du / haben / wie viele Brüder

Immer mehr Fragen!

B Geschenke. Was bekommen die Koslowskis? Was geben sie? Bilden Sie Sätze.

MODELL: Lars: Herr Koslowski / kaufen / er / ein Fußball →
Lars? Herr Koslowski kauft ihm einen Fußball.

1. Vera: Heinz / kaufen / sie / ein Mantel
2. Ich: Vera / mitbringen / ich / eine Rose
3. Du, Marion: Lars / schenken / du / ein Poster
4. Wir, Heinz und Vera: Marion / geben / wir / Fotos
5. Lars und Marion: Die Eltern / kaufen / sie / je ein Rucksack
6. Sie, Herr Koslowski: Herr Becker / geben / Sie / ein Buch

C Schon gemacht! Reagieren Sie auf die Befehle. Sagen Sie, dass Sie die Aktivitäten schon gemacht haben.

MODELL: Wasch das Auto! →
Ich habe das Auto schon gewaschen.

1. Kauf einen Mantel!
2. Bleib hier mit dem Kind!
3. Sieh fern!
4. Geh ins Kino!
5. Ruf Tante Heidi an!
6. Probier diese Jacke an!
7. Schreib einen Brief!
8. Mach die Tür zu!

D Wohin? Ihre Freunde haben viel zu tun. Geben Sie ihnen einen Rat. Benutzen Sie **an, auf** und **in.**

MODELL: „Ich muss Geld holen." → Geh auf die Bank.

1. „Ich muss heute einkaufen gehen."
2. „Ich brauche einen neuen Personalausweis."
3. „Ich muss Briefmarken kaufen."
4. „Ich möchte schwimmen gehen."
5. „Ich will in der Sonne liegen."
6. „Ich will einen Roman lesen."

die Post   das Rathaus
    der Supermarkt
die Bibliothek
        der Strand
das Meer

E Umziehen. Sie ziehen in ein neues Zimmer ein. Wohin sollen Ihre Sachen? Kombinieren Sie die Wörter.

MODELL: Das Poster hänge ich an die Wand.

WAS	WIE	WER		WOHIN
das Poster	stellen	ich	an	der Teppich
die Blumen	legen		in	die Ecke
das Bett	hängen		auf	der Tisch
die Kleidung			neben	die Vase
die Lampe			unter	der Schrank
die Zeitung			über	die Wand

PERSPEKTIVEN

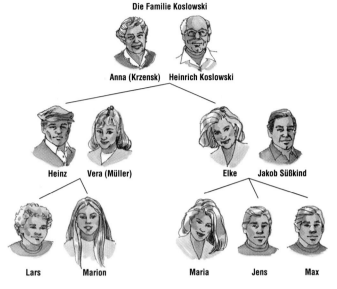

Die Familie Koslowski

Anna (Krzensk) · Heinrich Koslowski

Heinz · Vera (Müller) · Elke · Jakob Süßkind

Lars · Marion · Maria · Jens · Max

Stammbaum

A Familie. In diesem Buch werden Sie mehrere deutsche Familien kennen lernen. Und Ihre Familie? Zeichnen Sie einen Stammbaum von Ihrer oder einer fiktionalen Familie. Stellen Sie danach diese Familie der Klasse vor.

B Feste und Feiertage

SCHRITT 1: Wie feiert man? Sagen Sie, was man zu welchem Fest oder an welchem Feiertag macht.

1. Man trägt bunte Kostüme.
2. Man sieht Feuerwerke und sagt „Guten Rutsch!".
3. Man schenkt Rosen und Schokoladen.
4. Man schmückt einen Baum und gibt Geschenke.
5. Man geht mit Freunden ins Restaurant.

a. Weihnachten
b. Valentinstag
c. Karneval
d. Silvester
e. Geburtstag

SCHRITT 2: Wann und was? Beantworten Sie die Fragen.

1. An welchem Tag und/oder in welchem Monat feiert man Weihnachten? Chanukka? Valentinstag? Karneval? Silvester?
2. Wann haben Sie Geburtstag?
3. Was machen Sie gern an Ihrem Geburtstag?

C Schule und Studium

SCHRITT 1: Was wissen Sie schon von dem deutschen Schulsystem? Schauen Sie sich die Grafik auf der folgenden Seite an. Was stimmt? Was stimmt nicht?

Zum Karneval feiert man auf der Straße.

	DAS STIMMT.	DAS STIMMT NICHT.
1. Alle Kinder müssen in den Kindergarten gehen.	☐	☐
2. Nach der fünften Klasse hört man mit der Grundschule auf.	☐	☐
3. Alle Schüler gehen nach der Grundschule auf das Gymnasium.	☐	☐
4. Im Gymnasium macht man Fitness-Training.	☐	☐
5. Die Schüler in der Realschule sind im allgemeinen zwischen zwölf und sechzehn Jahre alt.	☐	☐

		DAS STIMMT.	DAS STIMMT NICHT.
6.	Nach der zehnten Klasse hört man mit der Realschule auf.	☐	☐
7.	Im „dualen System" besucht man die Berufsschule und arbeitet im Betrieb.	☐	☐
8.	Schüler im Gymnasium machen ein Berufsgrundbildungsjahr.	☐	☐

SCHRITT 2: Wie ist das Schulsystem in Ihrem Land? Vergleichen Sie die beiden Systeme. Was finden Sie gut oder schlecht an beiden?

WORTSCHATZ

Substantive	Nouns
Im Klassenzimmer	*In the classroom*
die **Kreide, -n**	chalk
die **Tafel, -n**	blackboard
die **Tür, -en**	door
die **Uhr, -en**	clock
die **Wand, ⸚e**	wall
der **Bleistift, -e**	pencil
der **Kugelschreiber, -**	ballpoint pen
der **Lehrer, -** / die **Lehrerin, -nen**	teacher
der **Overheadprojektor**	overhead projector
der **Schüler, -** / die **Schülerin, -nen**	pupil; high school student
der **Schwamm, ⸚e**	blackboard eraser
der **Student (-en** *masc.***)** / die **Studentin, -nen**	college student
der **Stuhl, ⸚e**	chair
der **Tisch, -e**	table
das **Buch, ⸚er**	book
das **Heft, -e**	notebook
das **Papier, -**	paper

Die Familie	*The family*
die **Großmutter, ⸚**	grandmother
die **Mutter, ⸚**	mother
die **Schwester, -n**	sister
die **Tante, -n**	aunt
die **Tochter, ⸚**	daughter
der **Bruder, ⸚**	brother
der **Großvater, ⸚**	grandfather
der **Onkel, -**	uncle
der **Sohn, ⸚e**	son
der **Vater, ⸚**	father
das **Kind, -er**	child
die **Eltern** (*pl.*)	parents
die **Großeltern** (*pl.*)	grandparents

Sonstige Substantive	Other nouns
die **Bluse, -n**	blouse
die **Hose, -n**	pair of pants
die **Jacke, -n**	jacket
die **Küche, -n**	kitchen
der **Anzug, ⸚e**	suit
der **Fluss, ⸚e**	river
der **Regenmantel**	overcoat
der **Pullover, -**	sweater
der **Schrank, ⸚e**	closet
der **Teppich, -e**	rug
das **Hemd, -en**	shirt
das **Klavier, -e**	piano

Adjektive und Adverbien	Adjectives and adverbs
allein	alone
bunt	colorful
gefährlich	dangerous
gesund	healthy
neblig	foggy
teuer	expensive

Verben	Verbs
an•rufen, angerufen	to call (*on the phone*)
bleiben, ist geblieben	to stay, remain
essen (isst), gegessen	to eat
gehen, ist gegangen	to go; to walk
heißen, geheißen	to be named, called
kaufen	to buy
lesen (liest), gelesen	to read
schreiben, geschrieben	to write
sehen (sieht), gesehen	to see
sein, ist gewesen	to be
tragen (trägt), getragen	to wear
wohnen	to live; to reside
um•ziehen, ist umgezogen	to move

KAPITEL 13

DER AZUBI

In this chapter, you will
- experience Michael's first day as a trainee.
- find out more about Hamburg, Michael's new home.

You will learn
- how to talk about the workplace.
- expressions for various professions.
- more about the nominative, accusative, and dative cases.
- more about forms for commands and requests.
- about a successful German company.
- how to create an ad for your own company.

Zwei Azubis am Arbeitsplatz.

Hamburg

Hallo Jürgen!

Schöne Grüße aus Hamburg. Hier fühle ich mich richtig wohl.
Ich habe ein tolles Zimmer in einer alten Villa in Blankenese.
Das Zimmer ist zwar klein aber gemütlich, und die Miete ist
nicht so hoch. Mein Chef, Herr Schäfer, hat alles organisiert.
Ich habe schon viel in dieser riesigen Stadt gesehen. An der
Binnenalster[a] war ich und auch in St. Pauli.[b] Dort ist
natürlich viel los. Die Diskos sind fantastisch.

Heute Morgen war ich zum ersten Mal im Büro. Die
Sekretärin hat mich kaum wieder erkannt. Vielleicht sehe ich
doch etwas reifer[c] aus. Herr Schäfer hat mich durch das große
Büro geführt, mir die verschiedenen Abteilungen[d] gezeigt und
mich auch vorgestellt. Gleich hat ein Kollege mir erklärt, wie
man Formulare ausfüllt und wie man Kopiergerät und Fax
bedient. Mein Arbeitsplatz gefällt mir wirklich gut. Es gibt
überall riesige Fenster mit einem tollen Blick auf den Hafen.

Wie steht's bei dir? Wie läuft es in der Tierarztpraxis?[e]
Auch wenn Hamburg sehr spannend ist, vermisse ich Sellin und
meine Freunde.

Für heute mache ich Schluss. Am ersten Tag war alles doch
ein wenig schwierig, und ich will zur Entspannung noch ein
bisschen lesen. Lass bald von dir hören.

Bis bald, Michael

[a](lake in Hamburg) [b](district of Hamburg) [c]more mature [d]departments [e]veterinary practice

11

VIDEOTHEK

Michael auf Rügen.

Michael wartet an der Bushaltestelle.

In der letzten Folge . . .

wiederholt Marion die Geschichte ihrer Reise nach Rügen und erzählt über die Probleme zwischen Michael und Silke. Sie erzählt die Geschichte als Märchen. Michael hat Silke alles erklärt und beide sind am Ende glücklich. Marion ist unzufrieden mit den Geschichten, die sie geschrieben hat, und will jetzt mehr vom Alltagsleben erzählen.

● Wissen Sie noch?

1. Wie haben sich Michael und Marion kennen gelernt?
2. Was haben Michael und Marion zusammen unternommen?
3. Wer ist Silke? Warum ist sie sauer?
4. Wie geht es Michael und Silke am Ende der Geschichte?

In dieser Folge . . .

wiederholt Marion ihre Geschichte vom Anfang an. Michael wohnt jetzt in Hamburg und hat eine Lehrstelle bei einer Firma am Hafen. Er zieht sich an und fährt zur Arbeit. Dort lernt er seinen Chef, und seine Kollegen und Kolleginnen kennen.

● Was denken Sie?

	JA	NEIN
1. Michael trifft Marion in Hamburg.	☐	☐
2. Michael macht eine lange Geschäftsreise.	☐	☐
3. Michael muss nach Rügen zurück.	☐	☐
4. Die Stelle in Hamburg gefällt ihm sehr.	☐	☐

WORTSCHATZ ZUM VIDEO

der Azubi = Auszubildende	*trainee*
die Lehre	*training*
förmlich	*formal*
der Eindruck	*impression*
der Kollege	*colleague*

SCHAUEN SIE ZU!

A Marions Geschichte. Bringen Sie die Sätze in die richtige Reihenfolge.

_____ Es gibt Probleme zwischen Michael und Silke.
_____ Marion und Michael unternehmen viel zusammen.
_____ Marion und Rüdiger liegen im Krankenhaus wegen eines Unfalls.
_____ Familie Koslowski zieht nach Köln.
_____ Herr Koslowski ist arbeitslos.

_____ Marion bleibt aber in Rheinhausen und will dort das Abitur machen.

_____ Marion und ihre Mutter fahren nach Rügen zum Urlaub.

_____ Herr Koslowski bekommt eine Stelle als Hausmeister.

B Neue Bekannte. Wen lernt Michael im Büro kennen? Dort lernt er . . . kennen.

1. _____ die Sekretärin
2. _____ den Chef
3. _____ den anderen Azubi
4. _____ die Kollegen und die Kolleginnen
5. _____ seine neue Freundin

C Möbel und Geräte. Was sehen Sie alles im Büro? Ich sehe dort . . .

1. _____ ein Fotokopiergerät.
2. _____ einen Schreibtisch.
3. _____ ein Telefon.
4. _____ einen Computer.
5. _____ Bücher.
6. _____ eine Bushaltestelle.
7. _____ eine Kaffeemaschine.
8. _____ ein Faxgerät.

D Hamburg—eine Weltstadt. Was gibt es in Hamburg? Dort gibt es . . .

1. _____ Deutschlands wichtigsten Hafen.
2. _____ das Brandenburger Tor.
3. _____ das erste deutsche Schauspielhaus.
4. _____ viel Wasser und viele Kanäle.
5. _____ fünf Millionen Einwohner.
6. _____ den Schwarzwald.

E Wer will was werden? Sagen Sie, welche Person sich für die folgenden Berufe interessiert.

Grace   Anett   Susanne   Felix   Anja   Anjas Bruder

1. Diese Person will Elektriker/Elektrikerin werden.
2. Diese Person will Mechaniker/Mechanikerin werden.
3. Diese Person will Apotheker/Apothekerin werden.

F Marion oder Michael. Beantworten Sie die folgenden Fragen.

1. Warum will Marion nicht mehr über sich selbst sprechen, sondern nur die Geschichte von Michael erzählen?
2. Möchten Sie lieber die Geschichte von Marion hören oder die Geschichte von Michael als Azubi in der Arbeitswelt erfahren? Warum?

KURZ NOTIERT

Not always translated in English, the word **sich** is a reflexive pronoun that refers back to the speaker.

Er zieht **sich** an.
He gets dressed (dresses himself).

The accusative reflexive pronouns relate to the personal pronouns as follows.

ich	**mich**	wir	**uns**
du	**dich**	ihr	**euch**
Sie	**sich**	Sie	**sich**
sie/er/es	**sich**	sie	**sich**

VOKABELN

DIE ARBEITSWELT

die Firma — SCHÄFER AG

der Auszubildende (*decl.adj.*)*

der Mitarbeiter

die Mitarbeiterin

die Chefin

das Büro

der Arbeitsplatz

Und noch dazu

die Ausbildungsstelle	*training position*	das Gehalt	*salary, pay*
die Berufsschule	*career school*	das Vorstellungsgespräch	*job interview*
die Bewerbung	*application*	einen Beruf aus•üben	*to practice a profession*
die Gelegenheit	*opportunity*	sich beschäftigen mit	*to be occupied with*
die Karriere	*career*	sich interessieren für	*to be interested in*
die Stelle	*position*	verdienen	*to earn*
die Tätigkeit	*activity*	sich vor•stellen	*to introduce oneself*
die Technik	*technology*	sich bewerben um	*to apply for*
der Beruf	*occupation*	abhängig/unabhängig	*dependent/independent*
der Erfolg	*success*	finanziell	*financial(ly)*
der Kollege	*colleague*	selbständig	*independent(ly)*
der Lehrling	*apprentice*	sicher	*secure(ly), safe(ly)*
der Schritt	*step, pace*	fest	*certain(ly)*
das Einkommen	*income*		

*Nouns with the marking *decl. adj.* require the endings of attributive adjectives: **Michael ist (neuer) Auszubildender. Kennen Sie den (neuen) Auszubildenden? Ich stelle Sie dem (neuen) Auszubildenen vor.**

Aktivitäten

A Michaels erster Tag. Was macht Michael alles am ersten Tag als Auszubildender? Bringen Sie die Sätze in die richtige Reihenfolge.

_____ **a.** Herr Schäfer stellt ihm seine Kollegen und Kolleginnen vor.

_____ **b.** Er fährt mit dem Bus zum Arbeitsplatz.

_____ **c.** Herr Schäfer lädt Michael zu ihm zum Essen ein, weil Michael niemanden in Hamburg kennt.

_____ **d.** Herr Schäfer zeigt Michael die Firma.

_____ **e.** Michael wartet auf den Bus und sieht sich die Stadtkarte an. Er interessiert sich für alles in Hamburg.

_____ **f.** Michael fährt mit Herrn Schäfer zum Hafen. Da hat Michael eine Gelegenheit, ein Schiff zu sehen.

_____ **g.** Michael stellt sich der Sekretärin vor.

B Ein Tag im Leben eines Azubis. Michael schreibt Silke einen Brief.

Liebe Silke,

tolle Nachrichten! Heute habe ich meinen ersten _____^{1} (Schritt, Bewerbung) in die Arbeitswelt getan. Ich bin dir sehr dankbar—ohne deine Hilfe hätte ich meinen _____^{2} (Stelle, Lebenslauf nicht) fertig schreiben können. Ich bin jetzt _____^{3} (Auszubildender, Techniker) in der Speditionsabteilung bei einer Handelsfirma in Hamburg. Meine neuen _____^{4} (Kollegen, Arbeitsplatz) habe ich kennen gelernt. Alle sind sehr freundlich.

Das _____^{5} (Tätigkeit, Gehalt) ist nicht hoch, aber wie du weißt, Azubis _____^{6} (verdienen, ausüben) nicht sehr viel Geld. Mein _____^{7} (Chef, Erfolg) hat eine tolle _____^{8} (Karriere, Vortstellungsgespräch) bei dieser _____^{9} (Firma, Einkommen) gemacht. Er fährt einen BMW! Ich frage mich, ob er auch einmal so eine _____^{10} (Ausbildungsstelle, Berufsschule) hatte, wie ich. Er hat mir das _____^{11} (Büro, Gelegenheit) gezeigt und jetzt weiß ich ganz genau, wo das Faxgerät ist.

Dein Michael

C Was ist für Sie am Arbeitsplatz am wichtigsten? Interviewen Sie einen Partner / eine Partnerin.

MODELL: A: Was ist für dich am Arbeitsplatz am wichtigsten?
B: Ich muss selbständig arbeiten. Und du?
A: Für mich ist das nicht so wichtig. Ich möchte lieber viel Prestige haben.

viel Prestige haben
ein hohes Gehalt bekommen
respektabel aussehen
einen Schreibtisch haben
einen Computer haben
interessante Kollegen haben

eine sichere Stelle haben
sich mit Menschen beschäftigen
selbständig arbeiten
Chef/Chefin der Firma sein
?

BERUFE

der Architekt*

die Ingenieurin

die Anwältin

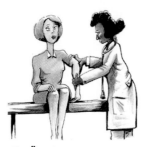

die Ärztin

der Flugbegleiter

die Informatikerin

der Journalist

der Krankenpfleger

der Mechaniker

*Remember, masculine nouns with the marking -n or -en *masc.* require an -n or -en ending not only in the plural but also in the singular in all cases *except* the nominative: **Herr Braun ist Architekt. Kennen Sie einen Architekten? Wir haben dem Architekten für die Baupläne gedankt.**

Und noch dazu

die Geschäftsfrau	*businesswoman*	der Physiker	*physicist*
die Kauffrau	*female merchant*	der Philosoph	*philosopher*
der Autor	*author*	der Psychologe	*psychologist*
der Bibliothekar	*librarian*	der Sänger	*singer*
der Dolmetscher	*interpreter*	der Schauspieler	*actor*
der Geschäftsmann	*businessman*	der Zahnarzt	*dentist*
der Journalist	*journalist*		
der Kaufmann	*merchant*	helfen	*to help*
der Künstler	*artist*	raten	*to advise*

Aktivitäten

A Wer macht was? Verbinden Sie jeden Beruf mit der passenden Beschäftigung.

1. Ein Arzt
2. Eine Dolmetscherin
3. Eine Anwältin
4. Ein Flugbegleiter
5. Eine Informatikerin

a. muss ihren Klienten raten.
b. muss an Bord von Flugzeugen arbeiten.
c. beschäftigt sich mit Computern.
d. hat Medizin studiert und übt jetzt eine Praxis aus.
e. kann Texte oder Reden in anderen Sprachen übersetzen.

B Was waren sie von Beruf? Arbeiten Sie zusammen mit einem Partner oder einer Partnerin.

MODELL: A: Was war Marlene Dietrich von Beruf?
B: Sie war Schauspielerin.

1. Willy Brandt
2. Sigmund Freud
3. Jane Austen
4. Pablo Picasso
5. Albert Einstein

a. Künstler/in
b. Politiker/in
c. Autor/in
d. Physiker/in
e. Psychologe/Psychologin

C Assoziationen. Welche Tätigkeiten und Eigenschaften assoziieren Sie mit diesen Berufen? Benutzen Sie einige oder alle der folgenden Ideen.

MODELL: Journalist: Ein Journalist oder eine Journalistin muss sehr gut und oft sehr schnell schreiben. Er/sie reist oft ins Ausland, soll gern interviewen und muss neugierig sein.

1. Automechaniker/in
2. Bibliothekar/in
3. Architekt/in
4. Opernsänger/in

- sich für Autos, Bücher, Theater und Musik, Entwurf (Design), ? interessieren
- sich mit Bauplänen, Makeup und Kostümen, Motoren, Publikationen, ? beschäftigen
- neugierig, fleißig, talentiert, kreativ, intelligent, ? sein
- gern reisen, lesen, singen, interviewen, zeichnen, ? sollen
- gut schreiben, singen, allein arbeiten, Rollen spielen, kalkulieren, ? müssen
- ?

D Herr/Frau X. Denken Sie an einen berühmten Menschen, aber sagen Sie den Namen nicht! Geben Sie Ihren Mitstudenten und Mitstudentinnen Tipps: Was war dieser Mensch von Beruf? Wo hat er gelebt? Wofür ist er bekannt? (Er ist für . . . bekannt.) . . .

MODELL: A: Er war Philosoph und hat in Athen gelebt.
B: Platon?
A: Richtig!

SIND SIE WORTSCHLAU?

In German, all words denoting professions have corresponding feminine forms. To get the feminine form, take the masculine form, drop any final -e, and add -in:

**der Ingenieur → die Ingenieurin
der Kollege → die Kollegin**

If the word has an a, o, or u in the last syllable, add an umlaut:

**der Anwalt → die Anwältin
der Arzt → die Ärztin**

Do not add the umlaut, however, if the last syllable is stressed:

**der Autor → die Autorin
der Fotograf → die Fotografin**

In the plural, all feminine forms end in -innen:

die Kollegin → die Kolleginnen

Marlene Dietrich in „Der blaue Engel".

Platon am Arbeitsplatz.

STRUKTUREN

REVIEW: NOMINATIVE, ACCUSATIVE, AND DATIVE CASE
MARKING SUBJECTS AND OBJECTS

As you have learned, a complete sentence must have a subject and a verb. A sentence may also contain a direct object and/or an indirect object.

- The *subject* tells who or what performs the action.
- The *verb* describes the action.
- The *direct object* indicates whom or what is directly affected by the action.
- The *indirect object* tells you to or for (the benefit of) whom/what an action is carried out.

SUBJECT (NOMINATIVE)	VERB	INDIRECT OBJECT (DATIVE)	DIRECT OBJECT (ACCUSATIVE)
Herr Koslowski	kauft	Marion	Fahrkarten.
Michael	zeigt	Marion	das Segelboot.
Marion	schreibt	ihrem Freund	einen Brief.
Marion	schickt	Michael	auch Fotos.
Herr Bolten	gibt	den Schülern	schlechte Noten.
Michael	schenkt	Silke	eine Blume.

The following table offers an overview of the case endings.

	FEMININE	MASCULINE	NEUTER	PLURAL
NOMINATIVE	die Frau eine Frau meine Frau keine Frau	der Mann ein Mann mein Mann kein Mann	das Kind ein Kind mein Kind kein Kind	die Kinder Kinder meine Kinder keine Kinder
ACCUSATIVE	die Frau eine Frau meine Frau keine Frau	**den** Mann **einen** Mann **meinen** Mann **keinen** Mann	das Kind ein Kind mein Kind kein Kind	die Kinder Kinder meine Kinder keine Kinder
DATIVE	**der** Frau **einer** Frau **meiner** Frau **keiner** Frau	**dem** Mann **einem** Mann **meinem** Mann **keinem** Mann	**dem** Kind **einem** Kind **meinem** Kind **keinem** Kind	**den** Kindern Kindern **meinen** Kindern **keinen** Kindern

Note that, with the exception of the masculine, the forms for the nominative and accusative case are identical. Note also that the masculine and neuter forms are identical in the dative case.

Remember, in the accusative and dative cases some masculine nouns require an **-n** or **-en** ending.

NOMINATIVE:	der/ein Herr	der/ein Student	der/ein Name
ACCUSATIVE:	den/einen Herr**n**	den/einen Student**en**	den/einen Name**n**
DATIVE:	dem/einem Herr**n**	dem/einem Student**en**	dem/einem Name**n**

Übungen

Michael gibt seinem Chef die Hand.

A Satzelemente. Markieren Sie die verschiedenen Elemente und Kasus in jedem Satz: Subjekt (Nom.), Verb (V.), direktes Objekt (Akk.) oder indirektes Objekt (Dat.).

MODELL: Nom.   V.   Dat.   Akk.
Michael gibt seinem Chef die Hand.

1. Michael zieht seine Jacke an.
2. Der Bus bringt ihn zum Ausbildungsplatz.
3. Ein Mitarbeiter zeigt Michael die Firma.
4. Michael fängt heute eine Stelle als Azubi an.
5. Herr Schäfer zeigt dem Azubi den Hafen von Hamburg.
6. Dem Azubi gibt der Chef die Hand.

B Ergänzen Sie die Sätze mit den Wörtern in Klammern.

MODELL: Michael gibt *seinem Chef* die Hand. (der Kollege) →
Michael gibt dem Kollegen die Hand.

1. Michael zieht *seine Jacke* an. (seine Schuhe)
2. Der Bus bringt *ihn* zum Ausbildungsplatz. (der Azubi)
3. Ein Mitarbeiter zeigt *ihm* die Firma. (der Azubi)
4. Michael fängt heute *eine Stelle* an. (sein Beruf)
5. Herr Schäfer zeigt dem Azubi *den Hafen*. (die Stadt Hamburg)
6. *Dem Azubi* gibt der Chef die Hand. (ein Mitarbeiter)

C Geschenke. Michaels Chef hat ihn zum Abendessen eingeladen und Michael ist ein bisschen nervös. Er möchte ein Geschenk mitbringen, aber was für eines? Michael macht eine Liste. Benutzen Sie den Akkusativ und den Dativ.

MODELL: die Katze: ein Ball →
Bringe ich der Katze einen Ball mit?

1. die Frau von Herrn Schäfer: eine Blume
2. der Chef: diese Flasche Wein
3. die Tochter: eine CD
4. der Sohn: mein Fußball
5. Herr Schäfer: ein Buch
6. Frau Schäfer: dieses Bild

D Eine Büroparty. Alle bringen kleine Geschenke zur Büroparty. Was schenken Sie ihren Kollegen und Kolleginnen?

MODELL: der Anwalt / die Anwältin →
Ich schenke der Anwältin einen Kugelschreiber.

1. der Architekt / die Architektin
2. der Bibliothekar / die Bibliothekarin
3. der Fotograf / die Fotografin
4. der Informatiker / die Informatikerin
5. der Journalist / die Journalistin
6. der Koch / die Köchin
7. der Künstler / die Künstlerin
8. der Lehrer / die Lehrerin
9. der Politiker / die Politikerin
10. der Verkäufer / die Verkäuferin

REVIEW: IMPERATIVES
MAKING SUGGESTIONS AND GIVING INSTRUCTIONS

As you have learned, a special sentence structure called the "imperative" forms commands in German. In such sentences, the verb stands as the first element.

To address a person or persons with whom you use **Sie,** start the sentence with the verb, then the subject pronoun **Sie.**

Fahren Sie nicht so schnell!	*Don't drive so fast!*
Rufen Sie mich **an!**	*Call me up!*

To address a group of people with whom you use **ihr,** start the sentence with the verb and *omit* the subject pronoun **ihr.**

Fahrt nicht so schnell!	*Don't drive so fast!*
Ruft mich **an!**	*Call me up!*

To address an individual with whom you use **du,** start with the verb, but drop the **(s)t** ending from the present tense of the **du**-form. If the verb has a stem-vowel change of **a → ä,** drop the umlaut as well. As in imperatives with **ihr,** *omit* the subject pronoun **du.**

Fahr nicht so schnell!	*Don't drive so fast!*
Ruf mich **an!**	*Call me up!*

To address a group that includes yourself, start the sentence with the verb then the subject pronoun **wir.**

Fahren wir nicht so schnell!	*Let's not drive so fast!*
Rufen wir Marion **an!**	*Let's call Marion up!*

Note that in two-part verbs, the prefix, or first part of the verb, goes at the end of the sentence.

Übungen

A Wie spricht man mit dem neuen Azubi? Am Abend vor dem ersten Arbeitstag hat Michael einen Alptraum: Sein Chef und seine Kollegen wollen, dass er alles tut—und sofort! Setzen Sie jeden Sie-Imperativ in den du-Imperativ.

MODELL: Schreiben Sie einen Brief! → Schreib einen Brief!

1. Machen Sie die Tür zu!
2. Bringen Sie mir den Vertrag!
3. Nehmen Sie nicht meinen Stuhl!
4. Kopieren Sie diese Dokumente!
5. Stellen Sie sich den Sekretärinnen vor!
6. Seien Sie selbständig!
7. Helfen Sie dem Kollegen mit dem Faxgerät!

B Machen wir es doch. Nach ein paar Wochen geht es Michael schon viel besser bei der Arbeit. Er macht ein paar höfliche Vorschläge.

MODELL: die Sekretäre: helfen → Helfen wir doch den Sekretären.

1. der Vertrag: lesen
2. das Fotokopiergerät: reparieren
3. die Rechtsanwältin: konsultieren
4. ein Schreibtisch: kaufen
5. das Schiff: kontaktieren
6. eine Büroparty: machen

C Jetzt sind Sie der Chef / die Chefin! Wählen Sie einen Beruf aus dem Wortschatz und geben Sie ihren Angestellten sechs höfliche Befehle.

MODELL: der Kellner / die Kellnerin
    1. Seien Sie bitte höflich.
    2. Arbeiten Sie doch am Samstag.

D Kettenreaktion. Fragen Sie Ihre Klassenkameraden: Was möchtet ihr werden? Arbeiten Sie dann zusammen, und machen Sie fünf Vorschläge für jede Karriere.

MODELLE: Susan und Kevin wollen Zahnarzt werden.
    1. Studiert Medizin!
    2. Lest viel!

    Steve will Schauspieler werden.
    1. Lies Dramen!
    2. Geh ins Theater!

E Der Deutschkurs. Marion und ihre Schwester Sabine diskutieren den Deutschkurs und die neuen Themen. Aber was interessiert Sie als Deutschstudenten und -studentinnen? Machen Sie Sabine und Marion sechs Vorschläge mit dem ihr-Imperativ!

MODELLE: Zeigt doch das Leben eines Auszubildenden.
    Besprecht doch die Probleme, eine Stelle zu finden.

KURZ NOTIERT

Use **bitte** to soften imperatives.

> **Bitte,** kommen Sie mit. / Kommen Sie **bitte** mit.
> *Please come along.*

The adverbs **doch** and **mal**—alone or together—soften or add emphasis to imperatives.

> Kommen Sie **doch** vorbei.
> *Why don't you come by.*
> Kommen Sie **mal** vorbei.
> *Come by (sometime).*
> Kommen Sie **doch mal** vorbei.
> *Why don't you come by (sometime).*

Michael hat einen Alptraum.

EINBLICKE

BRIEFWECHSEL

Lieber Michael,

nett, dass du schreibst. Deine Lehrstelle klingt toll. Leider habe ich anfangs ziemlich viel Pech[a] gehabt. Du weißt, ja, dass ich als Tierarzthelfer in einer Praxis in Bergen angefangen habe. Die Busverbindungen sind ziemlich schlecht, und ich musste mit dem Fahrrad dorthinfahren, auch bei Regen. Dann ist vor einiger Zeit mein Chef bei einem Autounfall umgekommen. Ich musste so schnell wie möglich einen neuen Ausbildungsplatz suchen. Rate mal, wo ich jetzt hin muss—nach Stralsund. Ich kann zwar mit der Bahn fahren, aber ich muss so oft umsteigen. Die Fahrt dauert so lange und ich muss schon ganz früh in der Praxis sein. Na ja, ein bisschen Glück muss man ab und zu haben, denn eine Tante von mir hat gerade ein neues Auto gekauft und mir ihr altes Auto geschenkt.

Ab und zu habe ich die Gelegenheit, mich mit Freunden aus der Klasse zu treffen. Silke habe ich neulich in der Stadt gesehen. Das Physikstudium in Rostock gefällt ihr gut. Schreib bald wieder!

Mache es gut und Tschüss Jürgen

Ein Tierarzt bei der Arbeit.

[a]*bad luck*

● Erste Erfahrungen. Lesen Sie Michaels Brief am Anfang des Kapitels noch einmal. Wer schreibt über welche Themen?

	MICHAEL	JÜRGEN
1. die Arbeit in einer Tierpraxis	☐	☐
2. das Ausfüllen von Fomularen	☐	☐
3. der Autounfall des Chefs	☐	☐
4. die neue Wohnung in Blankenese	☐	☐
5. wie man Fax- und Kopiergerät benutzt	☐	☐

EINBLICK

Diese Jobs haben Zukunft

Die Experten sagen, dass die folgenden Berufe auch in 25 Jahren noch gute Perspektiven bieten. Für einige dieser Berufe gibt es allerdings noch keine Berufsbilder oder Ausbildungsgänge.

Der Gastronom hat Zukunft.

Der Informationsbroker ist immer mehr gefragt.

- Verkäufer: Vor allem haben Fachhändler Zukunft.
- Kinderbetreuer/Erzieher: Berufstätige Frauen brauchen nicht nur Babysitter, sondern umfassende Betreuung für ihre Kinder.
- Altenpfleger zur Versorgung und Pflege von Senioren zu Hause sind immer mehr gefragt.
- Berufstätige Paare brauchen Haushaltshelfer.
- Online-Redakteure: Sie plazieren für Medien Bildschirmseiten oder recherchieren im Internet.
- Multimedia-Trainer: Sie kennen Computer gut und schreiben für Schulungen individuelle Lernsoftware.
- Systemsgastronomen: Immer mehr Menschen verlangen Fastfood in Pizzerias und Schnellrestaurants.
- Erlebnisgastronomen: Kreativen Köchen/Kellnern eröffnen sich im Freizeitbereich gute Chancen.
- Servicetechniker: Die immer komplizierteren Geräte und Maschinen verlangen Kundendienst und Service.
- Man benötigt Teamwerker vorwiegend am Bau, aber auch in vielen Handwerksbereichen.
- Man braucht Touristenbetreuer als Organisatoren und Ansprechpartner am Urlaubsort.
- Die wachsenden Abfallmengen sind ein großes Problem. Entsorger müssen günstige Wege und Verfahren zu ihrer Beseitigung finden.

A Europa und Nordamerika. Überfliegen Sie die Liste von Berufen. Welche Berufe gibt es auch in den USA oder Kanada? Kennen Sie Menschen, die diese Berufe ausüben? Was für eine Ausbildung haben sie?

B Welche Berufe interessieren Sie? Nennen Sie drei Berufe. Warum interessiert Sie jeder Beruf?

WORTSCHATZ ZUM LESEN

berufstätig	*working*
Versorgung	*care*
verlangen	*to demand*
künftig	*in the future*
vorwiegend	*mainly*
Abfallmengen	*quantities of garbage*

TIPP ZUM LESEN

Even when reading job descriptions in English, there may be terms you do not know. When reading about a job in German, look first for words you recognize. Then try to determine which occupation the text describes.

PERSPEKTIVEN

WORTSCHATZ ZUM HÖRTEXT

der Betrieb	*workplace*
die Baubranche	*construction industry*
das Gewerbe	*trade*
der Goldschmied	*goldsmith*
vorbehalten	*reserved*

HÖREN SIE ZU!

● Lehrlinge: Jens aus der Schweiz, Elizabeth aus Österreich und Tina aus Deutschland sprechen alle über Lehrlinge. Wie beschreibt jede Person einen „Lehrling"? Hören Sie zu, und schreiben Sie Notizen in die Tabelle.

	JENS (SCHWEIZ)	ELIZABETH (ÖSTERREICH)	TINA (DEUTSCHLAND)
Alter			
Lohn (Gehalt)			
Ausbildung			
erwähnte Berufe			

LESEN SIE!

Zum Thema

● Süßigkeiten. Beantworten Sie die folgenden Fragen.

1. Welche Süßigkeiten essen Sie besonders gern? Welche essen Sie nicht so gern? Stellen Sie diese Fragen an zwei Partner.
2. Welche Süßigkeiten sind in Nordamerika besonders beliebt? Welche sind nicht so beliebt?
3. Nennen Sie Firmen, die Süßigkeiten herstellen. Was wissen Sie über diese Firmen?

Die Gummibärchen-saga

Hans Riegel aus Bonn Kessenich ist der Boss von „Haribo", der größten Lakritzfabrik der Welt. So wie das Unternehmen ist er über 70 Jahre alt.

4000 Mitarbeiter und über 1,5 Milliarden Mark Umsatz im Jahr hat das Unternehmen. Von Rezession gibt es keine Spur, 70 Millionen
5 Gummibärchen rollen hier jeden Tag vom Band. Hans Riegel liebt alles so bunt wie möglich. Sein Sakko ist heute leuchtendgrün, die Krawatte hat alle Gummibärchenfarben. Auf seinem weißen Hemd grinst ein

TIPP ZUM LESEN

The title of this reading provides a clue to its content. What sort of information do you expect to find in a "saga"? How do you expect a saga to begin, unfold, and end?

gelber Teddy mit Fernglas zwischen den Pfoten. Der Boss liest gern
Mickymaus-Hefte. Die besten Ideen kommen dem Milliardenunternehmer,
10 wenn er in seiner Bonner Villa Sonntag morgens vor dem Fernseher
sitzt und die „Sendung mit der Maus" anguckt. Oder wenn er sich über
die „Sesamstraße" kringelig lacht. Die „Biene Maja" zum Beispiel hat
ihm so gefallen, dass er sie gleich in Gummi gießen ließ.

Hans Riegel senior war der Erfinder der Gummibärchen. Im Jahr 1920
15 gründete er die Firma „Haribo", benannt nach den Anfangsbuchstaben
von **Ha**ns **Ri**egel, **Bo**nn. Die ersten Bonbons kochte er in seiner
Waschküche. Startkapital: ein Sack Zucker, ein Herd und eine Walze.
Tägliche Produktionsmenge: ein Zentner Bonbons. Frau Riegel fuhr sie mit
dem Fahrrad aus. Mit den Lakritzschnecken und den Gummibärchen
20 kam der Durchbruch. In den dreißiger Jahren erfand man dann den
berühmten Werbeslogan „Haribo macht Kinder froh". Die Firma wuchs
und nach dem Krieg übernahmen die Söhne Hans und Paul die Leitung.
Heute gibt es nicht mehr viele gummibärchenfreie Zonen auf der
Weltkarte.

25 Warum gibt es eigentlich keine blauen Gummibärchen? „Rot", erklärt
der Boss, „ist eine Farbe zum Zugreifen. Blau signalisiert: Achtung
Ungenießbar! Das ist ein psychologisches Problem. Außerdem gibt es
keinen blauen Farbstoff aus Naturprodukten."

Und was ist das Geheimnis der Gummibärchen? „Ihr Rezept?
30 Keiner kennt es, nur der Chefkoch. Sie bestehen aus Gelatine—ein
eiweißhaltiges Naturprodukt auf Knochenbasis—Zucker und
Fruchtkonzentrat. Selbst ehrgeizige Chemiker konnten die
Zusammensetzung und das Verfahren bisher nicht analysieren."

WORTSCHATZ ZUM LESEN

die Lakritze	licorice
das Unternehmen	company
der Umsatz	revenue
das Band	assembly line
der Erfinder	inventor
benannt	named
die Walze	roller
die Menge	quantity
der Zentner	(approximately 100 pounds)
der Durchbruch	breakthrough
die Leitung	management
genießen	enjoy
das Geheimnis	secret
die Knochenbasis	bone base
die Zusammensetzung	ingredients

Zum Text

A Arbeitswelt. Bevor Sie den Text genau lesen, suchen Sie im Text
Wörter, die etwas mit dem Thema Arbeitswelt zu tun haben, und
machen Sie eine Liste. Wissen Sie, was die Wörter bedeuten?

B Neue Wörter. Finden Sie im Text die folgenden Wörter. Der Kontext
hilft Ihnen, festzustellen, was die Wörter bedeuten.

1. bunt   **a.** freundlich   **b.** vielfarbig   **c.** alt
2. „Biene Maja"   **a.** eine Art Biene   **b.** Hans Riegels Tochter   **c.** eine Fernsehsendung
3. ungenießbar   **a.** schmeckt furchtbar   **b.** schmeckt gut   **c.** interessant

C Verben im Imperfekt. Lesen Sie die folgenden Sätze, und versuchen
Sie, die Infinitivformen der Verben zu identifizieren.

Lieblingsbissen unzähliger Kinder.

MODELL: Frau Riegel **fuhr** sie mit dem Fahrrad **aus.** →
Infinitivform: ausfahren

1. Mit den Lakritzschnecken und den Gummibärchen **kam** der Durchbruch.
2. In den dreißiger Jahren **erfand** man den berühmten Werbeslogan.
3. Die Firma **wuchs,** und nach dem Krieg **übernahmen** die Söhne die Leitung.

D Zur Diskussion. Der Text präsentiert vier Hauptthemen. Suchen Sie zu jedem Thema drei Informationen. Welche Informationen haben Ihre Mitstudenten/Mitstudentinnen im Text gefunden?

- Gummibärchen
- Geschichte
- Firma Haribo
- Hans Riegel

INTERAKTION

Arbeiten Sie in einer Kleingruppe. Gründen Sie Ihre eigene Firma.

- Was verkauft die Firma? / Welches Produkt stellt die Firma her?
- Wo ist die Firma?
- Wie heißt die Firma?
- Wie viele Mitarbeiter hat die Firma?

SCHREIBEN SIE!

Werbung. Machen Sie Werbung für Ihre Firma. Die Werbung muss mindestens einen Text und einen Werbeslogan enthalten.

Schreibhilfe

Follow these steps to help you create your advertisement.

PREWRITING
- Think about the product or service your company sells, the typical person who will buy it and/or benefit from it, the information that you want your audience to know about your company, and

(continued)

the image you want to convey of your company and its product or service. Jot down key words in German for each of these considerations.

- Create a slogan based on the preceding information. Then prioritize the rest of the information to support it. Jot down any other expressions that enhance your message.
- Decide which type of advertising option will best convey your message: a poster for public areas, a billboard, a sign for the side of a bus, a newspaper or magazine ad, a radio announcement, a television commercial, or something else.
- Consider what you will need to augment your advertising text: visual(s), graphic design, voice(s), actor(s), music, sound effects, props, setting(s), and so forth.

WRITING

- Compose your advertisement or the script for your announcement or commercial directly in German. Consult the grammar explanations and vocabulary lists for this and previous chapters, as well as the end-of-book vocabularies whenever necessary to check grammatical structures or the meanings or spellings of words.
- When your text is complete and you have all indications for visuals, graphics, and/or script directions in place, you will have your first draft.

EDITING

- Share your first draft with at least three other students. How do they react to your slogan and your text? How do they react to your visuals or stage directions? Does your ad create the reaction you intended? What suggestions do your fellow students have for improvement? Do they have any corrections for grammar or spelling? You will react to their ads and offer them advise as well.

REWRITING

- Put together your final draft: Make any changes that you feel improve your message, correct any spelling or grammatical errors in your text, and finalize any visuals, graphics, and/or stage directions.

PUBLISHING

- If you created an ad for print media, present your finished product to the class.
- If you chose a radio announcement, record your message exactly as you would want it heard. This may require several takes. Play your recording for the class.
- If you wrote a script for a television commercial, videotape it, revising and retaping as many times as necessary to achieve your best effort. Play your videotape for the class.

Fokus Chat: Gummibärchen

Back Forward Home Reload Images Open Print Find Stop

Location:

Search Feedback Help Directory

Ihre Gemeinde: _____
Ihr Spitzname: _____
Ihre E-Mail-Adresse: _____
System: _____ *hat den Chatroom betreten.* (17:25)
D.J.: Jeden Tag esse ich mindestens zwei große Tüten Gummibärchen. Andere Sachen wie Schokolade oder Eis mag ich gar nicht.
Blondie: Gummibärchen sind lecker, aber zwei Tüten!?!
Schäfer: Kotz!
System: *Schäfer hat den Chatroom verlassen.* (17:29)
Spinner: Gummibärchen-Haribo-Hans Riegel Bonn.
Beast: Gummibärchen sind sehr lecker. Wenn man sie ins Wasser legt, werden sie ganz groß, schmecken dann aber nicht.

Wer da?

Beast
Spinner
D.J.
Blondie
Schäfer
_____

▶ **Text schicken**   **Optionen**   **Hilfe!**   **Text verlassen**

WORTSCHATZ

Substantive	Nouns
Die Arbeitswelt	*The world of work*
die **Ausbildungsstelle, -n**	training position
die **Firma,** *pl.* **Firmen**	firm, company
die **Berufsschule, -n**	career school
die **Bewerbung, -en**	application
die **Gelegenheit, -en**	opportunity
die **Karriere, -n**	career
die **Stelle, -n**	position
die **Tätigkeit, -en**	activity
die **Technik**	technology
der **Arbeitsplatz, ̈e**	workplace
der/die **Auszubildende**	trainee
der **Beruf, -e**	occupation
der **Chef, -s**	boss
der **Erfolg, -e**	success
der **Kollege (-en** *masc.*)	colleague
der **Lebenslauf, ̈e**	resumé
der **Lehrling, -e**	apprentice
der **Mitarbeiter, -**	coworker
der **Schritt, -e**	step
das **Büro, -s**	office
das **Einkommen, -**	income
das **Gehalt, ̈er**	salary, pay
das **Vorstellungsgespräch, -e**	job interview

*Berufe**	*Occupations*
der **Anwalt, ̈e**	lawyer
der **Architekt (-en** *masc.*)	architect
der **Autor, -en**	author
der **Bibliothekar, -e**	librarian
der **Dolmetscher, -**	interpreter
der **Flugbegleiter, -**	flight attendant
der **Fotograf (-en** *masc.*)	photographer
der **Geschäftsmann,** *pl.* **Geschäftsleute**	businessman
der **Informatiker, -**	computer programmer

der **Ingenieur, -e**	engineer
der **Journalist (-en** *masc.*)	journalist
der **Kaufmann,** *pl.* **Kaufleute**	merchant
der **Künstler, -**	artist
der **Mechaniker, -**	mechanic
der **Philosoph (-en** *masc.*)	philosopher
der **Physiker, -**	physicist
der **Politiker, -**	politician
der **Psychologe (-n** *masc.*)	psychologist
der **Sänger, -**	singer
der **Schauspieler, -**	actor
der **Zahnarzt, ̈e**	dentist

Verben	Verbs
einen Beruf aus•üben	to practice a profession
sich bewerben um (bewirbt), bewarb, bewarben	to apply for
helfen (hilft), half, geholfen	to help
raten (rät), riet, geraten	to advise
sich beschäftigen mit	to be occupied with
sich interessieren für	to be interested in
sich vor•stellen	to introduce
verdienen	to earn
zeichnen	to draw

Adjektive und Adverbien	Adjectives and adverbs
abhängig	dependent(ly)
finanziell	financial(ly)
selbständig	independent(ly)
sicher	secure(ly), safe(ly)
fest	certain(ly)

*For feminine forms of occupations, see the *Sind Sie wortschlau?* box on page 17.

DER TRICK

In this chapter, you will

- learn more about Michael's first day on the job.
- see how Michael handles a scary situation.

You will learn

- how to write a German resume.
- how to apply for a job in Germany.
- more about the present perfect tense.
- how to talk more about past events.
- about the experiences of a traveler.

Im Vorstellungsgespräch.

Liebe Eltern,

heute hat sich mein neuer Chef, der Herr Schäfer, vielleicht einen Scherz[a] erlaubt. Ich bin immer noch gestresst. Am besten fange ich aber von vorne an. Nachdem Herr Schäfer mir das Büro gezeigt hatte, bin ich mit ihm zum Hafen gefahren. Da hat man eines seiner Schiffe beladen.[b] Auf dem Schiff hat Herr Schäfer mich dann dem Kapitän, dem Lotsen[c] und dem Ersten Offizier vorgestellt. Der Erste Offizier hat mir das Schiff gezeigt. Als wir ganz unten im Maschinenraum waren, habe ich bemerkt, dass das Schiff losgefahren war. Ihr könnt euch meine Panik vorstellen. Ich bin gerannt, so schnell ich konnte. Ich wusste nicht, dass es auf einem Schiff so viele Treppen[d] gibt. Als ich endlich an Deck kam, war das Schiff aber schon ziemlich weit vom Land weg. Ich konnte gerade noch sehen, wie der Herr Schäfer mit seinem BMW wegfuhr. Dann bin ich zum Kapitän gerannt und habe verlangt, dass man das Schiff anhält. Der hat mich aber nur ausgelacht. „Vor Amerika hält dieses Schiff nicht!" hat er gesagt. Mir wurde fast schlecht. Na ja, zum Schluss konnte ich dann doch noch mit dem Lotsen von Bord. Der hat mir dann gesagt, dass der Herr Schäfer das mit allen neuen Lehrlingen so macht. Übrigens bin ich am Wochenende bei Schäfers zum Essen eingeladen. Ob er schon den nächsten Scherz plant?

Viele liebe Grüße
Euer Michael

[a]joke [b]loaded [c]pilot, loadsman [d]steps

VIDEOTHEK

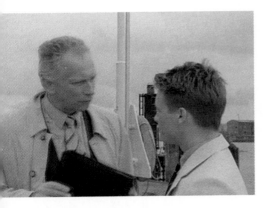

Michael und sein neuer Chef.

„Das glaubt mir kein Mensch!"

In der letzten Folge . . .

wohnt Michael in Hamburg, wo er eine Lehrstelle bei einer Speditionsfirma hat. Sein Chef zeigt ihm das Büro, und Michael lernt seine neuen Kollegen und Kolleginnen kennen.

● Wissen Sie noch?

1. Wie heißt Michaels Chef?
2. Wen hat Michael am ersten Tag kennen gelernt?
3. Seit wann wohnt Michaels Chef in Hamburg?
4. Wie gefällt Michaels Chef Hamburg?

In dieser Folge . . .

zeigt der Erste Offizier Michael das ganze Schiff. Auf einmal merkt Michael, dass das Schiff losfährt. Er will nicht mitfahren. Er will zurück an Land. Aber vielleicht kann er Schiffskoch werden.

● Was denken Sie?

	JA	NEIN
1. Michael fährt mit dem Schiff nach Amerika und trifft Marion.	☐	☐
2. Michael wird Koch auf dem Schiff und will nicht mehr im Büro arbeiten.	☐	☐
3. Michael fällt ins Wasser und ertrinkt.	☐	☐
4. Michael kommt wieder gut an Land in Hamburg.	☐	☐

WORTSCHATZ ZUM VIDEO

umdrehen	turn around
gebrauchen	use
die Besatzung	crew of a ship
die Rettung	rescue
zufrieden	satisfied
übertreiben	exaggerate

SCHAUEN SIE ZU!

A Verschiedene Grußformen. Welche Ausdrücke hören Sie im Video? Welche hören Sie nicht?

	JA	NEIN			JA	NEIN
1. Morgen!	☐	☐		5. Grüezi!	☐	☐
2. Grüß Gott!	☐	☐		6. Hallo!	☐	☐
3. Moin!	☐	☐		7. Tag!	☐	☐
4. Guten Abend!	☐	☐		8. Hi!	☐	☐

B Der Trick. Bringen Sie die Bilder in die richtige Reihenfolge. Sagen Sie dann kurz, was passiert.

a.

b.

c.

d.

e.

f.

C Wer sagt das?

	DER KAPITÄN	HERR FRIEDRICHS	DER ERSTE OFFIZIER	MICHAEL
1. „Wollen Sie nicht wieder mit uns mitfahren?"	☐	☐	☐	☐
2. „Das glaubt mir kein Mensch."	☐	☐	☐	☐
3. „Das Schiff fährt los."	☐	☐	☐	☐
4. „Ich will zurück. Ich muss ans Land."	☐	☐	☐	☐
5. „Wir können dich hier ganz gut gebrauchen. Bei uns kannst du Schiffskoch werden."	☐	☐	☐	☐
6. „Vor Amerika hält das Schiff nicht wieder an."	☐	☐	☐	☐

D Ist Michael eine Karikatur geworden? Beschreiben Sie jedes Bild. Warum sind diese vier Bilder für Michaels Geschichte wichtig?

a.

b.

c.

d.

dreiunddreißig **33**

VOKABELN

LEBENSLAUF

Lebenslauf

Name	Michael Händel
Geburtsdatum	28. April 1981
Geburtsort	Göhren
Eltern	Jan Händel
	Ingeborg Händel, geb. Pohle
Ausbildungsgang	
1987–1991	Grund- und Realschule, Sellin
1991–2000	Arndt Gymnasium, Bergen
Schulabschluss	Abitur 2000
Berufliche Ausbildung	Lehre als Speditionskaufmann bei Schäfer AG in Hamburg
Familienstand	ledig
Interessen	wandern, segeln, Journalismus, Musik

Hamburg, 25. November 2000　　*Michael Händel*

Und noch dazu

die **Fantasie**	*fantasy*
die **Pflicht**	*responsibility*
die **Wirklich-keit**	*reality*
der **Dienst**	*service, duty*
das **Geburts-datum**	*date of birth*
das **Prestige**	*prestige*

Aktivitäten

A Michaels Lebenslauf. Beantworten Sie die Fragen.

1. Wann ist Michael geboren?
2. Wann ist er zur Schule gegangen?
3. Wie alt war er damals?
4. Wo hat er sein Abitur gemacht?
5. Wie alt war er als Abiturient?
6. Wohnt er immer noch in Sellin? Wenn nicht, wo wohnt er jetzt und warum?
7. Sie wissen, dass Michael Mathe auf dem Gymnasium belegt hat. Welche anderen Fächer hat er wohl auch belegt?

B Vorstellungsgespräch. Stellen Sie sich vor, Sie sind Dieter Schäfer. Michael Händel sitzt in Ihrem Büro und will eine Lehre als Speditionskaufmann bei Ihrer Firma machen. Sein Lebenslauf liegt vor Ihnen. Welche Fragen stellen Sie Michael? Schreiben Sie fünf Fragen.

C Die Zeit vergeht. Michael hat die Lehre als Speditionskaufmann in Hamburg erfolgreich abgeschlossen. Was macht er wohl beruflich fünfzehn Jahre später? Hat er eine gute Stelle? Arbeitet er immer noch in Hamburg oder sonst wo? Verdient er viel Geld? Warum (nicht)? Was interessiert ihn besonders? Was macht er gern in der Freizeit? Spekulieren Sie.

D Zuerst: ein Lebenslauf. Schreiben Sie Ihren eigenen Lebenslauf. Benutzen Sie Michaels Lebenslauf als Beispiel.

NAME:
GEBURTSDATUM:
GEBURTSORT:

AUSBILDUNGSGANG:

SCHULABSCHLUSS:
BERUFLICHE AUSBILDUNG:

FAMILIENSTAND:
INTERESSEN:

HEUTIGES DATUM:
UNTERSCHRIFT:

STELLENANGEBOTE

Café Italiano
sucht Mitarbeiter/innen,
fest oder Aushilfe.
Tel:- 03739/23 17 44

Stelle 1

Firma in der Innenstadt sucht zuverlässige Reinigungskraft für Treppenhaus und Büro. 2 Stunden täglich (abends). DM18 pro Stunde. Tel:- 0297/13 83 467

Stelle 2

Neue Bookshop-Boutique
sucht Verkäufer/innen.
Tel:- 05459/08 72 394

Stelle 3

Wir suchen einen technisch versierten Marketingspezialisten / eine technisch versierte Marketingspezialistin für unsere Import- und Vertreterfirma.
Wir erwarten von Ihnen:
• Abgeschlossenes Studium der Fachrichtung Wirtschaftswissenschaften, Kommunikationswissenschaft oder ähnliches.
• Berufserfahrung aus dem Bereich Marketing.
• sehr gute Englischkenntnisse in Wort und Schrift.
• Organisationstalente.
• Kreativität.
Wir bieten Ihnen:
• Ständig neue Herausforderungen in einer technologisch führenden und weltweit expandierenden Firma.
• Gute Arbeitsatmosphäre im Team junger Kolleginnen und Kollegen.
• Persönliche und fachliche Weiterentwicklung.
Bitte senden Sie Ihren Lebenslauf mit neuem Lichtbild an:
Spedition Dittmann
Bredekamp 7
48165 Münster

Stelle 4

Und noch dazu

die **Anzeige**	advertisement
die **Ehrlichkeit**	honesty
die **Eigeninitiative**	self-initiative
die **Qualifikation**	qualification
die **Stellensuche**	job search
die **Traumkarriere**	dream career, job
die **Verantwortung**	responsibility
die **Zuverlässigkeit**	reliability
der **Arbeitgeber**	employer
der **Arbeitnehmer**	employee
der **Besitzer**	owner
der **Bewerber**	applicant
der **Vorschlag**	suggestion
entscheiden	to decide
verlangen	to demand
verlassen	to leave
abwechslungsreich	variable, changeable
persönlich	personal
pünktlich	punctual
ungewöhnlich	unusual
vielleicht	perhaps

Berater/innen
Besitzen Sie eine gewinnende Ausstrahlung und ein sicheres Auftreten? Dann lesen Sie weiter. Interessieren Sie sich für innovative Ideen und Konzepte? Möchten Sie in einer zukunftorientierten Firma arbeiten? Dann sollten Sie sich für eine Zusammenarbeit mit uns interessieren. Wir setzen voraus, dass Sie über einen guten Background verfügen und bereits 3 Jahre Berufserfahrung mitbringen. Wir erwarten von Ihnen, dass Sie sowohl allein (vor Ort) als auch innerhalb eines Teams effizient tätig sind. Senden Sie uns bitte Ihre Bewerbungsunterlagen:
Kretschmer Design GmbH
Thornerstraße 8
44789 Bochum

Stelle 5

Aktivitäten

A Stelle 1? 2? . . . ? Welche Stelle(n) passt zu jeder Beschreibung?

_____ **a.** Welche ist die richtige Stelle, wenn man nicht den ganzen Tag arbeiten kann/will?

_____ **b.** Welche Stellen sind für Studenten und Studentinnen geeignet?

_____ **c.** Für welche Stellen braucht man ein abgeschlossenes Studium?

_____ **d.** Für welche Stellen braucht man schon Arbeitserfahrung?

_____ **e.** Wo muss man mit anderen zusammen arbeiten wollen?

B Welche Qualifikationen muss man haben? Verbinden Sie die passenden Qualifikationen mit den Stellenangeboten oben.

MODELL: Für eine Arbeitsstelle als Berater muss man Ehrlichkeit haben.

_____ Arbeitserfahrung

_____ einen bestimmten Ausbildungsgang

_____ Ehrlichkeit

_____ Eigeninitiative

_____ Humor

_____ Computerkenntnisse

_____ Sprachkenntnisse

_____ Verantwortung

_____ Zuverlässigkeit

C Sie sind auf Stellensuche. Was machen Sie?

1. Sie lesen
   a. die Anzeigen.   **b.** die Stellenangebote.   **c.** den Lebenslauf.
2. Eine Stelle interessiert Sie. Sie müssen
   a. die Stelle verlangen.   **b.** die Stelle erwarten.   **c.** sich um die Stelle bewerben.
3. Sie haben ein Vorstellungsgespräch. Sie sprechen mit
   a. dem Arbeitnehmer.   **b.** dem Bewerber.   **c.** dem Arbeitgeber.
4. Ihr Vorstellungsgespräch ist um zehn Uhr. Sie müssen
   a. pünktlich sein.   **b.** überrascht sein.   **c.** abwechslungsreich sein.

D Ihre Reaktionen. Beantworten Sie jede Frage.

1. Welches Stellenangebot interessiert Sie besonders? Warum?
2. Welches Stellenangebot interessiert Sie überhaupt nicht? Warum?
3. Für welche Stelle(n) sind Sie gut qualifiziert? Wieso?

STRUKTUREN

REVIEW: THE PRESENT PERFECT TENSE
TALKING ABOUT THE PAST

The present perfect tense enables you to talk about things that happened in the past. To form this tense, use the present-tense form of **haben** or **sein** plus the past participle.

Herr Koslowski **hat** in Rheinhausen als Stahlarbeiter **gearbeitet.**
Mr. Koslowski worked in Rheinhausen as a steelworker.
Frau Koslowski und Marion **sind** nach Rügen **gereist.**
Mrs. Koslowski and Marion traveled to Rügen.

To form most past participles in German, combine the verb stem with the prefix **ge-** and the suffix **-(e)t** or **-en,** as in the following examples.

INFINITIVE	STEM	AUXILIARY	+	PAST PARTICIPLE
arbeiten	arbeit-	hat		**ge**arbeit**et**
fahren	fahr-	ist		**ge**fahr**en**
fragen	frag-	hat		**ge**frag**t**
geben	geb-	hat		**ge**geb**en**
kommen	komm-	ist		**ge**komm**en**
lesen	les-	hat		**ge**les**en**
wohnen	wohn-	hat		**ge**wohn**t**

In addition, many verbs with a past participle ending in **-en** also show a stem change.

INFINITIVE	STEM CHANGE	AUXILIARY	+	PAST PARTICIPLE
bleiben	bleib- → bl**ie**b-	ist		gebl**ie**ben
finden	find- → f**u**nd-	hat		gef**u**nden
nehmen	nehm- → n**o**mm-	hat		gen**o**mmen
schreiben	schreib- → schr**ie**b-	hat		geschr**ie**ben
sprechen	sprech- → spr**o**ch-	hat		gespr**o**chen
werden	werd- → w**o**rd-	ist		gew**o**rden
wissen	wiss- → w**u**ss-	hat		gew**u**sst

Note that the past participle of **sein** is **(ist) gewesen.**

Some verbs with a past participle ending in **-t** also show irregular stem changes in the past participle.

KURZ NOTIERT

Verbs of motion or change typically require **sein** in the present perfect tense: **an•kommen, gehen, kommen, mit•kommen, reisen, vorbei•kommen, wandern, werden, zurück•kommen.** In addition, the verbs **bleiben** and **sein,** also take **sein** in the present perfect tense.

INFINITIVE	STEM CHANGE	AUXILIARY	+	PAST PARTICIPLE
bringen	bring- → br**ach**-	hat		gebr**ach**t
denken	denk- → d**ach**-	hat		ged**ach**t
kennen	kenn- → k**ann**-	hat		gek**ann**t
wissen	wiss- → w**uss**-	hat		gew**uss**t

Verbs that begin with **be-, ge-,** or **ver-,** and those that end with **-ieren** do not add the prefix **ge-**.

INFINITIVE	STEM	AUXILIARY	+	PAST PARTICIPLE
besuchen	besuch-	hat		besucht
gefallen	gefall-	hat		gefallen
vergessen	vergess-	hat		vergessen

In two-part verbs, the past participle becomes a single word with **-ge-** between the prefix and the verb.

INFINITIVE	STEM	AUXILIARY	+	PAST PARTICIPLE
an•rufen	ruf-	hat		angerufen
auf•hören	hör-	hat		aufgehört
auf•passen	pass-	hat		aufgepasst
auf•stehen	steh- → st**and**-	ist		aufgestanden
aus•sehen	seh-	hat		ausgesehen
ein•laden	lad-	hat		eingeladen
mit•kommen	komm-	ist		mitgekommen

The present perfect tense in German can express any one of the following past tenses in English.

Ich **habe gearbeitet.**
- I worked. (simple)
- I did work. (emphatic)
- I was working. (progressive)
- I have worked. (present perfect)

Übungen

A Das haben sie gemacht. Ersetzen Sie das Subjekt mit dem Subjekt in Klammern.

MODELL: Frau Koslowski und Marion sind nach Rügen gereist. (du) →
Du bist nach Rügen gereist.

1. Herr Koslowski hat in Rheinhausen gearbeitet. (sie, *pl.*)
2. Marion ist in Rheinhausen geblieben. (ich)
3. Marion hat Michael einen Brief geschrieben. (wir)
4. Am Montag ist Michael in Hamburg angekommen. (ihr)
5. Gestern hat Michael einen Mitarbeiter angerufen. (du)
6. Warum ist Silke nicht nach Hamburg mitgekommen? (Sie)

Michael mit Marion und ihrer Mutter.

B Michael denkt darüber nach, was alles er gemacht hat. Schreiben Sie seine Gedanken im Perfekt.

MODELL: Ich wohne in Sellin. →
Ich habe in Sellin gewohnt.

1. Meine Eltern arbeiten im Sommer in der Pension.
2. Marion und ihre Mutter kommen nach Rügen.
3. Marion und ich wandern auf Rügen.
4. Ich schreibe einen Artikel in der *Wespe*.
5. Herr Bolten sagt: „Das ist eine Frechheit!"
6. Silke sieht die Fotos von Marion.
7. An diesem Tag machen Silke und ich die Mathearbeit nicht.
8. Meine Eltern und ich lesen eine Anzeige in der Zeitung.
9. Ich bewerbe mich um einen Ausbildungsplatz in Hamburg.
10. Ich fahre nach Hamburg.

C Michael ist von Sellin nach Hamburg gezogen. Er hat vieles gemacht. Schreiben Sie Sätze im Perfekt.

MODELL: sein Boot verkaufen → Er hat sein Boot verkauft.

1. Silke „Tschüss" sagen
2. seine Sachen packen
3. Rügen verlassen
4. eine Wohnung in Hamburg finden
5. ein Telefon und einen Kühlschrank kaufen
6. mit seinem neuen Chef sprechen

D Auf dem Schiff. Der Kapitän und der Offizier sprechen über ihren Aufenthalt in Hamburg. Ergänzen Sie den Dialog mit Hilfsverb und Partizip.

KAPITÄN: Was _____ du dieses Mal in Hamburg _____?^{1} (machen)

OFFIZIER: Ich _____ meine Freunde in St. Pauli _____.^{2} (besuchen) Ich _____ sie seit einem Jahr nicht _____.^{3} (sehen)

KAPITÄN: Meine Frau und ich _____ Kollegen in der Hafenkneipe _____.^{4} (treffen) Sie _____ viel von ihren Reisen _____.^{5} (erzählen)

OFFIZIER: Ach, ich war auch bei der Speditionsfirma und _____ mehr Gehalt _____.^{6} (verlangen) Die Fahrt nach Grönland diesen Sommer _____ sehr gefährlich _____.^{7} (sein) Schäfer kann das für unser Einkommen nicht erwarten.

KAPITÄN: Das ist richtig. Ich _____ aber schon vor einem halben Jahr ein Gespräch mit ihm _____^{8} (haben) und er _____ meinen Gehaltsvorschlag wieder _____.^{9} (vergessen) Er ist nicht sehr zuverlässig.

OFFIZIER: Na, vielleicht brauchen wir ein bisschen Eigeninitiative. Hey, guck mal, da ist doch der neue Azubi.

Warum lachen diese Leute?

E Das Schiff fährt nach Amerika, und Michael kann nicht zurück!

SCHRITT 1: Was denkt Michael, während er an Bord ist? Schreiben Sie Sätze im Perfekt.

MODELL: keine Kleider einpacken →
Ich habe keine Kleider eingepackt.

„Ich will zurück!"

1. die Brille vergessen
2. die Eltern nicht anrufen
3. die Miete nicht bezahlen
4. mein Englischbuch nicht mitbringen
5. nichts essen
6. den Pass verlieren

SCHRITT 2: Sie sind jetzt in Michaels Situation: Was geht durch Ihren Kopf? Stellen Sie sich vor, Sie sind auf einem Schiff nach Europa. Machen Sie eine Liste von fünf Dingen, die Sie nicht erledigt haben.

MODELL: Ich habe meinen Koffer vergessen.

F Michael hat sich beworben. Ordnen Sie die Sätze und arrangieren Sie Michaels Bewerbungsgeschichte.

_____ Dann hat er eine Anzeige von der Firma in Hamburg gesehen.
_____ Nun hat er seinen Lebenslauf geschrieben.
__1__ Michael und seine Freunde haben ihr Abitur gemacht.
_____ Am Ende hat er einen Ausbildungsplatz bekommen.
_____ Dann hat er einen Bewerbungsbrief geschrieben.
_____ Er hat Informationen über die Firma in der Bibliothek gefunden.
_____ Nach vier Wochen hat er ein Vorstellungsgespräch gehabt.
_____ Michael hat eine Zeitung gekauft.

G Informationen vom Lebenslauf.

SCHRITT 1: Was möchte man von Lilo wissen? Lesen Sie Lilos Lebenslauf und stellen Sie Fragen im Perfekt.

MODELLE: Wann ist Lilo Lehrling geboren?
Wann hat Lilo die Grundschule besucht?

SCHRITT 2: Was möchte man von Ihnen wissen? Schreiben Sie nun einen kurzen Paragraphen über sich selbst.

MODELL: Ich bin am dreißigsten Mai 1981 in Omaha geboren. Ich habe . . .

H Michaels Bewerbungsgespräch mit dem Personalchef

SCHRITT 1: Die Fragen. Arbeiten Sie zu zweit und schreiben Sie Michaels Gespräch mit dem Personalchef. Stellen Sie mindestens drei Fragen im Perfekt über Michaels Leben, seine Erfahrung und seine Hobbys.

SCHRITT 2: Das Interview. Spielen Sie die Rollen von Michael und dem Personalchef. Tragen Sie den Dialog der Klasse vor.

Lilo Lehrling	
Am Schulhof 3	
12345 Lohnstadt	
Lebenslauf	
Geboren	15.06.1979 in Moers
Vater	Manfred Lehrling, Optikermeister
Mutter	Martina Lehrling, Heilpraktikerin
1985 bis 1989	Besuch der Grundschule
1989 bis 1998	Besuch des Karl-Albrecht-Gymnasiums in Lohnstadt
1998	Abitur
April 1996	2-wöchiges Praktikum bei Josef Prinz, Steuerberatungsbüro, Lohnstadt
Juli 1997	3-wöchiges Praktikum bei Assekuranz Versicherungen, Krefeld
Juli/August 1997	Aufenthalt in Tampa/USA bei einer Gastfamilie
Meine Hobbies	Schachspielen Jazz Dance Volleyball (Mannschaftsmitglied) Reisen Ich gebe seit 3 Jahren regelmäßig Nachhilfeunterricht in Mathematik
September 1997	

EINBLICKE

BRIEFWECHSEL

Lieber Michael,

hoffentlich hast du dich von dem kleinen Scherz auf dem Schiff erholt. Ich hätte dir sagen sollen, dass man oft mit neuen Lehrlingen solche Scherze macht und sie ein wenig durch den Kakao zieht.[a] Wenigstens hat dein Chef ein bisschen Humor. Er wollte dir die ersten Tage nur ein wenig leichter machen. Mir ist etwas ähnliches passiert. Als ich vor vielen Jahren in Berlin Maurer[b] gelernt habe, hat mein Meister mich am ersten Tag vom fünften Stock in den Keller geschickt. Ich sollte die Gewichte[c] für die Wasserwaage[d] holen. Als ich im Keller ankam, gab man mir einen großen, schweren Sack. Ich bin dann brav mit diesem Sack die Treppen wieder hoch gestiegen. Mit Ach und Krach[e] kann ich dir nur sagen. Ganz schlapp bin ich dann oben angekommen. Da standen schon die Kollegen und lachten sich schief. Ich lernte schnell, dass es keine Gewichte für eine Wasserwaage gibt. Im Sack waren nur eine Menge große, schwere Steine. Also, mach's wie ich, immer gute Miene zum bösen Spiel.[f] Lass dich nicht unterkriegen![g]

Dein Papa

Was liegt im Sack?

[a]durch . . . *to make fun of somebody* [b]*stone mason* [c]*weights* [d]*level (tool used in masonry to ensure a level surface); lit.: water scale* [e]mit . . . *by the skin of one's teeth* [f]gute . . . *make the best of it* [g]Lass . . . *Don't let it get you down.*

A Lehrlinge am Arbeitsplatz. Ergänzen Sie die richtigen Ausdrücken.

1. Man macht _____ (oft, nie) Scherze mit Lehrlingen.
2. Herr Schäfer hat _____ (ein bisschen, wenig) Humor.
3. Michaels Vater hat _____ (Maurer, Metzger) gelernt.
4. Michaels Vater musste _____ (vom Dachboden, im Keller) etwas holen.

5. Man gab ihm _____ (eine Wasserwaage, einen schweren Sack).
6. Er war _____ (schlapp, sauer), als er oben ankam.

B Ein Scherz. Haben Sie oder Freunde von Ihnen schon mal jemandem einen Streich gespielt? Erzählen Sie darüber.

EINBLICK

Was erwartet eine Firma?

Lesen Sie, was ein großes, internationales Unternehmen von Bewerbern mit Hochschulabschluss erwartet und was die Firma in einer Bewerbung sehen will.

Die Firma erwartet . . .

- gute bis sehr gute Examensergebnisse.
- eine kurze Studiendauer.
- Fremdsprachenkenntnisse.
- soziale und kommunikative Fähigkeiten.
- Mobilität.
- Initiative.
- die Bereitschaft, Verantwortung zu übernehmen.

Von einer Bewerbung erwartet die Firma . . .

- ein Anschreiben mit Angabe der angestrebten Tätigkeit.
- einen Lebenslauf.
- ein aktuelles Lichtbild.
- Zeugniskopien (nur ab Abitur).
- ein Diplomzeugnis oder eine Leistungsübersicht der Hochschule.
- Praktika.

Stimmt das, oder stimmt das nicht?

Die Firma will, dass neue oder zukünftige Mitarbeiter . . .

	DAS STIMMT.	DAS STIMMT NICHT.
1. lange studiert haben.	☐	☐
2. ein Praktikum gemacht haben.	☐	☐
3. für lange Zeit in einer Stadt leben wollen.	☐	☐
4. ein Familienfoto schicken.	☐	☐
5. mehrere Sprachen sprechen.	☐	☐
6. ein Berufsziel haben.	☐	☐

TIPP ZUM LESEN

Before reading the text, quickly run through the true/false activity. Then, watch for information in the text that confirms the true statements in the activity.

WORTSCHATZ ZUM LESEN

die Fähigkeit	*ability*
angestrebt	*desired*
die Tätigkeit	(*here:*) Beruf
ab Abitur	*beginning with* Abitur

PERSPEKTIVEN

HÖREN SIE ZU!

Astrid, Elisabeth und Jens sprechen über die Arbeitslage in Europa.

W ORTSCHATZ ZUM HÖRTEXT

Rentner	pensioners
Renten	pensions
wechseln	to change

A Wer äußert sich zu den folgenden Themen? Hören Sie gut zu und kreuzen Sie an, wer über was spricht.

	ASTRID	ELISABETH	JENS
Berufswechsel	☐	☐	☐
Ausbildung	☐	☐	☐
Internationale Berufe	☐	☐	☐
Renten	☐	☐	☐
Arbeitslosigkeit in der Familie	☐	☐	☐

B Die Arbeitslage in Europa. Was sagen Anja, Daniela und Stefan darüber? Beantworten Sie die Fragen.

ASTRID
1. Was ist das größte Problem in Deutschland?
2. Wann geht es einer Familie nicht gut?
3. Wer wird bald Rentner?
4. Wann haben Anjas Verwandte ihre Arbeit verloren?

ELISABETH
1. Für wen ist die Jobsituation kritisch?
2. Wie lange übt man einen Beruf in Österreich aus?

JENS
1. Wovor haben die Leute in der Schweiz Angst?
2. Traditionell wechselt man den Beruf in der Schweiz nicht so oft. Was muss man aber in moderner Zeit tun?
3. Warum sind internationale Berufe wichtig in der Schweiz?

LESEN SIE!

In Folge 14 haben Sie gesehen, dass Michael beinahe auf dem Schiff bleiben musste. Stellen Sie sich vor, Michael muss nach Amerika fahren und sieht zum ersten Mal—wie viele Auswanderer und Touristen vor ihm—die Skyline von New York. Was wissen Sie über New York? Welche Gebäude sieht man in der Skyline? Welche Assoziationen hat man mit New York? Kennen Sie Lieder über New York?

Zum Thema

A Drei Statuen. Was können Sie darüber sagen? Sie kennen schon die Freiheitsstatue. Beschreiben Sie sie. Welche Bedeutung hat sie? Wie heißen die anderen zwei Statuen? Beschreiben Sie sie. Was bedeuten sie vielleicht?

Die Freiheitsstatue im New Yorker Hafen.

Germania am Rhein bei Rüdesheim.

Bavaria in der Theresienwiese in München.

B Wie kann man das anders sagen? Lesen Sie den ersten Absatz des Textes. Finden Sie im Text Alternative für die folgenden Sätze im Text.

MODELL: Der Wind ist kalt und die Luft ist grau.
„Die Neue Welt grüßte mit kaltem Wind und grauer Luft."

1. Viele Passagiere machen gerne Fotos.
2. Es ist sehr neblig.
3. Die Freiheitsstatue hat zwei Schwestern, Bavaria und Germania.
4. Diese Schwestern (Statuen) haben nichts im Kopf und sind blind.
5. Die Freiheitsstatue ist nicht sehr gut gelaunt.
6. Auch wenn die Freiheitsstatue eine Fackel hält, kann man nichts sehen.

C Die Skyline von New York. Bevor Sie den Text zu Ende lesen, schauen Sie sich noch einmal die Skyline von New York an. Woran erinnert sie Sie?

Aus: Amerikafahrt

Die Neue Welt grüßte mit kaltem Wind und grauer Luft. Die Erwartung hatte die Reisenden vor Tag aus den Betten getrieben. Eine Herde von Photoamateuren schwärmte, aufgescheuchten Schafen gleich, über die Decks. Die Freiheitsstatue ragte in einem zerrissenen Nebelmantel aus

WORTSCHATZ ZUM LESEN

aufgescheucht	frightened
die Fackel	torch
der Wolkenkratzer	skyscraper
vertraut	familiar
überwältigen	overwhelm
übersichtlich	easy to see
der Turm	tower
loben	to praise
die Allmacht	omnipotence
errechnen	to calculate

TIPP ZUM LESEN

Many of the sentences in this text contain verbs of perception such as **sah, dachte, erschien** (*appeared*), and **schien** (*seemed*), because they relate the narrator's personal impressions. Reading from the perspective of inner thoughts will help you in your comprehension.

KULTURSPIEGEL

Wolfgang Koeppen fuhr eine Zeitlang zur See, studierte Theaterwissenschaft und Philosophie, war Dramaturg und lebte einige Jahre in Holland. Er ist besonders für seine Nachkriegsromane, wie zum Beispiel *Tauben im Gras* (1951) und *Tod in Rom* (1954), bekannt. Hier lesen Sie einen Auszug aus seinem Roman *Amerikafahrt* (1959).

dem Meer und war eine biedere Schwester der beliebten Riesinnen, Bavaria oder Germania, denen man in den hohlen Kopf steigen kann, um aus ihren blinden Augen den nichtssagend erweiterten Horizont zu sehen. Sie erscheint als Matrone, ein Mutterkomplex der Nation, die mißmutig eine nasse Fackel hält, aber nichts erhellt.

Da trat nun hinter dem Freiheitssymbol die berühmte Skyline hervor. Da drängten sich die Wolkenkratzer auf der Spitze des festesten und teuersten Felsens zusammen. Ich dachte an ökonomische Statistiken, an graphisch dargestellte Erfolgskurven. Ich sah Kurse klettern, Raketen steigen, aber das Paradies war hier so wenig wie anderswo zu sehen, und die reichste Stadt der Welt wirkte aus der Sicht des sich dem Erdteil nähernden Gastes wie ein größenwahnsinnig gewordenes Dorf. Der Anblick schien vertraut zu sein, statt zu überwältigen. Das Gemälde war eher übersichtlich als gigantisch.

Das Schiff glitt, von Schleppern gezogen, langsam dem neuen Rom zu, dem Rom der oft zitierten westlichen Hemisphäre. Seine Türme lobten nicht Gott, sie fragten nicht nach eines Allmächtigen Existenz, sie hatten selber die eigene Allmacht errechnet. Die Stadt New York, wie sie sich da in den Dunst des Morgens reckte, eine Theaterdekoration aus Stahl, Zement, Glas und auch altem Mauerstein, ließ an Kartenhäuser denken. Unter den höchsten Dächern duckten sich andere, die so viel niedriger wirkten als sie waren. Alles schien wie von einem spielenden, aber nicht sehr phantasiebegabten Kind, zu einer willkürlichen Ordnung hingestellt zu sein.

Zum Text

● Ankunft in Amerika. Beantworten Sie die Fragen.

1. Was passiert auf dem Schiff?
2. Wie beschreibt der Erzähler die Skyline?
3. Ist die Reaktion des Erzählers auf New York positiv oder negativ? Was meinen Sie?
4. Wie sieht dem Erzähler die Stadt New York aus? Denken Sie daran, dass der Erzähler noch auf dem Schiff steht, noch etwas von der Stadt entfernt.

INTERAKTION

● Besucher(innen) und Einwohner(innen). Arbeiten Sie in Gruppen zu viert. Wählen Sie einen Ort (Stadt, Land, ?) in der Welt, in dem Sie noch nie waren aber besuchen möchten. Spielen Sie die Rollen von Besucher(innen) oder Einwohner(innen). Die Besucher(innen)

beschreiben ihre Erwartungen von diesem Ort. Die Einwohner(innen) beschreiben, wie Sie die Besucher(innen) sehen.

SCHREIBEN SIE!

TIPP ZUM SCHREIBEN

Ein interessanter Reisebericht bietet dem Leser nicht nur Fakten darüber, was der/die Reisende gesehen und gemacht hat. Er gibt auch Eindrücke davon.

● Ein Reisebericht. Denken Sie an eine lange Reise, die Sie einmal gemacht haben. Schreiben Sie darüber einen Reisebericht. Was haben Sie gesehen? Wen haben Sie kennen gelernt? Wie waren die Menschen dort? Welche Erwartungen hatten Sie von dem Land oder der Stadt, bevor Sie hingefahren sind? Haben Sie erlebt, was Sie erwartet haben?

Schreibhilfe

Follow these steps to help you write your report.

PREWRITING
- Read the **Tipp zum Schreiben** and then read once more through all the questions in **Schreiben Sie!,** focusing your mind in German.
- Consider the questions as a general outline and start jotting down German expressions in answer to each. However, do not be afraid to stray from the questions and include details, emotions, thoughts, or impressions as they come into your mind.

WRITING
- Look over what you have written so far. Find an expression or idea that means the most to you when you think about your trip; use it to write the opening sentence of your report.
- Expand on your topic sentence, and/or move out from it to other topics, as you use your notes to continue writing your first draft.

EDITING
- Exchange reports with another student. As you read each other's work, write down—in German—any questions you may have.
- Does your partner's report move smoothly from one idea or topic to another? If not,

perhaps you can suggest ways for improving the transitions.
- Star the sentence(s) or idea(s) that you find most interesting in each other's work. Use a question mark to indicate any sentences or ideas that you feel detract from the report.
- Finally, do you have any suggestions for reordering or refocusing the information to make the report more exciting?

REWRITING
- Consider your partner's comments, and decide which changes might improve your work.
- As you examined your partner's report, you may have thought of ways in which you could improve your own. Often it is easier to identify problems in someone else's writing, and then apply those insights to your own work.

PUBLISHING
- As you compose your final draft, think of your report as part of a larger publication, be it a travel magazine, the travel section of a newspaper, or a collection of essays on travel. Try to picture the audience who might be interested in your report, and think of ways you can engage those readers. Make any final adjustments in your work accordingly.

Fokus Chat: Traumjob

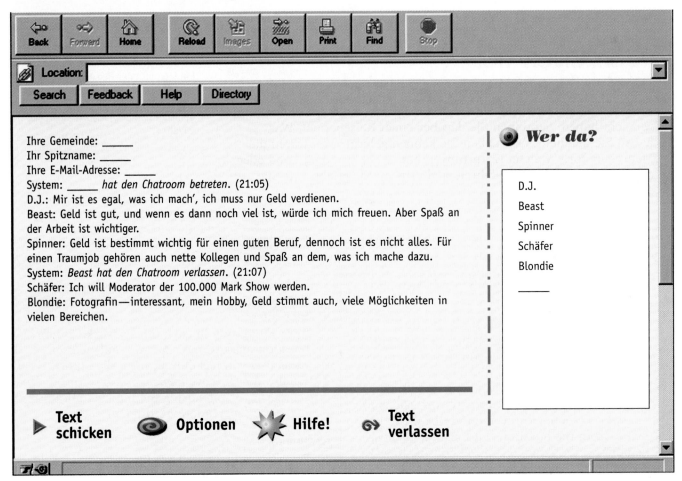

Ihre Gemeinde: _____
Ihr Spitzname: _____
Ihre E-Mail-Adresse: _____
System: _____ *hat den Chatroom betreten.* (21:05)
D.J.: Mir ist es egal, was ich mach', ich muss nur Geld verdienen.
Beast: Geld ist gut, und wenn es dann noch viel ist, würde ich mich freuen. Aber Spaß an der Arbeit ist wichtiger.
Spinner: Geld ist bestimmt wichtig für einen guten Beruf, dennoch ist es nicht alles. Für einen Traumjob gehören auch nette Kollegen und Spaß an dem, was ich mache dazu.
System: *Beast hat den Chatroom verlassen.* (21:07)
Schäfer: Ich will Moderator der 100.000 Mark Show werden.
Blondie: Fotografin—interessant, mein Hobby, Geld stimmt auch, viele Möglichkeiten in vielen Bereichen.

Wer da?

D.J.
Beast
Spinner
Schäfer
Blondie
_____

▷ Text schicken   Optionen   Hilfe!   Text verlassen

WORTSCHATZ

Substantive	Nouns		Sonstige Substantive	Other nouns
Lebenslauf	*Resume, CV**		die **Überraschung, -en**	surprise
			der **Kapitän, -e**	captain
die **Fantasie, -n**	fantasy		der **Offizier, -e**	officer
die **Pflicht, -en**	responsibility		der **Streich, -e**	prank
die **Wirklichkeit**	reality		der **Trick, -s**	trick
der **Ausbildungsgang,** *pl.*	educational		die **Kenntnisse** (*pl.*)	knowledge, skills
Ausbildungsgänge	background			
der **Dienst, -e**	service, duty			
der **Familienstand**	marital status		*Verben*	*Verbs*
der **Geburtsort, -e**	place of birth		**an•halten (hält an), hielt**	to stop
der/die **Selbstständige**	self-employed		**an, angehalten**	
(*decl. adj*)	person		**entscheiden, entschied,**	to decide
das **Geburtsdatum,** *pl.*	date of birth		**entschieden**	
Geburtsdaten			**erwarten**	to expect
das **Interesse, -n**	interest		**folgen** (+ *dat.*)	to follow
das **Prestige**	prestige		**glauben**	to believe
			gucken	to watch, to look
			los•fahren (fährt los),	to depart
Stellenangebote	*Job offers*		**fuhr los, ist**	
			losgefahren	
die **Anzeige, -n**	advertisement		**verlangen**	to demand
die **Arbeitserfahrung, -en**	work experience		**verlassen**	to leave
die **Bewerbung, -en**	application			
die **Ehrlichkeit**	honesty			
die **Eigeninitiative**	self-initiative		*Adjektive und*	*Adjectives and*
die **Qualifikation, -en**	qualification		*Adverbien*	*adverbs*
die **Stellensuche**	job search			
die **Traumkarriere, -n**	dream career, job		**abwechslungsreich**	variable, changeable
die **Verantwortung, -en**	responsibility		**persönlich**	personal
die **Zuverlässigkeit**	reliability		**pünktlich**	punctual
der **Arbeitgeber, -** / die	employer		**überrascht**	surprised
Arbeitgeberin, -nen			**ungewöhnlich**	unusual
der **Arbeitnehmer, -** / die	employee		**zuverlässig**	reliable
Arbeitnehmerin, -nen			**Gute Fahrt!**	Have a good trip!
der **Besitzer, -** / die	owner			
Besitzerin, -nen			*Sonstiges*	*Other*
der **Bewerber, -** / die	applicant		**geboren: Wann sind Sie**	born: When were
Berwerberin, -nen			**geboren?**	you born?
der **Vorschlag, ̈e**	suggestion			

*Curriculum Vitae

ZU VIEL SALZ

In this chapter, you will

- get better acquainted with the Schäfer family.
- see how the Schäfer's dinner party goes wrong and how they resolve the problem.

You will learn

- how to talk about food and restaurants.
- about the eating customs of different people.
- more about pronouns in the nominative, accusative, and dative cases.
- about the genitive case and how to express possession.
- how to read a German recipe.
- about the German author Wolfgang Borchert.

Liebe Silke,

von Jürgen habe ich erfahren, dass Rostock dir gut gefällt. Mir geht's auch gut. Mein Zimmer ist nett, und die Arbeit ist interessant. Ich musste zwar gleich am ersten Tag einen albernen[a] Streich erleben, aber eigentlich sind die Mitarbeiter sehr nett, vor allem mein Chef Herr Schäfer. Vor einigen Tagen hat er mich zum Essen eingeladen. Außer mir war noch ein Ehepaar, Freunde von Schäfers, da. Herr Schäfer ist Hobbykoch und hatte Lammrücken Provenzale gemacht, leider total versalzen. Herrn Schäfer war das natürlich sehr peinlich[b] und seine Tochter Eva hat vorgeschlagen, ins Restaurant zu gehen. Wir haben überall gesucht und konnten nichts finden. Zum Schluss habe ich dann alle zu meinem Lieblingsimbiss gebracht. Er ist direkt am Hafen und hat gute Bratwurst. Zuerst waren alle sehr skeptisch, aber es hat allen doch gut geschmeckt und richtig viel Spaß gemacht. Das war der Hit des Abends. Ich muss sagen, hier in Hamburg fühle ich mich sauwohl.

Was macht das Studium? Wie oft fährst du nach Hause? Lass mal von dir hören. Ich denke gerne daran, wie wir die Hausaufgaben für Mathe zusammen gemacht haben.

Dein Michael

[a]silly [b]embarassing

In der Küche.

„Ich will zurück!"

In der letzten Folge . . .

fährt Michael mit Herrn Schäfer zum Hafen. Sie besuchen ein Schiff. Der Erste Offizier zeigt Michael das Schiff. Plötzlich fährt das Schiff weg. Michael will nicht nach Amerika fahren und möchte lieber zurück an Land.

● Wissen Sie noch?

1. Was für einen Streich haben der Kapitän und die Besatzung gespielt?
2. Wie hat Michael reagiert?
3. Was ist am Ende passiert?

In dieser Folge . . .

wird Michael zum Abendessen bei seinem Chef eingeladen. Herr Schäfer kocht das Essen, aber seine Frau und seine Tochter glauben beide, dass sie ihm beim Würzen helfen müssen.

● Was denken Sie?

	JA	NEIN
1. Michael kommt zu spät zum Abendessen.	☐	☐
2. Die ganze Familie versalzt das Essen.	☐	☐
3. Das Essen schmeckt nicht gut, aber die Gäste essen alles höflich auf.	☐	☐
4. Die Schäfers und ihre Gäste essen in einem feinen Restaurant.	☐	☐

Zu viele Köche verderben den Brei!

WORTSCHATZ ZUM VIDEO

lecker	tasty
verschwinden	to disappear
versalzen	to oversalt
Gastgeber / Gastgeberin	host/hostess
Geschlossene Gesellschaft	private party

SCHAUEN SIE ZU!

Ⓐ Wer ist an dem Abend bei Familie Schäfer?

Dieter Schäfer	☐	Uwe Cornelius	☐
Karin Schäfer	☐	Michael Händel	☐
Eva Schäfer	☐	Marion Koslowski	☐
Silke	☐	Renate Cornelius	☐

Ⓑ Das Essen ist versalzen! Wer versalzt das Essen zuerst? Bringen Sie die Bilder in die richtige Reihenfolge.

a. Eva **b.** Frau Schäfer **c.** Herr Schäfer

C Eva Schäfer hat eine Idee: Alle sollen ins Restaurant gehen, aber sie haben kein Glück. Warum?

1. Sie können in das erste Restaurant nicht, weil . . .
   a. das Restaurant Ruhetag hat.
   b. Feiertag ist.
   c. die Kellner streiken.
2. Sie können in das zweite Restaurant nicht, weil . . .
   a. es dort eine geschlossene Gesellschaft gibt.
   b. das Restaurant geschlossen hat.
   c. das Restaurant einen schlechten Ruf (*reputation*) hat.

D Wo serviert man was?

1. _____ Lammrücken Provenzale, Kartoffeln, Bohnen
2. _____ Wurst, Pommes frites
3. _____ Ravioli Caprese, Schwarzwälder Kirschtorte
4. _____ Rotwein, Mineralwasser
5. _____ Eiswasser, Kaffee

   a. bei Familie Schäfer
   b. bei Professor Di Donato
   c. beim Imbissstand

KULTURSPIEGEL

In Kontrast zu anderen Ländern findet man in deutschsprachigen Ländern nur selten Salz und Pfeffer auf dem Esstisch beim Essen.

E Eine peinliche Situation. Beantworten Sie die folgenden Fragen.

1. Erklären die Schäfers den Gästen, was mit dem Essen wirklich passiert ist? Wenn ja, was sagen sie? Wenn nein, warum nicht?
2. Was würden (*would*) Sie Ihren Gästen in so einer Situation sagen? (Ich würde ihnen sagen: . . .)

F Beim Imbiss. Was essen und trinken Michael, Familie Schäfer und Herr und Frau Cornelius am Imbissstand? Kreuzen Sie an.

1. _____ Bratwurst
2. _____ Pommes frites
3. _____ Limonade
4. _____ Salat
5. _____ Lamm Provenzale
6. _____ Bier

VOKABELN

ESSEN UND TRINKEN

Und noch dazu

der
   Champignon — *mushroom*
der Hummer — *lobster*
der Knoblauch — *garlic*
der Pfeffer — *pepper*
die Sahne — *cream*
das Salz — *salt*
der Senf — *mustard*
bekommen — *to receive*
bestellen — *to order*
probieren — *to try out, sample*
schmecken — *to taste*

Gasthaus
Zum goldenen Schwan

VORSPEISEN

Krabbencocktail	5,00
Germischter Salat	4,50
Thunfisch-Salat	5,70
Zwiebelsuppe	4,90
Erbsensuppe mit Speck	5,50

HAUPTGERICHTE

Forelle mit Weinsoße und Erbsen	15,50
Lachs mit Wildreis	16,00
Wiener Schnitzel mit Kartoffeln und Bohnen	17,50
Schweinebraten mit Knödeln und Saurkraut	17,00
Leberkäs mit Sauerkraut	17,00
Bratkartoffeln nach Hausfrauen Art	15,00

NACHSPEISEN

New Yorker Käsekuchen	3,50
Apfelstrudel	3,00

GETRÄNKE

Bier	3,00
Wein	3,50
Sekt	4,50
Saft (Apfel, Orange)	3,00
Cola	2,00
Limonade	2,50
Mineralwasser	2,00

die Speisekarte

Aktivitäten

A Fastfood. Beantworten Sie die folgenden Fragen.

1. Was kann man an Imbissständen in Europa bestellen?
2. Welches Fastfood kann man in Nordamerika bestellen?
3. Essen Sie gern Fastfood? Warum (nicht)?
4. Was möchten Sie besonders gern an einem Imbissstand bestellen?

B Eine Speisekarte. Was gehört welcher Kategorie?

VORSPEISE   HAUPTGERICHT   BEILAGE   NACHSPEISE   GETRÄNK

Apfelstrudel	Pommes frites	Sauerkraut
Mineralwasser	Eis	Thunfisch
Leberkäs	Lachs	Reis
Erbse	Limonade	Salat
Apfelsaft	Forelle	Wurst

Wurst (Bockwurst, Bratwurst, . . .)
Pommes Frites
Salat
Limonaden (wie Cola, . . .)
Brezeln
Hering   ?
Sauerkraut
Reis

C Ein Dialog im Restaurant. Bringen Sie die Sätze in die richtige Reihenfolge.

_____ *Später:* Was möchten Sie, bitte?
_____ Gern. Unser Leberkäs ist ausgezeichnet. Etwas zu trinken?
_____ Ein Mineralwasser, bitte.
_____ Ich hätte gern den Leberkäs mit Bratkartoffeln.
__1__ Bitte schön?
_____ Ich möchte gern die Speisekarte sehen.
_____ Aber natürlich. Hier ist die Speisekarte.

D Essen und Getränke. Fragen Sie einen Mitstudenten / eine Mitstudentin, was er/sie gern isst und trinkt—und wo.

MODELL: A: Was isst und trinkst du gern zu Hause?
B: Zu Hause esse ich gern . . .

zu Hause
im Restaurant
in der Mensa
bei Ihrer besten Freundin

bei Ihrem besten Freund
bei der Familie
unterwegs
?

WO ESSEN WIR?

DREHRESTAURANT IM OLYMPIA TURM

Traumhaftes Ambiente hoch über München

Lassen Sie sich von dem phantastischen Ausblick über München und dem Alpen-panorama bei erlesenen Speisen der internationalen "Haute Cuisine" verzaubern. Wir sind jeden Tag von 11.00 bis 17.30 Uhr und von 18.30 bis 23.30 Uhr für Sie da.

Reservieren Sie bitte unter der Telefon-Nr. 089/3081039 oder Fax 089/3083357 Haberl Gastronomie

Restaurant & Destillation
Radke's
Gasthaus Alt-Berlin
Tel./Fax 213 46 52
Marburger Str. 16 · 10789 Berlin

Täglich von 11 bis 2 Uhr + länger
gegenüber dem Europa-Center
urige Berliner Atmosphäre
Alt-Berliner Küche
6 Biere vom Faß

An Sonn- & Feiertagen 12-18 Uhr:
Brunch-Buffet DM 25,-
inklusive Kaffee/Säfte
für Kinder halbe Preise

Party-Profi
Speziell Alt-Berliner Buffet

Separate Gesellschafts-
und Tagungsräume

Das preiswerte Spezialitätenrestaurant

APOLLO-GRILL

Türkisches Restaurant - Intern. Küche

Goslarsche Straße 20, Tel.: 50 60 72

Gyros Pita mit
Salat und Zazicki,
Köfte Pita, Pizza
und vieles mehr
bekommen Sie bei uns
immer frisch zubereitet.

Besuchen Sie auch unseren
Apollo express Grill
Langer Hof 2c, Tel.: 4 99 55

SUBWAY Testsieger 8/90 Döner

Treffpunkt für nette Leute
Wirtshaus Zur Krone Oberwinter - Dienstag Ruhetag -

Sion KÖLSCH

Fremdenzimmer und Ferien-wohnungen

Rolf u. Renate Hohl

53424 Remagen-Oberwinter, Hauptstraße 90
Telefon (0 22 28) 3 09

Kneipe

Öffnungszeiten:
Mo–Fr   9.30–1.00
Sa/So 12.00–1.00

durchgehend
türkische Küche

MfG-Zentrale

AStA-Zimmervermittlung
Mo–Fr   10.00–15.00

Frauenstr. 24

Und noch dazu

die Bedienung	*service*	der Gasthof	*hotel, restaurant*	voll	*full*
die Küche	*cuisine*			Ist hier noch frei?	*Is this seat taken?*
die Gaststätte	*restaurant*	der Imbissstand	*snack stand*	Hier ist besetzt.	*This seat is taken.*
die Rechnung	*check*	der Kellner	*waiter*	Was darf's sein?	*What will you have?*
		zahlen	*to pay*	Ich hätte gern . . .	*I'd like . . .*

Aktivitäten

A Welches Restaurant ist das? Suchen Sie für jede Beschreibung das passende Restaurant.

BESCHREIBUNG

1. Hier findet man türkische und internationale Küche.
2. Hier kann man trinken und eine Kleinigkeit essen.
3. Von diesem Restaurant hat man einen Panoramablick beim Essen.
4. Dieses Restaurant bietet traditionelle Küche und ein Buffet.
5. Hier kann man essen und vielleicht auch übernachten.

RESTAURANT

a. Olympia Turm
b. Kneipe
c. Wirtshaus zur Krone
d. Gasthaus Alt-Berlin
e. Apollo-Grill

B Wer sagt was im Restaurant? Sagt das der Kellner / die Kellnerin? ein Gast? oder niemand (wenn es nicht dazu gehört)?

1. _____ Was kostet eine Fahrkarte?
2. _____ Eine Limo, bitte!
3. _____ Was darf's sein?
4. _____ Wie lange dauert die Fahrt nach München?
5. _____ Ich möchte gern den Schweinebraten.
6. _____ Zahlen, bitte!
7. _____ Die Speisekarte, bitte!
8. _____ Sonst noch was?
9. _____ Darf ich noch etwas bringen?
10. _____ Ich hätte gern ein Mineralwasser.

C Ein neues Restaurant! Arbeiten Sie in einer Kleingruppe, und gründen Sie ein Restaurant.

SCHRITT 1: Was für ein Restaurant soll es sein? Einigen Sie sich über folgende Fragen.

- Was für Spezialitäten hat Ihr Restaurant?
- Welche Öffnungszeiten hat es?
- Wo findet man das Restaurant? (Stadt, Straße)

SCHRITT 2: Und die Speisekarte? Schreiben Sie eine Speisekarte für Ihr Restaurant. Vergessen Sie die Preise nicht!

D Rollenspiel: Der erste Abend im neuen Restaurant. Arbeiten Sie in Ihrer Kleingruppe von Aktivität C. Als Gruppe haben Sie schon Ihr eigenes Restaurant gegründet und eine Speisekarte geschrieben. Spielen Sie jetzt einen kleinen Sketch der Klasse vor. Was passiert am ersten Abend in Ihrem Restaurant? Was sagt die Bedienung? Was sagen die Gäste? Geht alles gut—oder gibt es Probleme?

BEDIENUNG (KELLNER/IN)

Bitte schön?
Bitte.
Was darf es sein?
Zu trinken?
Zu essen?
Sonst noch was?

GÄSTE

Ich möchte/hätte gern _____,
Bringen Sie mir bitte _____.
Zahlen bitte!

STRUKTUREN

REVIEW OF PRONOUNS; WORD ORDER
REFERRING TO PEOPLE AND THINGS

Pronouns refer to people, places, or things and often take the place of nouns in sentences. Like nouns, pronouns may have different forms in the nominative, accusative, and dative cases. Notice the use of pronouns in the following sentences.

Lars, hast **du** einen neuen Computer? —Ja, **ich** zeige **ihn dir.**

Frau Koslowski, **ich** möchte **Ihnen** einen schönen Aufenthalt wünschen. Haben **Sie** eine schöne Reise gehabt?

Wo wohnt Marion? Ist **sie** noch in Rheinhausen? **Ich** möchte **ihr** einen Brief schicken.

Lars, do you have a new computer? —Yes, I'll show it to you.

Mrs. Koslowski, I would like to wish you a pleasant stay. Did you have a nice trip?

Where does Marion live? Is she still in Rheinhausen? I would like to send her a letter.

The following chart summarizes the forms of pronouns in the nominative, accusative, and dative cases.

NOMINATIVE		ACCUSATIVE		DATIVE	
SUBJECT		DIRECT OBJECT		INDIRECT OBJECT	
ich	*I*	mich	*me*	mir	*(to/for) me*
du	*you*	dich	*you*	dir	*(to/for) you*
Sie	*you*	Sie	*you*	Ihnen	*(to/for) you*
sie	*she*	sie	*her*	ihr	*(to/for) her*
er	*he*	ihn	*him*	ihm	*(to/for) him*
es	*it*	es	*it*	ihm	*(to/for) it*
wir	*we*	uns	*us*	uns	*(to/for) us*
ihr	*you*	euch	*you*	euch	*(to/for) you*
sie	*they*	sie	*them*	ihnen	*(to/for) them*

Generally speaking, the objects in a sentence must follow a particular order. Remember this rule of thumb regarding nouns and pronouns: Indirect objects come before direct objects, unless the direct object is a pronoun.

KURZ NOTIERT

Use **wer** (*who*) to ask about the person performing the action or the subject of a sentence; use **wen** (*whom*) to ask about the recipient of the action or the direct object of a sentence; use **wem** (*[to] whom*) to ask about the person affected by the action or the indirect object of a sentence.

NOMINATIVE
Wer kommt morgen zur Fete?
—**Mein Freund Michael** kommt zur Fete.

ACCUSATIVE
Wen möchtest du zur Fete einladen?
—Ich möchte **meinen Freund Michael** einladen.

DATIVE
Wem schreibst du die Einladung?
—Ich schreibe **meinem Freund Michael** die Einladung.

Übungen

A Was sagen sie zueinander? Ersetzen Sie die richtigen Pronomen: ich, mich, mir, wir, uns, du, dich, dir, ihr, euch, Sie oder Ihnen.

Marion—Bob:

1. _____ habe _____ eine Kleinigkeit mitgebracht. —Etwas für _____? Danke.

2. _____ hast eine schöne Wohnung. —Danke. Sie gehört _____ aber nicht.

Michael Händel—Frau Schäfer:

3. Guten Tag, Frau Schäfer. Diese Blumen sind für _____. —Das ist sehr nett von _____.

Vera—Heinz und Lars:

4. Habt _____ schon vergessen? Ich habe _____ einen Eintopf gemacht. —O ja, einen Eintopf für _____! _____ haben das nicht vergessen.

„Schön, dass du da bist!"

B Bob kocht das Abendessen für Marion. Ersetzen Sie die richtigen Pronomen.

MODELL: Bob kocht <u>Ravioli Caprese</u>. (*fem.*) <u>Sie</u> schmeckt gut.

1. Marion bringt <u>Mozartkugeln</u> mit. (*pl.*) _____ sind eine Salzburger Spezialität.

2. Marion schmeckt <u>das Essen</u> sehr gut. Bob hat _____ nach einem Rezept seiner Mutter gemacht.

3. Bob serviert <u>einen schönen Nachtisch</u>. Er hat _____ in einer Konditorei gekauft.

4. <u>Die Schwarzwälder Kirschtorte</u> war eine gute Idee. Für Marion ist _____ etwas Besonderes.

5. Bob kocht <u>den Kaffee</u> in der Küche. Er serviert _____ im Wohnzimmer.

Bob kocht für Marion.

C Der Chefkoch. Wenn seine Freunde und Familienmitglieder zu Besuch kommen, kocht der Chefkoch immer etwas Besonderes. Man fragt, wem er was gekocht hat. Wie beantwortet er die Fragen?

MODELL: Was hast du deinem Cousin gekocht? (Spaghetti) →
Ich habe ihm Spaghetti gekocht.

1. Was hast du deiner Kusine Luise gebacken? (Käsekuchen)
2. Was hast du deinen Großeltern gemacht? (Wiener Schnitzel)
3. Was hast du Onkel Friedrich gemacht? (Rote Grütze)
4. Was hast du dir gebacken? (Pizza)
5. Was hast du dir und deinen Freunden gekocht? (Erbsensuppe)
6. Was hast du mir gekocht? (Schweinebraten)
7. Was hast du uns gekocht? (Lammrücken Provenzale)

GENITIVE CASE
SHOWING RELATIONSHIPS AND POSSESSION

You have already learned how to talk about relationships and possession using the preposition **von.**

LARS: „Der Bruder **von** meinem Vater ist mein Onkel."

LARS: „Die Schwester **von** meiner Mutter wohnt in Berlin."

PROFESSOR DI DONATO: „Ich mache Ravioli Capresi nach einem Rezept **von** meiner Mutter."

In writing and more formal spoken German, use the *genitive case* instead of **von** to indicate

- family or personal relationships.

  Der Bruder **meines Vaters** ist mein Onkel.
  Die Schwester **meiner Mutter** wohnt in Berlin.

- ownership.

  Professor Di Donato macht Ravioli nach dem Rezept **seiner Mutter.**
  Das Abendessen **der Familie Schäfer** ist versalzen.

- characteristics of persons, objects, or ideas.

  Die Imbissstube liegt in der Nähe **des Hafens.**
  Das Essen **der Imbissstube** schmeckt allen sehr gut.

The following table shows the forms of the definite article and the endings for **ein-**words in the genitive case.

	SINGULAR		PLURAL
FEMININE	MASCULINE	NEUTER	ALL GENDERS
der Mutter mein**er** Mutter	**des** Vaters mein**es** Vaters	**des** Kindes mein**es** Kind**es**	**der** Kinder mein**er** Kinder

Note that most masculine and neuter nouns add **-s** in the genitive case; those of just one syllable add **-es.** Masculine nouns that add **-n** or **-en** in the accusative and dative cases also add **-n** or **-en** in the genitive case.

Michael lernt die Tochter **des Herrn Schäfer** kennen.

SPRACHSPIEGEL

In German, nouns of possession follow the nouns they modify, whereas the opposite is true in English.

Der Name **des Kindes** ist Max.
The child's name is Max.

In German, as in English, a proper name that shows possession precedes the noun it modifies. To indicate possession, add an **-s** to the name without an apostrophe. However, if the name already ends in **-s, -z,** or **-ß,** add only an apostrophe.

Schäfers Tochter heißt Eva.
Marions Vater heißt Heinz.
but: Vera ist **Lars'** Mutter.

KURZ NOTIERT

The negative article **kein** and all the possessive adjectives—**mein, dein, Ihr, sein, ihr** (*fem.* and *pl.*), **unser,** and **euer**—have the same endings as **ein.** For this reason, they are called **ein-**words.

Übungen

A Was denken Michael und Eva? Identifizieren Sie alle Ausdrücke im Genitiv.

1. MICHAEL: Der Schlips meines Vaters sieht eigentlich ganz gut aus. Ob die Frau des Hauses auch so nett ist wie mein Chef? Ich bin ja schon ein bisschen nervös, aber Silkes Freundin sagt ja in diesen Situationen immer: „Einfach die Ohren steif halten."
2. EVA: Wer dieser Typ wohl ist? Mamas Freunde kennen ihn auch noch nicht. Er wohnt in der Nähe des Museums, dort hat die Schwester meines Freundes auch eine Wohnung. Der neue Azubi der Firma meines Vaters . . .

B Die Schäfers und die Cornelius' trinken Kaffee und sprechen übers Kochen. Modifizieren Sie die Sätze mit Ausdrücken im Genitiv.

MODELL: Der Salat war wunderbar. (deine Frau) →
Der Salat deiner Frau war wunderbar.

1. Der Schweinebraten hat uns sehr geschmeckt. (deine Mutter)
2. Hast du gestern das Rezept gelesen? (der Koch)
3. Ich finde, die Suppe ist exzellent gewürzt. (eure Tochter)
4. Wo habt ihr denn eine Kritik gefunden? (die Lokale)
5. Wir müssen die Adresse im Telefonbuch suchen. (ein Kochkurs)
6. Habe ich schon den Käsekuchen gebacken? (mein Onkel)
7. Probiert mal die Forelle in der Kantstraße. (die Gaststätte)

C Kettenreaktion

SCHRITT 1: Was schmeckt! Fragen Sie Ihre Mitstudenten/ Mitstudentinnen, was sie gern essen. Sie sollen mit dem Genitiv beantworten.

Frau Schäfer mit Frau Cornelius.

MODELL: A: Was schmeckt dir?
B: Mir schmecken die Bratkartoffeln meiner Oma.
A: Anna schmecken die Bratkartoffeln ihrer Oma. Was schmeckt dir, Tom?

SCHRITT 2: Und was schmeckt nicht! Fragen Sie sie jetzt, was sie nicht gern essen.

MODELL: A: Was schmeckt dir nicht?
B: Der Salat des Imbissstands schmeckt mir nicht.
A: Chris schmeckt der Salat des Imbissstands nicht. Was schmeckt dir nicht?

D Was haben andere Menschen, was Sie wollen oder was Ihnen gefällt? Machen Sie eine List (sechs Sachen) im Genitiv.

MODELLE: Ich will das Auto meines Bruders.
Die Wohnung meiner Freundin gefällt mir.

EINBLICKE

BRIEFWECHSEL

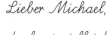

To learn more about restaurants and cafés in German-speaking countries, visit the Fokus Internet Web Site at http://www.mhhe.com/german.

Lieber Michael,

du hast vielleicht Nerven—mit deinem Chef und seiner Familie zum Imbissstand! Gut, dass Herr Schäfer Sinn für Humor hat. Das Studium läuft bis jetzt ganz gut. Die Vorlesungen sind recht interessant, und mit meiner Mitbewohnerin verstehe ich mich sehr gut. Ich bin aber doch froh, dass Sellin nicht so weit weg ist. Du hast wohl kein Heimweh bei deiner tollen Stelle, aber ich muss doch ab und zu nach Hause. Mit meinen Eltern war ich neulich auch essen, aber in einem richtigen Restaurant. Wir sind mit den Rädern losgefahren—runter durch Göhren und aufs Mönchsgut. Das Wetter war herrlich und es war so schön, nicht mehr im Vorlesungssaal[a] sitzen zu müssen. Auf dem Rückweg[b] haben wir beim Walfisch in Lobbe Halt gemacht. Kennst du das Restaurant? In der Gaststube ist ein gemütlicher Kachelofen[c] und die Wände sind mit Gegenständen aus der Fischerei dekoriert. Die Speisekarte ist sehr rügensch—viele Fischspezialitäten. Du weißt, seit der Wende hat sich hier auf Rügen so viel geändert, und es gibt überall exotische Restaurants. Das ist eigentlich gut, aber es ist doch nett, dass etwas Traditionelles aus alten Zeiten geblieben ist. Ich freue mich, dass es dir so gut geht. Wie alt ist denn eigentlich diese Eva? Schreib mal wieder!

Deine Silke

[a]lecture hall   [b]return trip   [c]tiled stove

● Was hat Silke geschrieben? In welcher Reihenfolge hat sie alles erzählt oder gefragt?

WORTSCHATZ

Substantive

Essen und Trinken

die **Beilage, -n**	side dish
die **Bohne, -n**	bean
die **Bratkartoffel, -n**	fried potato
die **Brezel, -n**	pretzel
die **Erbse, -n**	pea
die **Forelle, -n**	trout
die **Kartoffel, -n**	potato
die **Milch**	milk
die **Limonade, -n**	carbonated soft drink
die **Nachspeise, -n**	dessert
die **Pommes frites**	french fries
die **Sahne**	cream
die **Suppe, -n**	soup
die **Speisekarte, -n**	menu
die **Vorspeise, -n**	appetizer
die **Wurst, ¨e**	sausage
die **Zwiebel, -n**	onion
der **Apfelstrudel, -**	apple strudel
der **Champignon, -s**	mushroom
der **Hummer, -**	lobster
der **Käsekuchen, -**	cheesecake
der **Knoblauch**	garlic
der **Krabbencocktail, -s**	shrimp cocktail
der **Lachs, -e**	salmon
der **Leberkäs**	Bavarian meatloaf
der **Pfeffer**	pepper
der **Reis**	rice
der **Salat, -e**	salad; (head of lettuce)
der **Schweinebraten**	pork roast
der **Sekt**	champagne
der **Senf**	mustard
der **Speck**	bacon
der **Thunfisch**	tuna
der **Traubensaft**	grape juice
das **Eis**	ice cream
das **Hauptgericht, -e**	entree

Nouns

Food and drink

das **Mineralwasser**	mineral water
das **Salz**	salt
das **Sauerkraut**	sauerkraut
das **Wiener Schnitzel**	veal cutlet

Wo essen wir?

Where are we going to eat?

die **Bedienung, -en**	service
die **Gaststätte, -n**	restaurant
die **Kneipe, -n**	pub
die **Küche, -n**	cuisine
die **Rechnung, -en**	bill
die **Spezialität, -en**	specialty
der **Gasthof, ¨e**	hotel; restaurant
der **Imbissstand, ¨e**	snack stand
der **Kellner, -** / die **Kellnerin, -nen**	waitperson (*male*) / waitperson (*female*)
der **Ruhetag, -e**	*day when restaurant is closed*
das **Gasthaus, ¨er**	restaurant, inn
das **Wirtshaus, ¨er**	inn, restaurant

Verben

Verbs

bekommen	to receive
bestellen	to order
probieren	to try
schmecken: Das schmeckt (mir) gut.	to taste: That tastes good (to me).
zahlen	to pay

Sonstiges

Other

Hier ist besetzt.	This seat is taken.
Ich hätte gern . . .	I'd like . . .
Ist hier noch frei?	Is this seat taken?
voll	full
Was darf's sein?	What will you have?

WIEDERHOLUNG 5

VIDEOTHEK

● Michael in Hamburg

SCHRITT 1: Bringen Sie die Bilder in die richtige Reihenfolge.

a.

b.

c.

d.

e.

f.

g.

h.

SCHRITT 2: Wer sagt was? Ordnen Sie jedem Bild einen passenden Untertitel zu. Wer sagt was?

Michael Händel
Lotse Friedrichs
der Erste Offizier
Eva Schäfer
Dieter Schäfer
die Sekretärin

1. „Guten Tag, ich bin doch hier richtig bei Schäfer?"
2. „Ich hätte Sie beinahe nicht wiedererkannt. Sie sehen ja so anders aus, so förmlich."
3. „Langsam ist es mir egal, was ich esse. Hauptsache ist, ich esse."
4. „An Bord entscheidet nur einer—der Kapitän."
5. „Darf ich vorstellen? Michael Händel. Beginnt heute seine Lehre als Speditionskaufmann."
6. „Ich weiss was. Wir gehen ins Restaurant."
7. „Das Schiff fährt los!"
8. „Am Freitag kommen Freunde zu mir zum Essen nach Hause. Kommen Sie auch vorbei."

VOKABELN

A Berufsberatung. Sie arbeiten als Berufsberater/in auf dem Arbeitsamt. Die folgenden Leute sagen, was sie alles gern machen. Raten Sie ihnen, welche Berufe am besten zu ihnen passen. Es kann sein, dass mehr als ein Beruf möglich ist.

MODELL: MARIA: Ich beschäftige mich gern mit Büchern, Zeitungen und Zeitschriften.
Ich lese alles und ich schreibe auch sehr gern.
SIE: Vielleicht sollen Sie Bibliothekarin werden.
oder: Vielleicht möchten Sie einen Beruf als Autorin oder Journalistin ausüben.

JENS: Ich singe gern und liebe italienische Opern.
EVA: Ich interessiere mich für Jura und mache gern große Entscheidungen.
WALTER: Ich kann alles reparieren. Mein altes Auto war total kaputt, aber jetzt fährt es wie neu!
PETRA: Viele Menschen haben keine Rechte in unserer Gesellschaft. Ich will ihnen helfen.
HORST: Ich bin sehr sprachbegabt. Ich kann schon mehrere Sprachen.
SVEN: Ich reise gern und habe Freunde überall in der Welt. Ich will sie besuchen, aber ich habe leider nicht viel Geld.
ANNA: Ich mache gern Fotos und ich kann sie selber entwickeln (*develop*). Meine Freunde sagen, dass meine Fotos immer sehr interessant sind.
KARIN: Ich will Menschen helfen und auch viel Geld dabei verdienen.

B Die Arbeitswelt

SCHRITT 1: Definitionen. Welche Definition passt zu welchem Ausdruck?

1. Das schreibt man, wenn man auf Stellensuche ist.
2. Das ist ein anderes Wort für Karriere.
3. Diese Person arbeitet für sich selbst.
4. Diese Person bewirbt sich um eine Stelle.
5. Man liest diese Anzeige in der Zeitung, wenn man einen Job sucht.
6. Bewerber/Bewerberinnen sollen diese Qualifikationen haben.
7. Diese Leute arbeiten für eine Firma.
8. Viele berufstätige Menschen wollen das.
9. Das ist ein Interview mit einem Arbeitgeber.
10. Viele Stellen verlangen das.

a. Prestige und Erfolg
b. das Stellenangebot
c. der Arbeitnehmer / die Arbeitnehmerin
d. der Lebenslauf
e. Ehrlichkeit und Zuverlässigkeit
f. der Bewerber / die Bewerberin
g. das Vorstellungsgespräch
h. der Beruf
i. die Arbeitserfahrung
j. der/die Selbstständige

SCHRITT 2: Was macht man, wenn man auf Stellensuche ist? Machen Sie eine Liste mit mindestens vier Sätzen. Benutzen Sie Ideen vom Schritt 1.

Wiener Schnitzel
Champignons
Sekt
Forelle
Eis
Salat
Wurst
Suppe
?
Bier
Traubensaft
Erbsen   Bratkartoffeln
Krabbencocktail
Mineralwasser
Leberkäse
Lachs
Apfelstrudel
Schweinebraten

C Partyvorbereitungen. Sie geben eine Party. Ihre Freunde und Freundinnen wollen etwas mitbringen—aber was genau? Sagen Sie, was jede Person mitbringen soll.

MODELL: Anton soll den Salat, _____ oder _____ mitbringen.

1. Vorspeisen: Anton
2. Hauptgerichte: Richard
3. Beilagen: Melanie
4. Getränke: Anja
5. Nachtische: Peter

STRUKTUREN

A Auf Arbeitssuche

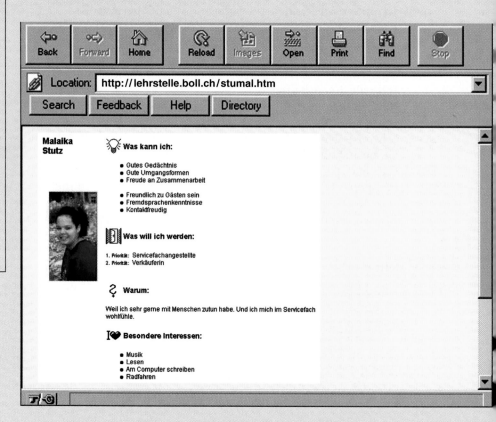

SCHRITT 1: Was fragt man Malaika im Vorstellungsgespräch? Lesen Sie ihren Lebenslauf. Stellen Sie dann jede Frage im Perfekt.

1. Wann kommen Sie in unserer Stadt an?
2. Wer in unserer Firma ruft Sie an?
3. Bringen Sie eine Kopie Ihres Lebenslaufs mit?
4. Wo sprechen Sie mit Gästen?
5. Welche Sprachen lernen Sie?
6. Mit wie vielen Menschen arbeiten Sie an einem Projekt?
7. Welche Arbeitserfahrung bekommen Sie in Neuenhof?
8. In welcher Stelle beschäftigen Sie sich mit Menschen?
9. Wo studieren Sie Musik?
10. Was für Bücher lesen Sie?
11. Was schreiben Sie am Computer?
12. Wohin fahren Sie Rad?

SCHRITT 2: Ein kreativer Lebenslauf. Malaikas Lebenslauf hat vier Teile: was kann ich, was will ich werden und so weiter. Schreiben Sie einen kurzen Lebenslauf mit denselben Teilen.

SCHRITT 3: Partnerarbeit: Tauschen Sie Lebensläufe mit einem Partner / einer Partnerin ein. Stellen Sie aneinander Fragen darüber im Perfekt.

B Wie kann Michael sich bessern?

SCHRITT 1: Michaels erste Arbeitstage sind nicht einfach. Was kann er tun? Machen Sie Vorschläge im Sie-Imperativ.

MODELL: Er hat seine neuen Kollegen noch nicht kennen gelernt.
Lernen Sie Ihre neuen Kollegen kennen!

1. Er hat seinen Arbeitstisch nicht organisiert.
2. Er ist nicht jeden Tag pünktlich gewesen.
3. Er hat sich allen Mitarbeitern noch nicht vorgestellt.
4. Er hat keine Vorschläge in Meetings gemacht.
5. Er hat die Klienten noch nicht angerufen.

SCHRITT 2: Und wenn das Büro nicht so förmlich ist? Machen Sie die Vorschläge oben im du-Imperativ.

MODELL: Lern deine neuen Kollegen kennen!

SCHRITT 3: Michael ist nicht allein. Zwei andere Azubis brauchen dieselben Vorschläge. Machen Sie sie oben im ihr-Imperativ.

MODELL: Lernt eure neuen Kollegen kennen!

C Michaels erste Woche in Hamburg. Was ist schon passiert? Erweitern Sie die Sätze mit Genitivformen.

MODELL: Michael hat die Krawatte (sein Vater) getragen.
Michael hat die Krawatte seines Vaters getragen.

1. Herr Schäfer hat Michael die Büros (die Firma) gezeigt.
2. Herr Schäfer hat Michael dem Kapitän (das Schiff) vorgestellt.

„Darf ich vorstellen?"

Marion bei der Arbeit.

ORTSCHATZ ZUM HÖRTEXT

die Kleckergefahr	danger of dripping
Suchterscheinungen	appearances of addiction
die Foltermethode	torture method
das Currypulver	curry powder
scheußlich	dreadfully; horribly

3. Michael hat die Tochter (sein Chef) sehr nett gefunden.
4. Herr Schäfer hat Lammrücken Provenzale nach dem Rezept (eine Französin) gekocht.
5. Alle wollten die Spezialität (das Restaurant) bestellen, aber das Restaurant hatte Ruhetag.
6. Das Essen (der Imbissstand) hat den Schäfers und ihren Gästen geschmeckt.
7. Michaels Wohnung ist wie die Wohnung (ein Student): klein und praktisch.
8. Michael kennt die Freunde (seine Mitarbeiter) noch nicht.

D Was macht Marion nach dem Abitur? Geht sie sofort an die Uni oder beginnt sie zuerst eine Lehre? Ergänzen Sie den Text mit den richtigen Objekt- oder Reflexivpronomen.

Mein Vater hat _____^{1} (ich) gesagt, ich soll studieren. Aber viele meiner Freunde haben eine Lehrstelle gesucht, und ich habe nicht gewusst, soll ich Geld verdienen oder nicht? Meine Lehrer haben _____^{2} (wir) immer geraten, dass wir praktisch denken sollen. Naja, aber mit einem Uniabschluss gibt man _____^{3} (ich) sicher mehr Chancen.

Ich bin zum Arbeitsamt gegangen. Dort hat man _____^{4} (ich) nach meinen Plänen gefragt; aber eigentlich habe ich noch keine richtigen Pläne. Was _____^{5} (wir) die Lehrer über die Uni erzählt haben, ist ziemlich unklar. Ein Freund von _____^{6} (ich) hat einen Ausbildungsplatz als Krankenpfleger bekommen. Man hat _____^{7} (er) ein gutes Gehalt gegeben, und in drei Jahren hat er eine feste Stelle. Aber ich interessiere _____^{8} (sich) für Geschichte und Politik: da gibt es keine Ausbildungsplätze. Jetzt bewerbe ich _____^{9} (sich) bei der Universität Bochum und bei der Universität Bremen. Und meine Eltern drücken _____^{10} (ich) die Daumen.

EINBLICKE

Fast-Food-Kultur. Sie hören Beschreibungen der Fast-Food-Kultur in Deutschland. Welche Beschreibung passt zu welchem Bild?

_____ a.

_____ b.

_____ c.

_____ d.

PERSPEKTIVEN

Lieba Wat Jutes, Dafür een Bissken Mehr[a]

In der Geschichte der Kochkunst hat Berlin keine besonderen Spuren hinterlassen. Den kulinarischen Großtaten der französischen Küche oder der jahrhunderte alten Kunst der Pasta kann die deutsche Hauptstadt nur kleine Bescheidenheiten wie die Bulette, den Kasseler Braten, das
5 Eisbein und einiges mehr entgegensetzen. Eine Berliner Küchenerfindung wurde jedoch sogar patentiert. Der Koch Johann Heinrich Grüneberg wurde dadurch berühmt und auch ein ziemlich reicher Mann. Grüneberg wollte vor allem den vielen Menschen in den Armenküchen der Stadt ein billiges Mittagessen ermöglichen und erfand kurzerhand
10 die Trockenkonserve Erbswurst. Sie wurde so genannt, weil man Erbsmehl, Zwiebeln, Rinderfett und Gewürze konservierte, trocknete und in runde Portionen presste. Dann verpackte man mehrere davon in eine wurstförmige Rolle. Das war 1867. Die preußische Armee wurde sofort hellhörig, weil sie diese Erbswurst aus einem ganz anderen Blickwinkel
15 betrachtete. In einem Test ernährte man hundert Soldaten einige Wochen lang unter härtesten physischen Bedingungen nur mit trockenem Brot und in heißem Wasser aufgelöster Erbswurst. Der Test war ein großer Erfolg, die Soldaten hielten durch, waren zufrieden, und der Staat kaufte Grüneberg das Rezept und das Fabrikationsverfahren für
20 35 000 Taler ab. Blitzschnell baute man eine Fabrik für die Produktion von Erbswurst—noch bevor 1870 der Krieg gegen Frankreich ausbrach. Die Erbswurst gehörte jetzt zu jeder eisernen Ration der preußischen Soldaten. Sehn se, det is Belin!

WORTSCHATZ ZUM LESEN

die Spur	*trace*
die Bescheidenheit	*modesty; discretion*
entgegensetzen	*to contrast*
die Armenküche	*soup kitchen*
die Trockenkonserve	*dried preserve*
das Rinderfett	*beef drippings*
trocknen	*to dry*
hellhörig	*keen of hearing; attentive*
betrachten	*to consider*
ernähren	*to nourish*

[a]Berliner Dialekt: Lieber was Gutes, dafür ein bisschen mehr

● Eine Berliner Küchenerfindung. Beantworten Sie die Fragen.

1. Wer hat Erbswurst erfunden?
2. Wann und wo (in welcher Stadt) hat man zum ersten Mal Erbswurst gegessen?
3. Welche Zutaten (Ingredienzen) hat Erbswurst?
4. Warum heißt sie Erbswurst und nicht Erbsriegel?
5. Warum war Grünebergs Erfindung so erfolgreich?
6. Was ist eine „eiserne Ration"? Wer muss sie essen, und wie muss sie sein?

AM WOCHENENDE

In this chapter, you will

- learn what people in German-speaking countries typically eat for breakfast.
- become better acquainted with the Cornelius family and their current dilemma.

You will learn

- to use **der-**words to indicate *which, this/that, these/those, each,* and *all.*
- how to distinguish between dative and accusative prepositions.
- about the German author Heinrich Böll.

Die Familie sitzt am Frühstückstisch.

Liebe Marion,

endlich haben wir etwas Ruhe in unserem Leben. Seit dem Karnevalsfest haben wir einige Nachbarn kennen gelernt, und wir verstehen uns ganz gut. Papa hat immer viel zu tun, aber am Wochenende schlafen wir etwas länger und frühstücken dann gemütlich zusammen—wie früher. Die Terrasse in Rheinhausen fehlt uns allerdings sehr, und Papa vermisst natürlich seine Tauben.

Aber so viel Zeit haben wir am Wochenende doch nicht. Dein Papa guckt wie immer sehr gern seine Fußballspiele im Fernsehen. Neuerdings geht er auch mit Lars joggen. Danach muss der Arme dann aber etwas auf dem Sofa liegen und dösen. Zum Glück muss er keinen Rasen mähen.

Lars verdient sich bei den Nachbarn etwas Taschengeld. Für einige wäscht er das Auto, macht Einkäufe oder bringt Sachen zum Recycling.

Ich mache, wie schon immer, samstags meine Einkäufe. In der Nähe gibt es zwei schöne Supermärkte und auch eine sehr gute Bäckerei. Ich muss jetzt nicht mehr so viel Zeit mit dem Einkauf verbringen.

Deine Mutti

77

VIDEOTHEK

„Möchte vielleicht jemand nachwürzen?"

„Uwe und Renate müssen gleich da sein!"

WORTSCHATZ ZUM VIDEO

einkaufen	to go shopping
bummeln	to stroll
ordentlich	neat, tidy
aufstellen	to put up, set up
das Altglas	glass for recycling
das Altpapier	paper for recycling
verraten	to betray
erfahren	to discover, find out

In der letzten Folge . . .

lädt Familie Schäfer Uwe und Renate Cornelius und Michael Händel zum Abendessen ein. Herr Schäfer kocht, aber Frau Schäfer und Eva versalzen das Essen.

● Wissen Sie noch?

1. Wer hat das Abendessen versalzen?
2. Warum haben sie das Essen versalzen?
3. Welche Schwierigkeiten gibt es, als die Schäfers und ihre Gäste in ein Restaurant gehen wollen?
4. Wo essen sie zum Schluss?

In dieser Folge . . .

erfahren wir, was Familie Schäfer an einem typischen Samstag macht.

● Was denken Sie?

	JA	NEIN
1. Familie Schäfer macht nichts und faulenzt den ganzen Tag.	☐	☐
2. Sie geht einkaufen und lädt Freunde zu Kaffee und Kuchen ein.	☐	☐
3. Es gibt ein großes Fest bei den Schäfers.	☐	☐
4. Die Schäfers arbeiten den ganzen Tag im Haus und im Garten.	☐	☐

SCHAUEN SIE ZU!

A Am Samstag

SCHRITT 1: Bringen Sie die Bilder in die richtige Reihenfolge.

a.

b.

c.

d.

e.

f.

g.

SCHRITT 2: Was machen sie? Verbinden Sie die folgenden Sätze mit den Bildern oben.

1. Herr Schäfer muss ein Regal in der Garage einbauen.
2. Herr Schäfer lässt das Auto waschen.
3. Eva will mit in die Stadt, um Jeans zu kaufen.
4. Auf der Terrasse legt sich Herr Schäfer hin und döst.
5. Herr Cornelius erzählt, dass er nach Thüringen versetzt wird.
6. Frau Schäfer schreibt eine Einkaufsliste, und Herr Schäfer liest die Zeitung.
7. Frau Schäfer mäht den Rasen.
8. Herr Schäfer und Herr Cornelius gehen joggen.
9. Uwe und Renate Cornelius kommen zum Kaffeetrinken.

h.

B Wer macht was am Wochenende? Sie haben gesehen, was diese Leute am Wochenende machen. Kombinieren Sie jeden Namen mit allen passenden Aktivitäten.

MODELL: Herr Schäfer geht einkaufen, entspannt sich, joggt, . . .

i.

1. Herr Schäfer	a. geht in die Disko	k. trinkt Kaffee
2. Frau Schäfer	b. geht einkaufen	l. geht ins Kino
3. Eva Schäfer	c. entspannt sich	m. liest
4. Marion	d. frühstückt ruhig	n. fährt Rad
5. Professor Di Donato	e. arbeitet im Garten	o. bummelt durch die Stadt
	f. lädt Freunde ein	
6. Grace	g. trifft sich mit Freunden	p. schläft lang
7. Dirk		q. schwimmt
8. Daniela	h. guckt Fußball	r. geht ins Theater
9. Gürkan	i. spielt Fußball	s. geht spazieren
10. Iris	j. joggt	

C In Nordamerika und in Europa. Beantworten Sie die Fragen.

1. Was machen Nordamerikaner gern am Wochenende?
2. Was machen Sie besonders gern am Wochenende?
3. Wofür haben Sie nie Zeit am Wochenende? Was tun Sie am Wochenende nicht gern?

VOKABELN

IN DER FREIZEIT

**sich ausruhen/relaxen/
faulenzen**

trainieren

joggen

Fußball spielen

Fußball gucken

die Zeitung lesen

im Garten arbeiten

Freunde treffen

**gemütlich am Wochenende
frühstücken**

Und noch dazu

die Freizeit	*free time*
sich ärgern (über + *acc.*)	*to be annoyed (about)*
dösen	*to nap, doze*
ein•schlafen	*to fall asleep*
mähen: den Rasen mähen	*to mow: to mow the lawn*
wecken	*to waken*
früh	*early*
gemütlich	*comfortable, comfortably*
spät	*late*

Aktivitäten

A Was macht Familie Schäfer am Wochenende? Schauen Sie sich die Bilder an, und beantworten Sie die Fragen.

1. Was machen Herr und Frau Schäfer zusammen?

2. Mäht Frau Schäfer den Rasen gern, oder ärgert sie sich darüber?

3. Herr Schäfer hat die ganze Woche schwer gearbeitet. Was macht er gern samstags im Garten?

4. Was machen Herr Schäfer und Herr Cornelius?

5. Was machen Frau Schäfer und Frau Cornelius im Garten?

6. Was machen die Männer im Park?

B Freizeitaktivitäten. Interviewen Sie drei Studenten/Studentinnen. Fragen Sie sie, was sie am Wochenende gern machen. Schreiben Sie die Resultate auf, und berichten Sie der Klasse, was Sie gelernt haben.

C Wochenendaktivitäten

SCHRITT 1: Marion und Sabine trainieren zusammen. Marion muss aber gehen, um Professor Di Donato zu helfen. Deswegen sagt sie zu Sabine: „Mein Wochenende ist jetzt vorbei." Warum sagt sie das? Was bedeutet das Wort *Wochenende*?

SCHRITT 2: Was gehört zu einem richtigen Wochenende? Welche Aktivitäten sind Wochenendaktivitäten? Welche nicht? Schreiben Sie eine kurze Liste.

Was ich am Wochenende machen *will*:

Was ich am Wochenende machen *muss*:

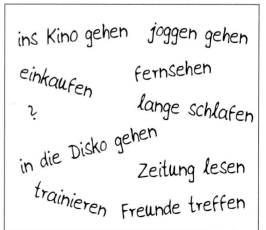

ins Kino gehen   joggen gehen
einkaufen   fernsehen
?   lange schlafen
in die Disko gehen
Zeitung lesen
trainieren   Freunde treffen

EINKAUFEN

Und noch dazu

die Buchhand-lung	bookstore
die Einkaufs-liste	shopping list
der Käse	cheese
der Kuchen	cake
der Laden	store
die Marmelade	marmelade, jelly
die Milch	milk
das Lebensmit-telgeschäft	grocery store
das Plätzchen	cookie
der Salat	salad
das Ei	egg
das Waren-haus	ware-house
offen	open
zu	closed
das macht zusammen	the total (price) is
Schlange stehen	to stand in line

der Kaffee

der Tee

das Brot

das Brötchen

die Butter

das Obst

der Saft

Aktivitäten

A Beim Einkaufen. Was kann man in den folgenden Geschäften alles kaufen?

MODELL: Im Kaufhaus kann man Kleidung kaufen.

Bücher Fleisch
Kleidung
Milch Schuhe
eine Tasse Brötchen
Kuchen Kaffee

1. im Kaufhaus
2. im Lebensmittelgeschäft
3. in der Buchhandlung
4. in der Bäckerei
5. im Café
6. in der Metzgerei

KULTURSPIEGEL

In German-speaking countries, breakfast generally consists of coffee or tea, rolls with jam or other spreads, and a soft-boiled egg—what travelers know as the continental breakfast. Uncommon in Europe is the large traditional North American breakfast that, in addition to coffee and orange juice, often includes bacon or sausage, scrambled or fried eggs, hash browns, and pancakes with syrup. Of course, many variations exist in both the European and North American menus.

B Frühstück

SCHRITT 1: Die Schäfers frühstücken in Ruhe gemütlich am Samstag. Was essen sie?

Frühstück bei der Familie Schäfer.

SCHRITT 2: Samstagnachmittag in Boston. Professor Di Donato und Marion sitzen auf dem Balkon. Was gibt es zum Essen?

Kaffee und Kuchen auf dem Balkon.

C Frühstück in Nordamerika. Was essen Nordamerikaner normalerweise zum Frühstück? Und Sie persönlich? Was essen Sie zum Frühstück?

STRUKTUREN

DER-WORDS AND THE EXPRESSION WAS FÜR (EIN)

POINTING OUT SPECIFIC PERSONS, PLACES, AND THINGS

You are already familiar with the various forms of the definite articles **die, der,** and **das.** The following words are collectively called **der-**words, because they have the same endings as **die, der,** and **das** in all cases: nominative, accusative, dative, and genitive.

welche, welcher, welches	*which*
diese, dieser, dieses	*this, that; (pl.) these, those*
jede, jeder, jedes (*sg.*)	*each, every*
solche, solcher, solches	*such (a)*
alle (*pl.*)	*all*

Just as **die** is also the nominative plural form of the definite article, **welche, diese,** and **solche** are nominative plural as well as feminine forms.

To ask *what kind(s) of,* use the interrogative expression **was für (ein).** In this particular expression, consider **für** just a word and not an accusative preposition. The indefinite article **ein** takes the grammatical form that the noun requires in the sentence.

NOMINATIVE
(SUBJECT)

Was für ein Haus ist das?	*What kind of house is that?*

ACCUSATIVE
(DIRECT OBJECT)

Was für einen Garten haben die Schäfers?	*What kind of garden do the Schäfers have?*

DATIVE
(PREPOSITIONAL OBJECT)

In **was für einem** Haus wohnen die Mertens?	*In what kind of a house do the Mertens live?*

DATIVE
(PREPOSITIONAL OBJECT)

Mit **was für** Leuten arbeitet Michael?	*What kind of people does Michael work with?*

Übungen

A Im Supermarkt. Herr Schäfer weiß nicht genau, was er kaufen soll. Eva hilft ihm. Benutzen Sie **welch-** und **dies-.**

MODELL: die Milch → Welche Milch soll ich kaufen?
Diese Milch, Papa.

1. der Kaffee
2. die Marmelade
3. die Plätzchen
4. die Tomaten
5. das Wasser
6. der Salat

B Beim Einkaufen. Sie haben einige Fragen für den Verkäufer. Ergänzen Sie die Sätze mit den Wörtern in Klammern.

1. Sind _____ Äpfel frisch? (dies-)
2. —Ja, _____ Äpfel sind heute ganz frisch. (all-)
3. Aus _____ Land kommen _____ schönen, roten Tomaten? (welch-, dies-)
4. —_____ Tomaten kommen normalerweise aus Italien. (solch-)
5. In _____ Bäckereien kann ich _____ Brötchen kaufen? (welch-, dies-)
6. —Sie können _____ Brötchen in _____ Bäckereien finden. (solch-, all-)

C Genau gesagt. Sie wollen alles genauer wissen. Stellen Sie Fragen mit **was für (ein).**

MODELL: Der Mann trägt eine *alte Lederhose.* →
Was für eine Lederhose trägt er?

1. Die Schäfers besitzen *ein teures Auto.*
2. Eva isst gern *belgische Schokolade.*
3. Michael trinkt gern *kalte Cola.*
4. Sabine kennt *viele deutsche Studenten.*
5. Marion und Sabine kaufen manchmal *in einem armenischen Laden* ein.
6. Marion schickt ihrer Familie oft *ein kleines Päckchen.*

Review: Two-Way Prepositions; Verbs of Direction and Location
Expressing Direction and Location

In Chapter 11 you learned that the prepositions **in, an,** and **auf** require different case forms depending on the meaning of the sentence. To indicate direction, use the accusative case.

Wir reisen **in die Schweiz.**	*We're traveling to Switzerland.*
Jens geht **an die Tafel.**	*Jens is going up to the blackboard.*
Eva stellt die Gläser **in den Schrank.**	*Eva is putting the glasses in the cabinet.*

To indicate location, use the dative case.

Wir reisen **in der Schweiz.**	*We're traveling around Switzerland.*
Jens steht **an der Tafel.**	*Jens is standing at the blackboard.*
Die Gläser stehen **im (-in dem) Schrank.**	*The glasses are in the cabinet.*

You also learned the following contrasting verb pairs. The verbs of direction combine with prepositional objects in the accusative case, those of location with prepositional objects in the dative case. Notice that the past participles of the verbs of direction end in **-t,** whereas those of the verbs of location end in **-en.** However, all the past participles require the auxiliary **haben.**

DIRECTION	**LOCATION**
stellen, stellte, hat gestellt	stehen, stand, hat gestanden
legen, legte, hat gelegt	liegen, lag, hat gelegen
setzen, setzte, hat gesetzt	sitzen, saß, hat gesessen
hängen, hängte, hat gehängt	hängen, hing, hat gehangen

Notice that **hängen** has the same present-tense forms, whether it indicates direction or location. However, the forms differ in the simple past and present perfect tenses. Only **stecken** has identical forms in all tenses for both direction and location.

Remember, use **wohin** to ask about direction, **wo** to inquire about location.

Wohin fährt Herr Schäfer mit dem Auto?	*Where is Mr. Schäfer going by car?*
Wo kauft Herr Schäfer ein?	*Where does Mr. Schäfer shop?*

Übungen

A Einkaufen

SCHRITT 1: Sie haben eine lange Einkaufsliste. Wo finden Sie diese Dinge?

MODELL: Joghurt und Käse / der Supermarkt →
Ich finde Joghurt und Käse im Supermarkt.

1. Wurst und Wurstsalat / die Metzgerei
2. Plätzchen und Käsekuchen / die Bäckerei
3. Jeans und ein Fußball / das Kaufhaus
4. einen Stadtplan und ein Buch / die Buchhandlung

SCHRITT 2: Wohin gehen Sie für diese Dinge?

MODELL: Joghurt Käse / der Supermarkt →
Für Joghurt und Käse gehe ich in den Supermarkt.

B Partnerarbeit: Wo und warum? Frau Schäfer will mit Renate Cornelius in den Harz fahren. Herr Schäfer hat ein paar Fragen zum Haushalt. Spielen Sie die Rollen mit einem Partner / einer Partnerin.

MODELL: die Schlüssel: an / die Tür (hängen/hängen) →

Herr Schäfer: Wo sind die Schlüssel?
Frau Schäfer: Die Schlüssel hängen an der Tür.
Herr Schäfer: Warum hast du sie an die Tür gehängt?

1. die Zeitung: neben / das Bett (liegen/legen)
2. das Auto: in / die Garage (stehen/stellen)
3. das Rezept: zwischen / die Bücher (stecken/stecken)
4. die Pflanzen: vor / der Fernseher (stehen/stellen)
5. die Einkaufsliste: an / der Kühlschrank (hängen/hängen)
6. der Fußball: hinter / die Waschmaschine (liegen/legen)

C Das neue Zimmer

SCHRITT 1: Sie ziehen in ein neues Zimmer ein. Wie möchten Sie das Zimmer einrichten (decorate)?

MODELL: Ich stelle das Bett an die Wand. Ich lege das Kopfkissen auf das Bett.

SCHRITT 2: Partnerarbeit. Fragen Sie jetzt Ihren Partner / Ihre Partnerin, wie er/sie das Zimmer eingerichtet hat.

MODELL: A: Wohin hast du das Bett gestellt?
B: Ich habe das Bett an die Wand gestellt.

der Schreibtisch
das Bett   die Lampe
das Aquarium
die Blumen
das Kopfkissen
die Vase
die Bücher
der Schrank

EINBLICKE

BRIEFWECHSEL

Liebe Mutti,

ach, wäre das schön—mal wieder ein Wochenende richtig ausspannen! Seit ich hier bin, habe ich wirklich kaum Zeit für mich. Am Wochenende arbeite ich meistens, und ich muss auch Besorgungen machen. Ich bin froh, dass es gute Geschäfte hier in der Nähe gibt.

Ich war auch in einem Fitnesscenter und habe etwas für meine Gesundheit getan. Ich sollte öfter dahin gehen und Sport treiben. Ich glaube, ich habe in den letzten Wochen ein paar Pfund zugenommen. Wenn ich noch öfter bei dem Professor esse, werde ich jeden Tag dahin gehen müssen.

Am Sonntag konnte ich auch endlich mal wieder in die Stadt und ein bisschen bummeln. Sabine und ich waren am Hafen im Aquarium. Es gibt in Boston so viel zu sehen. Gut, dass ich noch einige Zeit hier bleibe.

Von dem Käsekuchen hätte ich sehr gerne ein Stück gegessen … Viele liebe Grüße, auch an Papa und Lars.

Deine Marion

Wer macht was am Wochenende? Lesen Sie Marions Brief und den Brief von ihrer Mutter am Anfang des Kapitels noch einmal, und bilden Sie Sätze.

1. Marion
2. Vera
3. Heinz
4. Lars
5. Sabine

a. verdient sich bei den Nachbarn etwas Taschengeld.
b. geht mit Marion in die Stadt bummeln.
c. arbeitet meistens, und muss auch Besorgungen machen.
d. muss jetzt nicht so viel Zeit mit dem Einkauf verbringen.
e. guckt gern Fußballspiele in Fernsehen.

EINBLICK

In vielen deutschen Städten gibt es Märkte, in denen alle Produkte „biologisch" hergestellt sind. Es folgt jetzt eine Anzeige für einen solchen „Biomarkt" in der Stadt Bergisch-Gladbach.

BIOMARKT
BERGISCH GLADBACH

Verkäufer und Kunden an einem Obst- und Gemüsestand.

JEDEN DONNERSTAG VON 8.00 BIS 13.00 UHR

Sechzehn Anbieter von biologischen Produkten gewährleisten ein attraktives Angebot. Alle Produkte, die Sie auf dem Biomarkt erhalten, sind von kontrolliert biologischer Qualität. Obst und Gemüse wachsen unter natürlichen Bedingungen, ohne Einsatz von synthetischen Düngern. Man verzichtet ganz auf Pestizide.

Genmanipulierte Waren finden Sie bei uns nicht. Obst und Gemüse aus kontrolliert biologischem Anbau liefert hohe Nährwerte und erfreut die Sinne mit intensivem Geschmack und natürlichem Duft. Bekleidung aus Naturfasern und Nahrungsmittel aus biologischem Anbau reduzieren das ständig steigende Allergiepotential auf ein Minimum.

Sie finden ein breites Angebot auf natürlicher Basis:

- Obst
- Gemüse und Kräuter
- Pflanzen und Blumen
- Fleisch, Wurstwaren, Geflügel
- Käse, Eier, Molkereiprodukte

- Brot, Kuchen, feine Backwaren
- Feinkost und Delikatessen
- Getreideprodukte und Getränke
- Bekleidung aus Naturfasern

Wenn Ihnen Ihre Gesundheit und die Ihrer Lieben besonders am Herzen liegt, sollten Sie den Besuch des Biomarktes nicht versäumen.

● Was stimmt?

WORTSCHATZ ZUM LESEN

die Bedingung	condition
der Dünger	fertilizer
der Anbau	cultivation
die Nährwerte	nutritional value
die Bekleidung	clothing
die Naturfaser	natural fiber
das Molkerei-produkt	dairy product
das Getreide	grain; cereals
versäumen	to miss out (on something)
verzichten	to do without

		DAS STIMMT	DAS STIMMT NICHT
1.	Auf dem Biomarkt kann man kein Fleisch kaufen.	☐	☐
2.	Obst und Gemüse wachsen ohne Pestizide.	☐	☐
3.	Die Produkte auf dem Biomarkt sind besonders gut für Leute, die Allergien haben.	☐	☐
4.	Die Produkte auf dem Biomarkt haben hohe Nährwerte.	☐	☐
5.	Man kann alles essen, was auf dem Biomarkt angeboten wird.	☐	☐

PERSPEKTIVEN

HÖREN SIE ZU!

● Was machen diese Leute gewöhnlich am Wochenende? Ergänzen Sie die Sätze.

Werner sagt:

1. Wir fahren vielleicht nach Hannover und gehen vielleicht in eine _____.
2. Samstagmorgens muss ich _____ bis _____ Stunden arbeiten.
3. Am _____ gehe ich wieder mit Freunden aus.
4. Am Sonntag muss ich mit _____ aushelfen.

Sara sagt:

1. Ich _____ viel am Wochenende.
2. Ich mache, worauf ich _____ habe.
3. Ich frühstücke bis _____.
4. Abends treffe ich mich sehr oft mit _____.

Doris sagt:

1. Ich werde nicht _____.
2. Ich werde meine Freunde _____.
3. Ich werde ein gutes _____ lesen.
4. Ich werde in ein _____ gehen.

LESEN SIE!

KULTURSPIEGEL

Heinrich Böll war einer der größten deutschen Schriftsteller der Nachkriegszeit. 1971 erhielt er den Nobelpreis. Er war ein prominenter Vertreter der „Gruppe 47", eine Gruppe von deutschen Autoren, die sich nicht nur für die Literatur, sondern auch sehr viel für die Politik engagierte.

Zum Thema

● Anekdote. Sie lesen jetzt eine Kurzgeschichte von Heinrich Böll. Die Geschichte heißt „Anekdote zur Senkung der Arbeitsmoral." Was ist eine Anekdote? Was erwarten Sie also von einer Anekdote „zur Senkung der Arbeitsmoral"?

	JA	NEIN
1. wichtige Themen	☐	☐
2. Ironie	☐	☐
3. sprechende Tiere	☐	☐
4. eine Moral	☐	☐

Anekdote zur Senkung der Arbeitsmoral

In einem Hafen an einer westlichen Küste Europas liegt ein ärmlich gekleideter Mann in seinem Fischerboot und döst. Ein schick angezogener Tourist legt eben einen neuen Farbfilm in seinen Fotoapparat,
5 um das idyllische Bild zu fotografieren: blauer Himmel, grüne See mit friedlichen schneeweißen Wellenkämmen, schwarzes Boot, rote Fischermütze. Klick. Noch einmal: klick, und da aller guten Dinge drei sind, und sicher sicher ist, ein drittes Mal: klick.
10 Das spröde, fast feindselige Geräusch weckt den dösenden Fischer, der sich schläfrig aufrichtet, schläfrig nach seiner Zigarettenschachtel angelt, aber bevor er das Gesuchte gefunden, hat ihm der eifrige Tourist schon eine Schachtel vor die Nase gehalten,
15 ihm die Zigarette nicht gerade in den Mund gesteckt, aber in die Hand gelegt, und ein viertes Klick, das des Feuerzeuges, schließt die eilfertige Höflichkeit ab. Durch jenes kaum meßbare, nie nachweisbare Zuviel an flinker Höflichkeit ist eine gereizte Verlegenheit
20 entstanden, die der Tourist—der Landessprache mächtig—durch ein Gespräch zu überbrücken versucht.

„Sie werden heute einen guten Fang machen."
Kopfschütteln des Fischers.
25 „Sie werden also nicht ausfahren?"
Kopfschütteln des Fischers, steigende Nervosität des Touristen. Gewiß liegt ihm das Wohl des ärmlich gekleideten Menschen am Herzen, nagt an ihm die Trauer über die verpaßte Gelegenheit.
30 „Oh, Sie fühlen sich nicht wohl?"
Endlich geht der Fischer von der Zeichensprache zum wahrhaft gesprochenen Wort über. „Ich fühle mich großartig", sagt er. „Ich habe mich nie besser gefühlt." Er steht auf, reckt sich, als wollte er
35 demonstrieren, wie athletisch er gebaut ist. „Ich fühle mich phantastisch."
Der Gesichtsausdruck des Touristen wird immer unglücklicher, er kann die Frage nicht mehr unterdrücken, die ihm sozusagen das Herz zu
40 sprengen droht: „Aber warum fahren Sie dann nicht aus?"
Die Antwort kommt prompt und knapp. „Weil ich heute morgen schon ausgefahren bin."
„War der Fang gut?"
45 „Er war so gut, daß ich nicht noch einmal auszufahren brauche, ich habe vier Hummer in

meinen Körben gehabt, fast zwei Dutzend Makrelen gefangen . . ."
Der Fischer, endlich erwacht, taut jetzt auf und
50 klopft dem Touristen beruhigend auf die Schultern. Dessen besorgter Gesichtsausdruck erscheint ihm als ein Ausdruck zwar unangebrachter, doch rührender Kümmernis.
„Ich habe sogar für morgen und übermorgen
55 genug", sagt er, um des Fremden Seele zu erleichtern. „Rauchen Sie eine von meinen?"
„Ja, danke."
Zigaretten werden in Münder gesteckt, ein fünftes Klick, der Fremde setzt sich kopfschüttelnd auf den
60 Bootsrand, legt die Kamera aus der Hand, denn er braucht jetzt beide Hände, um seiner Rede Nachdruck zu verleihen.
„Ich will mich ja nicht in Ihre persönlichen Angelegenheiten mischen", sagt er, „aber stellen Sie
65 sich mal vor, Sie führen heute ein zweites, ein drittes, vielleicht sogar ein viertes Mal aus, und Sie würden drei, vier, fünf vielleicht gar zehn Dutzend Makrelen fangen . . . stellen Sie sich das mal vor."
Der Fischer nickt.
70 „Sie würden", fährt der Tourist fort, „nicht nur heute, sondern morgen, übermorgen, ja an jedem günstigen Tag zwei-, dreimal, vielleicht viermal ausfahren— wissen Sie, was geschehen würde?"
Der Fischer schüttelte den Kopf.
75 „Sie würden sich in spätestens einem Jahr einen Motor kaufen können, in zwei Jahren ein zweites Boot, in drei oder vier Jahren könnten Sie vielleicht einen kleinen Kutter haben, mit zwei Booten oder dem Kutter würden Sie natürlich viel mehr fangen—
80 eines Tages würden Sie zwei Kutter haben, Sie würden . . ." die Begeisterung schlägt ihm für ein paar Augenblicke die Stimme, „Sie würden ein kleines Kühlhaus bauen, vielleicht eine Räucherei, später eine Marinadenfabrik, mit einem eigenen Hubschrauber
85 rundfliegen, die Fischschwärme ausmachen und ihren Kuttern per Funk Anweisung geben, Sie könnten die Lachsrechte erwerben, ein Fischrestaurant eröffnen, den Hummer ohne Zwischenhändler direkt nach Paris exportieren—und dann . . .", wieder verschlägt
90 die Begeisterung dem Fremden die Sprache. Kopfschüttelnd, im tiefsten Herzen betrübt, seiner Urlaubsfreude schon fast verlustig, blickt er auf die

friedlich hereinrollende Flut, in der die ungefangenen
Fische munter springen.

95 „und dann", sagt er, aber wieder verschlägt ihm
die Erregung die Sprache. Der Fischer klopft ihm auf
den Rücken, wie einem Kind, das sich verschluckt
hat. „Was dann?" fragte er leise.

„Dann", sagte der Fremde mit stiller Begeisterung
100 „dann könnten Sie beruhigt hier im Hafen sitzen, in der
Sonne dösen—und auf das herrliche Meer blicken."

„Aber das tu ich ja schon jetzt", sagt der Fischer
„ich sitze beruhigt am Hafen und döse, nur Ihr Klicken
hat mich dabei gestört."

105 Tatsächlich zog der solcherlei belehrte Tourist
nachdenklich von dannen, denn früher hatte er auch
einmal geglaubt, er arbeite, um eines Tages einmal
nicht mehr arbeiten zu müssen, und es blieb keine
Spur von Mitleid mit dem ärmlich gekleideten Fischer
110 in ihm zurück, nur ein wenig Neid.

Zum Text

WORTSCHATZ ZUM LESEN

schick	*stylish*
spröde	*hard, unyielding*
das Geräusch	*noise*
eifrig	*eager, zealous*
die Höflichkeit	*politeness*
die Verlegenheit	*difficulty; predicament*
der Fang	*catch*
das Kopfschütteln	*shake of the head*
die Zeichensprache	*sign language*
der Korb	*basket*
die Kümmernis	*concern*
die Angelegenheit	*matter; affair*
nicken	*to nod*
der Hubschrauber	*helicopter*
per Funk	*by radio*
die Begeisterung	*excitement*
betrübt	*grieved; distressed*
nachdenklich	*reflectively; contemplatively*
das Mitleid	*compassion*
der Neid	*envy*

A Was ist richtig? Es gibt manchmal mehr als eine richtige Antwort.

1. Der Mann auf dem Fischerboot
   a. hat sehr schöne Kleidung.
   b. liest ein Buch.
   c. liegt in der Sonne und schläft.
2. Der Tourist am Hafen
   a. hat einen Fotoapparat.
   b. hat sehr elegante Kleidung.
   c. macht drei Fotos.
3. Der Fischer
   a. spricht gern mit dem Touristen.
   b. will zum Fischen fahren.
   c. kommuniziert durch Zeichensprache.
4. Der Tourist fragt den Fischer,
   a. ob er ausfahren wird.
   b. ob er sich nicht wohl fühlt.
   c. ob er ihn mitnimmt.
5. Der Fischer
   a. ist am Morgen bereits ausgefahren.
   b. hat keinen guten Fang gemacht.
   c. klopft dem Touristen auf die Schulter.
6. Der Tourist
   a. raucht eine Zigarette mit dem Fischer.
   b. freut sich für den Fischer.
   c. macht noch ein Foto vom Fischer.
7. Der Tourist erklärt dem Fischer,
   a. warum er noch öfter ausfahren soll.
   b. warum er weiter in der Sonne liegen soll.
   c. wie er mehr Geld einbringen könnte.

B Die Teile (*parts*) der Geschichte. Was denken Sie? Wie viele Teile hat die Geschichte? Wo beginnt und endet jeder Teil? Geben Sie jedem Teil einen Titel.

C Beschreibungen. Suchen Sie Ausdrücke mit Adjektiven, und schreiben Sie sie in Kategorien auf: Fischer, Tourist, Dinge, Landschaft. Welche Kategorie hat die meisten Ausdrücke? Sind diese Ausdrücke meistens positiv oder negativ?

MODELLE: **FISCHER**   **TOURIST**
         ärmlich gekleidet   schick angezogen

INTERAKTION

Partnerarbeit: Was ist am Hafen passiert? Wählen Sie und Ihr Partner / Ihre Partnerin Rollen: eine aus Spalte 1 und eine aus Spalte 2. Was sagen Sie Ihrem Partner / Ihrer Partnerin, als Sie nach Hause oder ins Hotel zurückkommen? Was fragt Sie Ihr Partner / Ihre Partnerin über das Erlebnis am Hafen?

ROLLE 1	ROLLE 2
Fischer	Frau/Freundin/ ? des Fischers/Touristen
Fischerin	Nachbar/Bruder/ ? des Fischers/Touristen
Tourist	Mann/Freund/ ? der Fischerin/Touristin
Touristin	Nachbarin/Schwester/ ? der Fischerin/Touristin

SCHREIBEN SIE!

Erlebnis am Hafen. Sie übernehmen eine der Rollen in der Geschichte. Welche Rolle ist das? Schreiben Sie die Geschichte aus dem Standpunkt dieser Person.

Schreibhilfe

Follow these steps to help you write your story.

PREWRITING
- Use the **Interaktion** as a starting point, then consider the following question: **Wie möchten Sie Ihre Geschichte erzählen? (als Kurzgeschichte, Brief, Journaleintrag, Dialog oder?)**
- Think about your character, then jot down ideas (descriptions, explanations, expressions, phrases, quotations, ?) under these headings: **meine Rolle, was, wann, wo, wie, wer (wen/wem), was, warum.**

WRITING
- Write your account of the story from your character's viewpoint and in the style and manner you have chosen.

- The lists you made in **zum Text, Aktivität C** will serve as vocabulary references from which you can draw as you write.

EDITING
- Check what you have written against the dialogue in the story. Have you conveyed the basic facts? Have you maintained the character's attitude, either from a first-hand or second-hand perspective? Reviewing the dialogue in the story may give you ideas for revising your account of the event.
- Exchange stories with a student who was not your partner for **Interaktion.** Read each other's work as objectively as possible.

(continued)

Consider the original story a point of departure. Focus now only on the new work before you, and point out its strengths and weaknesses.

REWRITING

- Try to find creative ways to resolve problems and to enhance the merits of your story.
- Be sure to read your final draft aloud to yourself, in order to double-check for accuracy in spelling and grammar and to make any improvements in vocabulary and transitions.

PUBLISHING

- This set of writings from all members of the class should offer interesting variations on a common theme, namely, a fictitious encounter on a harbor. What forms do the writings take and in what styles? Which closely adhere to the original story by Heinrich Böll? Which depart most dramatically from it? How would you present this body of work to its fullest collective advantage?

Fokus Chat: Schule am Samstag

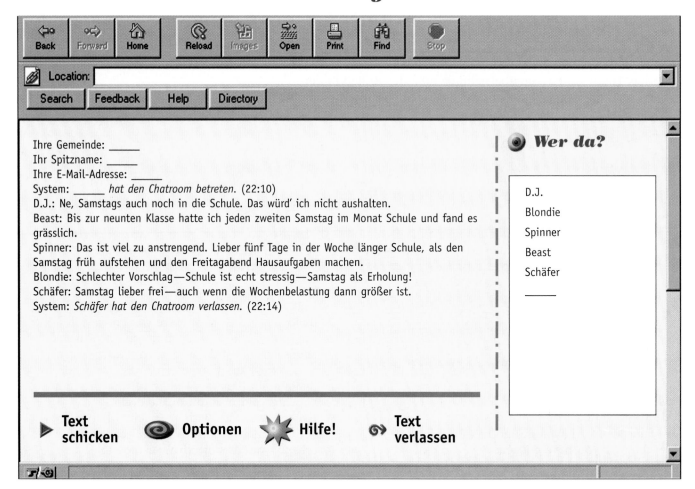

Ihre Gemeinde: _____
Ihr Spitzname: _____
Ihre E-Mail-Adresse: _____
System: _____ *hat den Chatroom betreten.* (22:10)
D.J.: Ne, Samstags auch noch in die Schule. Das würd' ich nicht aushalten.
Beast: Bis zur neunten Klasse hatte ich jeden zweiten Samstag im Monat Schule und fand es grässlich.
Spinner: Das ist viel zu anstrengend. Lieber fünf Tage in der Woche länger Schule, als den Samstag früh aufstehen und den Freitagabend Hausaufgaben machen.
Blondie: Schlechter Vorschlag—Schule ist echt stressig—Samstag als Erholung!
Schäfer: Samstag lieber frei—auch wenn die Wochenbelastung dann größer ist.
System: *Schäfer hat den Chatroom verlassen.* (22:14)

Wer da?

D.J.
Blondie
Spinner
Beast
Schäfer
_____

▶ **Text schicken**   **Optionen**   **Hilfe!**   **Text verlassen**

WORTSCHATZ

Substantive	Nouns	Sonstige Substantive	Other nouns
In der Freizeit	*In one's free time*	das **Schild, -er**	sign
		das **Sonderangebot, -e**	special offer
die **Freizeit**	free time	der **Plan, -̈e**	plan
die **Sporthalle, -n**	sport center	das **Symbol, -e**	symbol
die **Terrasse, -n**	terrace	das **Werk, -e**	manufacturing plant
die **Weile: eine Weile**	while: a while		
der **Rasen, -**	lawn	**Verben**	**Verbs**
das **Fußballspiel, -e**	soccer game		
		sich ärgern	to be annoyed
		behalten (behält), behielt, behalten	to keep, hold
Einkaufen	*Shopping*	**dösen**	to nap, doze
		ein•schlafen (schläft ein), schlief ein, eingeschlafen	to fall asleep
die **Apotheke, -n**	drugstore (*for prescription drugs*)		
		faulenzen	to be lazy
die **Bäckerei, -en**	bakery	**sich hin•legen**	to lay down
die **Banane, -n**	banana	**joggen**	to jog
die **Buchhandlung, -en**	book store	**den Rasen mähen**	to mow the lawn
die **Drogerie, -n**	drugstore (*for over-the-counter drugs and sundries*)	**recyceln**	to recycle
		stehen, stand, gestanden	to stand: to stand in line
		Schlange stehen	
die **Einkaufsliste, -n**	shopping list	**trainieren**	to train, exercise
die **Konditorei, -n**	pastry shop	**versetzen**	to transfer
die **Marmelade, -n**	marmelade; jelly	**waschen (wäscht) wusch, gewaschen**	to wash
die **Metzgerei, -en**	butcher's store		
die **Tomate, -n**	tomato	**wecken**	to waken
der **Apfel, -̈**	apple		
der **Kaffee**	coffee	**Sonstiges**	**Other**
der **Käse**	cheese		
der **Kuchen, -**	cake	**Das macht zusammen . . .**	The total price is . . .
der **Laden, -̈**	store		
der **Saft, -̈e**	juice	**Adjektive und Adverbien**	**Adjectives and adverbs**
der **Tee**	tea		
das **Brot, -e**	bread	**früh**	early
das **Brötchen, -**	roll	**gemütlich**	comfortable
das **Ei, -er**	egg	**offen**	open
das **Kaufhaus, -̈er**	department store	**spät**	late
das **Plätzchen, -**	cookie	**zu**	closed
das **Warenhaus, -̈er**	warehouse		
das **Wasser**	water		

NACH THÜRINGEN?

In this chapter, you will
- find out more about Mr. and Mrs. Cornelius and their careers.
- learn how the family reacts to Mr. Cornelius' transfer.

You will learn
- the names and some of the features of the German federal states.
- more about festivals and legends in German-speaking countries.
- how to talk about more distant or remote future events.
- more about attributive adjectives and learn to use them with **ein-** and **der-**words in all cases.
- about the German author Siegfried Lenz.

Dieter,

war dabei, meine heutigen E-Mails zu erledigen und wollte dir schnell berichten, dass die Versetzung jetzt hundertprozentig sicher ist. Gerade musste ich zum Chef und habe erfahren, dass ich technischer Leiter der neugekauften Firma in Thüringen werden soll. Das neue Werk liegt in Kosmar, fast 400 Kilometer von Hamburg weg. Ich habe versucht, dem Chef klarzumachen, dass diese Versetzung mir gar nicht recht ist, aber er hat gar nicht zugehört. Die Entscheidung ist getroffen, dass die Firma mich für zwei Jahre in Thüringen braucht. In meinem Alter kann ich unmöglich die Firma wechseln, und Renate kann nicht so leicht eine neue Schule finden, vor allem, wenn wir in zwei Jahren wieder nach Hamburg kommen sollen. Und es kommt für sie überhaupt nicht in Frage, die Karriere ganz aufzugeben. Und die Kinder, sie werden ganz bestimmt hochgehen. Wie bringe ich diese schlechte Nachricht der Familie bei? Ich muss mir bald eine Lösung einfallen lassen. Hast du einen Vorschlag?

Gruß,
Uwe

Der Grüne Markt in Weimar: ein historisches Reiseziel Thüringens.

97

VIDEOTHEK

„Die sind wir los!"

In der letzten Folge . . .

erfahren wir, was Familie Schäfer an einem typischen Samstag macht. Am Nachmittag kommen Uwe und Renate Cornelius zu Besuch. Die Männer sehen ein Fußballspiel, und die Frauen trinken zusammen einen Kaffee. Uwe Cornelius erzählt Dieter Schäfer, dass er vielleicht nach Thüringen versetzt wird.

● Wissen Sie noch?

1. Was hat Frau Schäfer an diesem Samstag gemacht? Herr Schäfer? Eva Schäfer?
2. Wohin sind Dieter Schäfer und Uwe Cornelius gegangen?
3. Was für ein Geheimnis hat Uwe Cornelius erzählt?
4. Warum soll das ein Geheimnis bleiben?

„Wo ist mein Brot?"

In dieser Folge . . .

frühstückt Familie Cornelius an einem Werktag, aber es ist ganz anders als das gemütliche Frühstück bei Familie Schäfer. Frau Cornelius fährt mit dem Auto in die Schule, wo sie unterrichtet. Herr Cornelius fährt mit der Bahn zur Arbeit. Er muss mit seinem Chef sprechen.

● Was denken Sie?

	JA	NEIN
1. Uwe Cornelius will nicht mehr in der Fabrik in Hamburg arbeiten.	☐	☐
2. Renate Cornelius arbeitet nicht mehr am Gymnasium.	☐	☐
3. Uwe Cornelius wird als technischer Leiter nach Thüringen versetzt.	☐	☐
4. Familie Cornelius zieht nach Thüringen um.	☐	☐

WORTSCHATZ ZUM VIDEO

das Werk	factory
schicken	to send
die Lösung	solution

Schauen Sie Zu!

A Schauen Sie sich das Video an, und beantworten Sie die Fragen.

1. Wie kommen Uwe und Renate Cornelius zur Arbeit?
   a. Sie fahren beide mit dem Bus.
   b. Uwe geht zu Fuß, und Renate fährt mit der Bahn.
   c. Renate fährt das Auto, und Uwe fährt mit der Bahn.
2. Warum wird Uwe nach Thüringen versetzt?
   a. Renate will in Thüringen unterrichten.
   b. Uwe will von Hamburg wegziehen.
   c. Die Firma hat eine neue Fabrik in Thüringen gekauft. Uwe soll der technische Leiter werden.

B Das Gespräch. Uwe spricht mit seinem Chef, Willi Ungermann. Was stimmt? Was stimmt nicht? Verbessern Sie die Sätze, die falsch sind.

MODELL: Frau Cornelius hat eine neue Stelle. →
Herr Cornelius hat eine neue Stelle.

1. Die neue Stelle ist für zwei Jahre.
2. Die Firma will Uwes Gehalt erhöhen.
3. Das neue Werk ist in einer Großstadt in Thüringen.
4. Kosma, die Stadt in Thüringen, ist etwa 400 Kilometer von Hamburg entfernt.
5. Herr Cornelius ist sehr begeistert davon und will sofort nach Thüringen ziehen.
6. Frau Cornelius ist Lehrerin in Hamburg und will vielleicht nicht wegziehen.

C Familie Cornelius

SCHRITT 1: Was denken Sie? Welche Möglichkeiten gibt es für die Familie Cornelius? Was werden sie wohl machen? Wird Renate ihre Stelle in Hamburg aufgeben? Werden die Töchter auch nach Thüringen ziehen? Sagen Sie, was die Familienmitglieder wohl machen werden.

MODELL: Renate wird wohl ihre Stelle aufgeben.

SCHRITT 2: Was würden Sie an ihrer Stelle (*in their position*) machen? Verwenden Sie dabei den Ausdrück **an seiner/ihrer Stelle.**

MODELL: Uwe → An seiner Stelle würde ich in Hamburg bleiben.

D Heimweh. Marion sagt, „Ich kann kein Wort mehr schreiben. Mir fällt einfach nichts mehr ein . . . ich habe Heimweh." Sie wollen, dass Marion froh ist. Was kann/muss/soll sie machen? Was schlagen Sie ihr vor? Machen Sie drei Vorschläge (Sätze).

MODELL: Marion soll ihre Eltern aurufen.

KURZ NOTIERT

Notice the uses and forms of **werden** in **Aktivität C.** The questions and example in **Schritt 1** use **werden** in the future tense to mean *will.* You will learn about the future tense later in this chapter. **Schritt 2** uses the subjunctive form of **werden, würden,** to mean *would.* You will learn about the subjunctive in a later chapter. For now, you should have no trouble using these forms if you follow the examples.

VOKABELN

DIE BUNDESREPUBLIK DEUTSCHLAND

Deutschland und Luxemburg
Bundeshauptstadt = ⊙
Landeshauptstadt = ●
Grenze = ——

Und noch dazu

in der Nähe	*in the vicinity*		grenzen an (+ *acc.*)	*to border on*
fließen	*to flow*		trennen	*to divide*

Aktivitäten

A Bundesländer und Landeshauptstädte

SCHRITT 1: Kennen Sie die deutschen Landeshauptstädte? Nennen Sie die Hauptstädte von diesen Bundesländern.

1. Thüringen
2. Niedersachsen
3. Brandenburg
4. Saarland
5. Bayern

a. Munchen
b. Erfurt
c. Saarbrücken
d. Hannover
b Potsdam

SCHRITT 2: Wer weiß, gewinnt! Arbeiten Sie mit einem Partner / einer Partnerin. Jeder/Jede macht eine Liste von fünf Bundesländern. Machen Sie bitte Ihre Bücher zu und fragen Sie einander, wie die Hauptstädte heißen. Jede richtige Antwort bekommt einen Punkt.

B Wo ist das? Nennen Sie die Stadt, und das Bundesland.

1. Die Firma braucht Herrn Cornelius jetzt in <u>Kosmar</u>. <u>Kosmar</u> liegt in _____.
2. Nächstes Jahr wird Klara Cornelius in _____ studieren. _____ liegt in _____.
3. Familie Cornelius wohnt jetzt in _____. _____ ist ein Stadtstaat.
4. Die Koslowskis sind nach _____ gezogen. _____ liegt in _____.
5. Marion wollte in _____ bleiben.
6. Michael kommt aus _____, einer Stadt auf der Insel _____ in der Ostsee. _____ ist eine Stadt von dem Bundesland _____.

C Bundesländer und Länder. Welches Bundesland liegt wo? Verwenden Sie die folgenden Ausdrücke.

im Norden/nördlich von _____ (nordwestlich/nordöstlich von _____)
im Süden/südlich von _____ (südwestlich/südöstlich von _____)
im Westen/westlich von _____
im Osten/östlich von _____

MODELL: Bayern → Bayern liegt im Süden.
  oder: Bayern liegt südlich von Thüringen.

1. Schleswig-Holstein
2. Nordrhein-Westfalen
3. Mecklenburg-Vorpommern
4. Saarland
5. Hessen

KULTURSPIEGEL

You may have noticed that three of the German federal states are actually city-states (**Stadtstaaten**): the federal capital of Berlin, the city of Bremen, and the city of Hamburg. In fact, the vehicle license plates for Hamburg begin with the initials HH for **Hansestadt Hamburg,** the Hanseatic City of Hamburg, in deference to this city's long tradition of independence and self-governance.

München
Bayern
Hamburg
Rügen
Sellin
Köln
Rheinhausen
Thüringen
Nordrhein-Westfalen

SAGEN, FESTE, BRÄUCHE

Das Neujahr beginnt um Mitternacht am ersten Januar mit Feuerwerk.

Ein Faschingsumzug zieht durch die Straßen.

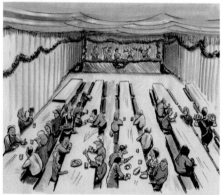

Das Oktoberfest in München.

Man feiert das Erntedankfest am ersten Sonntag im Oktober.

Der Weihnachtsmann kommt am Weihnachten und bringt Geschenke.

Die Sage der Lorelei ist eine berühmte Geschichte.

Und noch dazu

die Kerze	candle		schmücken	to decorate
der Ball	ball		statt•finden	to take place
der Lebkuchen	gingerbread		überraschen	to surprise
die Stimmung	mood		wünschen	to wish
der Umzug	parade		festlich	festive
der Urlaub	vacation		lustig	fun, cheerful
bedeuten	to mean		verrückt	crazy, mad
gratulieren	to congratulate			

Aktivitäten

A Im Frühling, Sommer, Herbst oder Winter? In welcher Jahreszeit feiert man jedes Fest?

MODELL: Man feiert den Tag der Arbeit im Frühling.

1. der Tag der Arbeit
2. Rosch Ha-Schana
3. der Tag der deutschen Einheit
4. Weihnachten
5. das Erntedankfest
6. Fasching
7. das Oktoberfest

SIND SIE WORTSCHLAU?

The German word for *autumn*, **Herbst**, is actually a cognate of *harvest*. The modern German word for *harvest* is **Ernte**.

B Mit welchem Fest assoziieren Sie das?

MODELL: Ich assoziiere Brezeln mit dem Oktoberfest.

1. Brezeln
2. Kostüme
3. Geschenke
4. Kerzen
5. Umzüge
6. Lieder
7. geschmückte Bäume
8. Lebkuchen, Kerzen und der Christkindlmarkt
9. Feuerwerke
10. ?

a. Weihnachten
b. Chanukka
c. Oktoberfest
d. vierter Juli
e. Neujahr
f. Ostern
g. Muttertag
h. Erntedankfest
i. Fasching

KULTURSPIEGEL

The German **Erntedankfest** and the North American Thanksgiving are both harvest festivals, but the German festival is primarily a traditional religious holiday in rural areas and not a secular one, as in North America.

C Welche Feste oder Feiertage feiern Sie? Sagen Sie, was Sie an diesen Tagen alles machen. Die Wörter rechts im Kasten stehen Ihnen zur Verfügung.

MODELL: Weihnachten →
An Weihnachten schmücken wir den Baum, zünden wir Kerzen an, und geben Geschenke.

D Sagen. Wofür ist jede Figur berühmt? Kennen Sie die Geschichte oder die Sage? Was können Sie dazu sagen?

1. Johnny Appleseed
2. der Rattenfänger von Hameln
3. die Lorelei
4. Rottkäppchen

a. sang ein schönes Lied und lenkte die Schiffer am Rhein ab.
b. wollte ihre Großmutter besuchen aber traf einen Wolf.
c. planzte viele Apfelsamenkörner, und bald wuchsen Apfelbäume.
d. spielte seine Flöte, und alle Ratten folgten ihm aus der Stadt.

Weihnachten
Valentinstag
Ostern Karneval
Rosch Ha-Schana
Jom Kippur
Ramadan
Neujahr Muttertag

FUTURE TENSE WITH WERDEN
TALKING ABOUT THE FUTURE

German frequently uses the present tense in reference to future events, especially with a time expression that indicates the future, such as **morgen, nächste Woche,** or **nächstes Jahr.**

German also has a future tense, which consists of the present-tense form of the verb **werden** as an auxiliary and the infinitive of another verb at the end of the sentence. You have already learned to use this construction with modal verbs.

FUTURE   Ich **werde** Neujahr in Berlin **feiern.**
           I will celebrate the new year in Berlin.
MODAL   Ich **möchte** Neujahr in Berlin **feiern.**
           I would like to celebrate the new year in Berlin.

You already know the present-tense forms of **werden** (*to become*). Just remember, as an auxiliary for the future tense, **werden** means *will*.

FUTURE AUXILIARY: **werden**	
STEM: **werd-**	
SINGULAR	PLURAL
ich werde (. . . feiern)	wir werden (. . . feiern)
du wirst (. . . feiern)	ihr werdet (. . . feiern)
Sie werden (. . . feiern)	Sie werden (. . . feiern)
sie/er/es wird (. . . feiern)	sie werden (. . . feiern)

The future tense with the adverb **wohl** expresses probability.

Herr Cornelius wird wohl umziehen müssen.
Mr. Cornelius will probably have to move.
Die Kinder werden wohl nicht glücklich sein.
The children will probably not be happy.

KURZ NOTIERT

As the future auxiliary, **werden** follows the infinitive at the end of a dependent clause.

Die Familie weiß nicht, dass die Firma Herrn Cornelius nach Thüringen **versetzen wird.**

Remember, the infinitive of two-part verbs appears as one word.

Vielleicht wird die Familie **umziehen.**
Herr Schäfer weiß noch nicht, ob die Familie **umziehen** wird.

SPRACHSPIEGEL

Both the German present tense and the English present progressive tense refer to immediate or specific future events.

Die Firma **kauft** bald eine neue Fabrik.
The company is soon going to buy a new factory.

In both languages, the future tense suggests an event that will take place at a more remote or indefinite future time.

Die Firma **wird** eine neue Fabrik **kaufen.**
The company will buy a new factory.

Übungen

A Heute in einem Jahr

SCHRITT 1: Was sagt Uwe Cornelius? Jetzt hat die Familie ein großes Problem, aber heute in einem Jahr wird alles ganz anders sein. Bilden Sie Sätze im Futur.

MODELL: Klara studiert in München. →
Klara wird in München studieren.

Klara

Nina

Uwe

Renate

1. Nina wohnt noch in Hamburg.
2. Ich fahre jeden Freitagabend zurück nach Hamburg.
3. Renate, du arbeitest montags bis freitags in der Schule.
4. Wir essen jeden Samstag ein gemütliches Frühstück.
5. Renate und ich treffen samstagabends unsere Freunde.
6. Nina und Klara, ihr feiert Weihnachten bei uns.
7. Alles ist sehr schön.

SCHRITT 2: Was sagen Sie? Wie wird heute in einem Jahr alles für Sie sein? Bilden Sie fünf Sätze im Futur.

B Was glauben Sie? Wie sieht die Zukunft von Bob, Marion, Sabine und anderen Leuten aus *Fokus Deutsch* aus? Bilden Sie Sätze im Futur, und benutzen Sie **wohl.**

Bob

MODELL: Marion →
Marion wird wohl bald nicht mehr mit Bob arbeiten.

C Die Zukunft. Bob sagt: „Konzentration, Planung und ein gewisser Killerinstinkt!" Was denken Sie? Sind das, was man zum Erfolg braucht? Wie sieht die Zukunft für Sie aus? Was wird passieren? Machen Sie eine Collage von Fotos, Bildern und Wörtern aus Zeitungen und Zeitschriften (Magazinen), und präsentieren Sie die Zukunft. Machen Sie sechs Aussagen über ihre persönliche Pläne oder über die Zukunft generell.

Marion und Sabine

ADJECTIVES
DESCRIBING PEOPLE, OBJECTS, AND PLACES

You have already learned to use adjectives before nouns when no other qualifying word is present.

NOMINATIVE Heiße Wurst, würziger Senf, frisches Brot und gebratene Kartoffeln sind hier Spezialitäten.

ACCUSATIVE Die Schäfers und ihre Gäste essen heiße Wurst, würzigen Senf, frisches Brot und gebratene Kartoffeln.

In the dative case, the endings are the same as those of the definite article: **der, dem, dem, den.** In the genitive, the feminine and plural forms end in **-er,** the masculine and neuter forms in **-en.**

DATIVE Nach heißer Wurst, würzigem Senf, frischem Brot und gebratenen Kartoffeln will Renate nur ein Glas Mineralwasser.

GENITIVE Was ist der Preis heißer Wurst? würzigen Senfes? frischen Brotes? gebratener Kartoffeln?

In this chapter you will learn to describe people, objects, and places with attributive adjectives in combination with **der-** and **ein-**words. When an adjective follows a **der-**word, it ends either in **-e** or **-en.**

KURZ NOTIERT

Remember, attributive adjectives—those that appear before nouns—have endings. Predicative adjectives do not.

Michaels Schule ist **klein.**
Herr Bolten wird **böse,** als er *Die Wespe* liest.

	SINGULAR			PLURAL
	FEMININE	MASCULINE	NEUTER	ALL GENDERS
NOM	die schön**e** Tochter	der neu**e** Job	das salzig**e** Essen	die nett**en** Schüler
ACC	die schön**e** Tochter	den neu**en** Job	das salzig**e** Essen	die nett**en** Schüler
DAT	der schön**en** Tochter	dem neu**en** Job	dem salzig**en** Essen	den nett**en** Schüler
GEN	der schön**en** Tochter	des neu**en** Jobs	des salzig**en** Essens	der nett**en** Schüler

When adjectives follow **ein-**words, they have the same endings as adjectives that follow **der-**words with these exceptions.

	MASCULINE	NEUTER
NOMINATIVE	**ein neuer** Job	**ein salziges** Essen
ACCUSATIVE		**ein salziges** Essen

Übungen

A Familie Cornelius. Ergänzen Sie die Sätze mit den richtigen Formen der Adjektiven.

MODELL: Renate ist die _____ Frau von Uwe Cornelius. (nett) →
Renate ist die nette Frau von Uwe Cornelius.

1. Nina trägt eine _____ Jacke. (weiß)
2. Die Familie besitzt einen _____ Wagen. (schwarz)
3. Die Zimmer der _____ Wohnung sind hell. (groß)
4. Herr Cornelius steht von dem _____ Frühstückstisch auf. (gemütlich)
5. Wegen des _____ Jobs in Thüringen ist Renate unglücklich. (neu)
6. Herr Cornelius fährt nicht mit dem _____ Fahrrad zur Arbeit. (alt)

B Thüringen. Diese Region in Deutschland ist der Familie Cornelius fremd. Lesen Sie, was die Familie denkt, und ergänzen Sie die Sätze mit Adjektiven.

RENATE CORNELIUS: Dieses _____¹ (unbekannt) Thüringen! Soll Uwe doch alleine nach Kosmar gehen, ich habe jedenfalls keine _____² (groß) Lust. Wer kennt denn schon dieses _____³ (neu) Bundesland? Naja, mit dem _____⁴ (historisch) Weimar kann ich schon etwas anfangen, aber sonst? Ich kann doch nicht meine _____⁵ (gut) Stelle als Lehrerin aufgeben.

UWE CORNELIUS: Leiter der _____⁶ (neu) Fabrik? Das hört sich schon gut an. Aber mit der _____⁷ (ganz) Familie nach Thüringen, das ist ein _____⁸ (groß) Problem. Aber zwei _____⁹ (teuer) Mieten können wir uns auch nicht leisten.

KLARA: Ich geh sowieso nicht mit. Nein, ich werde ins _____¹⁰ (schön) München ziehen, dort ein _____¹¹ (interessant) Studium hinlegen, vielleicht einen _____¹² (nett) Mann kennen lernen, und dann werde ich die _____¹³ (intelligent) Leiterin eines _____¹⁴ (wichtig) Industrielabors. Ach ja, träum . . .

NINA: Doch so ein _____¹⁵ (furchtbar) Land kann Thüringen ja nicht sein; ich habe schon mal im Internet geschaut, dort gibt es viele _____¹⁶ (interessant) Städte. Und ich brauche ja nicht immer im _____¹⁷ (langweilig) Kosmar bleiben, sondern kann in das _____¹⁸ (berühmt) Erzgebirge wandern gehen, Jena und Weimar besuchen und andere Ausflüge machen.

EINBLICKE

BRIEFWECHSEL

Uwe,

mein lieber Freund, du stehst wirklich vor einem großen Dilemma. Aber diese Geschichte hört man seit der Wende immer öfter. Mit der Privatisierung der ganzen Unternehmen im Osten und dem Wiederaufbau der Infrastruktur sind schon viele Leute versetzt worden. Und viele Deutsche im Osten mussten wegen Arbeitslosigkeit neue Stellen im Westen suchen. Ein alter Schulfreund von mir war Professor für Architektur in Mainz und hat ein tolles Angebot von der Uni in Leipzig bekommen. Er wollte gerne was Neues machen, aber seine Frau wollte ihre Arbeit in Mainz nicht so schnell aufgeben. Er hat sich eine Wohnung in Leipzig besorgt, und fährt am Wochenende nach Mainz. Ab und zu fährt seine Frau nach Leipzig. Seine Kinder studieren, und diese Wochenendehe scheint für ihn eine gute Lösung zu sein. Als ich neulich mit ihm telefonierte, merkte ich, dass er sogar schon mit einem leichten sächsischen Akzent redet.

Dein Dieter

● Lesen Sie noch einmal die E-Mails von Uwe und Dieter. Ergänzen Sie die Sätze.

1. _____ steht vor einem Dilemma.
   a. Dieter   **b.** Dieters Schulfreund   **c.** Uwe
2. Viele Unternehmen im _____ sind seit 1990 privatisiert worden.
   a. im Westen   **b.** im Osten   **c.** in den USA
3. Wegen _____ müssen viele Ostdeutsche Stellen im Westen suchen.
   a. Krankheit   **b.** des Klimawechsels   **c.** Arbeitslosigkeit
4. Die Lösung für Dieters Schulfreund ist _____.
   a. eine Wochenendehe.
   b. ein Firmenwechsel.
   c. Sächsisch zu reden.

EINBLICK

Der Hamburger Dom—Sie denken vielleicht, das ist eine Kirche. Das ist aber ein Fest, das dreimal im Jahr stattfindet und jeweils 31 Tage dauert.

Die Geschichte des Hamburger Doms

Schon im 14. Jahrhundert feierte man in Hamburg einen Weihnachtsmarkt. Weil im Winter in Hamburg das Wetter meistens schlecht ist, feierte man dieses Fest im Dom. Daher der Name „Hamburger Dom." Immer wieder wollte man den Markt aus der Kirche entfernen, aber alle Versuche blieben ohne Erfolg. Im Jahre 1337 wurde der Markt im Dom offiziell vom Erzbischoff Burchard erlaubt. Der Markt wurde populärer und größer, und war bald nicht nur ein Christmarkt.

Die „Himalaya-Bahn".

Von 1804–1806 wurde der Mariendom in Hamburg abgerissen, und man suchte einen neuen Platz für den Markt, der nun Dom-Zeit hieß. Die Kaufleute verteilten sich auf verschiedene Plätze, z.B., auf den Gänsemarkt und später auf den Pferdemarkt und den Großneumarkt. Ab 1850 kamen Schausteller mit Ausstellungen und Shows auf den Markt.

1892 litt Hamburg unter Cholera. Die Schausteller durften nicht in die Stadt und der Markt wird seit dieser Zeit auf dem Heiligengeistfeld gefeiert. Währen der zwei Weltkriege gab es keinen Dom. Ab 1922 feierte man alljährlich auch den Frühlingsmarkt, und seit 1949 das Hummelsfest. Seitdem feiern die Hamburger bei jedem Wetter dreimal im Jahr ihren Dom.

WORTSCHATZ ZUM LESEN

entfernen	to remove
abreißen	to tear down
leiden	to suffer

● Zur Geschichte des Hamburger Doms. Beantworten Sie die Fragen.

1. Seit wann feiert man in Hamburg den Dom?
2. Was für ein Markt war der Dom zuerst?
3. Wo in Hamburg hat man diesen Markt gefeiert?
4. Wann musste der Dom „umziehen"?
5. Seit wann gibt es auf dem Dom Schausteller?
6. Wann mussten die Schausteller in die Vorstadt?
7. Wie oft feiern die Hamburger den Dom in einem Jahr?

PERSPEKTIVEN

HÖREN SIE ZU!

„Tut uns Leid, wir brauchen Sie nicht!"

WORTSCHATZ ZUM HÖRTEXT

die Absage	rejection
der Maurer	mason
der Stammtisch	table reserved for regular guests

A Auf der Suche. Hören Sie zu, was Mike über seine Suche nach einer Lehrstelle erzählt. Machen Sie sich Notizen zu den Informationen!

1. Name
2. Alter
3. Schulabschluss
4. Berufswunsch
5. wie viele Absagen
6. Einkommen

B Mikes Tagesablauf. Hören Sie das Interview noch einmal. Beantworten Sie die Fragen!

1. Wie beschreiben Sie den typischen Tag für Mike? Was macht er?
2. Was macht er zur Zeit auf der Lehrstellensuche?

LESEN SIE!

Zum Thema

Sie lesen jetzt einen Auszug aus Siegfried Lenz' „Die Deutschstunde" (1968). Der Roman spielt zur Zeit des Zweiten Weltkriegs. Ein Charakter im Roman, Asmus Asmussen, spricht mit seinem Großvater über Amerikaner. Sein Großvater hat eine negative Vorstellung von Amerikanern.

● Heimat und Heimweh. Bevor Sie lesen, denken Sie an die folgenden fragen.

1. Warum soll Uwe Cornelius nach Thüringen? Warum wollen seine Frau Renate und seine Tochter Klara nicht mitkommen?
2. Wo ist für Sie Ihre Heimat? Ist Ihre Familie schon umgezogen? Warum?
3. Was bedeuten für Sie die Worte *Heimat* und *Heimweh*? Finden Sie Definitionen. Haben Sie schon einmal Heimweh gehabt? Warum?

Die Deutschstunde

Amerikaner. Alles ist für sie ein Job, sagte mein Großvater, auch der Krieg. —Sie kennen keine Bildung, sagte Asmus Asmussen, ein innerer Auftrag ist ihnen unbekannt, sie fühlen sich überall zu Hause. —Sie essen nur Watte und trinken gefärbte Limonade, sagte mein sauertöpfischer
5 Großvater, das hab ich selbst gelesen, ihre Nahrung ist typisch für sie. —Weil sie überall zu Hause sind, sagte Asmus Asmussen, deshalb sind sie nirgends zu Hause. Ihre Lieder: Lieder von Reisenden. Ihre Unterkunft: Unterkunft von Nomaden. Ihre Bücher: die Bücher von Wandersleuten. Amerikanisches Leben: das heißt: auf Widerruf leben, ohne dauerhafte
10 Verpflichtung, vorläufig. Sagen wir: im Planwagen. —Zivilisten, sagte mein Großvater geringschätzig, lauter Zivilisten, selbst in Uniform. —Eben, sagte Asmus Asmussen, und danach glückte ihm der Satz: die großen Stürme überstehen nur die Sesshaften (. . .)

KULTURSPIEGEL

Siegfried Lenz hat mehr als dreißig Erzählungen und zehn Romane geschrieben. Seine Themen handeln hauptsächlich von Menschen, die vor einer großen Entscheidung (*decision*) stehen und dem Konflikt zwischen Verpflichtung und Nonkonformismus.

WORTSCHATZ ZUM LESEN

die Bildung	*education*
der Auftrag	*task; mission*
nirgends	*nowhere*
der Widerruf	*revocation; disavowal*
die Verpflichtung	*obligation*
der Planwagen	*covered wagon*
der Zivilist	*civilian*
der/die Sesshafte (*decl. adj.*)	*settled (person); established (person)*

Zum Text

Ⓐ Amerikaner. Beantworten Sie die Fragen.

1. Welche Personen sprechen? Über wen sprechen sie?
2. Was ist eigentlich eine mögliche Definition für das Wort „sesshaft"?
   a. Jemand, der viel sitzt.
   b. Jemand, der gerne zu Hause ist.
   c. Jemand, der eine Wohnung und eine Adresse hat.
3. Wie definieren Sie das Wort *Vorurteil* (*prejudice*)? Suchen Sie Beispiele von Vorurteilen im Text.

Ⓑ Stereotype und Vorurteile

SCHRITT 1: Was sagt man über Amerikaner? Machen Sie eine Liste der stereotypischen Aussagen über Amerikaner.

SCHRITT 2: Warum haben diese beiden Männer diese Vorstellungen von Amerikanern und dem amerikanischen Leben? Können Sie erklären, warum solche Vorurteile existieren?

INTERAKTION

● Partnerarbeit: In einem neuen Land. Stellen Sie sich vor: Sie kommen neu in den USA an. (Oder vielleicht sind Sie wirklich neu in diesem Land angekommen.) Arbeiten Sie mit einem Mitstudenten / einer Mitstudentin. Beschreiben Sie ihm/ihr das Land, aus dem Sie kommen, Ihr Leben dort, Ihren Beruf und Ihre Pläne für Ihr neues Leben in den USA. Was fragen Sie Ihr Partner / Ihre Partnerin? Beantworten Sie die Fragen, und tauschen Sie dann die Rollen.

SCHREIBEN SIE!

● Ein Brief aus den USA. Benutzen Sie Ideen von der Interaktion, und schreiben Sie jetzt einen Brief an ihre Freunde und Bekannte in Ihrem Heimatland. Beschreiben Sie ihnen Ihr neues Leben in den USA. Was machen Sie beruflich? Wie finden Sie die Amerikaner? Wie reagieren die Amerikaner auf Sie?

oder:

Die Vereiningten Staaten sind schon immer ein Emigrantenland gewesen. Abenteuer, Erfinder, Akademiker, und so weiter, haben eine neue Heimat dort gefunden. Schreiben Sie eine kurze Biografie von einer berühmten Person, die nach Amerika emigriert ist. Oder gibt es vielleicht eine interessante Geschichte von jemand in Ihrer eigenen Familie? Sie können die Geschichte von dieser Person schreiben.

Schreibhilfe

Follow these steps to help you create your letter.

PREWRITING
- Go back to the *Interaktion* activity and review the plans you had for your new life in the United States. What expectations did you have, and how likely were they to be fulfilled?
- Now think about how your new life might actually have turned out. Were you successful in your plans? What kinds of problems might you have had in realizing your dreams? Think about the experiences of immigrants to the United States. What obstacles have there been for new residents? Try to base your letter on what you or your classmates may know of actual experiences of people who have made a new life far from home. What stereotypes might they have encountered? How might they have viewed life in their new home?

EDITING
- Share your work with others. Compare each other's goals and dreams and provide feedback. Discuss some of the shared ideas and comment on why some impressions of life in the United States might be different, depending on the narrator's perspective.
- Make sure you covered the questions posed in the exercise—what your dreams were, what Americans were like, and how they reacted to you. Incorporate classmates' suggestions into your manuscript.

PUBLISHING
- Your final draft should be formatted like a letter, with an opening greeting and a closing. Go over the spelling and grammar once more, and then give the letter to your instructor.

Fokus Chat: Umziehen

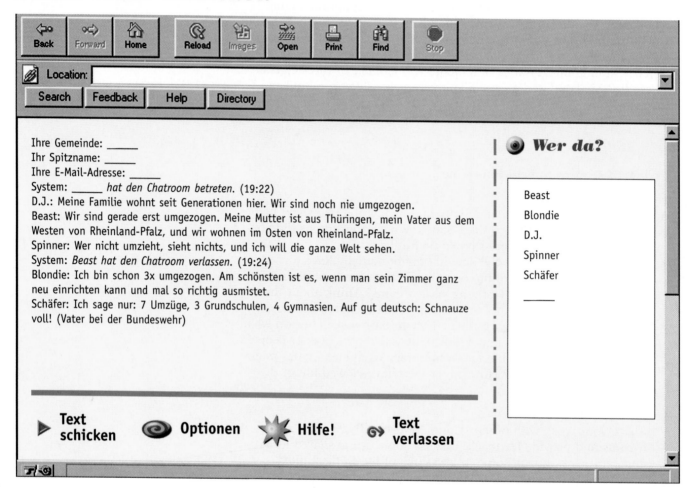

Back Forward Home Reload Images Open Print Find Stop

Location: _____

Search | Feedback | Help | Directory

Ihre Gemeinde: _____
Ihr Spitzname: _____
Ihre E-Mail-Adresse: _____
System: _____ *hat den Chatroom betreten.* (19:22)
D.J.: Meine Familie wohnt seit Generationen hier. Wir sind noch nie umgezogen.
Beast: Wir sind gerade erst umgezogen. Meine Mutter ist aus Thüringen, mein Vater aus dem Westen von Rheinland-Pfalz, und wir wohnen im Osten von Rheinland-Pfalz.
Spinner: Wer nicht umzieht, sieht nichts, und ich will die ganze Welt sehen.
System: *Beast hat den Chatroom verlassen.* (19:24)
Blondie: Ich bin schon 3x umgezogen. Am schönsten ist es, wenn man sein Zimmer ganz neu einrichten kann und mal so richtig ausmistet.
Schäfer: Ich sage nur: 7 Umzüge, 3 Grundschulen, 4 Gymnasien. Auf gut deutsch: Schnauze voll! (Vater bei der Bundeswehr)

▶ **Text schicken**   🌀 **Optionen**   ✦ **Hilfe!**   ↪ **Text verlassen**

Wer da?

Beast
Blondie
D.J.
Spinner
Schäfer
_____

WORTSCHATZ

Substantive	**Nouns**
die Bundesrepublik Deutschland	*the Federal Republic of Germany*
Bayern	Bavaria
Hessen	Hesse
Mecklenburg-Vorpommern	Mecklenburg-Western Pomerania
Niedersachsen	Lower Saxony
Nordrhein-Westfalen	North Rhine-Westphalia
Rheinland-Pfalz	Rhineland Palatinate
Sachsen	Saxony
Sachsen-Anhalt	Saxony-Anhalt
Thüringen	Thuringia
die **Grenze, -n**	border
die **Hauptstadt, ⁻e**	capital city
die **Nähe**	vicinity
in der **Nähe**	in the vicinity
der **Einwohner, -**	inhabitant
der **Gipfel, -**	summit
der **Gletscher, -**	glacier
das **Bundesland, ⁻er**	federal state
die **Alpen** (*pl.*)	the Alps

Sagen, Feste, Bräuche	*Legends, festivals, customs*
die **Kerze, -n**	candle
die **Lorelei**	a legendary maiden who lived on a cliff above the Rhine

die **Stimmung, -en**	mood
der **Ball, ⁻e**	ball
der **Fasching**	Carnival, Mardi Gras
der **Lebkuchen**	gingerbread
der **Nikolaus**	Santa Claus
der **Umzug, ⁻e**	parade
der **Urlaub, -e**	vacation
das **Lied, -er**	song
das **Oktoberfest**	autumn festival in Southern Germany
das **Spielzeug, -e**	toy

Verben	*Verbs*
an•zünden	to light
bedeuten	to mean; signify
fließen, floss, geflossen	to flow
gratulieren	to congratulate
grenzen an (+ *acc.*)	to border on
schmücken	to decorate
statt•finden, fand statt, stattgefunden	to take place
trennen	to divide
überraschen	to surprise
wünschen	to wish

Adjektive und Adverbien	*Adjectives and adverbs*
festlich	festive
lustig	fun, cheerful
verrückt	crazy, mad

DIE LÖSUNG

In this chapter, you will
- see the difficulties involved with the Cornelius family's possible move.
- find out how the family resolves its problem.

You will learn
- how the events of 1989 changed life throughout Germany.
- more about the politics and geography of German-speaking countries.
- to use prepositions that require the genitive case.
- more about expressions of negation with **nicht** and **kein.**
- what young people have to say about their hometown Berlin and life in the former East Germany.

Hallo Anna!

Vielen Dank für die schöne Postkarte aus Maryland. Toll, dass du wieder ein Jahr in den USA verbringen kannst. Aber dieses Mal bist du Lehrassistentin an einem College, und du darfst zweimal die Woche Deutsch unterrichten. Ich weiß, die Studenten sind jünger, aber du bist sehr flexibel und bist wohl eine gute Lehrerin wie meine Mutter.

Ich brauche dringend deinen Rat. Neulich hat Vater uns mitgeteilt, dass er nach Kosmar in Thüringen versetzt wird. Meine Mutter war wütend und hat das Zimmer sofort verlassen. Sie will nicht nach Thüringen. Auch gibt sie ihre Stelle als Lehrerin auf keinen Fall auf. Na ja, sie hat sich nach einer Weile beruhigt, und wir haben Kosmar auf der Karte gesucht. Von dem kleinen Ort hatte noch niemand was gehört. Der Klara ist egal, was mein Vater macht, denn im Herbst studiert sie in München. Ich bin bereit, meinem Vater beizustehen und nach Kosmar zu ziehen. Schule ist überall blöd. Vielleicht ist es auch interessanter, in einer kleinen Stadt zu leben.

Wie hast du alles damals gefunden, als dein Vater nach Leipzig wollte? Wie hat deine Mutter reagiert?
Schreib bald wieder!

Deine Nina

An der Binnenalster in Hamburg.

117

VIDEOTHEK

„Ich muss auch los."

In der letzten Folge . . .

sind wir an einem Arbeitstag bei Familie Cornelius. Aber es ist kein normaler Arbeitstag, denn Uwe Cornelius muss sich überlegen, ob er nach Thüringen umziehen will. Die Firma will ihn nach Thüringen versetzen, wo er der technische Leiter werden soll. Er hat seiner Familie aber noch nichts davon erzählt.

● Wissen Sie noch?

1. Warum wird Uwe Cornelius nach Thüringen versetzt?
2. Wie lange muss er in Thüringen arbeiten?
3. Was macht Renate Cornelius beruflich?
4. Wie heißen die beiden Töchter?
5. Wie alt sind die Töchter wahrscheinlich? Arbeiten sie, oder gehen sie immer noch zur Schule?

In dieser Folge . . .

erzählt Uwe Cornelius seiner Familie, dass seine Firma ihn nach Thüringen versetzen will. Wir hören, wie Renate Cornelius und die Töchter auf den Umzug reagieren.

„Kosmar? Nie gehört!"

● Was denken Sie?

	JA	NEIN
1. Die Familie will nicht nach Thüringen ziehen.	☐	☐
2. Es gibt viele Probleme zwischen Uwe und Renate Cornelius.	☐	☐
3. Ein Kollege findet das Ganze nicht so kompliziert.	☐	☐
4. Renate und Uwe besprechen die Situation und schließen einen Kompromiss.	☐	☐

WORTSCHATZ ZUM VIDEO

die Mahlzeit	mealtime
die Chance	opportunity
die Wochenendehe	weekend marriage
der Drachen	kite
bildhaft	with pictures
sowieso	in any case; anyway

SCHAUEN SIE ZU!

A Wie reagiert jedes Familienmitglied auf die Nachricht?

1. Renate
2. Klara
3. Nina
4. Uwe

a. sieht den Umzug nach Thüringen als Aufstiegsmöglichkeit.
b. will unbedingt nicht nach Thüringen ziehen.
c. ist es egal; sie geht sowieso nicht mit.
d. hat nichts dagegen.

B Zwei Gespräche

Uwe spricht mit seinem Mitarbeiter, Herrn Lehmann.

Uwe und Renate schließen den Kompromiss.

SCHRITT 1: Herr Cornelius und Herr Lehmann besprechen den Umzug nach Thüringen. Beantworten Sie die Fragen.

1. Wie reagiert Herr Lehmann auf den Umzug?
   a. Er will nicht umziehen und protestiert dagegen.
   b. Er sucht sich eine neue Stelle in Hamburg.
   c. Für ihn ist es etwas Neues. Er zieht um.
2. Wie reagiert Frau Lehmann auf den Umzug?
   a. Sie gibt ihre Stelle auf und zieht auch um.
   b. Sie will nicht nach Thüringen ziehen.
   c. Sie freut sich auf den Umzug.
3. Was machen Herr und Frau Lehmann?
   a. Sie lassen sich scheiden.
   b. Sie ziehen zusammen nach Thüringen.
   c. Frau Lehmann bleibt in Hamburg, und sie führen eine Wochenendehe.

SCHRITT 2: Uwe und Renate besprechen den Umzug. Welche Antworten stimmen?

1. Wie findet Renate den Umzug nach Thüringen?
   a. Sie will ihre Stelle nicht aufgeben und bleibt in Hamburg.
   b. Es ist ihr egal.
   c. Uwe muss unbedingt nach Thüringen ziehen.
2. Was ist die Lösung?
   a. Die Familie wird nach Thüringen umziehen.
   b. Uwe kommt einmal im Monat nach Hamburg zurück.
   c. Montag bis Freitag ist Uwe in Thüringen. Am Wochenende kommt er nach Hause.

C Wie finden Sie den Kompromiss? Was würden Sie in der gleichen Situation machen? Vergleichen Sie die Geschichte der Familie Cornelius mit der Geschichte der Familie Koslowski. Warum muss jeder umziehen? Wie reagieren die Familien darauf? Welche Kompromisse müssen die beiden Familien schließen?

VOKABELN

DIE WENDE

Es gab jeden Montag Demonstrationen in Leipzig.

Die Mauer fiel, und man öffnete die Grenzen.

Viele Deutsche aus dem Osten gingen nach der Maueröffnung in den Westen.

Man führte die D-Mark in Ostdeutschland ein.

KULTURSPIEGEL

German reunification in 1990 did not join together two equal states, the **Bundesrepublik Deutschland (BRD)** and the **Deutsche Demokratische Republik (DDR).** Rather, the local districts (**Bezirke**) of the DDR reorganized themselves into regional **Länder,** which then petitioned the West German parliament to join the Federal Republic as federal states under Article 23 of the West German Basic Law (**Grundgesetz**).

Und noch dazu

die Behörde	*government office*
die Einheit	*unity*
die Einstellung	*point of view*
die Marktwirtschaft	*market economy*
die Meinungsfreiheit	*freedom of opinion*
die Planwirtschaft	*planned economy*
die Pressefreiheit	*freedom of the press*
die Reisefreiheit	*freedom of travel*
die Wahl	*election*
die Währung	*currency*
die Währungsunion	*currency union*
die Wiedervereinigung	*reunification*
die Wirtschaft	*economy*
der Grenzübergang	*border crossing*
der Rahmen	*context*

Aktivitäten

A Merkmale der Wende. Ist das passiert oder nicht?

Die ehemalige Deutsche Demokratische Republik.

	JA	NEIN
1. Fünf neue Bundesländer sind nach der Wende entstanden.	☐	☐
2. Nach der Wende kauften viele Firmen im Westen Fabriken im Osten.	☐	☐
3. Die Arbeitslosigkeit im Osten ist nach der Wende gesunken.	☐	☐
4. Bonn wird die Hauptstadt von Deutschland.	☐	☐

B Definitionen. Welches Wort passt?

1. Das Recht, frei zu sagen, was man glaubt oder für richtig hält.
2. Geldscheine und Münzen.
3. Eine Wirtschaft, in der die meisten Unternehmen privat sind.
4. Eine Sammlung von Bürgern, die gegen etwas protestieren.
5. Eine Wirtschaft, in der die Betriebe dem Staat oder dem Volk gehören.
6. Das Recht, Bücher und Zeitungsartikel zu schreiben, die den Staat kritisieren.
7. Das Recht, in ein anderes Land zu fahren.

C Die neuen Bundesländer. Fünf Bundesländer in Deutschland sind die „neuen Bundesländer", weil sie zur ehemaligen DDR gehörten. Wie heißen diese neuen Bundesländer? Wie heißen ihre Hauptstädte?

D Was ist passiert? Es folgt eine kurze Zusammenfassung der wichtigen Ereignisse der Jahre 1989–90. Ergänzen Sie die Lücken mit den Wörtern rechts.

1989 waren viele Menschen in der DDR unzufrieden. Es gab oft große _____¹ auf den Straßen. Sie forderten unter anderem _____², das heißt, das Recht, nach Frankfurt oder Paris zu fahren, wenn man will. Die DDR-_____³ hatten November 1989 beschlossen, die Grenzen zu öffnen. An den _____⁴ zum Westen versammelten sich Tausende von Leuten. Kurz danach gab es eine _____⁵, in der die ostdeutsche Mark durch die D-Mark ersetzt wurde. Diese spezifisch deutschen Ereignisse geschahen im _____⁶ einer europäischen Vereinigung nach der Spaltung des Kalten Krieges.

Grenzübergängen

Demos

Grenzen

Reisefreiheit

Wiedervereinigung

Behörden   *Rahmen*

Währungsunion

E Was wissen Sie schon? Was wissen Sie vom Leben in der ehemaligen DDR und in den osteuropäischen Ländern vor 1989? Was für eine Wirtschaft hatten diese Länder? Mit welchen Ländern waren sie verbunden? Benutzen Sie Wörter aus dem Vokabelschatz, und machen Sie eine Liste der Unterschiede zwischen West- und Osteuropa vor 1989. Diskutieren Sie, warum diese Unterschiede existierten.

GEOGRAPHIE

Österreich

Einwohner (1995): 8 Mio

Maßstab 1,5 cm = 50 km

Und noch dazu

die Lage	*situation; location*
der/die Deutsche	*German person*
der Engländer	*English person*
der Europäer	*European person*
der Grieche	*Greek person*
der Italiener	*Italian person*
der Niederländer	*Dutch person*
der Österreicher	*Austrian person*
der Pole	*Polish person*
der Russe	*Russian person*
der Schweizer	*Swiss person*

Die Schweiz und Liechtenstein

Einwohner

Schweiz (1995): 6,8 Mio
Liechtenstein (1995): 29 000
Maßstab 2,0 cm = 50 km

122 hundertzweiundzwanzig

Aktivitäten

A Österreich oder die Schweiz? Sehen Sie sich die Landkarten an, und sagen Sie, in welchem Land die folgenden Kantone oder Länder liegen.

MODELL: Kärnten →
Kärnten liegt in Österreich.

1. Salzburg
2. Steiermark
3. Bern
4. Vorarlberg
5. Basel

6. Graubünden
7. Burgenland
8. Tirol
9. Tessin
10. Uri

B Welche Sprache spricht man wo in der Schweiz? Wo spricht man hauptsächlich Deutsch, Französisch, Italienisch oder Romansch? Was glauben Sie? Machen Sie eine kleine Tabelle von den Kantonen, je nach Sprache. Nennen Sie mindestens acht Kantone.

DEUTSCH	FRANZÖSISCH	ITALIENISCH	ROMANSCH
Zürich	Genf		

C Nationalität. Wie nennt man diese Leute?

1. Marion Koslowski kommt aus Deutschland. Sie ist _____.
2. Professor Di Donato kommt aus den USA. Er ist _____.
3. Stefan kommt aus Bern. Er ist _____.
4. Daniela kommt aus Wien. Sie ist _____.
5. Königin Elizabeth kommt aus England. Sie ist _____.

D Herkunft

SCHRITT 1: Länder und Nationalitäten. Woher kommen Sie und Ihre Familienmitglieder? Machen Sie eine Liste.

MODELL: ich   aus Kanada / Kanadierin
Mutter   aus Mexiko / Mexikanerin
Vater   aus den USA / Amerikaner
Großvater   . . .
?

SCHRITT 2: Partnerarbeit. Fragen Sie einen Partner / eine Partnerin, woher er/sie und seine/ihre Familie kommen. Machen Sie Notizen. Dann berichten Sie der Klasse, was Ihr Partner / Ihre Partnerin gesagt hat.

MODELL: A: Woher kommst du? Woher kommt deine Familie?
B: Ich komme aus Kanada und bin Kanadierin. Meine Mutter . . .

KULTURSPIEGEL

Germany is made up of federal states, Austria of provinces, and Switzerland of cantons (**Kantone**). The formerly independent cantons joined together to form the Swiss state in 1291. One of the oldest cantons, **Schwyz,** gave its name to the entire confederation. Although many people in Switzerland speak more than one language, most Swiss are primarily German, French, Italian, or even Romansch speakers. The Swiss license plate initials **CH** stand for **Confederatio Helvetica,** the official Latin name of the Swiss confederation.

KURZ NOTIERT

Note that most nouns for nationalities, like those for professions, end in **-er** or **-e** for the masculine, and **-in** for the feminine.

der Engländer / die Engländerin
der Grieche / die Griechin
der Russe / die Russin

The noun **der/die Deutsche** is an exception for both genders. This noun takes the endings of adjectives.

Herr Cornelius ist Deutsch**er**.
Frau Cornelius ist Deutsch**e**.
Kennen Sie diese zwei Deutsch**en**?

STRUKTUREN

GENITIVE PREPOSITIONS
EXPRESSING CAUSE, OPPOSITION, ALTERNATIVES, AND SIMULTANEITY

In Chapter 17 you saw some example sentences with the genitive preposition **wegen.** These prepositions also require the genitive case: **außerhalb, innerhalb, während,** and **trotz.**

Wegen des neuen Jobs gibt es Probleme in der Familie.	*Because of the new job there are problems in the family.*
Die Familie Schäfer wohnt **außerhalb der Stadt.**	*The Schäfer family lives outside the city.*
Innerhalb des Büros arbeiten fünf Leute.	*Five people work in the office.*
Während der Woche wohnt Herr Cornelius in Thüringen.	*During the week Mr. Cornelius lives in Thuringia.*
Trotz der Probleme gibt es eine Lösung.	*In spite of the problems, there is a solution.*

Übungen

A Marion und Alex

SCHRITT 1: Was sagt Marion? Marion spricht am Telefon mit ihrem Freund Alex. Benutzen Sie **während, trotz, wegen, außerhalb** und **innerhalb.**

MODELL: _____ der günstigen Preise habe ich schon jetzt einen Flug gebucht. →
Wegen der günstigen Preise habe ich schon jetzt einen Flug gebucht.

1. _____ des schlechten Wetters habe ich eine supergute Laune.
2. _____ des Unterrichts mit Bob bekomme ich immer großen Hunger.
3. _____ der Stadt Boston gibt es das Meer, die Berge und viele kleine Städte.

4. _____ des wunderbaren Aufenthalts hier freue ich mich sehr auf dich.
5. _____ des Staates Massachusetts darf ich Auto fahren.
6. _____ unserer Reise durch die USA müssen wir auch meine Tante in San Francisco besuchen.

SCHRITT 2: Was fragt Alex? Sie wissen, was Marion gesagt hat, aber nicht, was Alex gefragt hat. Spekulieren Sie, und schreiben Sie einen kurzen Dialog. Fangen Sie so an.

ALEX: Wie geht es dir?
MARION: Es geht mir gut. Und dir?
ALEX: Ich vermisse dich sehr hier in Köln. Wann buchst du deinen Flug nach Deutschland?
MARION: Wegen der günstigen Preise . . .
ALEX: . . .

B Das Leben in Deutschland. Bilden Sie vollständige Sätze.

MODELL: trotz / meine Frau / möchten / ich / nach Thüringen →
Trotz meiner Frau möchte ich nach Thüringen.

1. trotz / die Wende / denken / viele Leute / immer noch / an West- und Ostdeutschland
2. wegen / die Töchter und seine Frau / können / Herr Cornelius / die Situation / nicht sofort entscheiden
3. während / das Gespräch / sein / Renate / unruhig
4. innerhalb / die neuen Bundesländer / besprechen / man / viele neue Pläne

C Rollenspiel

SCHRITT 1: Sie haben gerade einen Diebstahl beobachtet. Die Polizei fragt Sie, was passiert ist. Beantworten Sie ihre Fragen.

1. Haben Sie den Dieb klar gesehen? —Ja, trotz . . .
2. Wie konnten Sie uns sofort anrufen? —Wegen . . .
3. Wo waren Sie, als der Dieb alles gestohlen hat? —Während . . .
4. Wohin ist der Dieb gelaufen? —Er ist außerhalb . . .

SCHRITT 2: Jetzt arbeiten Sie mit einem Partner / einer Partnerin, und spielen Sie die obige Szene der Klasse vor. Natürlich können Sie andere Fragen stellen, und weitere Antworten geben.

NEGATION WITH NICHT AND KEIN
NEGATING WORDS, EXPRESSIONS, AND STATEMENTS

You have learned to use **nicht** and **kein** in various contexts. Remember, the negative article **kein** negates only nouns, specifically those that would be preceded by **ein** or no article in a positive context. The word **nicht** negates all other words; it can also negate expressions or entire sentences.

Kosmar ist **keine** Großstadt.	*Kosmar is not a big city.*
Frau Cornelius ist **nicht** glücklich.	*Mrs. Cornelius is not happy.*

Use **sondern** to give positive or correct information after a negative or false statement.

Die Familie zieht **nicht** um, **sondern** sie bleibt in Hamburg.	*The family is not moving, but (rather) staying in Hamburg.*

Use **noch nicht** or **noch kein** to give a negative answer to a question that includes the adverb **schon** (*already; yet*).

Warst du **schon** in Thüringen?	*Have you been to Thuringia yet?*
—Nein, ich war **noch nicht** da.	*—No, I haven't been there yet.*
Hast du **schon** eine neue Stelle?	*Do you have a new job yet?*
—Nein, ich habe **noch keine.**	*—No, I don't have one yet.*

KURZ NOTIERT

Of course, the phrases **noch nicht, noch kein, nicht mehr,** and **kein . . . mehr** need not always follow questions. Rather, you can use them to state what is not yet or no longer true.

Use either **nicht mehr** or **kein . . . mehr** to give a negative answer to a question with **immer noch.**

Schreibt Marion **noch** Geschichten?	*Is Marion still writing stories?*
—Nein, Marion schreibt **keine** Geschichten **mehr.**	*—No, Marion is no longer writing stories.*
Arbeitet Herr Cornelius **immer noch** in Hamburg?	*Does Mr. Cornelius still work in Hamburg?*
—Nein, er arbeitet **nicht mehr** in Hamburg.	*—No, he doesn't work there anymore.*
Gibt es **noch** Probleme?	*Are there still problems?*
—Nein, es gibt **keine** Probleme **mehr.**	*—No, there aren't any more problems.*

Übungen

A Familie Cornelius. Negieren Sie die Informationen mit **kein** oder **nicht.**

MODELL: Renate Cornelius arbeitet im Büro. →
Renate Cornelius arbeitet *nicht* im Büro.

1. Uwe geht oft mit Peter Schäfer joggen.
2. Klara steht gern früh auf.
3. Familie Cornelius hat ein blaues Auto.
4. Nina mag ihre Schwester.
5. Der Vater soll nach Mecklenburg-Vorpommern gehen.
6. Renate hat Lust, nach Thüringen zu ziehen.

Uwe

B Noch nicht, noch kein. Die Familie Cornelius war noch nicht in Thüringen. Es gibt viele andere Orte, an denen diese Familie auch noch nicht gewesen ist. Benutzen Sie **noch nicht** oder **noch kein** und das Perfekt, und beschreiben Sie, was die Familie noch nicht gemacht hat.

MODELL: **a.** die Verbotene Stadt sehen →
Die Familie Cornelius hat die Verbotene Stadt noch nicht gesehen.
b. einen heiligen Berg besteigen →
Sie hat noch keinen heiligen Berg bestiegen.
c. in Hongkong Fisch essen →
Sie hat in Hongkong noch keinen Fisch gegessen.

China

1.

Ägypten

a. die Pyramiden besuchen
b. auf dem Nil Boot fahren
c. in Kairo einkaufen gehen

2.

Italien

a. das Kolosseum in Rom besichtigen
b. mit Freunden im Mittelmeer baden
c. Cappuccino auf dem Marktplatz trinken

3.

Kanada

a. in Calgary Ski fahren
b. Jazz in Montréal hören
c. in den Bergen von British Columbia wandern

EINBLICKE

BRIEFWECHSEL

Liebe Nina,

es hat mich sehr gefreut, einen Brief von dir zu bekommen. Lieb, dass du denkst, ich bin so eine gute Lehrerin wie deine Mutter.

Und deine Familie findet auch eine Lösung zusammen–ganz bestimmt. Damals haben wir in der Familie viel darüber geredet, dass mein Vater nach Leipzig wollte. Wir waren alle sehr froh, dass er so ein schönes Angebot bekommen hat. Mir ging es wie Klara. Ich hatte gerade mein Abi gemacht und wollte studieren, und jetzt bin ich in den USA. Meine kleine Schwester Steffi hatte Probleme in der Schule und war gerne bereit, mit meinem Vater nach Leipzig zu ziehen. Meine Mutter hatte eine sehr gute Arbeit als Designerin in Mainz und ist einfach dort geblieben. Sie fühlt sich ab und zu[a] etwas allein in dem großen Haus in Mainz, aber mein Vater und Steffi kommen sehr oft am Wochenende, oder meine Mutter fährt nach Leipzig.

Hauptsache ist, ihr besprecht alles miteinander. Heutzutage muss man sehr flexibel bleiben. Man sollte sich ein Beispiel an den Amerikanern nehmen. Viele von den Studenten am College sind schon drei- oder viermal umgezogen. Berufswechsel und Umziehen ist hier ganz normal.

Bis bald,
deine Anna

[a]now and then

● Wie reagieren diese Leute auf den Umzug? Machen Sie sich eine Tabelle, und füllen Sie sie aus.

MODELL:	REAKTION	VORTEILE	NACHTEILE
Marion	wollte nicht nach Köln	Ihr Vater hatte endlich Arbeit.	Sie musste noch ihr Abitur machen.

1. Anna/USA
2. Klara/Thüringen
3. Nina/Thüringen
4. Steffi/Leipzig
5. Renate/Thüringen
6. Annas Vater/Leipzig

EINBLICK

Patrick G., ein Schüler, der in Ostberlin aufgewachsen ist, schreibt über seine Stadt nach der Wende.

Berlin

Berlin—eine Stadt der Gegensätze. Während im Zentrum ein Nobelquartier im Auftrag von Regierung und Weltkonzernen entsteht, passiert in der Peripherie nichts. Bauland liegt brach, oder gläserne Schlaraffenländer werden aus dem Boden gestampft.

Will man mal was Kulturelles erleben, ist ein Fahrweg von einer Stunde in Kauf zu nehmen. Zur Zeit gibt sich Berlin kulturell. Während Christo den Reichstag verhüllt, wird man förmlich mit Ereignissen bombardiert. Auch sonst ist Berlin eine schöne Stadt.

Leider geht in einer Großstadt jede Persönlichkeit verloren. So hat man seine Freunde und wartet auf den Nikolaus.

Patrick G.

Geschichte als Kunstwerk: der berühmte Künstler Christo hat 1995 den Reichstag in Berlin verhüllt.

Ⓐ Patrick hat drei Absätze geschrieben. In welchem Absatz schreibt er über:

1. das kulturelle Leben in Berlin?
2. die Anonymität einer Großstadt?
3. Gegensätze?

Ⓑ Patrick zeigt seiner Heimatstadt gegenüber einen gewissen Zynismus. Woran erkennt man seine Haltung? Was passt?

PATRICK SAGT

1. Bauland liegt brach
2. sonst ist Berlin eine schöne Stadt
3. wartet auf den Nikolaus

PATRICK MEINT

a. ohne das große Getue ist Berlin schön
b. wartet darauf, dass etwas Schönes passiert
c. Nichts wird gebaut

WORTSCHATZ ZUM LESEN

der Auftrag	commission; contract
entstehen	to arise
das Bauland	land under construction
brach	fallow
das Schlaraffen-land	fool's paradise
verhüllen	to cover
sonst	otherwise

PERSPEKTIVEN

HÖREN SIE ZU!

Inge, Andrea und Lukas haben in der DDR gelebt und äußern sich zu ihrem Leben damals.

A Wer ist das? Welches Bild passt zu welcher Person?

a.

b.

c.

WORTSCHATZ ZUM HÖRTEXT

angehen	to concern
behüten	to protect; to shelter
versorgen	to provide for
der Hintergrund	background
etwas Besonderes	something special

B Etwas genauer! Hören Sie noch einmal zu, und ergänzen Sie die Sätze.

INGE: Als _____¹ hatte ich es in der DDR viel besser. Ich war sehr _____² in der DDR. Jetzt komme ich in den _____,³ weil es eine Männerwelt ist.

ANDREA: Schöne Sachen heißt sehr _____⁴ Sachen. Manchmal war es _____,⁵ Sachen zu bekommen, zum Beispiel, _____⁶ oder _____.⁷ Jeans aus dem _____⁸ waren was ganz besonderes.

LUKAS: Uns war nicht erlaubt, in _____⁹ _____¹⁰ zu fahren. Erlaubt waren meistens die östlichen, _____,¹¹ die Tschechoslowakei, _____.¹² Ich war mit meinen _____¹³ und meiner _____¹⁴ in der Tschechoslowakei.

C Themen. Über welche Themen sprechen Inge, Andrea und Lukas? Waren diese Aspekte des Lebens für sie eher positiv oder negativ?

MODELL: Inge meinte, es gibt jetzt Probleme für Frauen in der Arbeitswelt. Auch . . .

1. Inge
2. Andrea
3. Lukas

Lesen sie!

Zum Thema

● Der 3. Oktober— Tag der offiziellen deutschen Einigung. Was zeigen die Bilder: Euphorie, Probleme oder Verbesserungen?

a.

b.

c.

„Berlin ist mein Zuhause"

Berlin ist meine Heimat, mein Zuhause. Ich könnte nie irgendwo anders in Deutschland leben. Berlin ist eine Weltstadt, das liebe ich an ihr. Es gibt viele Gegensätze, die das Leben erst spannend machen. Ich wohne erst zwei Jahre in Hellersdorf. Vorher wohnte ich in
5 Pankow und bin auch dort geboren worden. Deshalb war es schwer für mich, mich hier zurechtzufinden. Pankow ist ein Altbaubezirk. Auf unserem Hof hatten wir eine riesige Kastanie mit zahmen Ringeltauben. Das vermisse ich am meisten. Unser Freundeskreis bestand hauptsächlich aus Künstlern. In der DDR-Zeit war das schön, weil man keine Angst
10 haben brauchte, verpfiffen zu werden. Wir waren anders als der Rest, Doch deswegen sind wir beobachtet worden. Das ist jetzt vorbei. Auch die Grillabende. Alles hat sich verstreut. Man entfremdete sich; die, die Karriere machten und die die noch an Ideale glaubten. Sehr viele sind nach Westdeutschland gezogen. Aber wir sind hiergeblieben. Nach
15 Hellersdorf sind wir gezogen, weil Mama hier arbeitet und der Weg zu weit war. Ich habe mich mit dem Leben hier arrangiert. Am schönsten sind im Sommer die Paraden. Der „Christopher-Street-Day" und die „Love-Parade". Man muss einfach mal dabei sein und „Berliner Luft" schnuppern. Eine Reise lohnt sich bestimmt.

Katharina Zapf, 18
Berlin, Hellersdorf

Wortschatz zum Lesen

der Gegensatz	contradiction
spannend	exciting
das Altbaubezirk	district of historic buildings
die Kastanie	chestnut tree
zahm	tame
die Ringeltaube	wood-pigeon
verpfeifen	to squeal on
beobachten	to observe
schnuppern	to sniff

Zum Text

A Katharina in Berlin. Beantworten Sie die Fragen.

1. In welchem Bezirk hat Katharina früher gewohnt? Wie beschreibt sie ihr Leben dort?
2. Wo wohnt Katharina jetzt?
3. Was meint Katharina mit dem Satz, „Ich habe mich mit dem Leben hier arrangiert"?
4. Was findet Katharina am schönsten in Berlin?

B Gegensätze. Katharina schreibt, dass Berlin viele Gegensätze hat. Welche Gegensätze meint sie? Denken Sie an Großstädte, die Sie kennen. Welche Gegensätze hat eine Großstadt?

INTERAKTION

Ein großes Fest an der Mauer.

Interview. Stellen Sie sich vor: Sie interviewen einen Studenten / eine Studentin aus der ehemaligen DDR. Fragen Sie nach seinem/ihrem Leben. Arbeiten Sie mit einem Partner / einer Partnerin, und spielen Sie die Rollen von Interviewer/Interviewerin und Studenten/Studentin. Tauschen Sie dann die Rollen.

Fragen:

1. Leben Sie in einer Großstadt? In einer Kleinstadt? Auf dem Land? In einem kleinen Dorf?
2. Was sind Ihre Lieblingsbeschäftigungen oder Lieblingsereignisse in den verschiedenen Jahreszeiten?
3. Welche Adjektive würden Sie benutzen, um ihr Leben zu beschreiben?
4. Würden Sie lieber woanders wohnen? Beschreiben Sie die ideale Lebenssituation.

SCHREIBEN SIE!

Das Leben im Osten. Wie war es damals? Wie ist es heute? Schreiben Sie einen kurzen Bericht über einen Aspekt des Lebens in der ehemaligen DDR oder einen Aspekt des Lebens im Osten seit der Wende, zum Beispiel Arbeitslosgkeit, Wiederaufbau, Schulwesen. Sie können auch einen Bericht über ein neues Bundesland, eine Stadt in den neuen Bundesländern oder eine Region im Osten schreiben.

Schreibhilfe

These steps will help you create your report about life in the former GDR, or about life since reunification.

PREWRITING
- Recall what you have learned about life in eastern Germany before and after unification. You can also look up information on the different Bundesländer in the World Wide Web. Invent a character who lived through these events and provide your character with a point of view—is your character somewhat cynical, like Patrick, or more hopeful about the future, like Katharina? Your character's perspective will determine how she or he reports the events.
- Determine your audience. Are you reporting for other people your age, for people who are not familiar with life in eastern Germany, or with people from the West who might have a negative attitude toward people in the East? This will help you find a theme for your report.

WRITING
- Keeping your theme and your character's point of view in mind, compose your report. Don't forget to try out some of the grammatical structures you have recently acquired, such as negative constructions and genitive prepositions.

EDITING
- Read over your text. Does your character have a clear point of view? Does the narration develop your theme? Give your report to a partner for comments.

REWRITING
- As you write your final draft, pay particular attention to your character's attitude and style, so that the voice you project is clearly that of your character's throughout the report.

PUBLISHING
- Think about how your report might be published—in a newspaper, in a magazine for young people, or perhaps read aloud as a television report. If the report would be printed, how might the title look? Try to come up with pictures and images that would go well with your story and incorporate them into your manuscript.

Fokus Chat: Wende—Wiedervereinigung

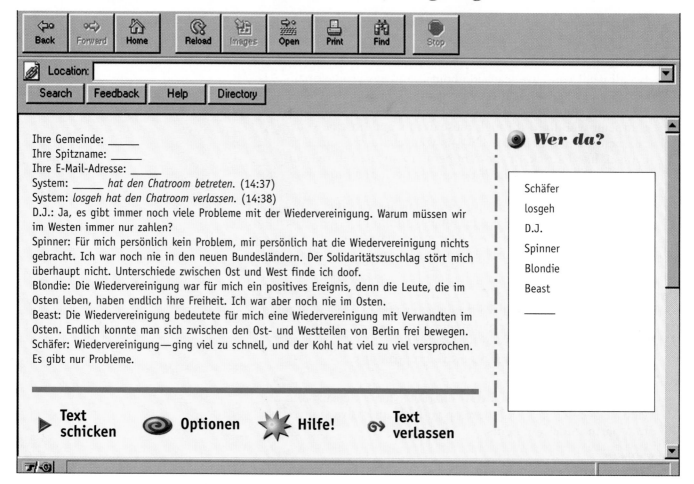

Ihre Gemeinde: _____
Ihre Spitzname: _____
Ihre E-Mail-Adresse: _____
System: _____ *hat den Chatroom betreten.* (14:37)
System: *losgeh hat den Chatroom verlassen.* (14:38)
D.J.: Ja, es gibt immer noch viele Probleme mit der Wiedervereinigung. Warum müssen wir im Westen immer nur zahlen?
Spinner: Für mich persönlich kein Problem, mir persönlich hat die Wiedervereinigung nichts gebracht. Ich war noch nie in den neuen Bundesländern. Der Solidaritätszuschlag stört mich überhaupt nicht. Unterschiede zwischen Ost und West finde ich doof.
Blondie: Die Wiedervereinigung war für mich ein positives Ereignis, denn die Leute, die im Osten leben, haben endlich ihre Freiheit. Ich war aber noch nie im Osten.
Beast: Die Wiedervereinigung bedeutete für mich eine Wiedervereinigung mit Verwandten im Osten. Endlich konnte man sich zwischen den Ost- und Westteilen von Berlin frei bewegen.
Schäfer: Wiedervereinigung—ging viel zu schnell, und der Kohl hat viel zu viel versprochen. Es gibt nur Probleme.

Text schicken **Optionen** **Hilfe!** **Text verlassen**

Wer da?

Schäfer
losgeh
D.J.
Spinner
Blondie
Beast
_____

WORTSCHATZ

Substantive	Nouns
	the change (in reference to the reunification of Germany in 1989)
Die Wende	
die **Behörde** (*decl. adj.*)	government office
die **Demo, -s**	demonstration
die **Einheit**	unity
die **Einstellung, -en**	point of view
die **Marktwirtschaft**	market economy
die **Mauer, -n**	wall
die **Berliner Mauer**	the Berlin Wall
die **Meinungsfreiheit**	freedom of opinion
die **Planwirtschaft**	planned economy
die **Pressefreiheit**	freedom of the press
die **Reisefreiheit**	freedom of travel
die **Wahl, -en**	election
die **Währung, -en**	currency
die **Währungsunion**	currency union
die **Wiedervereinigung**	reunification
die **Wirtschaft**	economy
der **Grenzübergang, ̈e**	border crossing
der **Rahmen, -**	context

Geography *	*Geography*
die **Lage, -n**	situation; location
der **Afrikaner, -**	African (*person*)
der **Amerikaner, -**	American (*person*)
der **Asiat (-en** *masc.*)	Asian (*person*)
der **Chinese (-n** *masc.*)	Chinese (*person*)
der/die **Deutsche** (*decl. adj.*)	German (*person*)
der **Engländer, -**	English (*person*)
der **Europäer, -**	European (*person*)
der **Grieche (-n** *masc.*)	Greek (*person*)
der **Inder, -**	Indian (*person*)
der **Italiener, -**	Italian (*person*)

der **Kanadier, -**	Canadian (*person*)
der **Mexikaner, -**	Mexican (*person*)
der **Niederländer, -**	Dutch (*person*)
der **Österreicher, -**	Austrian (*person*)
der **Pole (-n** *masc.*)	Pole
der **Russe (-n** *masc.*)	Russian (*person*)
der **Schweizer, -**	Swiss (*person*)
der **Türke (-n** *masc.*)	Turk

Sonstige Substantive	*Other nouns*
die **Fabrik, -en**	factory
die **Mobilität**	mobility
der **Grund, ̈e**	reason

Verben	**Verbs**
auf•geben (gibt) auf, gab auf, aufgegeben	to give up
besprechen (bespricht), besprach, besprochen	to discuss
sich freuen auf (+ *acc.*)	to look forward to
verursachen	to cause
surfen: im Internet surfen	to surf: to surf the Internet
sitzen, saß, gesessen	to sit

Adjektive und Adverbien	**Adjectives and adverbs**
beruflich	occupational(ly); professional(ly)
egal: Es ist mir egal.	equal: It's all the same to me.
ehemalig	former
einverstanden	in agreement
flexibel	flexible
verbunden	allied

*See *Kurz notiert*, p. 123, for feminine forms of nationalities.

WIEDERHOLUNG 6

VIDEOTHEK

● Familie Cornelius

SCHRITT 1: Was passiert? Bringen Sie die Bilder in die richtige Reihenfolge.

a.

b.

c.

d.

e.

f.

g.

h.

SCHRITT 2: Wer sagt was? Ordnen Sie jedem Bild einen passenden Untertitel zu. Wer sagt das, Klara, Dieter, der Chef, Renate, Uwe oder Karin?

1. „Denkst du, meine Frau will mit?"
2. „Halt, Moment! Altglas."
3. „Ach, wissen Sie, Herr Petersen, am liebsten möchte ich so eine richtig schöne Wiese haben—so hoch!"
4. „Montag bis Freitag bist du in Kosmos, oder wie dieser Ort heißt, und am Wochenende—"
5. „Ich gehe sowieso nicht mit."
6. „Aber Herr Cornelius, was sind heute schon 400 Kilometer?"
7. „Für den Supermarkt gebe ich dir noch einen anderen Einkaufszettel."
8. „Nina, wo bleibst du denn? Du kommst noch zu spät."

VOKABELN

A In der Freizeit. Wo kann man was machen?

MODELL: Im Garten kann man sich ausruhen.

B Einkaufen. Raten Sie den folgenden Leuten, was sie brauchen und wo sie das alles erledigen können.

MODELL: Jutta: „Ich möchte so gerne was Süßes essen." →
Du solltest zur Konditorei gehen und einen Kuchen kaufen!

1. Gregor: „Ich habe furchtbare Kopfschmerzen."
2. Heidi: „Ich habe nichts Elegantes anzuziehen."
3. Karl: „Ich fahre morgen in den Urlaub, und ich habe nichts zu lesen."
4. Prisca: „Ich möchte heute Abend Lammrücken Provenzale kochen."
5. Joschka: „Ich will morgen gemütlich frühstücken."

C Eine Reise durch Deutschland. In welchen deutschen Bundesländern kann man sich die folgenden Dinge ansehen?

1. das Brandenburger Tor
2. die Außen- und Binnenalster
3. die Alpen
4. die Wartburg
5. die alte Oper in Frankfurt
6. den Kölner Dom
7. die Bremer Stadtmusikanten
8. die Kieler Woche
9. die Insel Rügen
10. die Universitätsstadt Tübingen

> im Stadtbad
> im Park
> in der Sporthalle
> im Wohnzimmer
> am Strand
> auf dem Fußballplatz
> in den Bergen
> im Garten

D „Ostalgie"—so nennt man das Gefühl, das nicht alles in der ehemaligen DDR schlecht war. Viele Leute meinen, es gab auch Positives in der DDR-Gesellschaft. Was meinen Sie? Welche Aspekte des Lebens in der DDR waren positiv, welche negativ? Machen Sie eine Liste.

MODELL:

POSITIVES	NEGATIVES
Der Staat versorgte die Kinder.	Man hatte begrenzte Reisefreiheit.

E Nationalitäten. Aus welchen Ländern und Kontinenten kommen diese Leute? Welche Nationlitäten haben Sie?

MODELL: Frau Li ist in Shanghai geboren.→
Frau Li kommt aus China, aus Asien.
Sie ist Chinesin, auch Asiatin.

1. Herr Lefflers Geburtsstadt ist Salzburg.
2. Frau Lopez ist in Mexiko-Stadt geboren.
3. Herr Poulakidas kommt aus Athen.
4. Frau Antonelli ist in Rom aufgewachsen.
5. Herr Patel kommt ursprünglich aus Kalkutta.
6. Frau Mayr ist in Zürich geboren.
7. Herrn Christophs Geburtsstadt ist München.

STRUKTUREN

A Das neue Leben

SCHRITT 1: Die Pläne. Uwe Cornelius geht nach Thüringen, Klara studiert bald in München, Renate und Nina bleiben wahrscheinlich in Hamburg—aber natürlich werden sie den Vater besuchen. Was plant Herr Cornelius für die Familie? Bilden Sie Sätze im Futur.

MODELL: Nina und Renate, ihr: eine Reise in den Harz machen →
Nina und Renate, ihr werdet eine Reise in den Harz machen.

1. Renate, du: die Firma besichtigen
2. wir: im Erzgebirge wandern gehen
3. Klara und Nina, ihr: die Küche Thüringens probieren
4. Klara: Ausflüge machen
5. Renate und Nina: in Weimar und Jena Kaffee trinken
6. ich: die Geschichte der ehemaligen DDR kennen lernen

SCHRITT 2: Was für Aktivitäten? Schreiben Sie jetzt die Sätze neu mit vielen Adjektiven.

MODELL: Nina und Renate, ihr werdet eine kleine Reise in den berühmten Harz machen.

B Zwei Familien, ähnliche Probleme. Beide Familien, die Familie Koslowski und die Familie Cornelius, wollen zusammenhalten, aber . . . Wie definiert man die Probleme? Welche Lösungen gibt es? Bilden Sie Sätze mit Genitivpräpositionen.

MODELL: außerhalb →
Außerhalb Rheinhausen will Marion im Moment nicht wohnen.

oder: Im Moment will Marion nicht außerhalb ihrer Geburtsstadt wohnen.

1.

Familie Koslowski
a. trotz / die Arbeitslosigkeit
b. während / der Urlaub auf Rugen
c. wegen / die Briefe an Michael
d. innerhalb / die Stadt Köln

2.

Familie Cornelius
a. außerhalb / die Stadt Hamburg
b. während / die Schule
c. trotz / das Geld
d. wegen / die Firma

C Evas Zimmer. Und wie geht es der Familie Schäfer? Auch die Schäfers wollen zusammenhalten, denn Eva wird bald in Dresden an der Technischen Hochschule studieren. Sie möchte Innenarchitektin werden. Sie plant schon jetzt das Design ihres Zimmers in Dresden. Zeichnen Sie, wie Evas Zimmer aussehen soll. Beschreiben Sie alles dann mit den Verben **stellen, hängen, stecken** und **legen:** 1. was Eva macht, und 2. wo etwas steht. Benutzen Sie auch Adjektive.

MODELLE: der Schrank →
          1. Eva stellt den gelben Schrank hinter die Tür.
          2. Der gelbe Schrank steht hinter der Tür.

D Was machen sie? Bilden Sie Fragen und Antworten.

MODELL: Eva: in Dresden studieren →
         Studiert Eva schon in Dresden?
         —Nein, sie studiert noch nicht in Dresden.

         Herr Koslowski: in Rheinhausen arbeiten →
         Arbeitet Herr Koslowski noch in Rheinhausen?
         —Nein, er arbeitet nicht mehr in Rheinhausen.

1. Lars: Auto fahren
2. Klara: eine eigene Wohnung in München haben
3. Michael: in Sellin bei den Eltern wohnen
4. Nina: einen Ausflug mit Klara gemacht hat
5. Uwe Cornelius: nach Thüringen umgezogen ist
6. Vera Koslowski: Marion in Boston besucht hat

die Kommode

das Bett

der Schreibtisch

das Bild

die Gardine

der Computer

der Stuhl   die Pflanze

die Stereoanlage

der Fernseher

EINBLICKE

Thüringen— warum denn nicht?

A Wo liegt Thüringen? Beschreiben Sie die Lage Thüringens in Deutschland. Wie heißen Thüringens Nachbarn?

B Informationen. Schauen Sie im Internet unter Thüringen, nach und berichten Sie, was Sie gefunden haben.

Bundesland Thüringen

Die Wartburg bei Eisenach.

Das Goethe-Schiller-Denkmal in Weimar.

PERSPEKTIVEN

Sie haben schon viel über das Land Thüringen gelernt. Jetzt lernen Sie etwas von der Kultur und der Geschichte dieses Landes.

Berühmte Städte und Persönlichkeiten in Thüringen— eine unvollständige Kulturgeschichte

Die Geschichte Thüringens geht zurück bis in das vierte und fünfte Jahrhundert. Im sechsten und siebten Jahrhundert wurde dieser östlichste Teil des Frankenreiches durch Bonifatius, den „Apostel der Deutschen" christianisiert. 742 wurde Erfurt das erste Bistum dieses Teils
5 des Fränkischen Reiches. Mit dem Grafengeschlecht der Ludowinger gab es im zwölften und in der ersten Hälfte des dreizehnten Jahrhunderts, eine Blütezeit der höfischen Epik in Thüringen.

Auf der Wartburg bei der Stadt Eisenach traten im Sängerkrieg dem Wettstreit der Minnesänger, unter anderen Wolfram von Eschenbach,
10 Heinrich von Veldecke und Walther von der Vogelweide gegeneinander an. Richard Wagner hat diesen Wettstreit der Minnesänger in seiner Oper „Tannhäuser" beschrieben.

Auf der Wartburg lebte auch die ungarische Königstochter Elisabeth (1207–1231), die Gemahlin des Landgrafen Ludwig IV. Wegen ihrer
15 Sorge um Arme und Kranke wurde sie 1235 heilig gesprochen. Sie ist heute die Schutzpatronin Thüringens.

Der Augustinermönch und Doktor der Theologie Martin Luther (1483–1546) wollte die Katholische Kirche reformieren. Seine Thesen von 1517 gegen Fehler seiner Kirche lösten so heftige Reaktionen aus, dass sich
20 Luther 1521 auf der Wartburg als Junker Jörg verstecken musste. Im folgenden Jahr konnte er nach Wittenberg zurückkehren und daran arbeiten, seine Ideen praktisch umzusetzen. Ungewollt wurde er der Begründer der Protestantischen Kirche.

Die Kulturgeschichte Thüringens lässt sich unmöglich ohne die Namen
25 wichtiger Dichter und Denker in Weimar und Jena betrachten. Die Freundschaft zwischen dem Dichter Johann Wolfgang Goethe (1749–1832) und Friedrich Schiller (1759–1805) muss als wichtiger Meilenstein der deutschen Literaturgeschichte gesehen werden. Beide haben unzählige Werke geschrieben, wie zum Beispiel Goethes *Faust* oder
30 Schillers *Wilhelm Tell*. Nach 1775 lebte Goethe in Weimar am Hofe des Erbprinzen Carl August und seiner Mutter Anna Amalia. Goethes

WORTSCHATZ ZUM LESEN

das Bistum	*bishopric; diocese*
das Grafen-geschlecht	*ducal lineage*
die Blütezeit	*heyday*
höfisch	*courtly*
der Minnesänger	*medieval musician*
der Wettstreit	*contest*
die Gemahlin	*wife*
heiligsprechen	*to declare someone a saint*
die Schutzpatronin	*patron saint*
sich lassen	*to allow*
betrachten	*to consider*

Wohnhaus ist heute Teil des Goethe-Nationalmuseums. Schiller wurde 1789 Professor an der Universität Jena. Jena ist außerdem bekannt wegen des Romantikerkreises von Schriftstellern.

A Thüringen. Welche Informationen über Thüringen bekommen Sie in diesem Text?

Wetter	Wirtschaft	wichtige Persönlichkeiten
Tourismus	Geographie	Geschichte
Literatur		

B Berühmte Städte, berühmte Menschen. Welche Namen von berühmten Menschen assoziiert man mit jeder Stadt? Machen Sie drei Listen.

JENA   **WEIMAR**   **EISENACH**

C Aus der thüringischen Geschichte. Welche Namen assoziieren Sie mit den Orten, Ereignissen, Personen und Werken auf der rechten Seite? Mehr als eine Assoziation kann richtig sein.

1. Bischof Bonifatius
2. Wolfram von Eschenbach
3. die heilige Elisabeth
4. Heinrich von Veldecke

5. Richard Wagner
6. Martin Luther
7. Johann Wolfgang Goethe
8. Friedrich Schiller

a. *Faust*
b. *Wilhelm Tell*
c. Erfurt
d. Ludwig IV

e. Wartburg
f. der Sängerkrieg
g. Junker Jörg
h. *Tannhäuser*

INTERAKTION

Projekt: eine Web-Seite. Arbeiten Sie in einer Kleingruppe. Stellen Sie sich vor, Sie sollen eine Web-Seite für eine Stadt oder einen Bundesstaat (Bundesland in Deutschland, Land in Österreich oder Kanton in der Schweiz) machen.

1. Wählen Sie die Stadt oder den Bundesstaat.
2. Sammeln Sie Informationen und schreiben Sie die Texte. Denken Sie an die folgenden Fragen.
   - Wie beschreiben Sie die geographische Lage dieser Stadt / dieses Bundesstaates?
   - Welche Sehenswürdigkeiten gibt es dort? Welche wichtigen Personen haben dort gelebt?
   - Was wissen Sie über die Kultur oder die Geschichte dieser Stadt / dieses Bundesstaates?
   - Welche Kategorien soll Ihre Web-Seite haben?
   - Welche Bilder sollen die Besucher der Web-Seite sehen?
   - Welche Tipps können Sie den Besuchern geben?
3. Setzen Sie Texte und Bilder zusammen, und präsentieren Sie der Klasse Ihre Web-Seite.

DER SPAGHETTI—PROFESSOR

In this chapter, you will
- follow Klara Cornelius around the university in Munich.
- see how Klara gets some help from a new friend at the university.

You will learn
- about student life at a German university.
- more about different kinds of foods and eating habits.
- how to use reflexive verbs to talk about daily routines and other activities.
- how to express comparisons using the comparative and superlative forms of adjectives.
- about a student group in the resistance movement during World War II.

Liebe Familie,

der Umzug nach München ist geschafft. Mein Zimmer im Studentenwohnheim ist klein, aber gemütlich. Das Essen in der Mensa ist erträglich-lange nicht so gut wie das Essen zu Hause. Ich habe auch schon Kontakt mit einigen Kommilitonen. Zwei oder drei sind sogar aus Hamburg, und wir kennen uns schon, weil wir das gleiche Hauptfach haben.

Leider hatte ich aber auch schon ein wenig Stress. Gestern war ich an der Uni, um mich für ein Praktikum einzuschreiben. Ich brauche das unbedingt für's Vordiplom. Als ich da ankam, war der Flur schon voll mit Studenten, die sich auch einschreiben wollten. Als ich dann an der Reihe war, war kein Platz mehr frei. Ich war vielleicht sauer und enttäuscht. Der Professor sagte mir doch ganz einfach, dass ich das Praktikum nächstes Jahr machen soll. Zuletzt gab es aber dann doch noch eine sehr angenehme Überraschung. Ein Kommilitone hat mir seinen Platz gegeben. Ist das nicht toll? Ich kenne den jungen Mann gar nicht, aber ich finde das total nett.

Wie kommt ihr zu Hause zurecht ohne Papa? Gefällt es ihm in der neuen Fabrik in Thüringen?

Gruß,
Klara

An der Uni.

143

VIDEOTHEK

Der Kompromiss.

In der letzten Folge . . .

gab es Streit und Diskussionen bei Familie Cornelius, denn die Firma versetzt Uwe Cornelius nach Thüringen. Frau Cornelius und Klara wollen auf keinen Fall nach Thüringen umziehen, nur Nina kann sich ein neues Leben in Thüringen vorstellen.

● Wissen Sie noch?

1. Wie reagiert die Familie beim Frühstück?
2. Welcher Kollege von Herrn Cornelius wird auch versetzt?
3. Wie reagiert die Frau des Kollegen auf den Umzug?
4. Welche Vorschläge machen Herr und Frau Cornelius?
5. Welchen Kompromiss schließen sie miteinander?

In dieser Folge . . .

studiert Klara Cornelius an der Universität in München.

● Was denken Sie? Was passiert Klara?

	JA	NEIN
1. Sie wird viele neue Leute kennen lernen.	☐	☐
2. Sie muss etwas ganz anderes studieren.	☐	☐
3. Sie wird sich vielleicht verlieben.	☐	☐
4. Sie wird ihr Studium aufgeben.	☐	☐

„Was ist denn los?"

WORTSCHATZ ZUM VIDEO

die Anmeldung	registration
erforderlich	required
verschwinden	to disappear
gewissenhaft	conscientious
fleißig	dutiful
die Erfahrung	experience
oberflächlich	superficial

SCHAUEN SIE ZU!

A Klara in München

SCHRITT 1: Was passiert? Bringen Sie die Bilder in die richtige Reihenfolge.

a.

b.

c.

d.

SCHRITT 2: Die ganze Geschichte. Verbinden Sie die Bilder mit dem richtigen Satz, und schreiben Sie noch zwei weitere Sätze, die die Situation beschreiben.

1. Das Praktikum ist voll.
2. Der Professor hält eine Vorlesung.
3. Die Studenten und Studentinnen stehen Schlange.
4. Klara ist total überrascht.
5. Klara steht vor dem schwarzen Brett.
6. Sie geht in die Mensa.

B Wohin geht Klara in der Uni?

Geht sie	JA	NEIN
1. in die Mensa?	☐	☐
2. in die Bibliothek?	☐	☐
3. ins Theater?	☐	☐
4. ins Studentenwohnheim?	☐	☐
5. ins Café?	☐	☐
6. in den Vorlesungssaal?	☐	☐

e.

C Klara besucht eine Vorlesung. Beantworten Sie die Fragen.

1. Was für eine Vorlesung ist das?
   a. Das ist eine Biologievorlesung.
   b. Das ist eine Literaturvorlesung.
   c. Das ist eine Physikvorlesung.
2. Warum klopfen die Studenten am Ende der Vorlesung auf die Tische?
   a. Die Vorlesung ist zu Ende.
   b. Die Vorlesung hat ihnen gut gefallen.
   c. Die Vorlesung hat ihnen nicht gefallen.
   d. Es ist höflich.

f.

D Klara und Markus. Professor Di Donato sagt zu Marion: „Markus und Klara sind sehr angetan von einander." Wie erfahren wir im Video, dass Markus und Klara einander mögen? Wie geht die Geschichte für Markus und Klara weiter? Was erwarten Sie?

VOKABELN

DAS LEBEN AN DER UNI

1.

2.

3.

4.

5.

6.

Und noch dazu

das Praktikum	internship	sich entschließen	to decide
ab•geben	to give up	sich fürchten vor	to be afraid
an•melden	to register	(+ dat.)	of something
sich	to enroll in	klopfen	to knock
ein•schreiben	a class	zufrieden	satisfied

Aktivitäten

A Uni-Leben. Verbinden Sie die Sätze unten mit den Bildern.

To learn more about university life in German-speaking countries, visit the Fokus Internet Web Site at http://www.mhhe.com/german.

a. Im Studentenwohnheim. Zwei Studentinnen reden miteinander.

b. Am Ende des Semesters bekommen die Studenten Noten. Während des Semesters müssen sie viel tun: Referate halten, Semesterarbeiten und Klausuren schreiben.

c. Studenten stehen Schlange. Wer sich für das Praktikum interessiert, muss sich dafür anmelden.

d. Im Hörsaal hält die Professorin eine Mathematikvorlesung.

e. Das Essen in der Mensa ist immer preiswert.

f. Studenten suchen Jobs und Zimmer am schwarzen Brett.

B Das Studium. Ergänzen Sie die Sätze.

1. Nach dem Abitur beginnt für viele Deutsche das _____ (Studium / Praktikum).

2. In Deutschland bezahlt man an der Uni keine _____ (Miete / Studiengebühren).

3. Jeder Student / jede Studentin hat ein Hauptfach und ein oder zwei _____ (Vorlesungen / Nebenfächer).

4. Sie belegen Seminare und hören _____ (Vorlesungen / Referate).

5. Während des Studiums machen viele Deutsche ein _____ (Seminar / Praktikum).

C Aufgaben. Welche Aufgaben machen Sie gern in einem Kurs? Welche nicht?

MODELL: Ich schreibe nicht gern Klausuren. Ich schreibe lieber ein Referat.

Referate schreiben

Referate halten

Aufsätze schreiben

Klausuren schreiben

Semesterarbeiten schreiben

D Das Semester. Arbeiten Sie mit einem Partner / einer Partnerin, und fragen Sie ihn / sie, welche Kurse, Vorlesungen, Seminare er / sie belegt. Wie viele Prüfungen hat er / sie pro Woche? Wie viele Referate oder Semesterarbeiten muss er / sie im Semester schreiben?

LEBENSMITTEL

Unser Angebot:

deutsche
Karotten
500 g- **1,29**

Salatgurken
Stück- **1,99**

spanische
Tomaten
1 kg- **2,39**

Kaffee
500 g-Vac. Packg. **7,99**

holländische
Kartoffeln
1 kg- **1,19**

Blumenkohl
500 g- **1,29**

Brokkoli
500 g- **1,39**

Äpfel
1 kg-Netz **,99**

Bananen
1 kg- **3,99**

Barilla Eiernudeln
250 g-Pack. **1,89**

Lachs
100 g- **2,49**

Sauerbraten
100 g- **1,59**

Rinderhackfleisch
100 g- **2,29**

Brot
500 g- **3,20**

Kopfsalat
Stück- **,99**

Mineralwasser
.75 Ltr.-Fl.- **1,89**

KULTURSPIEGEL

The prices listed in this advertisement are in German marks. On January 1, 1999, the European Union introduced a new currency, the euro. The euro has replaced the mark in all electronic transactions, such as credit card payments. Paper notes and coins are scheduled to appear in 2002. Some stores have already begun showing prices in both marks and euros.

Und noch dazu

der Fisch	*fish*	schneiden	*to cut, slice*
das Fleisch	*meat*	vermischen	*to mix*
das Gemüse	*vegetable*	lecker	*delicious, tasty*
das Obst	*fruit*	roh	*raw*
braten	*to fry*	salzig	*salty*
gießen	*to pour*	scharf	*spicy, hot*
erhitzen	*to heat*	süß	*sweet*
schlagen	*to beat*	zäh	*tough*

Aktivitäten

A Lebensmittel einkaufen. Sie planen ein großes Abendessen, aber Sie haben leider nur 20 Mark dabei. Was möchten Sie kochen? Denken Sie an mögliche Speisen und dann sagen Sie, was Sie dafür kaufen müssen. Sie dürfen nur Lebensmittel kaufen, die in der Anzeige stehen!

MODELL: Ich koche heute Abend Spaghetti. Ich muss Nudeln kaufen. Die Nudeln kosten 1,89 (eine Mark neunundachtzig).

B Am Esstisch. Wenn Sie ein besonderes Abendessen kochen, müssen Sie natürlich den Tisch schön decken. Wohin stellen Sie die folgenden Dinge?

MODELL: Das Besteck lege ich neben den Teller.

C Wie schmeckt's? Mittagessen mit Freunden in der Mensa. Fragen Sie Ihre Freunde, was sie essen und wie es ihnen schmeckt.

MODELL: A: Was isst du?
B: Ich esse einen Hamburger.
A: Wie ist er? / Wie schmeckt's?
B: Er ist ein bisschen zäh.

1.   2.   3.   4.

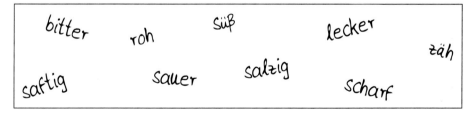

bitter   roh   süß   lecker   zäh
saftig   sauer   salzig   scharf

D Lieblingsgerichte. Arbeiten Sie mit einem Partner / einer Partnerin, und stellen Sie einander die folgenden Fragen.

1. Was ist dein Lieblingsgericht?
2. Welche Zutaten gehören dazu?
3. Wie bereitet man es vor?

KURZ NOTIERT

To say that you want a certain amount of something in German, simply state the quantity followed by the noun, with no prepositions or inflections.

ein Pfund Hackfleisch *1 pound (= 500 grams) of ground meat*
fünf Stück Kuchen *five pieces of cake*
zwei Liter Milch *two liters of milk*

das Glas   die Gabel
die Serviette
die Pfanne   der Topf
das Messer
der Löffel
der Teller   das Besteck

STRUKTUREN

REFLEXIVE VERBS AND PRONOUNS
DOING SOMETHING FOR ONESELF

German has a number of reflexive verbs that occur in combination with reflexive pronouns. These pronouns refer to the subject of a sentence. Compare the following two sentences, one with a reflexive pronoun and one with a direct object.

| Klara wäscht **sich.** | *Klara gets washed.* |
| Klara wäscht **das Auto.** | *Klara washes the car.* |

Because they serve as objects in a sentence, reflexive pronouns appear in the accusative or dative case.

ACCUSATIVE	DATIVE	ACCUSATIVE	DATIVE
SINGULAR		PLURAL	
mich *myself* dich *yourself* sich *yourself* sich *herself* *himself* *itself*	mir dir sich sich	uns *ourselves* euch *yourselves* sich *yourselves* sich *themselves*	uns euch sich sich

Note that reflexive pronouns have the same forms in the accusative and dative cases with these exceptions: **mich/mir** and **dich/dir.**

Whereas the reflexive pronoun occurs with English verbs in an optional sense primarily for emphasis, a number of German verbs require it. Note the *sich* here is not translated.

| Klara **interessiert sich** für Markus. | *Klara is interested in Markus.* |
| Klara und Markus **treffen sich** vor der Uni. | *Klara and Markus meet (each other) in front of the university.* |

When you see **sich** listed with a verb, you will know to use that verb with the appropriate reflexive pronoun in the accusative case.

If a sentence has a direct object, the reflexive pronoun appears in the dative case.

Ich ziehe **mich** an.	*I get dressed.*
but: Ich ziehe **mir die Jacke** an.	*I put on my jacket.*

The following verbs often occur with a direct object—usually an article of clothing or part of the body—and a dative reflexive pronoun.

sich anziehen	*to get dressed*
sich kämmen	*to comb*
sich waschen	*to wash*
sich verletzen	*to injure*
Zieh dir die Jacke an!	*Put the jacket on!*
Wascht euch die Hände!	*Wash your hands!*

Übungen

A Was machen sie? Welcher Satz passt zu welchem Bild?

a. Martin und Jens treffen sich vor der Bibliothek.
b. Angelika beeilt sich.
c. Herr Schreiber entspannt sich.
d. Sabine meldet sich für das Praktikum an.
e. Herbert ärgert sich.

B Was ist logisch?

1. Silvia arbeitet gern im Garten. Was macht sie nach der Gartenarbeit?
   a. Sie wäscht sich.   b. Sie ärgert sich.
2. Jens kommt um fünf Uhr nach Hause und muss um halb sechs im Restaurant sein. Was macht er?
   a. Er beeilt sich.   b. Er entspannt sich.
3. Klaus schläft während der Vorlesung. Warum?
   a. Er langweilt sich.   b. Er regt sich auf.
4. Maria hat eine große CD-Sammlung und geht gern ins Konzert. Wie findet sie Musik?
   a. Sie interessiert sich dafür.   b. Sie ärgert sich darüber.
5. Es ist sieben Uhr. Bodo steht auf und duscht sich. Was macht er danach?
   a. Er legt sich hin.   b. Er zieht sich an.

C Morgenroutine. Was machen Sie morgens?

MODELL: Zuerst dusche ich mich. Dann wasche ich mir die Haare. . . .

1.

2.

3.

4.

5.

COMPARATIVES AND SUPERLATIVES
COMPARING THINGS AND PEOPLE

The comparative and superlative forms of adjectives and adverbs enable you to draw comparisons or to assign degrees of quality or quantity— and to do so in different ways.

Hamburg ist **größer als** München, aber Berlin ist **am größten.**	*Hamburg is bigger than Munich, but Berlin is the biggest.*
Hamburg ist eine **größere** Stadt **als** München, aber Berlin ist die **größte** Stadt.	*Hamburg is a bigger city than Munich, but Berlin is the biggest city.*

Adjectives and adverbs in German form the comparative with **-er.** Most one-syllable adjectives and adverbs in German also add an umlaut.

alt, älter	*old, older*
groß, größer	*big, bigger*
interessant, interessanter	*interesting, more interesting*

Adjectives and adverbs in German form the superlative by adding **-(e)st-** to the basic word. If the superlative form appears as a predicate adjective or as an adverb, it also requires the word **am** and the ending becomes **-(e)sten.** The superlative form assigns the highest degree of quality or quantity.

Dieses Auto ist **am neuesten.**	*This car is the newest.*
Vielleicht ist es nicht **am schönsten.**	*Maybe it isn't the most beautiful.*
Es fährt aber **am schnellsten.**	*But it goes the fastest.*

When comparative and superlative adjectives appear before nouns, they take attributive endings. The endings for comparative and superlative adjectives are the same as those for basic adjectives.

Wer fährt das **alte** Auto?	*Who drives the old car?*
Wer fährt das **ältere** Auto?	*Who drives the older car?*
Wer fährt das **älteste** Auto in dieser Gegend?	*Who drives the oldest car in this area?*

A number of adjectives and adverbs have irregular forms. Sometimes the English counterparts are also irregular, sometimes not.

BASIC	COMPARATIVE	SUPERLATIVE			
gern	lieber	am liebsten	*gladly*	*rather*	*most of all*
gut	besser	am besten	*good/well*	*better*	*best*
hoch	höher	am höchsten	*high*	*higher*	*highest*
nah	näher	am nächsten	*near*	*nearer*	*nearest/next*
viel	mehr	am meisten	*much/a lot*	*more*	*most*

KURZ NOTIERT

To draw an equal comparison, use the basic form of the adjective or adverb in the phrase **so . . . wie.**

Markus ist **so alt wie** Klara.
Markus is as old as Klara.

To make unequal comparisons, use either (1) the basic form of the adjective or adverb in the phrase **(nicht) so . . . wie,** or (2) the comparative form of an adjective or adverb plus the word **als.**

Thomas ist **nicht so alt wie** Markus.
Thomas is not as old as Markus.
Thomas ist **jünger als** Markus.
Thomas is younger than Markus.

SPRACHSPIEGEL

The addition of the umlaut to mono-syllabic German nouns does not seem so odd, if you consider the following archaic forms in English: *old, elder, eldest.* In fact, people still speak of their *elders.*

Übungen

A Was sagen sie? Sonja, Klara und Markus vergleichen ihre Erlebnisse an der Uni.

MODELL: SONJA: Mein Biologieprofessor ist alt. →
KLARA: Mein Biologieprofessor ist noch älter!
MARKUS: Aber mein Biologieprofessor ist am ältesten!

SONJA:
1. Meine Klausur war schwer.
2. Ich habe einen langen Vortrag gehört.
3. Ich muss viele Bücher lesen.
4. Meine Professorin hält interessante Vorlesungen.
5. Mein Heft war teuer.
6. Mein Professor schreibt gut.

B Was meinen Sie? Vergleichen Sie die folgenden Sachen und Aktivitäten mit einem Partner oder einer Partnerin!

MODELL: Biologie / Musik →
Ich finde Biologie interessanter als Musik. Und du?

1. das Essen in der Mensa / das Essen in meinem Lieblingsrestaurant
2. meine Muttersprache / Deutsch
3. eine Semesterarbeit schreiben / eine E-Mail schreiben
4. ein Klassenzimmer / ein Hörsaal
5. eine Reise nach München / eine Reise nach New York
6. ein Auto / ein Fahrrad
7. ein Studentenzimmer / eine Wohnung

schön interessant freundlich nett groß praktisch alt wichtig schnell gut langweilig teuer

C Ganz super(lativ)! Berta, Klaras Kusine, hat ein Jahr an einer amerikanischen Universität in Kalifornien studiert. Klara hat viele Fragen an sie! Benutzen Sie Superlativformen!

1. Was ist der _____ (gut) Kurs an der Uni?
2. Wie heißt die _____ (lang) Brücke in San Franzisko?
3. Wo hast du das _____ (teuer) Essen gegessen?
4. Wo waren die _____ (nett) Menschen?
5. Was waren die _____ (interessant) Sehenswürdigkeiten?
6. Wie heißt der _____ (schön) Strand in Kalifornien?
7. Wie heißt das _____ (hoch) Gebäude?

EINBLICKE

BRIEFWECHSEL

Liebe Klara,

vielen Dank für deinen Brief. Ich bin froh, dass du dir die Zeit nimmst und an mich schreibst. Hier ist es sehr still, seit Papa in Thüringen ist. Die Arbeit da macht ihm aber großen Spaß und bis jetzt konnte er jedes Wochenende nach Hause kommen. Ich glaube, wir werden mit dieser Situation doch ziemlich leicht zurechtkommen. Deine Schwester vermisst dich und ihren Papa sehr, würde das aber nie zugeben.

Also, die Sache mit dem Praktikum war ja wohl wirklich stressig. Warum hat der Student dir seinen Platz gegeben? Wie geht es denn mit deinen Vorlesungen? Hast du alle Kurse in deinem Hauptfach und Nebenfach, die du noch brauchst? Klausuren habt ihr wohl noch nicht geschrieben, oder? Schreib mir bitte, wenn du Zeit hast. Ich bin gespannt, ob das Unileben so ganz anders ist als zu meiner Zeit. Schick mal ein paar Fotos von deinem Zimmer und deinen Freunden.

Gruß und Kuss von uns allen!
Deine Mutter

Was schreibt Klaras Mutter? Ergänzen Sie die Sätze.

1. Herr Schäfer ist _____ (schon/noch nicht) in Thüringen.
2. Nina vermisst _____ (ihre Schwester und ihren Vater/ihre Freunde) sehr.
3. Renate hat viele _____ (Informationen/Fragen) an ihre Tochter.
4. Klaras Mutter will Fotos von _____ (dem Spaghetti-Professor/ Klaras Zimmern und Freunden).

EINBLICK

Sonja

Das Leben einer Studentin

Sonja, Klaras Freundin, studiert Medizin im ersten Semester. Sie hat
mit Klara in München angefangen und muss sich langsam an den
Unterschied zur Schule gewöhnen. Zu Beginn des Semesters hatte sie
außerdem noch keine Unterkunft, denn im Studentenwohnheim war
5 noch kein Platz frei. Sie musste also zum Studentenwerk, um die Papiere
auszufüllen und um Gebühren zu zahlen. Und das BAföG war auch noch
nicht da! Doch nach einer Woche hatte sie den Wohnheimplatz und das
Geld. Aber dann das lange Warten beim Einwohnermeldeamt, die Jagd
nach billigen Möbeln, die Anmeldeformulare fürs Telefon und den
10 Fernseher . . . Das war stressiger als die Orientierungswoche für
Erstsemestler!

Jetzt ist sie mittendrin im Studentenalltag: Sie belegt mehrere
Seminare und Kurse, da sie ihr Klinikum schneller erreichen möchte. Ab
und zu jobbt sie abends in einem Hotel. Das klappt nur deshalb so gut,
15 weil die meisten Vorlesungen erst um halb zehn Uhr morgens anfangen.
Ansonsten wäre sie jeden Tag ganz schön kaputt. Das Gehalt reicht für
die Miete zwar nicht aus, aber sie kann wenigstens die Lebensmittel
davon kaufen. Ihr wird ziemlich schnell klar, dass sie ohne BAföG gar
nicht studieren könnte: Ihre Eltern verdienen nicht genug, um ihr das
20 Studium zu finanzieren. Doch mit ein paar Jobs nebenbei kann man das
Studium schon bewältigen.

Pauken, pauken, pauken. Das ist ihr Leben, obwohl sie in der Schule
noch dachte, dass das Studentenleben so viel Freiheit mit sich bringt.
Aber wenn sie abends zu einer Fete geht, kann sie morgens nicht
25 lernen. Doch die Hausarbeiten wollen geschrieben werden—wie Klara
das wohl macht?

sich gewöhnen an	*to get used to something*
das Einwohner-meldeamt	*registration office for new residents*
das Anmeldeformular	*registration form*
die Miete	*rent*
pauken	*to cram*

German students whose financial resources, primarily parental income, do not cover the cost of their academic study are eligible for government financial assistance in the form of the **BAföG,** which stands for **Bundesausbildungsförderungsgesetz.** The **BAföG** is a form of need-based financial aid, half of which is given out as a grant and half as an interest-free loan payable within five years after completion of study.

● Das Leben an der Uni ist gar nicht einfach! Arbeiten
Sie mit einem Partner / einer Partnerin, und stellen
Sie einander die folgenden Fragen.

1. Wie oft lernst du?
2. Arbeitest du auch? Wenn ja, wie viele Stunden pro Woche arbeitest du?
3. Was sind für dich die Unterschiede zwischen dem Leben als Schüler/Schülerin und dem Leben als Studenten/Studentin?

PERSPEKTIVEN

HÖREN SIE ZU!

Mehmet erzählt über seine Ausbildung.

A Mehmets Ausbildung

SCHRITT 1: Wann hat er was gemacht? Wie beginnt jeder Satz?

1. _____ hat Mehmet mit dem Studium begonnen.
2. _____ ist er in die Grundschule gekommen.
3. _____ hat er in der Türkei besucht.
4. _____ ist er in eine reguläre deutsche Klasse gekommen.
5. _____ war Mehmet mit dem Studium ganz fertig.

a. Die erste und zweite Klasse
b. 1991
c. Mit sechs Jahren
d. 1984
e. In der fünften Klasse

SCHRITT 2: Mehmets Geschichte. Bringen Sie die Sätze in die richtige Reihenfolge, um Mehmets Geschichte zu erzählen.

B Ihre Ausbildung. Erzählen Sie ein bisschen über Ihre Ausbildung. Machen Sie zuerst einen kleinen akademischen Lebenslauf.

MODELL:

WANN?	WAS?	WO?
1983	Kindergarten	in New York
1984		

LESEN SIE!

Zum Thema

Die Ludwig-Maximilians-Universität in München.

● Die Universität München und Ihre Universität. Sehen Sie sich die Bilder an. Man hat diese beiden Plätze vor der Universität München nach verschiedenen Personen benannt, den einen Platz nach den Geschwistern Sophie und Hans Scholl und den anderen nach Professor Kurt Huber. Beantworten Sie die folgenden Fragen.

1. Welche Plätze, Gebäude oder Straßen auf Ihrem Universitätsgelände (*Campus*) oder in Ihrer Stadt hat man nach Personen benannt? Geben Sie Beispiele.
2. Warum nennt man Straßen, Plätze oder Gebäude nach Personen? Wofür sind die Personen in Ihren Beispielen bekannt?
3. Welche Straßennamen kennen Sie von diesem Deutschkurs oder von Ihren Reisen in Europa?

Auf dem Geschwister-Scholl-Platz.

Die „Weiße Rose"

Im Februar 1943 wurde die „Weiße Rose", eine Gruppe Münchner Studenten, von der Gestapo verhaftet und zum Tode verurteilt. Der 25-jährige Hans Scholl, die 22-jährige Sophie Scholl und der 24-jährige Christoph Probst wurden nur wenige Tage später am 22. Februar 1943
5 hingerichtet. Zwei andere Studenten, Willi Graf und Alexander Schmorell sowie Professor Huber wurden in einem zweiten Verfahren ebenso zum Tode verurteilt und hingerichtet.

Diese Münchner Studenten hatten sich zu einer Gruppe zusammengefunden, die über die politische Situation in Deutschland und
10 über die unheilvollen Pläne der Nationalsozialisten nach dem „Endsieg" diskutierte. Als Folge dieser Diskussionen entschieden sich die Mitglieder der Weißen Rose dazu, ihre Gedanken auch anderen Menschen mitzuteilen. Sie wollten alle Deutsche ermutigen, sich gegen die Willkürherrschaft der Nationalsozialisten auszusprechen. Um möglichst
15 viele Menschen zu erreichen, verfassten diese Studenten eine Reihe von Flugblättern und schickten sie an Menschen, von denen sie hofften, dass sie sie mit vielen Freunden, Bekannten oder Kunden teilten. Typische Zielgruppen der Flugblätter der Weißen Rose waren Ärzte, Lehrer, Professoren, Pfarrer, Wissenschaftler und Gastwirte. Die Weiße Rose
20 sprach sich entschieden gegen die sinnlose Verlängerung des Krieges und gegen blinde Führerhörigkeit aus. Sie forderten ein demokratisches, föderalistisches Deutschland mit Bürgern, die Redefreiheit genießen.

Die Aktivitäten der Weißen Rose mussten in völliger Anonymität stattfinden, und die Mitglieder der Widerstandsbewegung lebten in
25 ständiger Gefahr, von der Gestapo entdeckt zu werden. Sie trafen sich nur im Keller eines Freundes, wo sie ihre Flugblätter druckten. Sie verteilten ihre Flugblätter, ohne sich sehen zu lassen. Manchmal schrieben sie auch Parolen wie „Nieder mit Hitler" mit großen weißen Buchstaben an die Wand wichtiger Gebäude in München. Im Februar
30 1943 entdeckte ein Hitler-treuer Hausmeister die Gruppe jedoch beim Verteilen ihrer Schriften im Hauptgebäude der Münchner Universität. Er rief die Gestapo, und wenig später war die Gruppe verhaftet und aufgedeckt.

WORTSCHATZ ZUM LESEN	
verhaften	*to capture; to arrest*
zum Tode verurteilen	*to sentence to death*
hinrichten	*to put to death*
unheilvoll	*disastrous; ruinous*
der Endsieg	*final victory*
das Mitglied	*member*
mitteilen	*to communicate*
ermutigen	*to encourage*
die Willkürherr-schaft	*arbitrary rule*
das Flugblatt	*leaflet; pamphlet*
die Führer-hörigkeit	*obedience to the leader*
die Widerstands-bewegung	*resistance movement*
die Gefahr	*danger*
aufdecken	*to expose; uncover*

Die Geschwister Scholl.

Zum Text

A Die Weiße Rose. Lesen Sie den Text ohne Wörterbuch. Was haben Sie verstanden? Ergänzen Sie die folgenden Sätze.

1. Die Weiße Rose war
   a. eine Jugendgruppe.
   b. eine Widerstandsbewegung Münchner Studenten und eines Professors.
2. Die Weiße Rose schrieb Flugblätter,
   a. weil sie nicht öffentlich sprechen wollten.
   b. weil sie wollten, dass sich mehr Deutsche gegen Hitler organisieren.
3. Die Weiße Rose schickte ihre Flugblätter
   a. an alle Deutschen.
   b. an Deutsche, die viel Kontakt mit anderen hatten.
4. Die Mitglieder der Weißen Rose
   a. wurden alle zum Tode verurteilt und hingerichtet.
   b. wurden in ein Konzentrationslager geschickt.

B Was wollte die Weiße Rose? Lesen Sie die folgenden Zitate aus dem letzten Flugblatt der Weißen Rose. Erklären Sie in kurzen Sätzen, was sie bedeuten.

1. „ . . . der Untergang der Männer vor Stalingrad. 330 000 deutsche Männer hat die geniale Strategie sinn- und verantwortungslos in den Tod gehetzt. Führer, wir danken dir!"
2. „Wollen wir den niederen Machtinstinkten einer Parteiclique weiterhin den Rest der deutschen Jugend opfern? Nimmermehr!"
3. „Im Namen der deutschen Jugend fordern wir vom Staat Adolf Hitlers die persönliche Freiheit zurück, um die er uns betrogen hat."
4. „Es gibt für uns nur eine Parole: Kampf gegen die Partei! Heraus aus den Parteigliederungen, in denen man uns weiter politisch mundtot halten will! Heraus aus den Hörsälen der SS- Unter- und Oberführer und Parteikriecher!"
5. „Der deutsche Name bleibt für immer geschändet, wenn nicht die deutsche Jugend endlich aufsteht, rächt und sühnt zugleich, ihre Peiniger zerschmettert und ein neues geistiges Europa aufrichtet."

INTERAKTION

Sie drücken Ihre Meinung aus. Arbeiten Sie in einer Kleingruppe. Welches Problem oder welche Situation finden Sie heute besonders wichtig? Was können Sie gegen eine negative Situation und für eine positive Lösung tun? Identifizieren Sie zuerst das Problem. Machen Sie dann eine Liste von Objektiven: was sie tun können und warum.

SCHREIBEN SIE!

Ein Flugblatt. Über welches Problem oder welche Situation haben Sie in der Interaktion diskutiert? Schreiben Sie jetzt Ihr eigenes Flugblatt, um anderen Leuten Ihre Gedanken mitzuteilen.

Schreibhilfe

Use the following steps to help you write your pamphlet.

PREWRITING
- A pamphlet or leaflet must catch the attention of the intended audience and then build interest. Therefore, the look of your pamphlet becomes as important as your words.
- Think of how you can use a one-page pamphlet or leaflet to your best advantage in communicating your message to your intended audience.
- Will you fold your pamphlet in half or in thirds or at all? If you fold it, what will appear on the inside? the outside?
- What kinds of visuals, if any, will enhance your message?

WRITING
- As you create your pamphlet, keep the following questions in mind.
  - Wer soll das Flugblatt lesen? Warum?
  - Welche Reaktion erwarten Sie?
  - Was sollen Ihre Leser machen, nachdem sie Ihr Flugblatt gelesen haben?
  - Welche Wörter sind daher am wichtigsten? Warum?
  - Haben Sie einen Slogan?
  - Wie können Sie sehr kurz das Problem oder die Situation beschreiben?

EDITING
- Ask several students to look over your pamphlet. How do they react initially? What comments do they make after reading it through? Do they respond the way you had hoped? If not, ask them what you might do to generate your intended reaction.

REWRITING
- In a short text such as this, each word should contribute in some way to your message. As you revise, cut any unnecesary words. Also check your verbs. If you used **sein** and **haben** as main verbs, try to rewrite the sentences with action verbs.

(continued)

- Make sure that your visuals and text work well together. You may need to revise your text to relate it to your visuals—or change your visuals to enhance your text.

PUBLISHING
- Consider the purpose of your pamphlet: What color paper should you use? How many copies do you need to make? How and to whom will you distribute the copies?

Fokus Chat: Universität

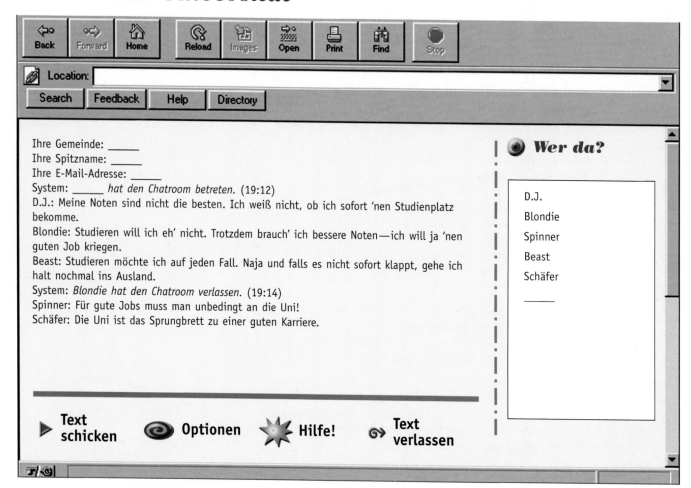

WORTSCHATZ

Substantive	**Nouns**
Das Leben an der Uni	*Life at the university*
die **Mensa,** *pl.* **Mensen**	student cafeteria
die **Vorlesung, -en**	lecture
die **Zwischenprüfung, -en**	mid-diploma exam
der **Hörsaal,** *pl.* **Hörsäle**	lecture hall
der **Vortrag, ̈e**	lecture; talk
einen Vortrag halten	to give a lecture
das **Brett, -er**	board
das **schwarze Brett**	bulletin board
das **Praktikum,** *pl.* **Praktika**	internship
das **Studentenwohnheim, -e**	student dormitory
das **Studium,** *pl.* **Studien**	university course of studies
das **System, -e**	system
die **Studiengebühren** (*pl.*)	tuition, study fees
Lebensmittel	*Food*
die **Gabel, -n**	fork
die **Gurke, -n**	cucumber
die **Karotte, -n**	carrot
die **Nudel, -n**	noodle
die **Pfanne, -n**	pan
die **Serviette, -n**	napkin
die **Tomatensoße, -n**	tomato sauce
der **Blumenkohl**	cauliflower
der **Brokkoli**	broccoli
der **Fisch, -e**	fish
der **Löffel, -**	spoon
der **Teller, -**	plate
der **Topf, ̈e**	pot
das **Abendessen, -**	dinner
das **Besteck, -e**	silverware
das **Fleisch**	meat

das **Gemüse, -**	vegetable
das **Glas, ̈er**	glass
das **Messer, -**	knife
das **Obst**	fruit
Verben	**Verbs**
ab•geben (gibt ab), gab ab, abgegeben	to give up
an•melden	to register
braten (brät), briet, gebraten	to fry
ein•schreiben, schrieb ein, eingeschrieben	to enroll, sign up
sich entschließen, entschloss, entschlossen	to decide
erhitzen	to heat
sich fürchten vor (+ *dat.*)	to be afraid of
gießen, goss, gegossen	to pour
klopfen	to knock
schlagen (schlägt), schlug, geschlagen	to beat
schneiden, schnitt, geschnitten	to cut, slice
vermischen	to mix
Adjektive und Adverbien	*Adjectives and adverbs*
lecker	delicious, tasty
roh	raw
salzig	salty
scharf	spicy, hot
süß	sweet
zäh	tough
zufrieden	satisfied

DER UMWELTSÜNDER

In this chapter, you will

- follow Klara's and Markus' outing from Munich to his mother's house.
- witness Klara's reaction when she catches someone polluting the environment.

You will learn

- to discuss environmental concerns and possible solutions.
- to talk about other problems confronting societies today.
- to express polite requests and possibilities using the general subjunctive.
- to use relative clauses to give more information about a topic.
- to analyze a poem by Hilde Domin.

Liebe Nina,

was gibt's neues in Hamburg? Mutti schreibt, dass es Papa in Thüringen gut gefällt. Ich bin auch froh, dass er jedes Wochenende nach Hause kommen kann. Ich würde das auch manchmal gerne tun, das ist aber doch ein wenig zu weit. Mir gefällt es ganz toll hier an der Uni. Ich habe schon einige nette Leute kennen gelernt. Insbesondere gefällt mir ein junger Mann—er heißt Markus. Er ist der Kommilitone, der mir seinen Platz im Praktikum überlassen hat. Danach hab' ich ihn einige Zeit nicht wieder finden können, aber dann hab' ich ihn bei einem Abendessen im Studentenwohnheim als „Il Professore Spaghetti" näher kennen gelernt. Am Wochenende war ich mit ihm zu Besuch bei seiner Familie. Auf dem Weg dahin gab es ein wenig Aufregung—wir waren auf Verbrecherjagd. Markus hat mir einen sehr schönen Platz im Wald gezeigt, und dort haben wir einen Umweltsünder auf frischer Tat ertappt. Der Typ hat einfach seinen Müll im Wald abgeladen! Ich hab' heimlich „Umweltsünder" auf seine Scheibe geschrieben. Der war vielleicht überrascht. Er ist mit seinem Auto ganz schnell weggebraust. Die Autonummer hab' ich schon der Polizei gegeben. Jetzt aber Schluss. Ich muss unbedingt noch eine Arbeit schreiben. Gruß an Mutti und Papa.

Alles Liebe!
Deine Schwester Klara

Der Rhein: An seinem Strom liegen nicht nur romantische Ruinen und Wälder, sondern auch große Industrieanlagen.

„Markus!"

In der letzten Folge . . .

will sich Klara um einen Praktikumsplatz bewerben, aber das Praktikum ist voll. Bei der Einschreibung für das Praktikum lernt sie Markus kennen. Er gibt ihr seinen Platz.

● Wissen Sie noch?

1. Wo haben sich Klara und Markus zuerst kennen gelernt?
2. Was hat Markus für Klara getan?
3. Warum hat sie ihn später gesucht?
4. Wo hat sie ihn gesehen und richtig kennen gelernt?
5. Warum heißt die letzte Folge „Der Spaghetti-Professor"?

In dieser Folge . . .

fahren Markus und Klara zum Kaffee und Kuchen bei Markus' Mutter. Weil sie viel Zeit haben, will Markus Klara seinen Lieblingsplatz im Wald zeigen. Da ist aber etwas los.

„Wenn jemand kommt, dann pfeifst du!"

● Was denken Sie?

	JA	NEIN
1. Klara und Markus haben eine Autopanne und können Markus' Mutter nicht besuchen.	☐	☐
2. Sie kommen sehr früh bei Markus' Mutter an und verbringen den ganzen Tag bei ihr.	☐	☐
3. Im Wald ist etwas Schreckliches los.	☐	☐
4. Klara und Markus wollen einem Umweltsünder eine Lehre erteilen (teach a lesson).	☐	☐
5. Sie kommen bei der Mutter etwas verspätet an. Die Mutter hatte sich Sorgen gemacht.	☐	☐

WORTSCHATZ ZUM VIDEO

der Pappkarton	cardboard box
ankündigen	to notify
knapp	close; barely
Mist!	(a mild expletive)
zu Recht	justifiably
die Verbrecherjagd	pursuit of a criminal

SCHAUEN SIE ZU!

A Auf dem Weg. Die Fahrt dauert knapp zwei Stunden. Was machen Klara und Markus auf dem Weg?

	JA	NEIN
1. Sie trinken Kaffee.	☐	☐
2. Sie hören Musik.	☐	☐
3. Sie schnallen sich an.	☐	☐
4. Sie besprechen vieles.	☐	☐
5. Sie gehen im Wald spazieren.	☐	☐
6. Sie streiten sich, und Markus will aus dem Auto aussteigen.	☐	☐

B Was passiert im Wald?

SCHRITT 1: Klara und Markus. Beantworten Sie die Fragen.

1. Klara und Markus gehen im Wald spazieren. Warum ist dieser Wald Markus sehr wichtig?
  a. Er bringt alle seine Freundinnen in den Wald.
  b. Hier ist er immer mit seiner Freundin hingefahren. Sie waren acht Jahre alt.
  c. Markus' Mutter wohnt in einem kleinen Haus mitten im Wald.
2. Wie ist das Wetter oben im Wald?
  a. Es ist schon warm und sonnig.
  b. Es ist neblig, und ein bisschen Schnee liegt auf dem Boden.
  c. Es ist windig und regnerisch.
3. Was machen Markus und Klara, als sie den Umweltverschmutzer sehen?
  a. Sie laufen zum Auto und fahren weg.
  b. Sie verstecken sich und schauen sich ihn an.
  c. Sie sprechen mit ihm.
4. Was schreibt Klara an die Windschutzscheibe?
  a. Warnung!
  b. Polizei kommt!
  c. Umweltsünder.

SCHRITT 2: Und Sie? Stellen Sie sich vor, Sie sind im Wald und sehen einen Umweltschmutzer. Was machen Sie?

C Markus' Mutter hat Fragen. Stellen Sie sich vor, Sie sind Markus' Mutter, und Sie haben Klara noch nicht kennen gelernt. Markus und Klara kommen spät an, und Sie haben schon Sorgen. Was fragen Sie Klara, Markus oder die beiden? Stellen Sie fünf Fragen.

VOKABELN

UMWELT

Wohin mit dem Müll?

Der Abfall wird sortiert und recycelt.

Organischer Abfall wird kompostiert.

Umweltfreundliche Verpackung und Mehrwegflaschen helfen der Umwelt.

Auf der Sammelstelle findet man Container für alte Flaschen und Dosen.

Manche Autos verbrauchen weniger Benzin als zuvor.

Und noch dazu

die Plastiktüte	*plastic bag*	teil•nehmen	*to participate*
die Wegwerf-flasche	*disposable bottle*	vermindern	*to reduce*
der Umwelt-sünder	*litterbug*	verbieten	*to prohibit*
		verwenden	*to use*
schützen	*to protect*	vor•ziehen	*to prefer*

Aktivitäten

A Recycling

SCHRITT 1: Keiner will Umweltverschmutzer sein. Aber was kann man recyceln?

MODELL: Man kann Altglas recyceln.

Der Umweltsünder.

leere Flaschen
eine Waschmaschine
Altbatterien
alte Reifen
Blumen
antike Möbel
Zeitungen
Weihnachtsbäume

SCHRITT 2: Und Sie? Recyceln Sie diese Dinge, wenn Sie sie verwenden? Wenn nicht, warum nicht?

B Sind Sie umweltfreundlich? Was tun Sie für die Umwelt? An welchen Aktivitäten nehmen Sie (**immer, oft, manchmal, selten, nie**) teil? Warum?

MODELL: Altglas bringe ich nie zum Recycling. Ich habe keine Zeit dafür.

1. Altglas zum Recycling bringen
2. Plastiktüten benutzen
3. Auto fahren
4. zu Fuß gehen
5. Artikel mit umweltfreundlicher Packung kaufen
6. Wasser sparen
7. mit dem Bus oder mit der U-Bahn fahren
8. Altpapier recyceln
9. viel Strom verbrauchen

C Welche Umweltprobleme gibt es in Ihrer Stadt? Diskutieren Sie mit einem Partner / einer Partnerin darüber. Welche Probleme gibt es? Warum? Gibt es Alternativen? Was kann man machen?

MODELL: A: Die Luftverschmutzung in unserer Stadt ist ziemlich stark.
B: Es gibt zu viele Autos. Man soll mit dem Bus oder mit dem Fahrrad fahren, wenn es möglich ist.
A: Es gibt auch zu viel Industrie in dieser Stadt. . . .

PROBLEME DER MODERNEN GESELLSCHAFT

In den neuen Bundesländern baute man viele Arbeitsplätze ab.

Menschen, die ihre Arbeitsplätze verloren haben, bekommen Arbeitslosengeld vom Staat.

Nach der Wende ist die Zahl der Gewalttätigkeiten gegen Ausländer dramatisch gestiegen.

In den Straßen protestierte man gegen Ausländerfeindlichkeit.

Krieg bringt Angst, Armut und Hunger.

Internationale Organisationen arbeiten gegen Obdachlosigkeit und Krankheiten.

KULTURSPIEGEL

In the former GDR, full employment was constitutionally guaranteed and almost every adult capable of working had a secure job. After reunification, it was necessary to close down many inefficient enterprises. However, the massive unemployment that resulted led to a number of social problems, such as violence against foreigners.

Und noch dazu

die Polizei	*police*	der Rassismus	*racism*
der Ausländer / die Ausländerin	*foreigner*	mutig	*courageous*
		streng	*strict(ly)*
der Lärm	*noise*	übertrieben	*exaggerated*
der/die Obdachlose (*decl. adj.*)	*homeless person*	unbedingt	*necessarily, absolutely*

Aktivitäten

A Probleme der modernen Welt. Welche Probleme kennen Sie aus eigener Erfahrung und welche nur von den Nachrichten?

PROBLEM	AUS EIGENER ERFAHRUNG	VON DEN NACHRICHTEN
1. Arbeitslosigkeit	☐	☐
2. Ausländerfeindlichkeit	☐	☐
3. Rassismus	☐	☐
4. Obdachlosigkeit	☐	☐
5. Krieg	☐	☐

B Probleme und Konsequenzen. Verbinden Sie die Probleme mit den Konsequenzen.

MODELL: Wegen der Arbeitslosigkeit haben viele Leute keine Hoffnung mehr im Leben.

KULTURSPIEGEL

Citizenship laws differ in Germany and the United States. For example, anyone born in the United States automatically receives citizenship in that country. However, individuals born on German soil to parents not legally considered of German ethnicity retain the nationality of their parents. Even though they were born and brought up in Germany, these individuals are considered **Ausländer.** On the other hand, individuals of German ancestry born outside of Germany are called **Aussiedler** (*emigrants*) and are entitled to German citizenship. Many people in Germany hope to change the current citizenship laws to allow for fuller participation in society of all minority groups.

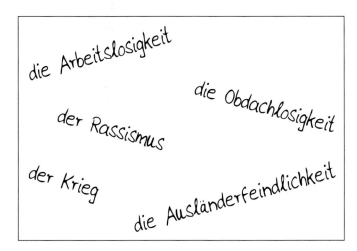

die Arbeitslosigkeit

die Obdachlosigkeit

der Rassismus

der Krieg

die Ausländerfeindlichkeit

1. Viele Leute haben keine Hoffnung mehr im Leben.
2. Dörfer werden zerstört und Zivilisten werden obdachlos.
3. Ausländer haben Angst, in einem fremden Land zu wohnen.
4. Viele Leute erfahren Diskriminierung, besonders am Arbeitsplatz.
5. Manche Leute müssen auf den Straßen leben und betteln.

C Eine Lösung? Was kann man dafür tun? Arbeiten Sie mit einem Partner / einer Partnerin. Wählen Sie ein weltweites Problem, das Sie beide besonders interessiert. Was kann man dafür tun, um eine mögliche Lösung zu diesem Problem zu erreichen? Machen Sie Vorschläge.

STRUKTUREN

THE SUBJUNCTIVE
MAKING POLITE REQUESTS AND GIVING ADVICE

The subjunctive forms of verbs such as **haben, sein, werden,** and the modals enable you to make requests and to express wishes in a very polite manner.

Zum Kaffee bei Frau Schöps:	
Klara, **möchten** Sie eine Tasse Kaffee?	*Klara, would you like a cup of coffee?*
—Ja, ich **hätte** gerne einen Kaffee.	*—Yes, I would like to have a cup of coffee.*
Thomas, **würdest** du bitte den Zucker bringen?	*Thomas, would you please bring the sugar?*
Frau Schöps, **dürfte** ich meine Eltern kurz anrufen?	*Frau Schöps, could I please call my parents?*
Mutti, wie **wäre** es mit einem Spaziergang nach dem Kaffee?	*Mom, how would you like to take a walk after coffee?*

You are already familiar with the subjuntive form of **mögen: möchte.** The subjunctive forms for the other verbs are as follows.

KURZ NOTIERT

The modals **können** und **müssen** follow the same pattern as **dürfen** in the subjunctive. Note that the modals **sollen** and **wollen** do *not* have umlauts in the subjunctive.

Könnte ich bitte etwas Zucker haben?
Could I have some sugar please?

Müsstet ihr so schnell wegfahren?
Do you have to leave so quickly?

Ihr **solltet** bald zurückkommen.
You should come back soon.

Wolltet ihr bitte nicht länger bleiben?
Wouldn't you want to stay longer?

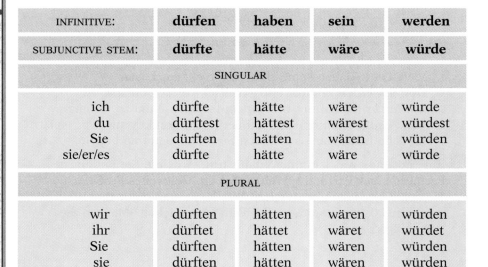

INFINITIVE:	**dürfen**	**haben**	**sein**	**werden**
SUBJUNCTIVE STEM:	**dürfte**	**hätte**	**wäre**	**würde**
SINGULAR				
ich	dürfte	hätte	wäre	würde
du	dürftest	hättest	wärest	würdest
Sie	dürften	hätten	wären	würden
sie/er/es	dürfte	hätte	wäre	würde
PLURAL				
wir	dürften	hätten	wären	würden
ihr	dürftet	hättet	wäret	würdet
Sie	dürften	hätten	wären	würden
sie	dürften	hätten	wären	würden

To make polite requests, to express wishes, and to give advice, use the **würde**-form of the subjunctive with the infinitive of almost any verb—except, **haben, sein, werden,** and the modal verbs.

> Markus, **würdest** du bitte die Blumen in eine Vase **stellen**?
> *Markus, would you please put the flowers in a vase?*
> Ich **würde** nicht zu spät hier **wegfahren.**
> *I wouldn't drive away from here too late.*

Übungen

A Thomas und Klaus. Thomas will etwas von seinem Bruder Klaus. Helfen Sie Thomas, höflicher zu sprechen!

MODELL: Gib mir das Foto! →
Würdest du mir bitte das Foto geben?
Könntest du mir bitte das Foto geben?

1. Bring mir eine Cola.
2. Mach mein Bett!
3. Tu mir einen Gefallen!
4. Warte auf mich!
5. Hilf mir!

B Wer würde was (nicht) machen? Sagen Sie, was diese Personen (nicht) machen würden.

1. organische Abfälle kompostieren
2. Altpapier und Glas zur Sammelstelle bringen
3. an Demonstrationen teilnehmen
4. sich für Feminismus engagieren
5. gegen Rauchen sein
6. den Haushaltsmüll vermindern

C Die Autofahrt. Markus lädt Klara zum Kaffee bei seiner Mutter ein. Natürlich sind Markus und Klara nett und höflich zueinander. Spielen Sie die Rollen.

MODELL: du/zum Kaffee mitkommen mögen →
Möchtest du zum Kaffee mitkommen?

1. wir/tanken sollen
2. du/nicht zum Blumengeschäft wollen
3. ich/das Radio anmachen dürfen
4. du/nicht ein bisschen langsamer fahren sollen
5. ich/dir meinen Lieblingsort im Wald zeigen können

Herr, Schäfer, Sie

Marion, du

mein Vater / meine Mutter

Klara und Markus, ihr

ich

meine Freunde und ich

?

RELATIVE CLAUSES
DESCRIBING PEOPLE OR THINGS

Relative clauses add information about a person, place, or thing already mentioned in a sentence.

> Klara und Markus sehen einen **Mann, der** Müll in den Wald wirft.
> *Klara and Markus see a man who is dumping trash in the forest.*

To form a relative clause in German, remember these rules.

- The relative pronoun can never be omitted in German.
- The relative pronoun agrees in *number* and *gender* with the noun it describes.
- The *case* of the relative pronoun depends on its function in the relative clause.
- The conjugated verb comes at the end of the relative clause.
- The relative clause usually follows the noun it describes.
- A comma precedes the relative clause. A comma also follows the clause, if the sentence continues after it.

	FEMININE	MASCULINE	NEUTER	PLURAL
NOMINATIVE	die	der	das	die
ACCUSATIVE	die	den	das	die
DATIVE	der	dem	dem	**denen**
GENITIVE	**deren**	**dessen**	**dessen**	**deren**

KURZ NOTIERT

Note that the relative pronouns have the same forms as the definite articles for all genders in the nominative and accusative singular and plural, and in the dative singular. The dative plural form adds -en: **denen.** The genitive feminine and genitive plural forms also add -en: **deren.** The genitive masculine and neuter forms double the -s- before adding -en: **dessen.**

KURZ NOTIERT

If the relative clause contains a preposition, the preposition precedes the relative pronoun. The relative pronoun is in the case which is required by the preposition:

Markus und Klara gehen in einen Wald, in dem es sehr viel Müll gibt.

Markus and Klara are going into a forest in which there is a lot of garbage.

NOMINATIVE

Es gibt **einen Mann, der** seinen Müll in den Wald wirft.
There's a man who is throwing his trash in the forest.

ACCUSATIVE

Das ist **der Mann, den** Klara und Markus im Wald gesehen haben.
This is the man whom Klara and Markus saw in the forest.

DATIVE

Ist das **der Mann, dem** der Wagen gehört?
Is this the man to whom the car belongs?

GENITIVE

Sie wollen **den Mann** anzeigen, **dessen Nummer** sie aufgeschrieben haben.
They want to report the man whose number they wrote down.

a. Pestizide auf dem Bauernhof vergiften den Boden.
b. Ein Ölteppich verschmutzt das Meer und tötet Vögel und andere Tiere.
c. Industrie- und Autoabgase verschmutzen die Luft. Wegen der Luftverschmutzung stirbt den Wald.
d. Atomkraft macht Atommüll.
e. Früher haben Spraydosen FCKWs enthalten, die das Ozonloch zerstörten.

„Seids gewesen, seids gewesen!"

Die letzte Erde
Der Erde letzter Tag
Die letzte Landschaft
Die eines letzten Menschen Auge sieht
5 Unerinnert
Nicht weitergegeben
An nicht mehr Kommende
Dieser Tag
Ohne Namen ihn zu rufen
10 Ohne Rufende

Nicht grüner
Nicht weißer
Nicht blauer
Als die Tage die wir sehn
15 Oder schwarz
Oder feuerfarben
Er wird einen Abend haben
Oder er wird keinen Abend haben
Seine Helle sein Dunkel
20 Unvergleichbar.
Die Sonne die leuchtet falls sie leuchtet
Unbegrüßt
Nach diesem Tag
Wird es sich unter ihr öffnen?
25 Werden wir als Staunende
Wieder herausgegeben
Unter einem währenden Licht?

Zünder der letzten Lunte
Maden der Ewigkeit?

Hilde Domin (1912–   )

TIPP ZUM LESEN

The title of a poem often provides important information regarding content, meaning, intention, and audience. Consider the title an integral part of the poem.

WORTSCHATZ ZUM LESEN

unerinnert	unremembered
weitergegeben	passed on
die Helle	brightness
unvergleichbar	incomparable
falls	in case
leuchten	to shine
Staunende	amazed (persons)
während	lasting
der Zünder	igniter
die Lunte	match
die Made	maggot; mite
die Ewigkeit	eternity

KULTURSPIEGEL

The author Hilde Domin was born in Cologne, Germany in 1912. Today she lives in the city of Heidelberg. The poem you have read is fron a collection of her poems entitled „Hier. Gedichte", published in 1964.

Zum Text

A Was bedeutet das Gedicht? Beantworten Sie die Fragen.

1. Was bedeutet „seids gewesen"?
   a. Ihr seid es/das gewesen.
   b. Sei das gewesen, . . . !
   c. Seitdem „es" gewesen (ist), . . . !
   d. ?

2. Warum steht der Ausdruck „seids gewesen" zweimal und zwischen Anführungszeichen?
   a. Jemand hat diese Wörter gesagt. Jetzt steht das Zitat (*quotation*) als Schlagzeile in einer Zeitung.
   b. Der Ausdruck ist eine Warnung, die man beachten muss.
   c. Der Titel ist ein Aufschrei, ein lauter Vorwurf (*accusation*), und wir alle sind vielleicht schuldig (*guilty*).
   d. ?

3. Was beschreibt das Gedicht?
   a. Es beschreibt die Folge eines Weltkrieges oder einer weltweiten Katastrophe.
   b. Es beschreibt eine Zeit, wenn das Leben, wie wir es kennen, nicht mehr existiert.
   c. Es beschreibt, wie die Erde eines Tages aussehen könnte, wenn man die Umwelt nicht schützt.
   d. ?

B Wortwahl. Diskutieren Sie über die Wahl und Bedeutung der Wörter im Gedicht.

1. Welche Wörter oder Ausdrücke im Gedicht haben eine negative Bedeutung? Welche haben eine positive Bedeutung, wenn sie allein stehen? Machen Sie zwei Listen. Welche Liste ist länger? Was für Wörter (Nomen, Adjektive, Adverbien, Verben) stehen meistens auf jeder Liste?

2. „Dieser Tag" ist „nicht grüner, nicht weißer, nicht blauer, als die Tage, die wir sehen." Was sind grüne, weiße oder blaue Tage? Mit welchen Farben würden Sie die Tage des Jahres beschreiben, wo Sie wohnen?

3. Man kann Verben als Adjektive benutzen. Die kommenden Menschen sind zum Beispiel die Menschen, die kommen oder einfach die Kommenden. Wer könnten die „Kommenden," die „Rufenden" und die „Staundenden" in diesem Gedicht sein?

4. Wer oder was könnten die „Zünder der letzten Lunte" und die „Maden der Ewigkeit" sein?

INTERAKTION

● Eine Aufführung (*performance*) des Gedichts. Arbeiten Sie in einer Gruppe, und spielen Sie dann das Gedicht der Klasse vor. Diskutieren Sie zuerst über diese Fragen.

- Sollte nur eine Person oder mehrere Personen das Gedicht vorlesen?
- Wollen Sie das Gedicht auch dramatisieren? Wenn ja: Wollen Sie Kostüme tragen?
- Wollen Sie Musik spielen, die zu diesem Gedicht passt? Vielleicht wollen Sie sogar Ihre eigene Musik komponieren.
- Wollen Sie das Gedicht mit Bildern, Fotos oder Postern darstellen?
- Was für Licht wollen Sie?
- Wollen Sie andere Effekte benutzen?

SCHREIBEN SIE!

● Ihr eigenes Gedicht. Schreiben Sie auch ein Gedicht über ein Problem der modernen Gesellschaft. Denken Sie daran, welche Probleme der Welt Sie am meisten interessieren und wie Ihr Gedicht dieses Problem beschrieben oder sogar eine Lösung anbieten könnte.

Schreibhilfe

The following steps will guide you in writing your poem.

PREWRITING
- Choose the topic of your poem, then decide the mood you want to convey.
- Consult the Wortschatz and the readings and activities in this chapter to write a list of words and expressions that relate to your theme.
- Think about the structure of your poem and how you want to group the lines. For example, do you want short, syncopated ideas or long, flowing thoughts?

WRITING
- Organize your ideas into groups of lines, depending on the structure you chose. Write whatever comes to your mind, without trying too hard to edit as you write—a common source of writer's block!

EDITING
- Now go back and polish your text. When replacing words, think about how they affect the flow of your poem and contribute to the overall mood of the piece.

(continued)

REWRITING

- Read your poem aloud and consider rhythm: Where should the reader pause, speed up, or slow down? Shorten or lengthen your lines accordingly. Remember, you can put each word on a new line, or you can end a sentence and begin another on the same line.
- As you reread and rewrite also consider repetition: Would a repeating word or line enhance or detract from the overall effect of your poem?

PUBLISHING

- Prepare to perform your poem or ask someone else to perform it under your direction. Your presentation may include music, dance, special effects, visual aids, media enhancement—or simply the sound of a human voice.

Fokus Chat: Umwelt

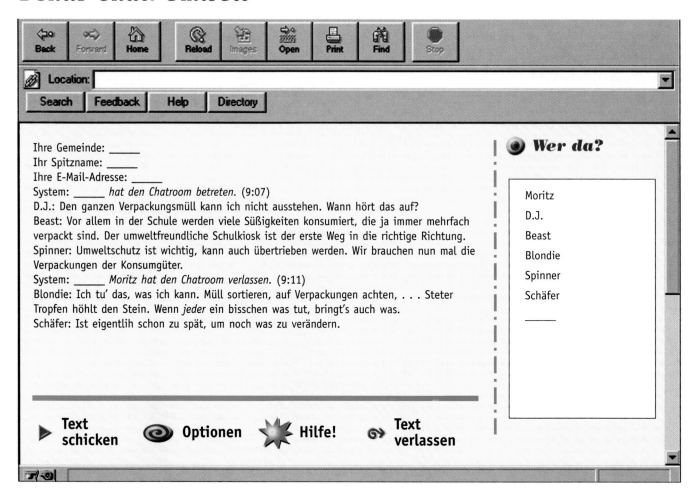

Ihre Gemeinde: _____
Ihr Spitzname: _____
Ihre E-Mail-Adresse: _____
System: _____ hat den Chatroom betreten. (9:07)
D.J.: Den ganzen Verpackungsmüll kann ich nicht ausstehen. Wann hört das auf?
Beast: Vor allem in der Schule werden viele Süßigkeiten konsumiert, die ja immer mehrfach verpackt sind. Der umweltfreundliche Schulkiosk ist der erste Weg in die richtige Richtung.
Spinner: Umweltschutz ist wichtig, kann auch übertrieben werden. Wir brauchen nun mal die Verpackungen der Konsumgüter.
System: _____ Moritz hat den Chatroom verlassen. (9:11)
Blondie: Ich tu' das, was ich kann. Müll sortieren, auf Verpackungen achten, . . . Steter Tropfen höhlt den Stein. Wenn *jeder* ein bisschen was tut, bringt's auch was.
Schäfer: Ist eigentlih schon zu spät, um noch was zu verändern.

Wer da?

Moritz
D.J.
Beast
Blondie
Spinner
Schäfer
_____

▶ **Text schicken**   ◉ **Optionen**   ✳ **Hilfe!**   ↻ **Text verlassen**

WORTSCHATZ

Substantive	Nouns
die Umwelt	*the environment*
die **Dose, -n**	tin can
die **Flasche, -n**	bottle
die **Mehrwegflasche, -n**	reusable bottle
die **Plastiktüte, -n**	plastic bag
die **Sammelstelle, -n**	collection station
die **Verpackung, -en**	packaging
die **Wegwerfflasche, -n**	disposable bottle
der **Abfall, ̈-e**	garbage
der **Container, -**	container
der **Müll**	garbage
der **Umweltsünder, -**	polluter
Probleme der modernen Gesellschaft	*Problems of modern society*
die **Angst**	fear
die **Arbeitslosigkeit**	unemployment
die **Armut**	poverty
die **Ausländerfeindlichkeit**	xenophobia
die **Gewalttätigkeit, -en**	act of violence
die **Krankheit, -en**	illness
die **Nahrung**	nourishment
die **Obdachlosigkeit**	homelessness
die **Polizei**	police
der **Ausländer, -**	foreigner
der **Hunger**	hunger
der **Krieg, -e**	war
der **Lärm**	noise
der/die **Obdachlose**	homeless person
der **Rassismus**	racism
Sonstige Substantive	*Other nouns*
die **Fußgängerzone, -n**	pedestrian zone
der **Sicherheitsgurt, -e**	seat belt

der **Waldweg, -e**	forest path
das **Haushaltsgerät, -e**	household appliance
das **Nummernschild, -er**	license plate
Verben	Verbs
ab•schaffen	to get rid of
an•schnallen	to fasten
bedauern	to regret
diskutieren über (+ *acc.*)	to discuss
entwickeln	to develop
erteilen	to teach
erziehen	to bring up; educate
halten für	to consider; regard
kompostieren	to compost
kriegen	to get
merken	to notice
pfeifen	to whistle
schützen	to protect
teil•nehmen	to participate
verbieten	to prohibit
verbrauchen	to use
verbreiten	to distribute
vermindern	to reduce
verschwinden	to disappear
verwenden	to use
vor•ziehen	to prefer
Adjektive und Adverbien	Adjectives and adverbs
mutig	courageous(ly)
organisch	organic(ally)
streng	strict(ly)
übertrieben	exaggerated
umweltfreundlich	environmental
unbedingt	absolutely

DIE FALSCHEN KLAMOTTEN

In this chapter, you will

- observe how Thomas, Markus' brother, is talked into going to a popular club by his cousin Laura.
- see how a bouncer turns Thomas away from the club because of the clothes he's wearing.

You will learn

- to discuss clothing and fashion.
- to talk about different kinds of media, such as television and printed material.
- to recognize and use the passive voice.
- how to use alternatives to the passive voice.
- the views of some young people regarding fashion.

Jugendliche in einer Disko.

Hallo Bruder,

ich muss dir unbedingt erzählen, was im letzten Monat hier passiert ist. Vor ein paar Wochen war unsere Kusine Laura zu Besuch bei uns. Am letzten Abend hat sie mich überredet, mit ihr in ein Livekonzert ins Roxy zu gehen. Zuerst wollte ich gar nicht mit, bin aber dann doch mitgegangen. Du wirst es nicht glauben, aber so ein Typ an der Tür hat mich gar nicht reingelassen. Ich war vielleicht sauer. Mutti und Laura haben gemeint, ich sei total out mit meinen Klamotten. Dass du das denkst, weiß ich ja schon lange. Ich habe mir also die neuesten Klamotten gekauft—von dem Geld, das ich für mein Moped gespart hatte. Jetzt am Wochenende war wieder ein Konzert im Roxy. Ich hab' mich in meine neuen Klamotten geschmissen und bin hin gegangen. Und was passiert mir da? Der Blödmann lässt mich wieder nicht rein. Jetzt sind schon wieder andere Klamotten in. Was mach' ich jetzt bloß mit all dem Zeug, das ich mir gekauft habe? Wie krieg' ich jetzt mein Moped?

Thomas

VIDEOTHEK

„Du wolltest mir doch was zeigen!"

In der letzten Folge . . .

sind Markus und Klara zu Markus' Mutter gefahren. Unterwegs gehen sie im Wald spazieren. Sie kommen bei Markus' Mutter spät an.

⬤ Wissen Sie noch?

1. Warum sind Markus und Klara im Wald spazieren gegangen?
2. Was haben sie im Wald gesehen?
3. Wie haben sie darauf reagiert?
4. Was haben sie gemacht?
5. Wer hat wen kennen gelernt, als sie bei Markus' Mutter angekommen sind?

Thomas' Kusine Laura

In dieser Folge . . .

lernen wir Markus' Bruder Thomas besser kennen. Eine Kusine Laura ist zu Besuch da. Sie muss am nächsten Tag wieder nach Hause, und Thomas soll mit ihr zu einem Konzert ins Roxy.

⬤ Was denken Sie?

	JA	NEIN
1. Thomas hat kein Interesse und will nicht mit ins Roxy.	☐	☐
2. Thomas geht mit, und es ist ein ganz toller Abend.	☐	☐
3. Thomas darf nicht ins Roxy, denn er hat die falschen Klamotten an.	☐	☐
4. Thomas kauft sich neue Klamotten und kommt das nächste Mal rein.	☐	☐

WORTSCHATZ ZUM VIDEO

einen Gefallen tun	to do a favor
überreden	to convince
Hau ab!	Get lost!
das Sparbuch	savings account book
der Aufwand	expense; extravagance

Schauen Sie zu!

A Was passiert Thomas? Bringen Sie die Sätze in die richtige Reihenfolge.

a. Thomas geht nach Hause.
b. Thomas kauft neue, supermoderne Klamotten, die total in sind.
c. Laura kommt ins Roxy rein, aber Thomas darf nicht rein.
d. Die „Heißen Ohren" spielen in vier Wochen noch einmal im Roxy.
e. Thomas darf ein zweites Mal nicht ins Roxy.
f. Laura versucht Thomas zu überzeugen, dass er mitkommen soll.

B Mini-Dialog. Lesen Sie den folgenden Dialog vom Video. Was lernen Sie in diesem Gespräch über Laura? Thomas? Thomas' Mutter?

LAURA: Na, wie hab ich das gemacht?
INGE SCHÖPS: Also, ich hätte nicht gedacht, dass du Thomas überreden könntest, in eine Disko zu gehen.
LAURA: Thomas auch nicht, aber ich.

C Thomas' Klamotten. Beantworten Sie die Fragen.

a. Die alte Kleidung.   **b. Die neue Kleidung.**

1. Beschreiben Sie, was Thomas trägt und wie Sie diese Klamotten finden.
2. Finden Sie es richtig, dass Thomas nicht ins Roxy darf?
3. Was muss Thomas tragen, damit er ins Roxy darf?

D Zu jung! Am Anfang der Folge darf Marion nicht in eine Disko in Boston, weil sie nicht alt genug ist.

1. Wie alt ist Marion?
2. Wann darf man in Nordamerika in die Disko gehen?
3. Marion sagt: „Ja, aber in Deutschland wär' das kein Problem. Da komme ich in jede Disko rein." Warum sagt sie das?
4. Was finden Sie besser: die Situation in Deutschland oder in Nordamerika? Warum?

VOKABELN

KLEIDUNG UND MODE

Und noch dazu

die Kleidung	*clothing*
die Klamotten	*clothes*
das Leder	*leather*
fehlen (+ *dat.*)	*to lack; to be missing*
gehören (+ *dat.*)	*to belong to*
passen (+ *dat.*)	*to fit*
stehen (+ *dat.*)	*to suit*
geblümt	*flowered*
gefärbt	*tinted, colored*
gemustert	*patterned, printed*
gepunktet	*polka-dotted*
gestreift	*striped*
kariert	*checkered*
modisch	*stylish(ly)*

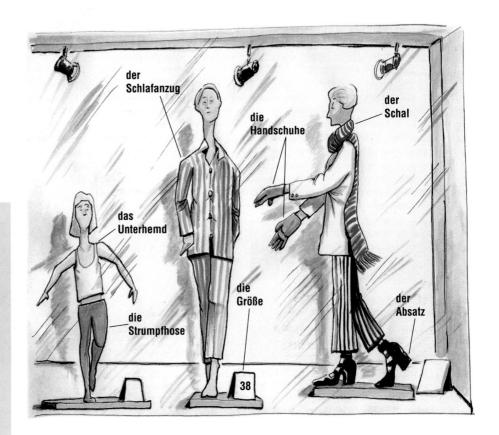

der Schlafanzug
die Handschuhe
der Schal
das Unterhemd
die Größe
der Absatz
die Strumpfhose

Aktivitäten

A Was tragen sie? Sie sehen zwei Szenen vor dem Roxy. In der ersten tragen die Jugendlichen ausgeflippte Kleider, in der zweiten normalere. Beschreiben Sie die Kleider in beiden Szenen.

a.

b.

B Interview. Arbeiten Sie mit einem Partner / einer Partnerin, und fragen Sie einander.

Was trägst du,
1. wenn es Sommer ist?
2. wenn es schneit?
3. wenn du schläfst?
4. wenn du schwimmst?
5. wenn es regnet?
6. wenn du in die Oper gehst?
7. wenn du in die Disko gehst?

C Was sagen Sie zum Türsteher? Stellen Sie sich vor: Sie gehen zum Roxy und tragen die Klamotten, die Sie normalerweise tragen, wenn Sie ausgehen. Der Türsteher sagt zu Ihnen: „Das ist doch hier kein Museum. Wie du angezogen bist. Völlig out!"

1. Was tragen Sie? Wie sehen Sie aus? Beschreiben Sie alles so ausführlich wie möglich.
2. Was sagen Sie zum Türsteher?
3. Was machen Sie, nachdem Sie das alles gesagt haben?

gestreifte Unterwäsche flache Absätze
einen Cowboyhut einen Bademantel
? Lederhandschuhe
einen Wintermantel ein Abendkleid
ein T-Shirt
eine schwarze Strumpfhose eine Cordjacke

MEDIEN, WERBUNG, FERNSEHEN

der Bericht   **das Programm**

Im Fernsehen werden täglich
aktuelle Nachrichten berichtet.

die Kleinanzeige   **die Schlagzeile**

Die Zeitung erscheint täglich oder
wöchentlich. Man kann sie entweder
durchlesen oder schnell überfliegen.

die Reklame   **der Ratgeber**

In einer Zeitschrift gibt es manchmal
unterhaltsame Artikel. Im
Fernsehprogramm kann man sich
auch eine Sendung aussuchen.

Und noch dazu

die Politik	*politics*	erklären	*to explain*
die Werbesendung	*commercial*	handeln (von)	*to deal with, be about*
die Werbung	*advertising*		
die Lokalnachrichten	*local news*	missverstehen	*to misunderstand*
		verzichten (auf + *acc.*)	*to do without*
abonnieren	*to subscribe to*		
an•schauen	*to look at, to watch*	aufregend	*exciting*
sich an•sehen	*to look at, to watch*	eigentlich	*actually, really*
auf•nehmen	*to record (on video)*	ermüdend	*tiring*
aus•drücken	*to express*	gescheit	*intelligent, sensible*
beeinflussen	*to influence*	gleichzeitig	*simultaneous(ly)*
erfinden	*to invent*	oberflächlich	*superficial(ly)*

Aktivitäten

A Was gibt's heute im Fernsehen? Arbeiten Sie mit einem Partner / einer
Partnerin, und diskutieren Sie über die Fernsehsendungen für
Samstag. Stellen Sie einander Fragen wie die folgenden.

- Was kommt um (zehn) Uhr?
- Um wie viel Uhr läuft (Star Trek)?
- Gibt es heute (eine Komödie)?
- Wie lange dauert (Eine schrecklich nette Familie)?

- Was kommt im (MDR)?
- Was für eine Sendung ist (Wunder-Zwillinge)
- ?

Fernsehprogramm für **Samstag**

10.00	**SWF**	***Sag die Wahrheit*** Ratespiel
10.10	**ORF-1**	***Star Trek - Raumschiff Voyager*** Sciencefiction-Serie: „Die Kooperative"
10.15	**Hessen 3**	***Hessenstudio*** Tipps und Informationen für den Alltag, Nachrichten und Regionales
10.15	**MDR**	***Hier ab zehn*** Informatives und Unterhaltsames aus der Region
10.15	**Pro7**	***Andreas Türck*** Talkshow
10.30	**ZDF**	***Hallo Deutschland*** Menschen und Geschichten aus Deutschland
10.35	**Kabel 1**	***Eine schrecklich nette Familie*** Comedyserie
10.40	**RTL 2**	***Wunder-Zwillinge*** Zeichentrickserie: „Die letzte Chance"
10.55	**Kabel 1**	***Gnadenlose Stadt*** Krimiserie: „Jäger und Gejagte"
11.00	**Nord 3**	***Ein Fisch namens Wanda*** Spielfilm

Spielfilme   Musik   Komödien   Krimis   Serien   Talkshows   Trickfilme   Seifenopern   Quizsendungen   Nachrichten

B Fernsehumfrage. Welche Sendungen sehen Sie gern? Welche nicht so gern? Geben Sie Beispiele, und fragen Sie dann drei Mitstudenten/Mitstudentinnen, was sie gern und was sie nicht gern sehen.

MODELL: Ich finde Serien wie „ER" sehr spannend. Quizsendungen finde ich überhaupt nicht unterhaltsam.

C Wie informieren Sie sich? Arbeiten Sie mit einem Partner / einer Partnerin, und stellen Sie einander die folgenden Fragen.

1. Welche Zeitungen oder Zeitschriften liest du und wie oft? Warum liest du diese Zeitungen oder Zeitschriften?
2. Welche Nachrichtensendungen siehst du dir an, und wie oft?

STRUKTUREN

PASSIVE VOICE I
FOCUSING ON THE EFFECT OF THE ACTION

So far you have used sentences in the active voice. In these sentences the subject performs an action. Sentences in the passive voice focus on the effect of an action. The person performing the action is often not named, because it is understood, unimportant, or unknown.

ACTIVE VOICE	PASSIVE VOICE
Dumme Leute verschmutzen den Wald.	Der Wald wird veschmutzt.
Dumb people pollute the forest.	*The forest is (being) polluted.*
Die Familie Schöps trinkt um vier Uhr Kaffee.	Kaffee wird um vier Uhr getrunken.
The Schöps family drinks coffee at four o'clock.	*Coffee is drunk at four o'clock.*

To form sentences in the present or simple past tenses of the passive voice, use **werden** as an auxiliary verb and the past participle of the main verb.

PRESENT TENSE

Der Umweltsünder **wird verhaftet.**	*The litterbug is being arrested.*
Klara und Markus **werden** von der Polizei **befragt.**	*Klara and Markus are being interviewed by the police.*

SIMPLE PAST

Der Umweltsünder **wurde verhaftet.**	*The litterbug was arrested.*
Klara und Markus **wurden** von der Polizei **befragt.**	*Klara and Markus were interviewed by the police.*

To form the present perfect tense of the passive voice, use the conjugated form of **sein**—as the present perfect auxiliary for **werden**—with the past participle of the main verb and, at the very end of the clause or sentence, a special past participle of **werden: worden.**

KURZ NOTIERT

The object of the active sentence becomes the subject of the passive sentence. The subject of the active sentence becomes the agent in the passive sentence. If the agent is a person, it follows the preposition **von;** if it is not a person, it follows **durch.** However, the passive sentence may not even include an agent.

Umweltsünder verschmutzen **den Wald.**

Der Wald wird **von Umweltsündern** verschmutzt.

Feuer zerstört **den Wald.**

Der Wald wird **durch Feuer** zerstört.

Heide: Die Dame bleibt bescheiden und adrett im dunklen Kostüm, passend dazu ein apartes Hütchen und Handtasche mit modernem Flair. Die strenge Linie wird vom hellen Mantel und den weißen Lederhandschuhen angenehm aufgelockert. Aber Jäckel, weißt du, das hört sich wirklich doof an! Da schläft man ja ein.

1. die fünfziger Jahre.

2. Jäckel: Na gut, machen wir das anders: Was kommt denn hier angelaufen? Ach, diese Mode aus den Sechzigern, ganz ausgesprochen scheußlichst! Die sich da Männer nennen, tragen knappe Anzüge mit weißen Hemden und einen soooo dünnen Schlips. Und dann diese Sonnenbrillen . . . die sehen ja aus wie die Blues Brothers! Lächerlich. Dazu die Hände in den Taschen, so richtig superschlacksig; na, wenn das ein Stil sein soll . . .

Heide: Ha, aber die Frauen wissen, was Sache ist! Die Kleider sind kürzer, die Haare länger und was die Leute denken, ist sowieso egal. Alles kommt etwas knapper an die Körper, Hauptsache sexy. Ach ja, was 'ne Stimmung!

2. die sechziger Jahre.

3. Jäckel: Umweltschutz ist in, Klamotten sind out. Was ist schon Mode? Die Wälder sterben, da trägt frau Erdtöne, also braune Kordhosen, ein braunes Sweatshirt und wuschelige braune Haare. Die Jugend ist engagiert, die nächste Demo kommt bestimmt.

4. Heide: Hey, Jäckel, ist das Thomas auf dem Weg zur Love Parade? Sieht ja scharf aus; ist aber vielleicht ein bisschen heftig, oder? Die grüne Jacke ist auf jeden Fall super, und die schwarzen Lackhosen sitzen knalleng, echt Spitze. Aber die weißen Motorradstiefel, na ja, ich weiß nicht, 'n bisschen NASA-mäßig. Und bloß weg mit der Brille, ist ja nicht auszuhalten . . .

3. die achtziger Jahre.

Modeschau. Stimmen Sie mit den Meinungen dieser Modeexperten überein? Jetzt sind Sie dran. Finden Sie einen Partner / eine Partnerin, und machen Sie eine Modeschau! Ein Partner / eine Partnerin trägt besondere Klamotten. Der andere Partner / die andere Partnerin beschreibt ihn / sie. Sie können auch andere Bilder aus Zeitschriften benutzen, oder sogar Ihre eigenen Photos.

WORTSCHATZ ZUM LESEN

einnehmend	appropriately	adrett	dressy; smart
die Erscheinung	appearance	apart	exquisite
ausgesucht	select; sought-out	der Schlips	necktie
bescheiden	modest	wuschelig	tousled

4. die neunziger Jahre und nach dem Jahr 2000.

PERSPEKTIVEN

HÖREN SIE ZU!

Großer Auftritt
Am ersten Schultag trifft man ganz neue Typen—oder nicht? Sie hören jetzt die Meinungen von einer Schülerin und zwei Schülern.

A Der erste Schultag. Welche Beschreibung passt zu welchem Bild?

1. Daniela, 15

2. Henning, 18

3. Jörg, 18

B Neue Typen. Hören Sie den Text noch einmal, und schauen Sie sich die Bilder an. Welche Kleidungsstücke tragen diese Schüler und diese Schülerin am ersten Schultag? Wie sehen sie aus? Machen Sie sich Notizen, und beschreiben Sie dann so ausführlich wie möglich jede Person. Vergessen Sie nicht Adjektive.

DANIELA   **HENNING (USA)**   **JÖRG**

C Persönliche Meinungen. Beantworten Sie die Fragen.

1. Warum hat Daniela diese Klamotten getragen?
2. Was hat Henning in den USA gelernt?
3. Was sagt Jörg über seine neue Frisur?
4. Was tragen Sie am ersten Schultag? Warum?

WORTSCHATZ ZUM HÖRTEXT

das Batikkleid	dress of hand-dyed fabric
prägen	to influence
das Portemonnaie	billfold
einschätzen	to estimate; guess
freiwillig	voluntary
die Schere	scissors

LESEN SIE!

Zum Thema

● Das monatliche Taschengeld wird oft in den Schrank gehängt—sind deine Klamotten out, bist du auch out! Aber ist das wirklich so?

1. Welche Trends sind zur Zeit in und welche out? Machen Sie zwei Listen!
2. Welche Kleidungsstücke, Farben oder Stoffe gehören zum neuesten Trend? Richten Sie sich nach den neuesten Trends? Warum (nicht)?
3. Sind Markenklamotten wie 'Tommy Hilfiger', 'Abercrombie and Fitch', 'Calvin Klein' oder 'Nike' wichtig für Sie? Warum (nicht)?

Thomas' neue Klamotten.

Bist du out?

Ohne Markenklamotten geht heutzutage nichts mehr! Ob Levi's, Buffalo oder Homeboy, der Preis spielt keine Rolle! Auch wenn die Eltern stöhnen, für die meisten kommt eine Hose unter 100 Mark überhaupt nicht mehr in Frage.

5   Dauernd kommen neue Trends—dann freut sich die Altkleidersammlung. Denn: Sind deine Klamotten out, bist du automatisch auch out. So ist das Leben—doch muss es eigentlich so teuer sein?

    Oft soll die Markenkleidung mangelndes Selbstbewusstsein ersetzen,
10 das bei vielen Jugendlichen, warum auch immer, schon mal auf der Strecke bleibt. Reicht das dann immer noch nicht, um genügend Anerkennung zu bekommen, lassen einige schon mal etwas mitgehen. Das monatliche Taschengeld—wenn es denn überhaupt reicht—wird häufig in den Schrank gehängt. Doch macht euch keine Sorgen, auch
15 ohne Markenklamotten kommt ihr mit Power und Witz gut an. Man sagt zwar „Kleider machen Leute". Aber auch tausend „Labels" können den Charakter und die Person nicht ändern.

    Natürlich wollen wir auch die schönen Seiten der Mode erwähnen. Denn wem macht es keinen Spaß, mit der Freundin shoppen zu gehen,
20 sich mit anderen über die neueste Mode zu unterhalten oder mit den schicken Klamotten zu prahlen?

    Und nun noch ein Tipp von uns, den „Modeexperten": Die trendigsten Farben im kommenden Sommer werden Lila, Hellblau, Rot, Schwarz, Weiß und Beige sein. Also dann, viel Spaß beim Shoppen!

Theresa Götz, Klasse 8c, Kathrin Krug, Klasse 8b, Marie Dudzic, Klasse 8c, Gesamtschule Aßlar-Hermannstein.

WORTSCHATZ ZUM LESEN

die Markenklamotten (pl.)	brand-name clothing
stöhnen	to moan
mangelnd	low
das Selbstbe- wusstsein	self-esteem
ersetzen	to replace
auf der Strecke bleiben	to fall by the wayside
die Anerkennung	recognition
häufig	frequently
erwähnen	to mention
prahlen	to show off

Zum Text

● Was schreiben Theresa, Kathrin und Marie über Klamotten?

		JA	NEIN
1.	Markenklamotten sind heute nicht wichtig für junge Leute.	☐	☐
2.	Die meisten Teenager kaufen Hosen, die über 100 Mark kosten.	☐	☐
3.	Neue Trends gibt es sehr oft.	☐	☐
4.	Teenager kaufen oft Klamotten mit ihrem Taschengeld.	☐	☐
5.	Oft kommen Klamotten in die Altkleidersammlung.	☐	☐
6.	Klamotten zeigen den Charakter einer Person.	☐	☐
7.	Es macht keinen Spaß, Klamotten einzukaufen.	☐	☐
8.	Teenager wollen mit Klamotten prahlen.	☐	☐
9.	Teenager reden nicht gern über Klamotten.	☐	☐
10.	Neue Trends werden die Farben Blau und Grün sein.	☐	☐

INTERAKTION

● Klamotten

SCHRITT 1: Die Umfrage. Stellen Sie drei Mitstudenten/Mitstudentinnen die folgenden Fragen. Schreiben Sie alle Antworten kurz auf.

1. Wie wichtig sind Klamotten für dich?
2. Wie oft kaufst du Klamotten?
3. Wer bezahlt die Klamotten?
4. Wo kaufst du die Klamotten?
5. Was für Markenklamotten trägst du oder kennst du?

SCHRITT 2: Die Resultate. Was haben Sie gelernt? Benutzen Sie Ihre Notizen, und machen Sie eine Tabelle, um die Resultate anschaulich zu machen.

SCHREIBEN SIE!

● Zeitschriftenartikel. Stellen Sie sich vor, Sie arbeiten bei einem Jugendmagazin. Nehmen Sie die Informationen, die Sie in Ihrer Klassenumfrage gesammelt haben und schreiben Sie einen Artikel über das Thema, „Jugendliche und Mode".

Schreibhilfe

Use the following steps to help you write your magazine article.

PREWRITING
- Think about these questions:
  Was haben Ihre Mitstudenten/Mitstudentinnen über Mode und Kleidung gesagt? Wie haben sie die Fragen in der Interaktion beantwortet? Wie haben sie auf das Thema reagiert? Welche Meinungen haben sie ausgedrückt? Wie finden Sie ihre Reaktionen? Was können Sie über dieses Thema schreiben?
- Now, consider the audience. Since you are writing for your peers, how might you tailor the language and attitude of your article? Do you want to present the material in a serious manner or take a humorous attitude?

WRITING
- Begin your article with a statement that summarizes the response to your survey.
- Support this statement with details from the individual answers and explanations of the attitudes. Use direct quotations whenever appropriate, along with the name, age, gender, and/or a description of each person you quote.
- End your article with a statement that draws a conclusion about the theme and the survey. Offer a personal commentary or perhaps some advice for readers.

EDITING
- Exchange drafts with another student and review each other's article according to the points listed above. Discuss with each other the similarities and differences in your articles.

REWRITING
- Revise your article as necessary to sharpen the focus, clarify information, support your explanations, and/or strengthen your attitude, be it serious or humorous.

PUBLISHING
- Try to come up with graphics, artwork, or photos to illustrate your article. Be sure to write a caption for each visual. Format your article according to the design that works best for your piece and submit your completed work to the class.

Fokus Chat: Klamotten

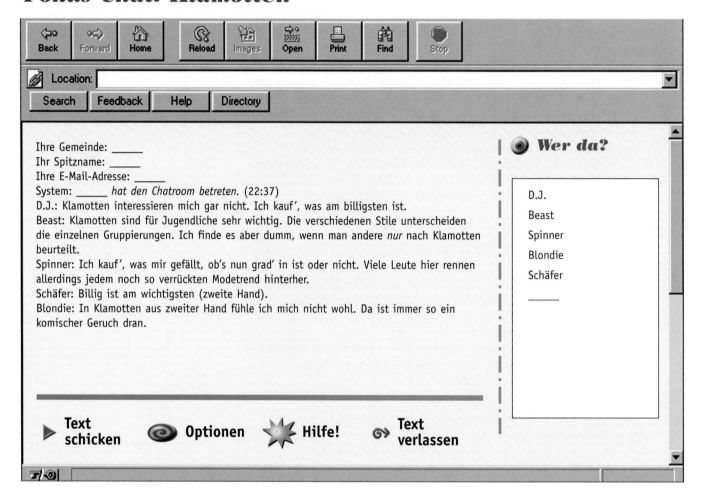

Ihre Gemeinde: _____
Ihr Spitzname: _____
Ihre E-Mail-Adresse: _____
System: _____ *hat den Chatroom betreten.* (22:37)
D.J.: Klamotten interessieren mich gar nicht. Ich kauf', was am billigsten ist.
Beast: Klamotten sind für Jugendliche sehr wichtig. Die verschiedenen Stile unterscheiden die einzelnen Gruppierungen. Ich finde es aber dumm, wenn man andere *nur* nach Klamotten beurteilt.
Spinner: Ich kauf', was mir gefällt, ob's nun grad' in ist oder nicht. Viele Leute hier rennen allerdings jedem noch so verrückten Modetrend hinterher.
Schäfer: Billig ist am wichtigsten (zweite Hand).
Blondie: In Klamotten aus zweiter Hand fühle ich mich nicht wohl. Da ist immer so ein komischer Geruch dran.

Wer da?

D.J.
Beast
Spinner
Blondie
Schäfer
_____

▶ **Text schicken**   ◉ **Optionen**   ✴ **Hilfe!**   ↪ **Text verlassen**

WORTSCHATZ

Substantive

Kleidung und Mode

die **Größe, -n**	size
die **Kleidung**	clothing
die **Strumpfhose, -n**	panty hose
der **Absatz, ⸚e**	heel
der **Handschuh, -e**	gloves
das **Leder**	leather
der **Schal, -s**	scarf
der **Schlafanzug, ⸚e**	pajama
das **Unterhemd, -en**	undershirt
die **Klamotten** (*pl.*)	(*slang*) clothes

Medien, Werbung, Fernsehen

die **Kleinanzeige, -n**	classified ad
die **Politik**	politics
die **Reklame, -n**	advertising; publicity; (*coll.*) ad
die **Schlagzeile, -n**	headline
die **Sendung, -en**	broadcast, show
die **Werbesendung, -en**	commercial
die **Werbung**	advertising
die **Zeitschrift, -en**	magazine, periodical
der **Bericht, -e**	report
der **Leserbrief, -e**	letter to the editor
der **Ratgeber, -**	advice columnist
das **Programm, -e**	station, channel
die **Lokalnachrichten** (*pl.*)	local news

Verben

abonnieren	to subscribe to
an•schauen	to look at; to watch
sich an•sehen (sieht an), sah an, angesehen	to look at; to watch
aufnehmen (nimmt auf), nahm auf, hat aufgenommen	to record (video)

Nouns

Clothing and fashion

Media, advertising, television

Verbs

aus•drücken	to express
sich etwas aus•suchen	to choose something for oneself
beeinflussen	to influence
berichten	to report
erfinden, erfand, erfunden	to invent
erklären	to explain
fehlen (+ *dat.*)	to lack; to be missing
gehören (+ *dat.*)	to belong to
handeln (von)	to deal with, be about
missverstehen, missverstand, missverstanden	to misunderstand
passen (+ *dat.*)	to fit
stehen (+ *dat.*)	to suit
überfliegen, überflog, überflogen	to skim
verzichten (auf + *acc.*)	to do without

Adjektive und Adverbien

Adjectives and adverbs

aktuell	current, topical
aufregend	exciting
eigentlich	actual(ly), real(ly)
ermüdend	tiring
geblümt	flowered
gefärbt	tinted, colored
gemustert	patterned, printed
gepunktet	polka-dotted
gescheit	intelligent, sensible
gestreift	striped
gleichzeitig	simultaneous(ly)
kariert	checkered
modisch	stylish(ly)
oberflächlich	superficial(ly)
täglich	daily
unterhaltsam	entertaining

VIDEOTHEK

● Klara, Markus und Thomas.

SCHRITT 1: Bringen Sie die Bilder in die richtige Reihenfolge.

a.
b.
c.
d.

e.
f.
g.
h.

i.

SCHRITT 2: Wer sagt was?
Verbinden Sie die Worte mit dem richtigen Bild.

1. „Heute hast du dir zu Recht Sorgen gemacht. Wir waren nämlich auf Verbrecherjagd."
2. „So'n Blonder mit Schal?"
3. „Genau die Musik, die du magst!"
4. „Du wolltest mir doch was zeigen!"
5. „Genau, die richtigen Klamotten, und du trägst die falschen."
6. „So eine Sauerei! Wir müssen die Polizei holen."
7. „Wie siehst du denn aus?"
8. „Wollen sie sich hier alle für das Praktikum anmelden?"
9. „Man hilft eben, wo man kann."

Klara   Markus

Sonja   Thomas

Thomas' Mutter

der Türsteher

VOKABELN

A Studentenleben. Ergänzen Sie die fehlenden Wörter.

1. Bei unserer Uni wohnen die meisten Studenten in einem _____, weil es dort billiger ist und man andere Studenten besser kennen lernen kann.
2. Die Professorin hält heute einen _____ im _____ zum Thema europäische Integration.
3. Dieses Wochenende bleibt Gregor mit seinen Büchern zu Hause, weil er am Montag eine _____ schreiben muss.
4. Markus hat seinen Platz _____, damit sich Klara für's Praktikum anmelden konnte.
5. Wir haben uns _____, in den Semesterferien nach Italien zu reisen.

B Melanie bereitet das Abendessen vor. Was macht sie? Ergänzen Sie die fehlenden Wörter.

Weil Melanie Vegetarierin ist, isst sie niemals _____.¹ Sie hat aber ganz viele _____² gekauft, wie Gurken, Karotten und Blumenkohl. Sie _____³ die Kartoffeln in kleine Stücke und legt sie in einen _____⁴ mit viel Wasser drin. Während die Kartoffeln kochen, deckt sie den Tisch. Erst stellt sie die neuen weißen Porzellan _____⁵ auf den Tisch. Jeder Platz bekommt auch zwei _____,⁶ das eine für Sprudelwasser und das andere für den Wein. Dann legt sie das Besteck auf den Tisch: einen _____⁷ für die Suppe und eine kleine _____⁸ für den Salat. Sie geht zurück in die Küche und _____⁹ den Tofu in einer Pfanne mit Olivenöl. Es ist aber ganz viel Arbeit! Melanie hat sich entschlossen, den nächsten Abend auszugehen.

C Was schlagen Sie vor? Sie sind der neue Bürgermeister / die neue Bürgermeisterin. Ihre Mitbürger/Mitbürgerinnen haben sich heute versammelt, um über die Probleme der Stadt zu diskutieren. Arbeiten Sie mit ihren Ratgebern, und schlagen Sie mögliche Lösungen vor.

Die Stadtversammlung: Was sagt man?

1. Herr Jakobs: „In der Innenstadt gibt es zu viele Autos. Man hat Angst, zu Fuß zu gehen."
2. Herr Falk: „Ich will recyceln, aber wohin soll ich mein Altglas und Altpapier bringen?"
3. Frau Kästner: „Herr Falk ist Umweltsünder. Wen soll ich anrufen, wenn er seinen Abfall in meinen Garten wirft?"
4. Frau Augustiniak: „Ich bin Ausländerin und habe Angst, hier zu wohnen. Was kann man gegen die Ausländerfeindlichkeit in unserer Stadt tun?"
5. Herr Abraham: „Wir haben in unserer Stadt zu viele tödliche Autounfälle. Was kann man tun, um sicherer zu fahren?"

D Was würden Sie in jeder Situation tragen? Beschreiben Sie Ihre Klamotten. Verwenden Sie dabei so viele Substantive und Adjektive wie möglich.

1. Sie sind ein/eine Azubi und heute ist Ihr erster Tag im Büro.
2. Ihr bester Freund will Ihnen einen Bekannten / eine Bekannte von ihm vorstellen. Er meint, Sie würden ihn/sie mögen. Sie treffen die beiden heute Abend bei ihm zu Hause.
3. Jemand ist in Sie verliebt, aber Sie mögen ihn/sie nicht. Er/sie lädt Sie zum Abendessen ein.
4. Sie wollen auch ins Roxy! Sie wissen aber schon, dass man sich dafür sehr elegant anziehen soll.
5. Sie haben heute den ganzen Tag frei und haben keine Pläne gemacht.

E Nachrichten und Medien. Beantworten Sie die Fragen.

1. Was ist der Unterschied zwischen einer Zeitschrift und einer Zeitung?
2. Was halten Sie von Werbung im Fernsehen?
3. Haben Sie einmal einen Brief an einen Ratgeber / eine Ratgeberin geschrieben? Warum schreibt man solche Briefe?
4. Haben Sie eine Lieblingssendung? Was für eine Sendung ist das?
5. Auf welche Medien könnten Sie am wenigsten verzichten: Bücher, Radio Computer oder Fernsehen? Warum?

STRUKTUREN

A Bilden Sie Fragen aus den folgenden Sätzen.

MODELL: Jutta fühlt sich nicht wohl. (du) →
Warum fühlst du dich nicht wohl?

1. Kai interessiert sich für Umweltforschung. (du)
2. Tanja freut sich nicht auf ihre Reise. (du)
3. Martin und Josef regen sich auf. (ihr)
4. Karin zieht sich die Schuhe an. (du)
5. Die Studenten treffen sich immer in der Mensa. (ihr)

B Sie sind nicht gleich. Vergleichen Sie die folgenden Dinge.

MODELL: Deutschland / Österreich (groß) →
Deutschland ist größer als Österreich.

1. der Amazonas / der Rhein (lang)
2. eine Mark / ein Pfennig (viel)
3. die Nordsee / das Mittelmeer (kalt)
4. Mars / Neptun (nah)
5. das Empire-State-Building (hoch) / der Eifelturm

C Jens kann alles besser! Was sagt er zu den folgenden Aussagen?

MODELL: Ich habe ein großes Stück Kuchen gegessen. →
Ich habe ein größeres Stück Kuchen gegessen!

1. Ich bin in einem dunklen Wald spazieren gegangen.
2. Ich bin auf einen hohen Berg geklettert.
3. Ich habe viel Cola getrunken.
4. Ich habe coole Sachen gekauft.
5. Ich habe eine kleine Katze gerettet.
6. Ich bin in ein gutes Restaurant gegangen.
7. Ich habe einen lustigen Witz erzählt.

D Etwas höflicher, bitte! Stellen Sie die Fragen im Konjunktiv.

MODELL: Kannst du mir ein bisschen Geld leihen? →
Könntest du mir ein bisschen Geld leihen?

1. Willst du mit ins Kino?
2. Darf ich das Fenster aufmachen?
3. Kann ich meine Freundin zum Abendessen einladen?
4. Sollen wir lieber zu Hause bleiben?
5. Mögen Sie so was haben?

E Ein Satz aus zwei Sätzen. Verbinden Sie die Sätze mit Relativpronomen.

MODELL: Ich habe die Frau gesehen. Du hast sie in der Mensa kennen gelernt. →
Ich habe die Frau gesehen, die du in der Mensa kennen gelernt hast.

Wer etwas bekommen möchte, sollte sehr nett sein.

1. Kennen Sie den Mann? Er wohnt neben mir.
2. Das ist ein berühmter Schriftsteller. Seine Bücher sind immer noch populär.
3. Wir leben in einer kleiner Stadt. Sie liegt nicht weit von Hamburg.
4. Sie ist eine alte Freundin. Ich bin mit ihr aufgewachsen.
5. Wir haben ein kleines Kind gesehen. Es sah wie meine Nichte aus.

F Immer Befehle! Sagen Sie, dass alles schon erledigt wird.

MODELL: Fege den Boden! →
Der Boden wird schon gefegt!

1. Wasch das Auto!
2. Mähe den Rasen!
3. Koche das Abendessen!
4. Füttere die Tiere!
5. Mache die Fenster zu!

EINBLICKE

Sie hören jetzt ein Radioprogramm mit Informationen über Auslandsstudium, Umweltschutz und Tipps für junge Leute und ihre Eltern.

In der Innenstadt von São Paulo.

● Was haben Sie gelernt? Hören Sie noch einmal zu, und ergänzen Sie die Sätze!

1. Auslandspraktika.
   a. Praktikumsstellen in (Belgien / Brasilien) werden empfohlen.
   b. Frau Schachner ist gerade aus (São Paolo / San Diego) zurück gekehrt.
   c. Die Carl-Duisberg-Gesellschaft bietet (dreimonatige / dreiwöchige) Aufenthalte an.
2. Probleme mit der Biotonne.
   a. Bei heißem Wetter kann die Biotonne (explodieren / stinken).
   b. Die Biotonne soll (in der prallen Sonne / in der Garage) stehen.
   c. Essensreste sollen (immer / absolut nicht) in die Toilette geworfen werden.
3. Tipps für junge Leute.
   a. (Freunde / Verwandte) könnten mit den Eltern reden.
   b. Man sollte die Eltern (positiv / negativ) beeinflussen.
   c. Man sollte Freunde (zu einer Party / zu sich nach Hause) einladen.

PERSPEKTIVEN

Im folgenden Text werden Professoren aus vier Fachbereichen interviewt. Es sind die Bereiche Jura, Ökonomie, Ingenieurwissenschaften und Sprachwissenschaften.

Eine Rangliste für europäische Universitäten

Professoren in ganz Europa erhielten zu Beginn des Jahres einen ungewöhnlichen Anruf. Ein Interviewer stellte die folgende Frage: „Stellen Sie sich vor, Ihr Sohn oder Ihre Tochter wollte genau Ihr Fach studieren. Welche Universität in Ihrem Land würden Sie für das Studium
5 empfehlen?"

Das Emnid Institut, das die Umfrage durchführte, beschränkte sich auf Juraprofessoren, Ökonomen und Professoren der Ingenieur- und Sprachwissenschaften. 1090 Professoren der Europäischen Union (EU) und der Schweiz gaben jeweils bis zu drei Empfehlungen. Von den EU

10 Staaten konnte nur Luxemburg nicht mitmachen, denn die Universitäten
des Großherzogtums bieten keine vollständige akademische Ausbildung.

Im Februar besuchten dann Mitarbeiter des
Meinungsforschungsinstituts 102 Universitäten in Europa, um Studenten
nach der Qualität ihrer akademischen Ausbildung zu befragen.

15 Insgesamt wurden 7434 Studenten interviewt. Ob in Helsinki oder
Lissabon, Bonn oder Athen, die Studenten antworteten immer
bereitwillig, ja mit großem Interesse. Nur die Studenten des Dubliner
Trinity College durften nicht befragt werden, denn die
Universitätsverwaltung weigerte sich beharrlich, Interviewer auf den
20 Campus zu lassen. Dies jedoch war der einzige derartige Fall in Europa.

Hier sind einige der zwanzig Fragen, die die Studenten benoten
mussten:

WORTSCHATZ ZUM LESEN

empfehlen	*to recommend*
sich beschränken	*to limit oneself*
das Großherzogtum	*grand duchy*
sich weigern	*to refuse*
beharrlich	*stubborn*
die Auswahl	*choice*
die Lehrveranstaltung	*class; lecture*
die Forschung	*research*
die Ausstattung	*provision; equipment*
beurteilen	*to assess*

- Sind die Seminare und Vorlesungen selten oder häufig überfüllt?
- Ist die Auswahl an Lehrveranstaltungen groß genug?
25 - Sprechen die Dozenten auch über aktuelle Fragen der Forschung?
- Orientiert sich das Lehrangebot an der Berufspraxis?
- Werden die Studenten gut auf ihre Prüfungen vorbereitet?
- Wie gut ist die Ausstattung mit Computer-Arbeitsplätzen?
- Wie beurteilen Sie die Öffnungszeiten der Bibliotheken?
30 - Wie ist die Studienberatung durch die Dozenten?

Außerdem wollen die Interviewer auch persönliche Informationen,
wie zum Beispiel, wie viele Stunden ein Student pro Woche in sein
Studium investieren muss, oder ob viele Studenten neben dem Studium
noch jobben.

35 Auf der Basis dieser Umfrage, waren die besten Unis Europas in
England, den Niederlanden und in Deutschland zu finden. Besonders
Oxford und Cambridge bekam in allen vier Fachbereichen die
Bestnoten.

● Wie finden Sie die Qualität Ihrer akademischen Ausbildung?

SCHRITT 1: Wie würden Sie diese Fragen über Ihre eigene Ausbildung
beantworten? Lesen Sie noch einmal die Fragen im Text, und antworten
Sie persönlich darauf.

SCHRITT 2: Ihre Fragen. Sie haben nur acht von den zwanzig Fragen im
Text gelesen. Was sollten Professoren/Professorinnen Ihrer Meinung nach
Studenten/Studentinnen über Ihre Ausbildung fragen? Arbeiten Sie in
einer Gruppe, und schreiben Sie acht Fragen. Beantworten Sie dann
persönlich diese Fragen.

SCHRITT 3: Eine Umfrage. Vergleichen Sie Ihre Antworten auf alle Fragen
mit denen Ihrer Mitstudenten/Mitstudentinnen.

EIN NEUES GEMÄLDE

In this chapter, you will

- find out more about Laura Stumpf's family and their search for a new painting.
- see how the Stumpfs react to the news that their painting might be worth a lot of money.

You will learn

- to discuss different places to shop.
- how to ask for and give directions.
- how to use any verb in the simple past tense.
- the German equivalents of the English word *when*.
- about a famous Austrian artist, Friedensreich Hundertwasser.

Liebe Vera,

vielen Dank für die Postkarte aus Rügen. Wir sind alle froh, dass Marion sich nicht schwer bei dem Unfall verletzt hat. Schade, dass ihr keine Zeit hattet, bei uns wenigstens eine Tasse Kaffee zu trinken.

Diese Woche ist endlich unsere neue Sofagarnitur angekommen. Roswita meint, dass das schöne Bild vom Großvater nicht dazu passt. Jetzt heißt es, wir sollen uns ein neues kaufen. Es gibt natürlich viele Galerien hier in Berlin, weißt du, in der Fasanenstraße und am Kudamm,* aber das bedeutet dann schon wieder viel Geld ausgeben und die neuen Möbel waren teuer genug. Aber keeken kostet nichts, und wir können auf jeden Fall zum Flohmarkt am Savignyplatz gehen. Dann gibt's Currywurst und Pommes.

Sonst ist hier nicht viel los. Heiner macht noch den Hausmann und versorgt Kai. Eigentlich macht er das ganz gut. Habt ihr euch in Köln schon eingelebt? Macht's jut und schreib bald!

Gruß und Kuss auch an Heinz und die Kinder!
Deine Schwester Evelyn

*Kurfürstendamm, *a famous shopping street*

Besucher in der Nationalgalerie in Berlin.

209

VIDEOTHEK

Thomas trägt die falschen Klamotten.

In der letzten Folge . . .

wollen Thomas und Laura ins Konzert gehen. Laura darf ins Roxy, aber Thomas hat einige Probleme.

● Wissen Sie noch?

1. Warum wollten Laura und Thomas ins Roxy?
2. Warum durfte Thomas das erste Mal nicht ins Roxy?
3. Warum durfte Thomas das zweite Mal nicht ins Roxy?
4. Woher hatte Thomas das Geld, neue Klamotten zu kaufen?
5. Warum durfte Marion nicht in die Disko in Boston?

In dieser Folge . . .

hat Familie Stumpf ein neues Sofa gekauft. Jetzt brauchen die Stumpfs aber ein neues Bild, das sie über das Sofa hängen können. Sie suchen sich ein Gemälde in der Stadt.

● Was denken Sie?

	JA	NEIN
1. Die Stumpfs kaufen sich ein teures Gemälde in einer Galerie.	☐	☐
2. Sie wollen ein Gemälde in einer Galerie kaufen, aber es ist zu teuer.	☐	☐
3. Sie finden ein schönes Bild auf dem Flohmarkt.	☐	☐
4. Sie finden kein passendes Bild.	☐	☐

Ist dieses Bild echt?

SCHAUEN SIE ZU!

A Auf der Suche

SCHRITT 1: Was passiert? Bringen Sie die Bilder in die richtige Reihenfolge.

a.

b.

WORTSCHATZ ZUM VIDEO

echt	genuine
der Bock	buck (deer)
heutzutage	nowadays
Herein!	Come in!
trotzdem	nonetheless
der Herr im Haus	lord of the house

c.  d.  e.  f.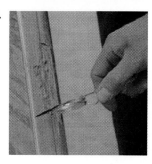

SCHRITT 2: Welcher Satz passt zu welchem Bild?

1. Der Rahmen ist beschädigt.
2. „Jetzt mehr nach rechts!"
3. Sie zahlen 250 Mark.
4. In der Galerie ist ihnen alles zu teuer.
5. Familie Stumpf braucht ein neues Gemälde.
6. Der Restaurator glaubt, dass das Gemälde sehr wertvoll ist.

B Ein echter Macke? Der Restaurator denkt, dass das Bild vielleicht sehr wertvoll ist. Ein Bild von August Macke kostet etwa 300 000 Mark. Stellen Sie sich vor, das Bild ist doch 300 000 Mark wert. Was raten Sie Familie Stumpf?

1. Was sollten die Stumpfs mit dem Gemälde machen? Sollten sie es behalten oder verkaufen? Warum?
2. Wenn Frau und Herr Stumpf das Gemälde behalten, wer sollte es eines Tages erben (*inherit*)? Wenn sie es verkaufen, was sollten sie mit dem Geld tun?
3. Was würden Sie mit so einem Gemälde tun?

C Dialekt

SCHRITT 1: Der Verkäufer auf dem Flohmarkt spricht im Berliner Dialekt. Was sagt er? Wie heißt das auf Hochdeutsch?

1. „Tach."
2. „Suchen Sie wat Bestimmtes?"
3. „Na, da hätt' ik doch wat, junge Frau, wat janz Feines."
4. „Na jut, sagen wir 270."

SCHRITT 2: Was merken Sie an seiner Sprache? Welche Wörter und Laute (*sounds*) sind anders als im Hochdeutschen? Beschreiben Sie einen Dialekt oder einen Akzent, den Sie in Ihrem Land kennen und schreiben Sie einige Beispiele dieses Dialektes auf, oder sagen Sie die Beispiele laut.

D Marion wird Susanne. Professor Di Donato trifft Marion und Sabine im Museum. Er lernt Sabine als Marions Schwester kennen. Marion sagt ihm aber auch, dass sie nicht Marion ist, sondern sie heißt Susanne. Der Professor ist nicht überrascht. Warum nicht? Was denken Sie?

FOKUS INTERNET

To learn more about Berlin and its attractions, visit the Fokus Internet Web Site at http://www.mhhe.com/german.

SPRACHSPIEGEL

You may have noticed that in some ways Berlin dialect resembles English more than does standard High German—and for good reason. Berlin lies in the Low German dialect area, which is also the origin of the Germanic people who conquered England in the fifth century. This explains why the word **wat** looks and sounds more like *what* than does **was**. In the middle and southern German dialects, **t** became either **ts** or **s**. Try to think of other German words that have a **z** or **ss** sound, whereas the English counterparts have a *t* sound.

VOKABELN

In der Innenstadt

In der Boutique sucht man tolle Kleidung aus.

Auf dem Flohmarkt kann man alte Bilder und verschiedene Sachen finden.

In einer Galerie sieht man wertvolle Kunstobjekte.

Im Juweliergeschäft werden Schmuck und Edelsteine verkauft.

Die Waren im Schreibwarengeschäft sind für Studenten und Schreiber gut geeignet.

Im Reformhaus werden biologische Produkte angeboten.

Und noch dazu

die Tierhandlung	*pet store*
das Haustier	*pet*
sich beschweren über (+ *acc.*)	*to complain about*

Aktivitäten

A Beim Einkaufen. Wohin gehen Sie, wenn Sie die folgenden Dinge kaufen wollen?

MODELL: schöne Postkarten →
Ich gehe in die Galerie.

1. ein Poster
2. ein Kleid
3. eine kleine Katze
4. einen Ring
5. gesundes Essen
6. einen Kugelschreiber
7. Briefmarken
8. alte Schallplatten

die Galerie
das Postamt
das Schreibwarengeschäft
die Boutique
die Tierhandlung
das Reformhaus
der Flohmarkt
das Juweliergeschäft

B Ein neues Fahrrad. Stellen Sie sich vor, Sie wollen ein neues Fahrrad in Deutschland kaufen. Was machen Sie? Bringen Sie die folgenden Aktivitäten in die richtige Reihenfolge.

a. Ich fahre mit der Straßenbahn in die Stadt.
b. Ich frage nach dem Preis.
c. Ein Freund hat mir von einem Geschäft in der Innenstadt erzählt.
d. Ich suche mir ein Fahrrad aus.
e. Ich gehe ins Geschäft.
f. Ich frage einen Passanten, wo das Geschäft ist.
g. Ich fahre nach Hause.

C Auf Arbeitssuche. Sie haben schon Erfahrung als Verkäufer/Verkäuferin und wollen jetzt Arbeit in der Innenstadt finden. Welche Fähigkeiten haben Sie? In was für einem Geschäft könnten Sie arbeiten?

MODELL: Sie wissen viel über Tiere und sind sehr hilfsbereit. →
Ich könnte in einer Tierhandlung arbeiten.

1. Sie wissen viel über Juwelen, Gold, Silber und so weiter.
2. Sie lesen besonders gern und kennen viele Bücher.
3. Sie interessieren sich sehr für Kunst und wissen viel über Kunstgeschichte.
4. Sie wissen viel über Nahrung, Vitamine und eine gesunde Lebensweise.
5. Sie interessieren sich für gebrauchte Waren. Auch wissen Sie etwas über Wert.

„So ein liebes Kaninchen!"

NACH DEM WEG FRAGEN

Das Auto fährt geradeaus.

Biegen Sie an der Kreuzung nach rechts/links ab!

Die Radfahrer fahren an der Schule vorbei.

Der Zug fährt den Fluss entlang.

Das Hotel liegt gegenüber von dem Bahnhof.

Und noch dazu

die Ecke	*corner*
die Mitte	*middle, center*
die S-Bahn	*urban train*
die Schwimmhalle	*indoor swimming pool*
die Straßenbahn	*streetcar*
die Tankstelle	*gas station*
die U-Bahn	*subway*
das Museum	*museum*
das Postamt	*post office*
der Weg	*way, path*
ein•biegen	*to turn (drive) in*
ungefähr	*approximately*

Aktivitäten

A Informationsamt

SCHRITT 1: Informationen. Stellen Sie sich vor, Sie arbeiten auf dem Informationsamt in Berlin. Viele Besucher rufen Sie mit Fragen an. Wie können Sie ihnen helfen? Wo sind die Anrufer jetzt? Wohin möchten oder sollten sie gehen? Wie können sie ihr Ziel am besten erreichen?

MODELL: Wolf: „Ich bin jetzt auf dem Bahnhof und ich möchte zum Hotel Alt-Cölln gehen."
SIE: „Das Hotel liegt an der Bundesallee. Gehen Sie geradeaus bis zur Bundesallee, und dann biegen Sie in die Bundesallee nach rechts ab."

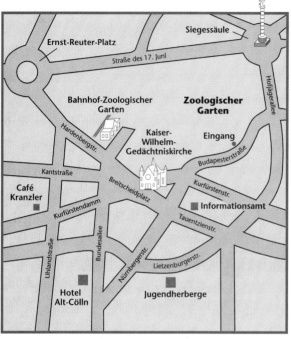

1. KARSTEN: „Ich stehe vor dem Bahnhof. Gibt es eine Jugendherberge in der Nähe? Wie komme ich dahin?"
2. JENS: „Ich rufe Sie vom Zoologischen Garten an. Kann man irgendwo in der Nähe gemütlich Kaffee trinken?"
3. JUTTA: „Ich bin jetzt im Hotel Alt-Cölln. Ich möchte gern auf das Informationsamt. Wo sind Sie genau, und wie komme ich dahin?"
4. KLAUS: „Meine Freunde und ich sitzen gerade im Café Kranzler. Wir möchten die Gedächtniskirche sehen. Wie kommt man dahin?"
5. ANJA: „Ich rufe von der Jugendherberge an. Wie komme ich zum Zoo?"
6. LARS: „Ich bin auf dem Bahnhof Zoo. Wie komme ich zur Siegessäule?"

SCHRITT 2: Partnerarbeit. Wählen Sie einen Punkt auf der Karte. Erzählen Sie einem Partner / einer Partnerin, wo Sie stehen, aber nicht wohin Sie gehen. Beschreiben Sie dann den Weg dahin. Ihr Partner / Ihre Partnerin muss sich die Karte anschauen und Ihrer Beschreibung folgen.

B Die Universität. Beantworten Sie die Fragen.

Wie kommen Sie vom Klassenzimmer
1. in die Bibliothek?
2. in die Mensa?
3. in die Buchhandlung?
4. ins Büro des Deutschlehrers / der Deutschlehrerin?
5. ins Café?

C Ihr Stadtviertel. Beantworten Sie die Fragen.

Wie kommen Sie von zu Hause
1. an die Universität?
2. auf den Flohmarkt?
3. ins Museum?
4. ins Kino?
5. in den Supermarkt?
6. zur U-Bahn oder zur Bushaltestelle?

zu Fuß gehen

mit dem Rad fahren

mit dem Bus fahren

mit der Straßenbahn fahren

mit dem Auto fahren

mit der U-Bahn fahren

STRUKTUREN

THE SIMPLE PAST TENSE
NARRATING EVENTS IN THE PAST

As you have learned, speakers of German use the present perfect tense to talk about things that happened in the past, but they prefer the simple past tense to narrate a string of events or to tell or write a story. Because such narrations normally involve the first or third person, the second-person forms (**du, ihr, Sie**) occur infrequently in this tense.

You have already learned the simple past-tense forms of the modal verbs. Regular verbs form the simple past tense in the same way, by adding endings to the past-tense stem. Note that the first- and third-person singular forms are the same as the past-tense stem.

INFINITIVE: **kaufen**							
PAST-TENSE STEM: **kaufte**							
SINGULAR				PLURAL			
ich	kaufte	*I*	*bought*	wir	kauft**en**	*we*	*bought*
du	kaufte**st**	*you*	*bought*	ihr	kauft**et**	*you*	*bought*
Sie	kauft**en**	*you*	*bought*	Sie	kauft**en**	*you*	*bought*
sie/er/es	kaufte	*she/he/it*	*bought*	sie	kauft**en**	*they*	*bought*

Regular verbs with infinitive stems ending in **-d** or **-t,** add an **-e-** before the **-t-** of the past-tense stem.

Heiner **arbeitete** zu Hause.   *Heiner worked at home.*

Irregular verbs have different stems in the simple past. Also, the **ich-** and **er/sie/es-**forms have no endings. Because English has similar irregular forms in the simple past, you should have no trouble recognizing the following verbs.

INFINITIVE: **sangen**							
PAST-TENSE STEM: **sang**							
SINGULAR				PLURAL			
ich	sang	*I*	*sang*	wir	sang**en**	*we*	*sang*
du	sang**est**	*you*	*sang*	ihr	sang**t**	*you*	*sang*
Sie	sang**en**	*you*	*sang*	Sie	sang**en**	*you*	*sang*
sie/er/es	sang	*she/he/it*	*sang*	sie	sang**en**	*they*	*sang*

KURZ NOTIERT

The following verbs have the same stem changes in the simple past stem as in the past participle.

PRESENT	SIMPLE PAST
bringen	brachte
denken	dachte
kennen	kannte

PAST PARTICIPLE	
gebracht	*to bring*
gedacht	*to think*
gekannt	*to know*

KURZ NOTIERT

Recall that German speakers prefer to use the simple past rather than the present perfect tense with **haben (hatte), sein (war),** and **wissen (wusste),** as well as the modals **dürfen (durfte), können (konnte), müssen (musste), sollen (sollte),** and **wollen (wollte).**

These phrases also occur more frequently in the simple past: **es gab** and **er/sie brauchte, dachte, glaubte, stand.**

Übungen

A Frau Stumpf erzählt die Geschichte von dem wertvollen Gemälde. Suchen Sie alle Verben im Imperfekt. Machen Sie eine Liste von diesen Verben, und schreiben Sie auch die Infinitivformen und die Bedeutung.

Wir hatten ein altes Sofa im Wohnzimmer, aber ein neues Sofa wollten wir schon lange haben. Endlich kauften wir eines. Über dem neuen Sofa hing noch das alte Bild, das mein Großvater gemalt hat. Roswita meinte, das Bild passte nicht mehr im Wohnzimmer. Mein Mann und ich gingen dann zu einer Galerie und suchten ein anderes Bild für das Wohnzimmer—nicht zu groß und nicht zu modern.

In der Galerie waren die Bilder unglaublich teuer. Roswita sagte uns: „Geht zum Flohmarkt!" Dort sahen wir ein Bild, das uns beiden gefiel. Wir bezahlten dafür nur 250 Mark, weil der Rahmen kaputt war. Der Verkäufer erzählte von einem Restaurator, der den Rahmen reparieren konnte. Wir brachten das Gemälde zu ihm. Als er sich das Gemälde ansah, glaubte er, wir hatten ein sehr wertvolles Gemälde— vielleicht war es ein Macke! Wir waren völlig überrascht, als wir die Nachricht hörten. Karl konnte kaum schlafen. Er träumte von großen hohen Wert unseres Gemäldes. Am nächsten Tag erzählte uns der Restaurator, dass nur der Rahmen wertvoll war. Er wollte ihn uns abkaufen! Karl und ich dachten, es wäre besser, das Ganze zu behalten und selber genießen. Wir wollten es an unsere eigene Wand hängen.

Die neue Sofagarnitur ist angekommen.

B Auf dem Flohmarkt. Was war alles los? Schreiben Sie die Sätze im Imperfekt.

MODELL: Wir gehen auf den Flohmarkt. →
Wir gingen auf den Flohmarkt.

1. Ein Mann verkauft alte Bücher.
2. Beim Imbiss essen wir Currywurst mit Pommes.
3. Es gibt überall Musik zu hören.
4. Hans sieht viele interessante Kunstwerke.
5. Ein netter Verkäufer zeigt den Kunden ein Gemälde.
6. Sie finden das Gemälde schön.
7. Sie kaufen das Gemälde.

C Kindheit. Interviewen Sie zwei Klassenkameraden über ihre Kindheit. Berichten Sie dann der Klasse darüber.

1. Was wolltest du werden?
2. Was musstest du tun? (früh aufstehen, baden, ?)
3. Was konntest du besonders gut machen? gar nicht machen?
4. Was durftest du tun? (lange fernsehen, mit Freunden ausgehen?)
5. Was solltest du tun? (die Großeltern besuchen, immer höflich sein?)

THE SUBORDINATING CONJUNCTIONS ALS, WENN, WANN
COMBINING SENTENCES

SPRACHSPIEGEL

Notice the similarity between the German word **als** and the English word *as*, which sometimes takes the place of *when* as an equivalent.

Als ich nach Hause fuhr, sah ich einen Unfall.
As I was driving home, I saw an accident.

KURZ NOTIERT

Recall that the word **als** means *as* in the phrase **als** plus noun.

Als Kind musste ich früh ins Bett.
As a child I had to go to bed early.

Remember, too, that in the comparison of adjectives and adverbs, **als** means *than*.

Roswita ist **älter als** Laura.
Roswita is older than Laura.

German has three equivalents to the English word *when*, depending on the meaning of the sentence: **als, wenn, wann.**

Als refers to a one-time action in the past. It often points to an action that happened at the same time as another action. Sentences with the conjunction **als** occur frequently in the simple past tense, in both speaking and writing.

> **Als** Roswitas Eltern auf dem Flohmarkt waren, sahen sie ein tolles Bild.
> *When Roswita's parents were at the flea market, they saw a nice picture.*

Als also refers to a certain time or age in one's life.

> **Als** ich Kind war, hatte ich viele Freunde.
> *When I was child, I had a lot of friends.*

The word **wenn** has three different meanings.

1. In conditional sentences, **wenn** means *if*.

> **Wenn** das Bild zu teuer ist, kaufe ich es nicht.
> *If the picture is too expensive, I won't buy it.*

2. In a temporal sense, **wenn** means *whenever* and describes events that happen or happened more than once.

> **Wenn** das Baby zu Besuch kam, freuten sich die Großeltern.
> *Whenever the baby came to visit, the grandparents were happy.*

3. **Wenn** also refers to events that might happen in the future. In this sense, **wenn** means *when*.

> **Wenn** wir nach Berlin kommen, rufen wir an.
> *When we come to Berlin, we'll call.*

The word **wann** asks the question *at what time?*. It may begin either direct or indirect questions.

> DIRECT QUESTION: **Wann** ist das Bild fertig?
> *When is the picture ready?*

> INDIRECT QUESTION: Ich weiß nicht, **wann** das Bild fertig ist.
> *I don't know when the picture will be ready.*

Übungen

A Auf dem Flohmarkt. Was sagen Herr und Frau Stumpf? Ergänzen Sie **als, wenn** oder **wann.**

Herr und Frau Stumpf

HERR S: _____¹ wollen wir essen?
FRAU S: _____² wir Hunger haben, natürlich!

FRAU S: Weißt du, _____³ die Kinder vorbeikommen?
HERR S: Heute Nachmittag kommen sie, _____⁴ sie Zeit haben.

FRAU S: Hast du die Kinder angerufen, _____⁵ wir zu Hause waren?
HERR S: Nein, ich rufe sie an, _____⁶ wir zurückkommen.

FRAU S: Diese schöne alte Lampe wäre toll für unsere Nichte Sabine. Weißt du, _____⁷ sie Geburtstag hat?
HERR S: Nein, nicht genau. Aber ich weiß, wir waren in den USA, _____⁸ sie letztes Jahr ihren Geburtstag feierte.

B Zum ersten Mal. Wie alt waren Sie?

MODELL: ins Ausland reisen →
Ich war achtzehn Jahre alt, als ich ins Ausland reiste.
oder: Ich bin noch nie ins Ausland gereist.

1. auf eine Party gehen
2. Abendessen kochen
3. den Führerschein machen
4. ein Haustier haben
5. einen Freund / eine Freundin haben
6. in die Schule kommen
7. ans Meer gehen

C **Wenn, wann** oder **als**? Sonja und Renate reden miteinander über alles Mögliche. Ergänzen Sie den Dialog.

SONJA: Weißt du, Renate, wie wir zusammen spielten, _____¹ wir Kinder waren?
RENATE: Ich bin immer froh, _____² ich an meine Kindheit denke. Damals hatte ich mehr Freizeit.
SONJA: Also, _____³ machst du dieses Jahr Urlaub? Man kann nicht das ganze Jahr nur arbeiten.
RENATE: _____⁴ wir letztes Jahr in Australien waren, hatte ich eine Idee! Wir sollten hier zu Hause Urlaub machen!
SONJA: Ich habe Angst, _____⁵ du so etwas sagst. _____⁶ kommen deine Eltern zu Besuch? Vielleicht könnt ihr zusammen einen schönen Urlaub in der Gegend machen. Ich reise lieber ins Ausland, _____⁷ ich endlich mal Urlaub habe.

EINBLICKE

BRIEFWECHSEL

Liebe Evelyn,

schick doch ein Foto von der neuen Sofagarnitur! Und wie sieht das Bild aus? Welche Farben hat es? Ist es eher modern oder altmodisch? Habt ihr es in einer Galerie gefunden oder auf dem Flohmarkt?

Heinz hat was Tolles im Keller entdeckt. Er hat aufgeräumt- ich hab' dir ja die Geschichte von den Sonnenschirmen schon erzählt. Na ja, er hat ein kleines Bild mit einer Rheinlandschaft gefunden. Das Bild hat viel Grün und Blau und sieht ziemlich alt aus. Niemand im Haus weiß, wem es gehört. Vielleicht sollten wir zum Restaurator gehen, und fragen ob es wertvoll ist. Jedenfalls fühlen wir uns langsam wohl in der neuen Wohnung und auch hier in Köln.

Gruß an alle!
Deine Vera

● Bilder. Lesen Sie auch Evelyns Brief an Vera. Was kann man über jedes Bild sagen?

	BILD VOM GROßVATER	EVELYNS BILD	VERAS BILD
zeigt Personen	☐	☐	☐
zeigt eine Landschaft	☐	☐	☐
zeigt Tiere	☐	☐	☐
ist modern	☐	☐	☐
ist altmodisch	☐	☐	☐
gefällt Roswita nicht	☐	☐	☐
hat viel Orange/Rot	☐	☐	☐
hat viel Blau/Grün	☐	☐	☐

EINBLICK

Gabriele Münter—Das Leben einer Künstlerin

Gabriele Münter wurde am 19. Februar 1877 in Berlin geboren. Ihre Eltern hatten lange in den Vereinigten Staaten gelebt. Der Vater, Carl Friedrich Münter, emigrierte 1847 und erhielt ein Diplom als Zahnarzt vom Dental College in Cincinnati. Ihre Mutter, Wilhelmine Scheuber,
5 emigrierte 1845 mit ihrer Familie nach Tennessee. Die beiden heirateten 1857 in Tennessee, kamen aber wegen des Bürgerkrieges 1864 zurück nach Deutschland, wo der Vater in Berlin eine Praxis als „Amerikanischer Zahnarzt" eröffnete.

Gabriele Münters Leidenschaften als Teenager waren Malen und
10 Fahrrad fahren. Mit zwanzig war sie finanziell gesichert und studierte an der Düsseldorfer Akademie. Als ihr Bruder Carl 1898 die amerikanische Sängerin Mary Quint heiratete, reisten die Schwestern, Gabriele und Emmy, für zwei Jahre in die Vereinigten Staaten, um Verwandte zu besuchen. In St. Louis blieben sie bei ihrer Tante, Albertine Happel, in
15 Moorefield, Arkansas, und sie besuchten eine weitere Tante, und mehrere Cousins, die in Marshall und Plainview, Texas, lebten.

Gabriele Münter–Malerei von Wassily Kandinsky

Im Jahre 1901 zog Gabriele nach München, wo sie im Künstlerviertel Schwabing lebte. Ab 1909 wurde München zur ersten Adresse für die neue Kunst: Münter, zusammen mit Kandinsky, Adolf Erbslöh, Alexei
20 Jawlensky, Marianne von Werefkin und anderen, gründete die Neue Künstlervereinigung München. In Münchner Kreisen lernte sie bald auch Franz Marc kennen und Pläne für einen „Almanach" wurden geschmiedet. In der Künstlervereinigung kam es allerdings 1911 zu einem Streit, was dazu führte, dass Münter, Marc, Kandinsky und Alfred
25 Kubin austraten, um eine neue Gruppe zu bilden: Der Blaue Reiter.

Zwischen 1921 und 1928 lebte sie abwechselnd in München, Murnau, Köln und Berlin, und ihre Werke wurden in einflussreichen Ausstellungen gezeigt. Durch das bittere Ende der Beziehungen mit Kandinsky begann sie, ihr Leben aufzuschreiben und ihre Karriere zu analysieren. Viel hatte
30 sie für ihn aufgegeben, viel hatte sie für sich selbst gefunden.

Gabriele Münter starb am 19. Mai 1962 in ihrem Haus in Murnau.

WORTSCHATZ ZUM LESEN

der Bürgerkrieg	civil war
die Leidenschaft	passion
schmieden	to forge
der Streit	argument
austreten	to leave
abwechselnd	off and on

● Städte, Staaten und Länder Verfolgen Sie in einem Atlas die Stationen von Gabriele Münters Leben. Wohin ist sie gereist, wo hat sie gelebt, was hat sie gesehen? Schreiben Sie über einen dieser Orte (Berlin, München, Texas). Wie, denken Sie, war das Leben dort am Anfang des zwanzigsten Jahrhunderts?

PERSPEKTIVEN

HÖREN SIE ZU!

Sie hören einige Informationen zum berühmten Deutschen Museum in München.

● Was stimmt?

	DAS STIMMT.	DAS STIMMT NICHT.
1. Das Museum wurde 1913 gegründet.	☐	☐
2. Das Museum liegt auf einer Insel in der Mitte der Isar.	☐	☐
3. Das Museum hat nur Exponate aus der Automobilindustrie.	☐	☐
4. Das Museum ist auch interessant für Menschen, die nicht viel von Technik verstehen.	☐	☐
5. Das Museum wurde von König Ludwig gegründet.	☐	☐

WORTSCHATZ ZUM HÖRTEXT

stolz	proudly
die Isar	river that flows through Munich
die Kuppeln	cupolas
das Dächermeer	sea of rooftops
die Dampfmaschine	steam engine
die Abteilung	department
der Knopfdruck	push of a button
steuerbar	controllable
die Nachbildung	replica
das Original-schauplatz	original scene
begreiflich	comprehensible
unschätzbar	inestimable
der Pkw (Personenkraft-wagen)	private car

LESEN SIE!

Zum Thema

● Das Hundertwasserhaus. Sehen Sie sich das Foto an, und beantworten Sie die Fragen.

1. Wie kann man dieses Haus beschreiben? Was ist anders als bei anderen Wohnhäusern?
2. Würden Sie gern in einem solchen Haus wohnen? Warum (nicht)?
3. In Interviews und Reden spricht Hundertwasser oft von der unmenschlichen Architektur, in der die Menschen leben müssen und beschreibt sich selbst als „Architekturdoktor". Was meint er damit?

Das Hundertwasserhaus in Bad Soden.

Kunst als Teil unseres Lebens: Friedensreich Hundertwasser über Kunst und Gesellschaft

Friedensreich Hundertwasser, geboren am 15. Dezember 1928, gilt aus vielen Gründen als einer der herausragendsten Künstler des zwanzigsten Jahrhunderts. Sein vielseitiges Talent als Maler, Skulpteur und Personenkünstler wird in den bekannten bunten Wohnhäusern vereint,
5 die man in vielen Städten der Welt sehen kann. In einem Interview über die Entstehung des Hauses in Wien erklärt Hundertwasser:

„Heutzutage ist es die Aufgabe der Künstler, weil die Architekten als Berufsstand versagt haben. [. . .] Sie bauten Häuser, die die Menschen krank machen, seelisch und auch sonst, und daher muss die Revolution
10 von außen kommen; ich glaube, sie kommt von den Künstlern. Weil ich kein Architekt bin, stellte die Stadt mir einen Architekten zur Seite, der meine Vorstellungen in Pläne umsetzen und durchführbar machen sollte, aber er machte alles rechteckig, brachte alles in rechte Winkel. Die unregelmäßigen Fenster machte er rechtwinklig, die Zwiebeltürme
15 machte er zu Würfeln, und er gab den Zeitungen üble Interviews, in denen er erzählte, wie gut er sei und wie schlecht ich sei und dass das, was ich mache, völlig unmöglich sei. Er sei der ernsthafte Architekt und könne diese Verrücktheit, die der Öffentlichkeit abträglich sei, nicht zulassen.
20 Was er sagte, entsprach nicht der Wahrheit, aber er sagte es, und die Zeitungen druckten es. Es gab etwa zwanzig Interviews. Alle Zeitungen stellten sich auf die Seite des Architekten, und alle griffen mich und die Politiker an, die den Auftrag erteilt hatten.
Aber die Arbeit an meinem Haus ist ebenso schnell gegangen wie
25 ein normaler, gerader Bau. Der Grund ist merkwürdig, aber es ist ein sehr menschlicher Grund. Die Arbeiter, die an einem solchen Bau arbeiten, arbeiten gerne dort. Sie mögen abwechslungsreiche Arbeit. Sie mischen gerne verschiedene Farben, sie bauen gerne geschwungene Formen, arbeiten gerne an Fenstern, die nicht alle gleich sind; das
30 bezieht sie in den Bau ein. Sie haben nicht das Gefühl, sie seien nur Maschinen, die vorgefertigte Teile zusammensetzen. Weil sie interessiert und mit Freude bei der Arbeit sind, identifizieren sie sich mit der Arbeit und arbeiten schneller."

WORTSCHATZ ZUM LESEN

herausragend	outstanding
die Entstehung	creation
die Aufgabe	task
versagen	to fail
seelisch	spiritually
durchführbar	implementable
rechteckig	right-angled
der Winkel	angle
der Zwiebelturm	onion dome
der Würfel	cube
die Verrücktheit	madness
abträglich	detrimental
entsprechen	to correspond
die Wahrheit	truth
einbeziehen	to incorporate
vorgefertigt	prefabricated

TIPP ZUM LESEN

In this interview, Hundertwasser does not directly quote other people but reports the gist of what they say or feel. To do this, he uses these special subjunctive forms: **er/ich sei, er könne, sie (pl.) seien.** Look for these forms in the reading in this order of occurrence. In indirect speech, these forms replace the ones you already know: **er/ich wäre, er könnte, sie wären.**

Zum Text

Friedensreich Hundertwasser

A Was würde Hundertwasser dazu sagen? Sie haben ein Originalzitat von Hundertwasser gelesen. Wie würde er die folgenden Sätze vollenden? Vergleichen Sie Ihre Sätze mit denen Ihrer Kollegen.

1. In unserer Welt sind Künstler sehr wichtig, weil . . .
2. In Interviews bezeichnete man meine Kreativität als . . .
3. Ich denke, Bauarbeiter mögen . . .
4. Es ist wichtig, dass Menschen mit Freude bei der Arbeit sind, weil . . .
5. Das Haus in Wien war ein großer Erfolg, denn . . .

B Und Sie? Was denken Sie über Kunst und Architektur? Stimmen Sie mit Hundertwasser überein? Warum (nicht)? Geben Sie Beispiele aus Ihren eigenen Erfahrungen.

INTERAKTION

● Ein Projekt. Künstler wie Hundertwasser wollen uns zeigen, wie wichtig Farben und Formen für das menschliche Leben sein können. Arbeiten Sie in einer Kleingruppe, und wählen Sie ein Gebäude in Ihrer Stadt, das jetzt „ungesund" ist, zum Beispiel einen Supermarkt, das Rathaus oder sogar Ihr eigenes Haus. Wie könnten Sie das Gebäude ändern, um es „gesund" zu machen. Beschreiben Sie zuerst das Gebäude, wie es jetzt ist und beschreiben Sie dann das neue „gesunde" Gebäude, wie es sein könnte.

SCHREIBEN SIE!

● Eine Stadtrundfahrt. Schreiben Sie das Skript für eine Tour um Ihre Stadt. Welche Attraktionen gibt es in Ihrer Stadt für Besucher? Gibt es berühmte oder historische Gebäude, die Fremde interessant finden würden? Was sollten Touristen in Ihrer Stadt unbedingt sehen oder machen? Welche Informationen sollten sie während der Tour hören?

Schreibhilfe

The following steps will help you plan your tour and write your script.

PREWRITING

- Many guidebooks target specific audiences, such as younger travelers or people on a budget. Jot down a brief description—in German—of your targeted visitors. Consider the following questions.

    Wie alt sind diese Besucher? Woher kommen sie? Warum sind sie in Ihrer Stadt? Was machen sie gern in ihrer Freizeit? Was würden sie am interessantesten finden? Was möchten sie unbedingt sehen oder erfahren? Wo sollten sie übernachten? essen?

- Organize your tour to take up the first morning or afternoon of your visitors' stay. After this overview, they can then return to certain locations on the following day(s) and spend more time.

- Do you want to offer a walking tour, a bus tour, a boat tour, or perhaps a helicopter tour? Choose a starting point and then plan your route so that the stops and activities follow a logical sequence.

WRITING

- Write the script that a travel guide should deliver during this tour. Include a simple map and key the sites to the script, so that the guide knows what to say, when, and where.

- Offer interesting information about the sites your travelers will see or visit.

- Conclude your tour with suggestions of other places in your city or general area that travelers might like to visit. If you mention restaurants, include the type of food and general price range.

EDITING

- Give your script to a partner to review; be sure to describe your targeted audience to him/her. How does your partner feel your visitors would respond to this tour?

- Discuss ways that your tour could be more interesting, exciting, or logical. Does your partner have any further bits of information to add to the descriptions of the sites?

REWRITING

- Revise your script, then read it aloud to yourself. As you do so, visualize the actual tour and time it accordingly: How many minutes should you allow at each site and between sites? Do you need to include time for eating, drinking, or browsing in a shop?

(continued)

Mark each time allowance on your script. Does the total come out to approximately three hours? If not, you may need to shorten or lengthen your tour.

PUBLISHING
- Along with the map and script, you may want to provide photos or sketches of some of the sites on your tour.
- How would you organize all the scripts from the class into a cohesive set of city tours?

Fokus Chat: Kunst—Rock oder Klassik?

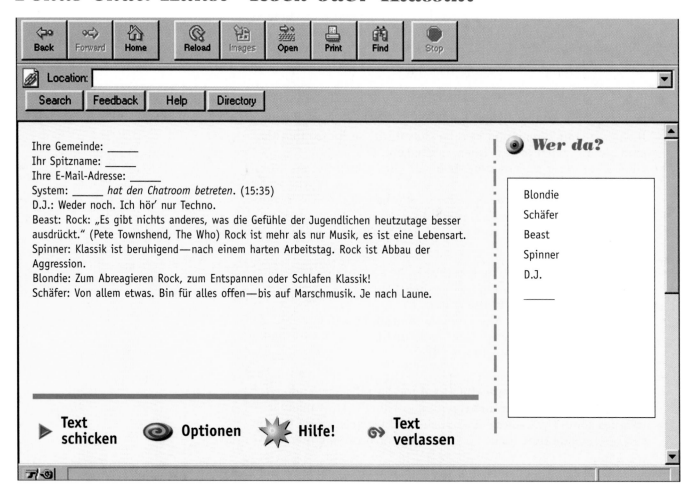

Wer da?

Blondie
Schäfer
Beast
Spinner
D.J.
_____

Ihre Gemeinde: _____
Ihr Spitzname: _____
Ihre E-Mail-Adresse: _____
System: _____ *hat den Chatroom betreten*. (15:35)
D.J.: Weder noch. Ich hör' nur Techno.
Beast: Rock: „Es gibt nichts anderes, was die Gefühle der Jugendlichen heutzutage besser ausdrückt." (Pete Townshend, The Who) Rock ist mehr als nur Musik, es ist eine Lebensart.
Spinner: Klassik ist beruhigend—nach einem harten Arbeitstag. Rock ist Abbau der Aggression.
Blondie: Zum Abreagieren Rock, zum Entspannen oder Schlafen Klassik!
Schäfer: Von allem etwas. Bin für alles offen—bis auf Marschmusik. Je nach Laune.

▶ **Text schicken**   **Optionen**   **Hilfe!**   **Text verlassen**

WORTSCHATZ

Substantive	Nouns
In der Innenstadt	*Downtown*
die **Boutique, -n**	boutique
die **Galerie, -n**	gallery
die **Tierhandlung, -en**	pet store
der **Edelstein, -e**	gem
der **Flohmarkt,** *pl.* **Flohmärkte**	flea market
der **Schmuck**	jewelry
das **Juweliergeschäft, -e**	jewelry store
das **Reformhaus,** *pl.* **Reformhäuser**	health food store
das **Schreibwarengeschäft, -e**	stationery store
die **Waren** (*pl.*)	goods

Nach dem Weg fragen	*Asking for directions*
die **Ecke, -n**	corner
die **Kreuzung, -en**	crossing
die **Mitte, -n**	middle, center
die **S-Bahn, -en**	urban train
die **Schwimmhalle, -n**	indoor swimming pool
die **Straßenbahn, -en**	streetcar
die **Tankstelle, -n**	gas station
die **U-Bahn, -en**	subway
der **Weg, -e**	way
das **Museum,** *pl.* **Museen**	museum
das **Postamt, ̈er**	post office

Sonstige Substantive	*Other nouns*
die **Nachricht, -en**	news
die **Überstunde, -n**	overtime hour
der **Restaurator, -en /** die **Restauratorin, -nen**	restorer
das **Gemälde, -**	painting

Verben	Verbs
ab•biegen, bog ab, abgebogen	to turn
sich beschweren über (+ *acc.*)	to complain about
ein•biegen, bog ein, eingebogen	to turn (drive) in
entlang•gehen, ging entlang, ist entlanggegangen	to go along
vor•schlagen (schlägt vor), schlug vor, vorgeschlagen	to suggest

Adjektive und Adverbien	Adjectives and adverbs
antiquarisch	antique
beschädigt	damaged
geeignet	suited
geradeaus	straight ahead
originell	original(ly)
sauer	sour; angry
sofort	immediately
übrigens	by the way
ungefähr	approximately
verschieden	different
wertvoll	valuable

Sonstiges	Other
an _____ vorbei	past _____
gegenüber von _____	opposite _____
_____ entlang	along _____

DER HAUSMANN

In this chapter, you will

- watch Heiner Sander, a stay-at-home dad, go about his day taking care of Kai and the household duties.
- see how the Sanders try to resolve the problems that face working couples.

You will learn

- about modern views on marriage and parental roles in Germany.
- to talk more about sports and fitness.
- how to use the present and past subjunctive to express unreal situations.
- about the views of a famous German poet, Friedrich Schiller, regarding family roles in his time.

Hey, ihr Hausmänner im Netz, ich hab' bald die Nase voll. . . . meistens macht mir das Babysitten Spaß, und ich komme auch ziemlich gut zurecht mit Kai und der ganzen Hausarbeit. Nur manchmal werde ich etwas frustriert und weiß mir nicht zu helfen. Gestern war mal wieder so ein verrückter Tag. Ich wollte, wie jeden Dienstag, zum Fußball mit meinen Freunden. Kai war nicht sehr glücklich und hat den ganzen Tag geweint—er bekommt gerade Zähne. Dann kam meine Frau zu spät nach Hause, und ich musste Kai zum Sport mitnehmen. Da waren dann meine Kumpel sauer. Sie wollten Fußball und nicht Kindermädchen spielen. Roswita ist dann aber doch noch gekommen und hat Kai abgeholt. Als ich später nach Hause kam, sagte mir Roswita, dass sie ein tolles Angebot von ihrem Chef hat. Sie will weiter arbeiten, aber ich will nicht weiter Hausmann sein. Was sollen wir machen?
Bin für jeden guten Rat dankbar!

Heiner

Ein Bild aus dem Alltag eines modernen Mannes.

229

VIDEOTHEK

"Jetzt mehr nach rechts!"

Der Hausmann hat viel zu tun!

In der letzten Folge . . .

kauft Familie Stumpf ein neues Sofa. Herr und Frau Stumpf suchen auch ein neues Gemälde.

● Wissen Sie noch?

1. Warum mussten die Stumpfs ein neues Bild kaufen?
2. Wo haben sie das neue Bild gekauft?
3. Was ist passiert, als sie beim Restaurator waren?
4. Haben sie das Bild wieder verkauft?

In dieser Folge . . .

sehen wir Heiner und Roswita zu Hause. Sie haben einen Sohn, und Heiner ist Hausmann geworden. Er hat zwei Monate Erziehungsurlaub und passt auf ihren Sohn Kai auf. Heiner wartet auf Roswita, denn er will mit seinen Freunden Fußball spielen.

● Was denken Sie?

	JA	NEIN
1. Roswita kommt pünktlich nach Hause.	☐	☐
2. Roswita kommt spät nach Hause, und Heiner kann nicht Fußball spielen.	☐	☐
3. Roswita kommt spät nach Hause. Heiner bringt Kai zum Fußball mit.	☐	☐
4. Heiners Freunde sind sehr froh, dass er seinen Sohn mitgebracht hat.	☐	☐
5. Roswita ist sauer, dass Heiner Kai zum Fußball mitgenommen hat.	☐	☐

WORTSCHATZ ZUM VIDEO

Bis nachher!	See you later!
Dann bist du dran.	Then it's your turn.
das Kindermädchen	nanny
verwickelt	complicated

SCHAUEN SIE ZU!

Ⓐ Heiner hat Stress. Was passiert Heiner am Anfang der Folge?

	JA	NEIN
1. Das Telefon klingelt.	☐	☐
2. Heiners Mutter kommt plötzlich zu Besuch.	☐	☐
3. Die Milch kocht auf dem Herd über.	☐	☐

4. Heiner hat einen Anruf bekommen, kann ☐ ☐
aber nicht am Telefon sprechen.
5. Heiner versucht, einen Brief zu schreiben. ☐ ☐
6. Kai schreit. ☐ ☐

B Im Park. Frau Stumpf spricht mit einer anderen Frau, als sie auf Heiner wartet. Frau Stumpf sagt der Frau, dass Heiner auf das Kind aufpasst.

Großmutter Stumpf trifft sich mit Kai und ihrem Enkel.

Mutter und Vater zusammen

1. Was denkt die Frau zuerst?
   a. _____ Heiner ist im Urlaub.
   b. _____ Heiner ist arbeitslos.
   c. _____ Frau Stumpf ärgert sich über Heiner.
2. Warum kann Heiner zu Hause bleiben und auf Kai aufpassen?
   a. _____ Seine Eltern unterstützen die Familie finanziell.
   b. _____ Heiner arbeitet nur am Wochenende.
   c. _____ Heiner hat Erziehungsurlaub.
3. Wie reagiert die Frau als sie erfährt, warum Heiner zu Hause bleibt.
   a. _____ Sie sagt: „Die Mutter sollte zu Hause bleiben."
   b. _____ Sie sagt: „Das finde ich ja gut!"
   c. _____ Sie lacht sehr laut. Sie findet die ganze Situation sehr komisch.

C Der Kompromiss. Roswita ist spät nach Hause gekommen, denn sie musste mit ihrem Chef sprechen. Roswita will weiter arbeiten, und Heiner sollte seinen Erziehungsurlaub verlängern. Heiner will aber in zwei Monaten wieder arbeiten. Welchen Kompromiss schließen sie?

1. Roswita wird ihre Stelle aufgeben.
2. Heiner wird noch einige Monate zu Hause bleiben.
3. Sie wollen ein Aupairmädchen anstellen.

D Auf Erziehungsurlaub. Was denken Sie?

1. Frau Stumpf sagt: „Ist ja auch schwer für einen Mann allein mit einem Kind." Stimmt das, oder stimmt das nicht? Was meinen Sie?
2. Die Frau im Park sagt: „Das finde ich ja gut!" als sie erfährt, dass Heiner Erziehungsurlaub hat. Was denken Sie? Ist das gut oder nicht?

KULTURSPIEGEL

Heiner is taking **Erziehungsurlaub** to care for his son Kai. In Germany, either the mother or the father is legally entitled to unpaid parental leave until their child turns three years old, though in a recent survey only 1.1 percent of fathers took this leave. In addition, most parents can also receive an **Erziehungsgeld** of 600 marks a month until the child is 24 months old. In the United States, the Family and Medical Leave Act, passed in 1993, entitles a parent to twelve weeks of unpaid leave to take care of a child.

VOKABELN

GLEICHBERECHTIGUNG IN DER FAMILIE

So lautet Artikel 3 des deutschen Grundgesetzes.

Immer mehr Frauen sind berufstätig.

Wer verdient das Geld? Wer sorgt für das Kind?

Sie hat ein günstiges Angebot von ihrer Firma, und er bekommt Erziehungsurlaub.

Und noch dazu

die Freiheit	*freedom*	klingeln	*to ring*
die Scheidung	*divorce*	mit•nehmen	*to take along*
die Stunde	*hour*	sauber•machen	*to clean*
der Hausmann	*househusband*	sich verheiraten	*to get married*
der Moment	*moment; factor*	streiten	*to quarrel*
ab•holen	*to pick up*	vor•haben	*to plan, intend*
an•fangen	*to begin*	anstrengend	*strenuous, demanding*
auf•passen	*to watch*		
auf•räumen	*to straighten up*	einzig	*only, sole*
auf•wachen	*to wake up*	perfekt	*perfect(ly)*

Aktivitäten

A Was passt? Was macht Heiner als Hausmann?

a.

b.

c.

d.

e.

f.

1. Er muss Kais Windeln wechseln.
2. Er kocht Kai Milch.
3. Er steht sehr früh auf.
4. Er räumt die Wohnung auf.
5. Er wäscht die Wäsche.
6. Er bügelt.

Wäsche waschen
Rasen mähen
Küche saubermachen
Geschirr spülen
Zimmer aufräumen
Kleidung bügeln

B Welche Hausarbeiten machen Sie? Welche machen andere Leute in Ihrem Haushalt? Machen Sie eine Liste. Wer macht die meiste Arbeit im Haushalt? Vergleichen Sie Ihre Liste mit denen Ihrer Mitstudenten/Mitstudentinnen.

MODELL: Ich wohne im Studentenheim und esse in der Mensa, aber ich spüle das Geschirr, wenn ich bei meinen Eltern zu Hause bin.

C Interview. Beantworten Sie die Fragen. Stellen Sie sie dann einem Partner / einer Partnerin, und benutzen Sie die **du**-Form.

1. Möchten Sie heiraten? Warum (nicht)?
2. Welche Eigenschaften soll Ihr Partner / Ihre Partnerin haben? Machen Sie eine Rangliste.
3. Was macht ein idealer Partner / eine ideale Partnerin? (nie streiten, Probleme lösen, bei den Haushalt helfen, . . .)
4. Möchten Sie Kinder haben? Warum (nicht)?
5. Möchten Sie Hausmann oder Hausfrau sein? Warum (nicht)?
6. Was halten Sie von Männern, die Hausmänner sind? von Frauen, die Hausfrauen sind?
7. Welche Frauen in Ihrer Familie haben einen Beruf? Welche Berufe üben sie aus?

D Die Rollen ändern sich: Was meinen Sie? Welche Eigenschaften und/oder Aktivitäten gehören zu den folgenden Familienrollen? Wie sollte jede Person sein? Wer sollte was machen? Fragen Sie dann eine ältere Person oder eine Person aus einer anderen Kultur, und vergleichen Sie die Antworten.

1. Mutter   2. Vater   3. Partner   4. Partnerin

SPORT

Rollschuh laufen oder bladen—was macht Ihnen mehr Spaß?

Pferde reiten ist immer noch eine beliebte Sportart.

Auf der Schlittschuhbahn kann man auch im Sommer Schlittschuh laufen!

Schi laufen ist besonders spannend, aber auch manchmal gefährlich.

Wer die Natur genießt und sich fit halten will, sollte rudern.

Und noch dazu

die Mannschaft	*team*
die Meisterschaft	*championship*
das Pferd	*horse*
das Rennen	*race*
das Team	*team*
das Tor	*goal*
das Turnier	*tournament*
der Sportler / die Sportlerin	*athlete*
der Zuschauer	*spectator*
besteigen	*to climb*
gewinnen	*to win*
Sport treiben	*to play sports*
öffentlich	*public(ly); open(ly)*
spannend	*exciting; tense*
wichtig	*important*

Aktivitäten

A Wer macht was? Welche Sportart treiben diese Leute?

1. Klara und Markus
2. Rüdiger
3. Heiner
4. Herr Schäfer
5. Michael

a. joggen
b. Fußball spielen
c. segeln
d. Motorrad fahren
e. wandern

B Für welche Sportarten sind die folgenden Leute berühmt? Wer macht oder spielt was?

1. Andre Agassi
2. Kristi Yamaguchi
3. Michael Jordan
4. Bobby Orr
5. Jörg Rosskopf
6. Tiger Woods

a. Schlittschuh laufen
b. Tennis
c. Golf
d. Eishockey
e. Tischtennis
f. Basketball

C Was kann man in Ihrer Stadt tun?

SCHRITT 1: Welche Sportart kann man in Ihrer Stadt treiben, wo und wann? Welchen kann man nicht treiben?

SPORTART   ORT   TAG, MONAT ODER JAHRESZEIT

SCHRITT 2: Dieses Wochenende. Planen Sie zusammen mit einem Partner / einer Partnerin Aktivitäten fürs kommende Wochenende in Ihrer Stadt. Wie sollte das Wetter sein? Welche Sportarten könnte man draußen/drinnen machen? Was könnte man allein machen? zusammen mit Freunden?

STRUKTUREN

THE SUBJUNCTIVE
EXPRESSING UNREAL SITUATIONS AND WISHES

In **Kapitel 20,** you learned to use subjunctive forms to express polite requests. You can also use the subjunctive to express wishes, hypothetical situations, and conditions contrary to fact. Remember, the subjunctive stem of regular verbs is the same as the simple past stem.

INFINITIVE	PAST-TENSE STEM	SUBJUNCTIVE STEM
wünschen	wünschte	wünschte
arbeiten	arbeitete	arbeitete

To form the subjunctive stem of verbs with irregular past-tense stems, just add an **-e** and an umlaut to **a, o,** or **u.**

INFINITIVE	PAST-TENSE STEM	SUBJUNCTIVE STEM
fahren	fuhr	führe
bleiben	blieb	bliebe
gehen	ging	ginge
kommen	kam	käme

INFINITIVE: **kommen**
SUBJUNCTIVE STEM: **käme**

SINGULAR	PLURAL
ich käme	wir kämen
du käme**st**	ihr käme**t**
Sie käme**n**	Sie käme**n**
sie/er/es käme	sie käme**n**

You can use different types of sentences to express wishes in German. Notice the use of **wenn** plus subjunctive.

Wenn ich doch nur **wüsste,** wo Roswita bleibt.
If only I knew where Roswita is.

Wenn ich doch auch Erziehungsurlaub **nehmen könnte.**
If only I could take parental leave.

The subjunctive forms **wünschte** or **wollte** frequently introduce wishes, which include verbs in the subjunctive or **würde** plus infinitive.

> Ich **wollte,** ich **hätte** mehr Zeit für mein Kind.
> *I wish I had more time for my child.*

> Heiner **wünschte,** er **könnte** wieder arbeiten.
> *Heiner wishes he could go back to work.*

Sentences that express contrary-to-fact conditions also require the subjunctive. Compare the two situations below.

FACT: INDICATIVE

> Wenn Roswita zu spät nach Hause **kommt, muss** Heiner das Kind zum Training **mitnehmen.**
> *If Roswita comes home late, Heiner has to take the child with him to practice.*

CONTRARY-TO-FACT CONDITION: SUBJUNCTIVE

> Wenn Roswita pünktlich **wäre, könnte** Heiner allein zum Training **gehen.**
> *If Roswita were on time, Heiner could go to practice by himself.*

The first example states a fact: what actually happens. The second example states a condition contrary to fact: what would happen if something else were to take place, but doesn't. Both German and English use the subjunctive to express this situation.

Übungen

A Was wünscht Heiner?

SCHRITT 1: Drücken Sie seine Wünsche anders aus.

> MODELL: Ich wünschte, ich hätte mehr Energie. →
> Wenn ich doch nur mehr Energie hätte!

Ich wünschte,
1. Roswita bliebe nicht den ganzen Tag weg.
2. wir müssten nicht so lange auf sie warten.
3. meine Freunde kämen zu Besuch.
4. Kai wollte nicht immer schreien.
5. ich hätte mehr Zeit.
6. die Hausarbeit wäre nicht so schwer.
7. ich bekäme nicht so oft Kopfschmerzen.
8. ich wüsste mehr.

SCHRITT 2: Was ist Heiners Realität? Bilden Sie die Sätze im Indikativ.

> MODELL: Ich wünschte, ich hätte mehr Energie. →
> Heiner hat keine Energie.

B Probleme

SCHRITT 1: Wenn, . . . Verbinden Sie die Aussagen.

1. Wenn es warm wäre,
2. Wenn Kai die Zähne schon hätte,
3. Wenn wir mehr Zeit hätten,
4. Wenn Heiner nicht so viel Stress hätte,
5. Wenn deine Mutter mehr Zeit hätte,
6. Wenn du nicht mehr arbeiten wolltest,
7. Wenn die Wohnung in Ordnung wäre,

a. könnte sie öfter auf Kai aufpassen.
b. gingen wir ins Kino.
c. könntest du immer Hausmann sein.
d. weinte er nicht so viel.
e. kämen meine Freunde vorbei.
f. könnte Kai draußen spielen.
g. wären Heiner und Kai schon hier im Park.

SCHRITT 2: Wer sagt das? Roswita, Heiner oder Roswitas Mutter, Evelyn?

C Was würden Sie tun? Ergänzen Sie die Sätze, wie Sie wollen. Benutzen Sie den Konjunktiv oder **würde** mit Infinitiv.

1. Wenn ich viel Geld hätte,
2. Wenn ich mehr Zeit hätte,
3. Wenn ich weniger Probleme hätte,
4. Wenn ich keine Arbeit hätte,

D Hilfe! Ihre Freunde erklären Ihnen ihre Probleme. Geben Sie ihnen Ihren Rat.

MODELL: KARSTEN: Ich habe kein Geld. →
An deiner Stelle würde ich einen Job suchen.

1. HAIKE: Meine Professorin ist zu streng.
2. BEN: Mein Auto ist immer kaputt.
3. JENS: Ich muss bessere Noten bekommen.
4. BRIGITTE: Ich will nicht allein wohnen.
5. WERNER: Keiner will mit mir ausgehen.

neue Menschen kennen lernen

lange schlafen

viele Bücher lesen

ein neues Auto/Haus kaufen

mehr fernsehen ?

jeden Tag die Zeitung lesen

mehr Fremdsprachen lernen

eine Weltreise machen

PAST SUBJUNCTIVE
EXPRESSING WHAT MIGHT HAVE BEEN

The subjunctive has only two tenses: the present and the past. The subjunctive past tense has the same construction as the present perfect tense, but it uses the subjunctive forms of the auxiliary verbs **haben (hätte)** and **sein (wäre)** with the past participle.

INFINITIVE	PRESENT PERFECT	PAST SUBJUNCTIVE
kaufen	hat gekauft	hätte gekauft
nehmen	hat genommen	hätte genommen
sein	ist gewesen	wäre gewesen

Wenn Heiner keine Medizin **gekauft hätte, hätte** Kai die ganze Nacht **geschrien.**
If Heiner had not bought medicine, Kai would have cried all night.

Wenn Sanders ein Kindermädchen **genommen hätten,** könnten sie beide arbeiten.
If Sander's had hired a babysitter, they could both work.

Es **wäre** besser **gewesen,** wenn Roswita pünktlich **gekommen wäre.**
It would have been better if Roswita had been punctual.

KURZ NOTIERT

The past subjunctive refers to events in the past that did not happen. The conjunction **wenn** often introduces a past subjunctive clause. If **wenn** is omitted, the auxiliary **wäre/hätte** begins the clause.

Wäre ich langsamer gefahren, so hätte ich keinen Unfall gehabt.
Had I driven more slowly, I would not have had an accident.

Übungen

A Immer Ausreden! Die Studenten und Studentinnen im Deutschkurs haben die Hausaufgabe für heute nicht gemacht. Schreiben Sie ihre Ausreden mit Hilfe des Konjunktivs der Vergangenheit.

MODELL: Ich habe meine Bücher nicht zu Hause gehabt! →
Ich hätte die Hausaufgaben gemacht, wenn ich meine Bücher zu Hause gehabt hätte.

1. Sabine hat mich nicht darüber informiert!
2. Ich bin sehr krank gewesen!
3. Mein Hund ist sehr krank gewesen!
4. Mein Hund hat mein Heft gefressen!
5. Meine Tante aus Bulgarien ist zu Besuch gekommen!
6. Der Bundeskanzler hat mich angerufen.
7. Das Baby von nebenan hat den ganzen Abend geschrieen.

B Zu spät! Alle wünschten, sie hätten das früher gemacht oder nicht gemacht. Ändern Sie die Sätze in den Konjunktiv der Vergangenheit.

MODELL: Ich habe das nicht gemacht. →
Wenn ich das gemacht hätte!

1. Ich habe das Buch nicht gelesen.
2. Er hat das nicht gewusst.
3. Ursula hat den anderen Fahrer nicht gesehen.
4. Roswita ist nicht pünktlich nach Hause gekommen.
5. Das neue Gemälde ist nicht wertvoll gewesen.
6. Michael ist nicht zu Hause geblieben.
7. Die Schäfers haben das Essen versalzen.
8. Thomas hat die falschen Klamotten gekauft.
9. Laura ist allein ins Roxy gegangen.

EINBLICKE

BRIEFWECHSEL

Hallo Heiner,

also du, mach dir mal keinen Stress. Alle kleinen Kinder sind nicht leicht zu ertragen, wenn sie Zähne bekommen. Ich hab' dir doch letzte Woche schon geschrieben, dass du diese tolle Salbe auf die Gaumen reiben sollst. Bei meinen beiden Kleinen hat das wie ein Wunder gewirkt. Du weißt, ich bin jetzt schon über zwei Jahre zu Hause. Ich hab' wie du auch solche Frustphasen durchgemacht. Manchmal wollte ich alles ganz einfach hinschmeißen und wieder ins Büro. Jetzt sind die Kinder etwas älter, und alles ist nicht mehr so stressig. Wenn du aber wirklich wieder arbeiten willst, und auch deine Frau, dann gibt's vielleicht auch da eine Lösung. Neulich hat ein Kumpel ein Au Pair angestellt, eine junge Frau aus dem Ausland, die Deutsch lernen will. Sie versorgt die Kinder und bekommt dafür ein Zimmer, ihr Essen, etwas Taschengeld und hat einen freien Tag pro Woche. Wenn du willst, schicke ich dir die Adresse von einer Web-Seite, wo du mehr über Au Pairs erfahren kannst.

Mach's gut!
Dein Freund im Netz

● Lesen Sie noch einmal die E-Mails von Heiner und seinem Freund. Beantworten Sie die Fragen.

1. Warum hat Kai den ganzen Tag geweint?
2. Warum musste Heiner Kai zum Sport mitnehmen?
3. Warum will Roswita weiter arbeiten?
4. Welches Medikament hat Heiners Freund ihm empfohlen?
5. Wie lange ist Heiners Freund Hausmann gewesen?
6. Welche Lösung hat Heiners Freund angeboten?
7. Wo kann Heiner mehrere Informationen über diese Lösung finden?

 EINBLICK

Hausmann sein—das kann (fast) jeder

 WORTSCHATZ ZUM LESEN

die Tatsache	fact
erfordern	to require
ausgeklügelt	contrived
der Betrieb	firm
vereinbaren	to arrange
seither	since then
der Rechner	computer
die Verkaufsunterlage	sales document
schlurfen	to shuffle
ungeheuer	enormous

In vielen Familien sind zwei berufstätige Eltern heute die Norm. Diese Tatsache erfordert von den Familien ein ausgeklügeltes Organisationssystem im Alltag: Wer macht Frühstück, wer kauft ein, wer holt die Kinder ab, wer räumt auf, wer bekommt einen Abend frei?

5 Entweder Hektik oder Chaos ist oft das Resultat, denn wer ist schon 24 Stunden lang organisiert? Dank der Technik ist es aber heute einfacher, den Beruf mit dem Familienleben zu vereinbaren. Bei Familie Stein sieht das so aus: Zuerst mussten Florian, acht, und Julika, sechs, ihr Spielzimmer aufräumen. Wenig später stand dort ein neuer Schreibtisch

10 mit Computer, Telefon und Fax. Ihr Vater, Stefan Stein, ein Verkaufsingenieur bei einer Autofirma, holt sich seither seine Arbeit vom Zentralrechner der Firma auf den Rechner zu Hause. Jetzt kann er wichtige E-Mails, Dokumente und Verkaufsunterlagen auch zu Hause bearbeiten. Bis jetzt ist die Firma mit seiner Arbeit mehr als zufrieden.

15 Aber was meint die Familie dazu?

FLORIAN UND JULIKA: Wir finden es ganz toll, dass Papa den ganzen Tag zu Hause ist. Wenn wir aus der Schule kommen, hat er immer was Leckeres zu essen auf dem Tisch, und ab und zu spielt er mit uns draußen Basketball. Dazu
20 hatten wir sonst nur am Wochenende Zeit. Und mit den Hausaufgaben hilft er uns jetzt auch öfter . . .

STEFAN STEIN: Mir gefällt vor allem, dass ich nicht mehr ewig im Stau stecke, sondern mir morgens einen Kaffee machen kann und einfach von der Küche in mein
25 Arbeitszimmer schlurfen kann. Da ich nicht ständig unterbrochen werde, arbeite ich konzentrierter und kann mir eine effektivere Zeiteinteilung leisten. Und der Haushalt? Na, manchmal helfen mir Flori und Julika, und es ist etwas chaotisch, macht aber
30 ungeheuer viel Spaß. Aber das braucht die Mama ja nicht zu wissen . . .

 Hausmann/Hausfrau. Interviewen Sie einen Partner / eine Partnerin. Welche Jobs haben seine/ihre Eltern oder andere Mitglieder im Haushalt? Könnten sie diese Arbeit auch zu Hause erledigen? Warum (nicht)? Was wäre, wenn sie zu Hause blieben? Wie würde sich der Familienalltag verändern? Was wären die Vor- und Nachteile?

PERSPEKTIVEN

HÖREN SIE ZU!

Herr Meyer ruft bei einer Au Pair-Vermittlungsagentur an, um nähere Informationen über Au Pairs zu bekommen.

⬤ Was ist eigentlich ein Au Pair? Hören Sie gut zu und ergänzen Sie die fehlenden Wörter.

1. Ein Au Pair kommt aus _____.
2. Ein Au Pair möchte in Deutschland _____, _____, _____ kennen lernen.
3. Au Pairs wohnen bei _____.
4. Au Pairs helfen bei _____ und betreuen _____.
5. Au Pairs bekommen zwischen _____ und _____ monatlich.
6. Herr Meyer muss einen _____ ausfüllen.
7. Herr Meyer muss auch _____ schicken.
8. Die Agentur hat ein Au Pair aus _____.

WORTSCHATZ ZUM HÖRTEXT

verwirrt	confused
anstellen	to employ
der Schutz	protection
die Geborgenheit	security
betreuen	to take care of
Kost und Logis	room and board
die Autoversicherung	car insurance
der Fragebogen	questionnaire

LESEN SIE!

Sie lesen einen Auszug aus einem Gedicht eines sehr bekannten Dichters der deutschen Klassik. In diesem Auszug spricht er über die Rolle von Mann und Frau.

Zum Thema

⬤ Wer soll in einer Familie das Geld verdienen? Der Mann? Wer soll zu Hause bleiben und sich um die Kinder kümmern? Die Frau? Wenn die Rolle und Aufgaben von Mann und Frau in Partnerschaft und Familie diskutiert werden, geht es oft um Vorurteile (biases). Welche Vorurteile haben Sie von Eltern, Freunden, Verwandten gehört? Wie erklären diese Personen ihre Vorurteile? Machen Sie Listen und vergleichen Sie Ihre Ergebnisse mit denen Ihrer Mitstudenten/ Mitstudentinnen.

VORURTEILE ÜBER FRAUEN	GRÜNDE
Die Frau soll die Kinder erziehen.	Frauen sind bessere Lehrerinner als Männer.

VORURTEILE ÜBER MÄNNER

Der Mann soll das Geld
verdienen.

GRÜNDE

Männer verdienen mehr als
Frauen.

Lied von der Glocke

Der Mann muß hinaus
Ins feindliche Leben,
Muß wirken und schaffen,
Erlisten, erraffen,
5 Muß wetten und wagen
Das Glück zu erjagen.
Da strömet herbei die unendliche Gabe,
Es füllt sich der Speicher mit köstlicher Habe,
Die Räume wachsen, es dehnt sich das Haus.
10 Und drinnen waltet
Die züchtige Hausfrau,
Die Mutter der Kinder,
Und herrschet weise
Im häuslichen Kreise,
15 Und lehret die Mädchen,
Und wehret den Knaben,
Und reget ohn Ende
Die fleißigen Hände,
Und mehrt den Gewinn
20 Mit ordnendem Sinn.
Und füllet mit Schätzen die duftenden Laden,
Und dreht um die schnurrende Spindel den Faden,
Und sammelt im reinlich geglätteten Schrein
Die schimmernde Wolle, den schneeigen Lein,
25 Und füget zum Guten den Glanz und den Schimmer,
Und ruhet nimmer.

Friedrich von Schiller (1759–1805)

WORTSCHATZ ZUM LESEN

erlisten	*to obtain*
erraffen	*to gather*
die Gabe	*gift*
der Speicher	*storeroom*
die Habe	*belongings*
sich dehnen	*to expand*
walten	*to rule; to administer*
züchtig	*modest*
mehren	*to increase*
der Schatz	*treasure*
duftend	*fragrant*
die Spindel	*spindle*
der Faden	*thread*
der Schrein	*chest*
die Wolle	*wool*
der Lein	*linen*
fügen	*to ordain; to dispose*
der Glanz	*luster*

Zum Text

● Mit anderen Worten. Die deutsche Sprache des achtzehnten und
neunzehnten Jahrhunderts ist natürlich ein bisschen anders als das
heutige Deutsch. Suchen Sie moderne Ausdrücke, mit denen Sie die
alte Sprache des Gedichts interpretieren können. Welche passen
zusammen?

DAS ORIGINAL	DIE INTERPRETATION
1. muss wirken und schaffen	a. sie trifft Entscheidungen, die das Haus betreffen
2. erlisten, erraffen	b. muss Glück haben
3. muss wetten und wagen	c. muss schwer arbeiten
4. Es füllt sich der Speicher mit köstlicher Habe,	d. sie arbeitet ohne Pause
5. die züchtige Hausfrau	e. sie spinnt Wolle und fertigt Kleider an
6. Und herrschet weise, / im häuslichen Kreise	f. muss intelligent sein bei der Arbeit
7. Und mehrt den Gewinn, / mit ordnendem Sinn	g. der Ehemann bringt Geld und Prestige mit nach Hause zurück
8. Und dreht um die schnurrende Spindel den Faden	h. eine Hausfrau und Mutter, die sich so verhält, wie es die Gesellschaft von ihr erwartet
9. Und füget zum Guten den Glanz und den Schimmer	i. durch Ordnung trägt sie zur Funktion des Haushalts bei
10. Und ruhet nimmer	j. sie erzeugt eine besondere, sichtbare Atmosphäre im Hause

INTERAKTION

● Erwartungen. Lesen Sie den Auszug aus Friedrich von Schillers Gedicht noch einmal. Schiller zeigt uns in diesem Gedicht die Familie des achtzehnten Jahrhunderts durch seine Augen. Er zeigt uns auch, was Männer damals von sich selbst und von ihren Frauen erwarteten. Arbeiten Sie mit einem Partner / einer Partnerin. Machen Sie zwei Listen in Ihren eigenen Worten: Erwartungen von Männern, Erwartungen von Frauen.

SCHREIBEN SIE!

● Ein Dialog. Arbeiten Sie jetzt mit einem Partner / einer Partnerin, und schreiben Sie einen Dialog, in dem ein Paar Erwartungen und Aufgaben in Familie und Haushalt diskutieren. Denken Sie auch an die folgenden Themen: Ausbildung, Karriere, Kindererziehung, Hausarbeit, Hobbys, Zeit für Freunde.

Schreibhilfe

Use these steps to help you write your dialogue.

PREWRITING
- Come up with some background for your characters. What are their professions? How old are they? Do they live near or with their families? This will help you provide your characters with a point of view on the subject of career and family.
- Think about the environment in which the dialogue is taking place. Is the couple alone at home, in a crowded restaurant, on their way to a destination? Think about how the conversation might go depending on the situation the characters are in.

WRITING
- Have one of your characters introduce one of the topics (career, child-raising, marriage, and so on) and then try to write as much as you can without editing yourself. You might want to divide the characters up so that your partners are each responsible for a different character.
- Try to use natural-sounding language; think about the more free-flowing style in the chapter correspondences you have read.

EDITING
- Go through your text first by yourself for mistakes and try to improve the sound of the dialogue.
- Act out your dialogue with partners. If different people were assigned to different characters, have that person read the dialogue for that character.

PUBLISHING
- A dialogue might be published in an audio format. If possible, record your dialogue so that you can play it back in class as a broadcast, or present it as a skit to the class.

Fokus Chat: Hausmann/Hausfrau—Beruf oder Familie?

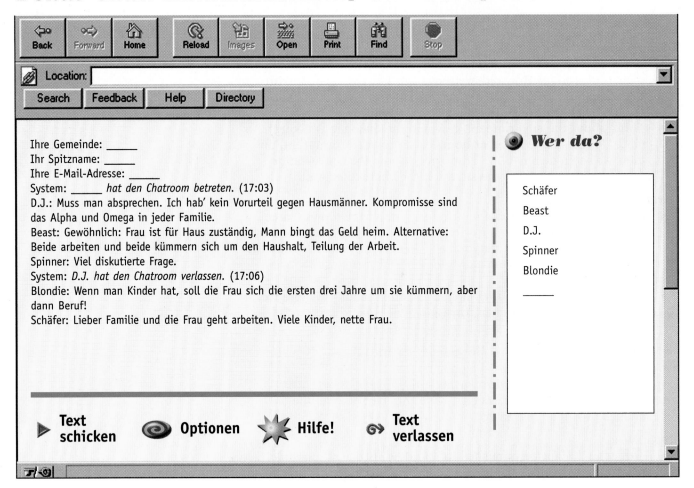

Back **Forward** **Home** **Reload** **Images** **Open** **Print** **Find** **Stop**

Location:

Search | Feedback | Help | Directory

Ihre Gemeinde: _____
Ihr Spitzname: _____
Ihre E-Mail-Adresse: _____
System: _____ *hat den Chatroom betreten.* (17:03)
D.J.: Muss man absprechen. Ich hab' kein Vorurteil gegen Hausmänner. Kompromisse sind das Alpha und Omega in jeder Familie.
Beast: Gewöhnlich: Frau ist für Haus zuständig, Mann bingt das Geld heim. Alternative: Beide arbeiten und beide kümmern sich um den Haushalt, Teilung der Arbeit.
Spinner: Viel diskutierte Frage.
System: *D.J. hat den Chatroom verlassen.* (17:06)
Blondie: Wenn man Kinder hat, soll die Frau sich die ersten drei Jahre um sie kümmern, aber dann Beruf!
Schäfer: Lieber Familie und die Frau geht arbeiten. Viele Kinder, nette Frau.

▶ **Text schicken**   ◉ **Optionen**   ✶ **Hilfe!**   ↪ **Text verlassen**

Wer da?

Schäfer
Beast
D.J.
Spinner
Blondie
_____

WORTSCHATZ

Substantive	**Nouns**
Gleichberechtigung in der Familie	*Family equality*
die **Ehe, -n**	marriage
die **Freiheit**	freedom
die **Gleichberechtigung**	equality
die **Scheidung, -en**	divorce
die **Stunde, -n**	hour
der **Erziehungsurlaub, -e**	family leave
der **Haushalt, -e**	household
den **Haushalt machen**	take care of the household
der **Hausmann, ̈er**	househusband
der **Moment, -e**	moment; factor
das **Angebot, -e**	offer
das **Dilemma, -s**	dilemma
das **Training**	training; exercise
Sport	*Sports*
die **Mannschaft, -en**	team
die **Meisterschaft, -en**	championship
die **Sportart, -en**	kind of sport
der **Sportler, -** / die **Sportlerin, -nen**	athlete
der **Zuschauer, -**	spectator
das **Pferd, -e**	horse
das **Rennen, -**	race
das **Rollschuhlaufen, -**	roller skating
das **Schlittschuhlaufen, -**	ice skating
das **Team, -s**	team
das **Tor, -e**	goal; gate
das **Turnier, -e**	tournament; competition
Verben	**Verbs**
ab•holen	to pick up
an•fangen (fängt an), fing an, angefangen	to begin

auf•passen (auf jemanden)	to watch (someone)
auf•räumen	to straighten up
auf•wachen, ist aufgewacht	to wake up
besteigen, bestieg, bestiegen	to climb
bladen	to rollerblade
gewinnen, gewann, gewonnen	to win
klingeln	to ring
mit•nehmen (nimmt mit), nahm mit, mitgenommen	to take along
rudern	to row
sauber machen	to clean
sich fit halten (hält), hielt, gehalten	to keep fit
sorgen für	to take care of
streiten, stritt, gestritten	to argue
treiben, trieb, getrieben: Sport treiben	to play sports
sich verheiraten mit	to get married to
vor•haben (hat vor), hatte vor, vorgehabt	to plan, intend
zusammen•halten (hält zusammen), hielt zusammen, zusammengehalten	to keep together
Adjektive und Adverbien	**Adjectives and adverbs**
öffentlich	publicly; openly
spannend	exciting; tense
wichtig	important
anstrengend	strenuous
berufstätig	employed
einzig	only, sole
perfekt	perfect(ly)

DAS AU PAIR

In this chapter, you will

- get to know Inéz, the Sanders' new au pair from Mexico.
- experience how Inéz deals with the new culture around her.

You will learn

- how to talk more about travel and different kinds of transportation.
- discuss ways in which life in Germany differs from life in some other countries.
- how to use the past perfect to talk about a sequence of events in the past.
- how to use infinitive clauses with **zu.**
- what several Turkish high school students think about life in Germany.

Ein Au Pair arbeitet bei einer Familie und lernt eine neue Kultur kennen.

Liebes Tagebuch!

Gestern bin ich nach Berlin gekommen. Die Familie Landers war am Flughafen und hat mich abgeholt. Leider hatte mein Flug Verspätung, und die beiden mussten zwei Stunden auf mich warten. Die Begrüßung mit Frau Landers war etwas komisch, wir wussten nicht, ob wir uns die Hand geben oder uns umarmen sollten. Ich glaube, wir waren alle etwas nervös.

Heute bin ich mit Kai zum Park gegangen und habe da gleich einige nette Frauen kennen gelernt. Kurz vor vier wollte ich zum Laden gehen und einkaufen. Als ich zum Laden kam, wurde aber gerade geschlossen. Ich musste mit Kai zum Bahnhof fahren, denn nur da gibt es einen Supermarkt, der länger auf hat.

Als wir nach Hause kamen, waren Heiner und Roswita ziemlich aufgeregt. Sie hatten sich Sorgen gemacht, weil wir so spät gekommen sind, und hätten beinahe die Polizei alarmiert. Nach dieser Aufregung bin ich wieder gleich ins Bett gegangen. Ich hoffe, die nächsten Tage werden nicht so stressig.

Inéz

VIDEOTHEK

„Na endlich!"

In der letzten Folge . . .

ist Heiner Hausmann, denn er hat Erziehungsurlaub. Roswita arbeitet immer noch und will weiter arbeiten, denn es gibt neue Möglichkeiten für sie in der Firma. Heiner will aber auch wieder arbeiten und nicht mehr Hausmann sein.

● Wissen Sie noch?

1. Was muss Heiner als Hausmann alles machen?
2. Ist er gern Hausmann?
3. Wann und wo trifft er seine Freunde?
4. Welches Problem gibt es mit den Freunden?
5. Was müssen Heiner und Roswita besprechen?

In dieser Folge . . .

kommt Inéz aus Mexiko Stadt. Sie ist das neue Au Pair. Heiner und Roswita fahren zum Flughafen, um sie abzuholen. Inéz muss sich an das deutsche Leben gewöhnen.

„Herzlich willkommen!"

● Was denken Sie?

	JA	NEIN
1. Inéz ist unglücklich und kehrt sofort nach Mexiko zurück.	☐	☐
2. Die Arbeit als Au Pair gefällt Inéz.	☐	☐
3. Inéz geht einkaufen, aber sie kommt nicht wieder nach Hause.	☐	☐
4. Inéz trifft einen Deutschen, und sie heiraten.	☐	☐

WORTSCHATZ ZUM VIDEO

die Maschine	plane
Schade!	Too bad!
ganz plötzlich	all of a sudden

SCHAUEN SIE ZU!

A Am Flughafen. Beantworten Sie die Fragen. Mehr als eine Antwort kann richtig sein.

1. Welches Problem gibt es am Flughafen?
   a. Inéz hat das Flugzeug in Mexiko verpasst.
   b. Heiner und Roswita können Inéz nicht finden.
   c. Die Maschine aus Mexiko hat Verspätung.
2. Als Inéz ankommt, begrüßt sie Heiner und Roswita. Wie begrüßen sie sich?
   a. Roswita gibt Inéz die Hand, aber Inéz will sie umarmen.
   b. Roswita, Heiner und Inéz umarmen sich.
   c. Inéz und Heiner geben sich die Hand.

3. Wie erkennen Roswita und Heiner Inéz?
   a. Inéz hat sich selbst in einem Brief beschrieben.
   b. Sie warten einfach auf eine unsichere, mexikanische Frau.
   c. Sie haben schon ein Foto von Inéz.

B Inéz in Deutschland

SCHRITT 1: Bringen Sie die Bilder in die richtige Reihenfolge.

a.
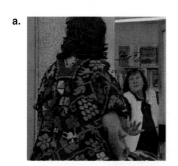

b.

c.

d.

e.

f.

g.

h.

SCHRITT 2: Die ersten Tage. Welcher Satz passt zu welchem Bild?

1. Zum Schluss wird auf mexikanische Art gefeiert.
2. Roswita und Heiner machen sich große Sorgen.
3. Um sechzehn Uhr Samstagnachmittag haben die Läden fast alle schon zu.
4. Roswita, Heiner und Inéz begrüßen sich am Flughafen.
5. Am Bahnhof findet Inéz einen Supermarkt, der noch geöffnet hat.
6. Inéz und ihre neuen Freundinnen planen ein Fest.
7. Inéz gewöhnt sich an das deutsche Frühstück.
8. Die Maschine aus Mexiko hat zwei Stunden Verspätung.

C Welche Probleme hat Inéz in den ersten Tagen?

1. Sie kann kein Deutsch.
2. Sie ist sehr schüchtern.
3. Sie weiß nicht, dass die Läden am Samstag um sechzehn Uhr schließen.
4. Das Essen ist ihr fremd.

VOKABELN

REISEN

das Terminal

Ankunft

Flug-Nummer	Aus	Erwartet	Bermerkungen
234	Mexico	16:00	verspätet
210	Paris	16:20	gelandet
755	Riga	16:45	
684	Amsterdam	17:05	

die Flugkarte

der Schalter

der Reisepass

der/die Reisende

der Warteraum

Und noch dazu

die Fahrt	*journey; trip*
die Rückfahrkarte	*return ticket*
ab•fliegen	*to take off; to depart (by plane)*
landen	*to land*
sich auf den Weg machen	*to get going*
einfach	*simple; one-way*
hin und zurück	*round-trip*

Aktivitäten

A Auf dem Flughafen. Was macht man, wenn man eine Reise mit dem Flugzeug macht? Ergänzen Sie die Sätze.

verspätet Reisenden
abfliegt Flugkarte
Reisepass
Schalter Terminal

1. Man geht ins Reisebüro und kauft eine _____.
2. Wenn man in den Flughafen kommt, sollte man direkt an den _____ gehen.
3. Wenn man ins Ausland reist, braucht man einen _____.
4. Alle _____ müssen warten, bis sie in das Flugzeug einsteigen können.
5. In einem kleinen Flughafen gibt es manchmal nur ein _____, aber in den größeren Flughäfen gibt es zwei oder noch mehr.
6. Am Anfang der Fahrt, bevor das Flugzeug _____, muss man den Sicherheitsgurt anlegen.
7. Wenn die Maschine nicht pünktlich ankommt, sagt man, dass das Flugzeug _____ ist.

B Transportmittel. Wie kommen Sie dahin? Erklären Sie, warum Sie dieses Transportmittel benutzen.

MODELL: von zu Hause an die Uni →
Ich fahre mit dem Fahrrad.

mit dem Fahrrad
mit dem Flugzeug
mit dem Zug
mit dem Bus
mit dem Auto
zu Fuß

1. von zu Hause an die Uni
2. von zu Hause zur Arbeit
3. von zu Hause in die Innenstadt
4. von Ihrer Stadt auf's Land
5. von Ihrem Staat in einen benachbarten Staat
6. von Ihrer Stadt nach Berlin

C Auf Reisen. Arbeiten Sie mit einem Partner / einer Partnerin, und stellen Sie einander folgende Fragen.

1. Wie alt warst du, als du zum ersten Mal mit dem Flugzeug geflogen bist? Wohin bist du geflogen?
2. Bist du schon mal ins Ausland oder in einen anderen Staat gereist? Wann? Wie alt warst du?
3. Was hast du auf der Reise alles gesehen? Was hat dir am besten gefallen? Was hat dir nicht so gut gefallen?
4. Beschreibe eine persönliche Erfahrung mit einer anderen Kultur. Was war anders? Was war gleich?

IN DEUTSCHLAND IST ES ANDERS

Das Händeschütteln ist die typische Begrüßung in Deutschland.

Eine Umarmung drückt oft warme Gefühle aus.

Am Samstag um sechzehn Uhr ist oft Ladenschluss.

An manchen Wochentagen kann man jetzt bis zwanzig Uhr einkaufen.

Und noch dazu

die Lockerheit	*informality*
die Party	*party*
die Sorge	*worry*
das Vorurteil	*prejudice*
aus•halten	*to put up with*
begrüßen	*to greet*
sich gewöhnen an (+ *acc.*)	*to get used to*
stören	*to disturb*
umarmen	*to hug*
sich verabschieden	*to say goodbye*
aufgeregt	*excited*
fremd	*foreign; strange*
geschlossen	*closed*

Aktivitäten

A Inéz und ihre neue Familie. Ergänzen Sie die Sätze mit den Wörtern im Kasten.

1. Inéz muss sich an ihr neues Leben _____.
2. Am Flughafen wollte sie die Sanders _____, aber es war ein etwas peinlich.
3. Für Inéz ist das deutsche Frühstück etwas _____.
4. Am Samstag um sechzehn Uhr sind die Läden schon _____.
5. Roswita machte sich _____, weil sie wusste nicht, wo Inéz und Kai waren.
6. Die Sanders waren sehr _____, und wollten die Polizei anrufen.
7. Am Ende haben die Sanders und Inéz eine große _____ gegeben.

aufgeregt, geschlossen, fremd, Party, gewöhnen, Sorgen, umarmen

B Anders als zu Hause

SCHRITT 1: Inéz kommt nach Berlin. Was findet Inéz anders in Deutschland als in Mexiko?

1. das Frühstück
2. die Begrüßung
3. die Kinder
4. die Ladenschlusszeiten
5. das Wetter
6. die Lockerheit

SCHRITT 2: Sie erfahren das Leben in Berlin durchs Video. Was finden Sie anders als bei Ihnen zu Hause? Schreiben Sie, was anders ist, und wie.

C Begrüßungen. Was ist für Sie eine typische Begrüßung in den angegebenen Situationen?

1. Ihre Eltern kommen nach einer langen Reise wieder zurück nach Hause.
2. Der Briefträger bringt die Post vorbei.
3. Ihre Großeltern kommen zu Ihnen zu Besuch.
4. Heute ist Ihr erster Tag auf der Arbeit, und Sie lernen Ihre neuen Kollegen und Kolleginnen kennen.
5. Sie und ein Bekannter treffen sich auf der Straße, aber Sie haben leider seinen Namen vergessen.

Hände schütteln, umarmen, küssen, ?, bloß „Hallo" sagen

Inéz und die Sanders begrüßen sich am Flughafen.

D Andere Länder, andere Sitten. Ein Freund / eine Freundin fährt zum ersten Mal nach Deutschland. Auf welche Unterschiede wollen Sie ihn/sie aufmerksam machen? Schreiben Sie fünf Beispiele auf.

MODELL: Die Ladenschlusszeiten sind anders. Die Läden schließen am Samstag um sechzehn Uhr.

STRUKTUREN

THE PAST PERFECT
TALKING ABOUT A SEQUENCE OF EVENTS IN THE PAST

The past perfect tense describes events that precede other events in the past. To form the past perfect, combine the simple past of **haben (hatte)** or **sein (war)** and the past participle. Verbs that require **sein** as the auxiliary verb in the present perfect also require **sein** in the past perfect.

PRESENT PERFECT	PAST PERFECT
Herr und Frau Stumpf **sind** in die Galerie **gegangen.**	Herr und Frau Stumpf **waren** in die Galerie **gegangen.**
Mr. and Mrs. Stumpf went/have gone to the gallery.	*Mr. and Mrs. Stumpf had gone to the gallery.*
Sie **haben** ein Bild **gekauft.**	Sie **hatten** ein Bild **gekauft.**
They bought/have bought a picture.	*They had bought a picture.*

The conjunctions **bevor** and **nachdem** help clarify the sequence of events in sentences that combine a clause in the past perfect with a clause in the simple past.

> **Nachdem** die Stumpfs in die Galerie gegangen waren, gingen sie zum Flohmarkt.
> *After the Stumpfs had gone to the gallery, they went to the flea market.*

> **Bevor** sie das Bild auf dem Flohmarkt kauften, hatten sie mit dem Verkäufer gehandelt.
> *Before they bought the picture at the flea market, they had bargained with the seller.*

Note that with the conjunction **nachdem,** the subordinate clause is in the past perfect (**nachdem sie gegangen waren**) and the main clause is in the simple past (**gingen sie zum Flohmarkt**). With the conjunction **bevor,** the subordinate clause is in the simple past (**bevor sie das Bild kauften**) and the main clause is in the past perfect (**hatten sie mit dem Verkäufer gehandelt**). This is because the past perfect always points to the event that preceded another event in the simple past.

Übungen

A Inéz kam nach Deutschland. Was war früher passiert? Bilden Sie neue Sätze im Plusquamperfekt. Fangen Sie jeden Satz so an: Bevor Inéz nach Deutschland kam, . . .

MODELL: Ihre Freundinnen luden sie zum Essen ein. →
Bevor Inéz nach Deutschland kam, hatten ihre Freundinnen sie zum Essen eingeladen.

1. Ihre Eltern weinten viel.
2. Ihre Schwester Maria kam nach Hause.
3. Inéz kaufte einen neuen Koffer.
4. Jose gab Inéz ein Foto.
5. Die Großmutter erzählte eine besondere Geschichte.
6. Inéz fuhr mit dem Taxi zum Flughafen.

Inéz erzählt ihren neuen Freundinnen über ihre Familie in Mexiko.

B Was ist passiert? Schreiben Sie Sätze im Plusquamperfekt mit **nachdem.**

MODELL: 6.08 Uhr Kai hat geschrien.
6.09 Uhr Roswita und Heiner sind aufgestanden. →
Nachdem Kai geschrien hatte, sind Roswita und Heiner aufgestanden.

1. 7.05 Uhr Roswita hat Kaffee gemacht.
   7.10 Uhr Sie hat sich geduscht.
2. 7.30 Uhr Heiner hat die Zeitung gelesen.
   7.45 Uhr Das Telefon hat geklingelt.
3. 8.00 Uhr Roswita ist zur Arbeit gefahren.
   8.15 Uhr Heiner und Kai sind zum Parkplatz gegangen.
4. 11.00 Uhr Kai ist eingeschlafen.
   11.15 Uhr Heiner hat ein bisschen ferngesehen.

C Bevor Kai auf die Welt kam. Roswita und Heiner erinnern sich an das Leben, wie es früher war.

MODELL: mehr Energie haben →
Bevor Kai zu uns kam, hatte ich mehr Energie gehabt.

1. ins Ausland fahren
2. öfter mit Freunden ausgehen
3. später ins Bett gehen
4. bei der Firma arbeiten
5. mehr Geld haben

D Was hatten Sie schon gemacht, bevor Sie etwas anderes gemacht haben? Vervollständigen Sie die folgenden Sätze. Benutzen Sie das Plusquamperfekt.

1. Bevor ich von zu Hause ging, . . .
2. Bevor ich aß, . . .
3. Nachdem ich . . . , ging ich ins Bett.
4. Nachdem ich . . . , las ich ein bisschen.

INFINITIVE CLAUSES WITH ZU
DESCRIBING ACTIONS, STATES, OR CONDITIONS

The word **zu** plus the infinitive of a verb carries the meaning *to* (*do something or be some way*). This combination follows a number of expressions and comes at the very end of a sentence or clause. With two-part verbs, **zu** comes between the adverb or preposition and the infinitive to make one word.

Findest du Deutsch leicht **zu verstehen**?	*Do you find German easy to understand?*
Es ist schwer **zu arbeiten,** wenn das Wetter so schön ist.	*It's hard to work when the weather's so nice.*
Es ist Zeit **einzukaufen.**	*It's time to go shopping.*

Brauchen and **scheinen** frequently appear with the combination **zu** plus infinitive. **Brauchen** can replace **müssen** in a sentence with a negative meaning.

Die Stumpfs **müssen *ein*** neues Bild **kaufen.**	*The Stumpfs need to buy a new picture.*
but: Sie **brauchen *keinen*** neuen Tisch **zu kaufen.**	*They do not need to buy a new table.*
Nichts **scheint** zu dem neuen Sofa **zu passen.**	*Nothing seems to fit with the new sofa.*

Note that no comma precedes **zu** plus infinitive when it occurs as a phrase by itself. However, if it occurs in combination with another word or group of words, it becomes an infinitive clause and a comma generally precedes it.

Es ist Zeit, ein neues Bild **zu kaufen.**	*It's time to buy a new picture.*
Heiner hat keine Lust, Hausmann **zu bleiben.**	*Heiner has no desire to remain a househusband.*
Es macht Spaß, sich Antiquitäten **anzuschauen.**	*It's fun to look at antiques.*

An infinitive phrase or clause can complement most German verbs, with the exception of the modal verbs and just a few others. Infinitive phrases or clauses frequently appear with verbs such as **anfangen, aufhören, beginnen, sich entschließen, helfen, hoffen, vorhaben, vergessen, versprechen,** and **versuchen.**

Die Stumpfs haben sich entschlossen, ein neues Bild **zu kaufen.**	*The Stumpfs have decided to buy a new picture.*

Übungen

A Wie findet Inéz das Leben in Deutschland? Bilden Sie Sätze.

MODELL: Es ist schön / in einem anderen Land wohnen →
Es ist schön, in einem anderen Land zu wohnen.

1. Es ist langweilig / abends zu Hause bleiben
2. Es ist schwer / neue Freunde kennen lernen
3. Es ist teuer / neue Bücher kaufen
4. Es ist interessant / die Stadt besichtigen
5. Es macht Spaß / Briefe schreiben
6. Es macht keinen Spaß / ohne Familie leben

B Inéz bespricht Pläne für die Party am Telefon mit einer neuen Bekannten. Schreiben Sie Ihre Sätze zu Ende.

Ja, hallo, Veronika. Freitagabend ist unsere Party. Hast du Lust _____^{1} (vorbeikommen)? Natürlich darfst du etwas mitbringen! Tanzmusik wäre toll! Es macht mir Spaß, _____^{2} (interessante Musik hören). Vergiss nicht, deinen CD-Spieler _____^{3} (mitbringen). Heiner und Roswita sind sehr nett. Sie haben schon begonnen, _____^{4} (Freunde einladen und das Essen kochen). Es ist wirklich schön, _____^{5} (bei ihnen ein Au Pair sein). Wie bitte? Nein . . . leider habe ich keine Zeit, _____^{6} (ins Kino gehen). Ich muss auf Kai aufpassen! Es ist Zeit, _____^{7} (den Babybrei kochen). Bis Freitag dann! Tschüs!

Inéz und ihre neuen Freundinnen

C Wie kann man das anders sagen? Inéz und andere Au Pairs drücken ihre Wünsche und Pläne aus.

MODELL: Sofia will viele Museen besuchen. (planen) →
Sofia plant, viele Museen zu besuchen.

1. Inéz möchte zur Universität gehen. (hoffen)
2. Silvia und Kezban möchten länger in Deutschland bleiben. (versuchen)
3. Tanja will Arbeit in einem Büro finden. (vorhaben)
4. Dora möchte ihre Schwester in der Schweiz besuchen. (hoffen)

D Ein neuer Anfang. Roswita und Heiner haben ein neues Leben mit Inéz als Au Pair angefangen. Was haben sie jetzt vor? Bilden Sie Sätze.

1. Sie haben sich entschlossen,
2. Sie versprechen,
3. Sie werden nich vergessen,
4. Sie hoffen,
5. Es ist ihnen wichtig,

öfter ins Theater gehen
jeden Tag Zeit füreinander finden
weniger Stress haben
verständnisvoll sein
einen Sommerurlaub machen
mehr Spaß am Leben haben
am Wochenende spazieren gehen
?

EINBLICKE

BRIEFWECHSEL

Liebes Tagebuch,

seit einigen Wochen mache ich beim Goethe-Institut einen Sprachkurs. In meinem Kurs sind Studenten aus aller Welt. Alle sind in Deutschland, um die Sprache zu lernen. Wir haben viel Spaß miteinander, und wir lernen auch sehr viel Deutsch. Letzte Woche hatten wir die Idee, etwas Mexikanisches zu kochen. Ich habe Heiner und Roswita gefragt, ob wir das in ihrer Wohnung machen können. Die haben sofort ja gesagt, und am Freitag kamen dann alle meine Freunde zu der Party. Ich habe gekocht, und es hat allen sehr gut geschmeckt. Nach dem Essen haben wir getanzt, und es wurde ein wenig laut. Ein Nachbar kam an die Tür und wollte sich beschweren. Meine Freundin hat ihm aber gar keine Gelegenheit dazu gegeben. Sie hat ihn einfach zur Party eingeladen. Ich glaube, es hat ihm dann auch sehr viel Spaß gemacht.

Inéz

● Was hat Inéz geschrieben? Verbinden Sie die Satzteile.

1. Inéz macht
2. Nach dem Essen haben
3. Ein Nachbar wollte
4. Viele Freunde
5. Alle hatten
6. Die Party war

a. alle getanzt.
b. sind zur Party gekommen.
c. bei Heiner und Roswita.
d. sich beschweren.
e. einen Deutsch-Sprachkurs.
f. einen schönen Abend.

EINBLICK

Amerikanische Perspektiven

Wie ist das Bild von Deutschland heute? Was wissen Amerikaner und Amerikanerinnen über das Land und die Kultur? Fragen wir sie!

Jugendliche diskutieren miteinander.

DEBORAH: „Als ich klein war, war Deutschland für mich das
5   Land der Nazis. Als amerikanische Jüdin kannte
ich nur Bilder vom Holocaust. Meine Großeltern
flohen vor den Nazis nach New York, um sich ein
neues Leben aufzubauen. Aber dann war da auch
das Deutschland der Musik. Ich liebte diese Musik,
10   aber sie schien nicht deutsch zu sein, sondern
irgendwie universell. Auf jeden Fall konnte ich
diese beiden Dinge nicht miteinander verbinden."

EMILY: „Meine Mutter kommt aus Deutschland und hat mir und meiner
Schwester Judy immer Märchen und Geschichten auf Deutsch
15   vorgelesen. Als ich klein war, sprachen wir viel Deutsch, aber
als ich in die Schule kam, war das irgendwie komisch, denn
niemand sonst konnte diese Sprache. Ich hab' es dann einfach
vergessen. Zwischen neun und vierzehn war ich allerdings
dreimal in Deutschland, habe den Süden besucht, Berlin und
20   ein paar Verwandte.

Was mich jetzt hier in den USA immer aufregt, sind die
Stereotypen von dem „Deutschen": entweder ist es ein Typ in
Lederhosen oder ein Nazi. Und in den Nachrichten gibt es
ständig diese Verbindungen zur Nazizeit; neulich kam ein
25   Bericht im Fernsehen über ein Fußballländerspiel gegen
Deutschland, und sie haben über Hitler gesprochen. Was hat
das mit Fußball zu tun? Ich finde, man sollte mit mindestens
einer anderen Kultur aufwachsen, besonders in den USA, weil
man hier immer denkt, dass Sprachen nicht so wichtig sind. Das
30   ist einfach nicht wahr!"

● Bilder von Deutschland. Welche Vorstellungen und Erfahrungen
haben Deborah und Emily mit Deutschland gehabt? Machen Sie zwei
Listen.

BEISPIEL:

DEBORAH

kennt Deutschland von Bildern vom Holocaust.

EMILY

hat deutsche Märchen als Kind gehört.

PERSPEKTIVEN

HÖREN SIE ZU!

Die multikulturelle Gesellschaft—die Existenz verschiedener Kulturen nebeneinander—ist ein Traum vieler Menschen. Doch wo kann man sie finden? Im Münchener Stadtteil Haidhausen haben sich Mädchen und Jungen auf die Suche gemacht. Die Frage lautet: Wie gefällt es ihnen in Haidhausen?

Junge Reporter bei einem Interview.

A Wie finden diese Leute die Situation für Ausländer in Haidhausen?

		POSITIV	NEGATIV
1.	ein Passant	☐	☐
2.	eine Italienerin	☐	☐
3.	Ali Poyraz	☐	☐
4.	ein Mädchen	☐	☐
5.	ein Junge	☐	☐
6.	ein Türke	☐	☐

B Wie ist das Leben in Haidhausen? Ergänzen Sie die Sätze.

1. Haidhausen
   a. ist ein Vorort von München.   **b.** liegt in der Innenstadt.
2. In Haidhausen
   a. wohnen nur Studenten.   **b.** gibt es viele Ausländer.
3. In Haidhausen fühlt man sich
   a. wie im Urlaub.   **b.** nicht wohl.
4. Die Ausländer im Jugendzentrum Metzgerstraße
   a. mögen Deutsche nicht.   **b.** sind freundlich.
5. Die Nachbarn treffen sich jeden Tag; so ist das Leben
   a. in Deutschland.   **b.** in der Türkei.

WORTSCHATZ ZUM HÖRTEXT

andererseits	on the other hand
die Bekanntschaft	acquaintance
reichen	to be sufficient
das Jugendfreizeitheim	youth activity center
bereit	ready; prepared
sich zurückziehen	to hold oneself back
der Treff	youth center (slang)
ängstlich	fearful
der Blick	glance

LESEN SIE!

Zum Thema

● Wie würden Sie Ihre Eltern beschreiben, streng oder nicht so streng? Was durften Sie zu Hause, was durften Sie nicht? Machen Sie zwei Listen gemeinsam mit der Klasse.

Jugendliche in Deutschland: „Viel zu frei erzogen"?

Sie heißen Taper, Seyfi, Nezir, Füsun, Betul und Secil und sind zwischen vierzehn und sechzehn Jahre alt. Sie kommen aus einer privaten Schule in Istanbul, aber zur Zeit sind in der Türkei Schulferien. Zusammen mit neun anderen Mitschülern verbringen diese junge Menschen zehn Tage
5 in Köln. Die Kurt-Tucholsky-Hauptschule in Köln-Ostheim hat diesen Austausch organisiert. Die Istanbuler Lehrerin, Zeynep Ersözlü, macht die Reise zum dritten Mal und spricht perfekt Deutsch.

Die Schüler und Schülerinnen haben aber Probleme mit der Sprache: Ein paar Worte Deutsch, ein wenig Englisch, das Wörterbuch und vor
10 allem die Hände ermöglichen eine Unterhaltung. Man fragt sie zum Beispiel: „Wie gefällt es euch in Deutschland?" Heftige Kopfnicken, erhobene Daumen und fröhliche Auftreten zeigen, dass sie sich wohl fühlen.

Während des Aufenthalts in Deutschland wohnen die Schüler und
15 Schülerinnen bei Gastfamilien. Gefragt nach den Unterschied zwischen hier und zu Hause, sind es die fremden Gewohnheiten, die sie am stärksten beeindrucken. Ihre Lehrerin übersetzt ihre Eindrücke ins Deutsche.

Betul wundert sich, dass jeden Tag anderes Essen gekocht wird.
20 „Wir kochen einmal für mehrere Tage. Das ist praktischer."

Secil hat Probleme mit den Getränken. „Bei uns trinken wir kein Mineralwasser. Ich kann das nicht trinken. Ich trinke dann lieber Leitungswasser."

Aufgefallen ist den türkischen Schülern und Schülerinnen auch der
25 Umgang der deutschen Kinder mit Erwachsenen. „Wir haben viel mehr Respekt vor älteren Menschen als die Jugendlichen hier", meint Betul.

Die Lehrerin sagt über ihre Schüler und Schülerinnen: „Sie kommen mit einer Portion Angst, aber auch Neugier nach Deutschland. Für die Mädchen ist der Austausch schwieriger, da sie nicht so frei wie die
30 Deutschen erzogen werden. Eines der Mädchen in unserer Gruppe wurde

WORTSCHATZ ZUM LESEN

der Austausch	exchange
ermöglichen	to make possible
die Unterhaltung	conversation
die Gewohnheit	habit
beeindrucken	to impress
übersetzen	to translate
das Leitungswasser	tap water
der Umgang	interaction
erziehen	to bring up

zum Beispiel bei einer alleinerziehenden Mutter untergebracht, und diese Mutter hatte einen Freund. Das Mädchen, das sehr an strenge Tradition gebunden ist, konnte die familiäre Situation nicht akzeptieren. Meine
35 Schülerinnen können nicht verstehen, wie junge Deutsche so ‚frei' sein können. Gestern sagte eine Schülerin zu mir: ‚Ich habe das Gefühl, dass das deutsche Mädchen nicht auf die Mama hört. Das ist unmöglich, denn das Mädchen ist ja nicht mal achtzehn.'"

Zum Text

Erfahrungen im Ausland. Beantworten Sie die Fragen.

1. Wer hat den Austausch organisiert?
2. Wie oft hat die Lehrerin die Reise schon gemacht?
3. Wie wissen wir, dass es den Schülern in Deutschland gefällt?
4. Wo wohnen die Schüler und Schülerinnen aus der Türkei, als sie in Köln sind?
5. Welche Unterschiede bemerken die Schüler und Schülerinnen zwischen Deutschland und der Türkei?
6. Was ist der stärkste Eindruck für die Schüler aus der Türkei?
7. Warum ist der Austausch besonders schwer für die Schülerinnen?

INTERAKTION

Ein Austausch. Arbeiten Sie in einer Kleingruppe, und planen Sie einen Austausch mit einer Klasse im deutschsprachigen Ausland. Es gibt drei Phasen. Machen Sie Vorschläge für jede Phase. Wie können alle eine positive und hochinteressante Erfahrung machen? Was sollten Sie für jede Phase planen? Stellen Sie Ihre Arbeit der Klasse vor!

VOR DEM AUSTAUSCH   **BEIM AUSTAUSCH**   **NACH DEM AUSTAUSCH**

SCHREIBEN SIE!

Ein Aufsatz. Schreiben Sie einen Aufsatz über eine Reise oder eine Erfahrung, in der Sie eine fremde Kultur kennen gelernt haben.

Schreibhilfe

Use the following steps to help you write your essay.

PREWRITING
- Think of a cultural experience you once had. Perhaps you traveled to a foreign country. Or, perhaps you visited another part of your city, browsed through a museum, attended a cultural event, or went to a party with international students.
- What were your expectations leading up to this cultural encounter?

  Was haben Sie von den Leuten (dem Essen, den Getränken, der Kleidung, den Rollen von Männern und Frauen, dem Alltag, der Landschaft, ?) erwartet?
- Compare your expectations with the reality of your experience.

  Was war ganz anders als bei Ihnen zu Hause?

  Welche Eindrücke waren für Sie am stärksten?

  Welche Sitten (*customs*) fanden Sie besonders interessant? fremd? angenehm? ?

  Was haben Sie von dieser Erfahrung gelernt?

WRITING
- Begin your essay with a summary of your expectations before the trip or event.
- Provide the essential information about the trip or event, in answer to all the w-questions that apply.

  was? wann? wo? wer? wen? wem? warum? wie? wie viel(e)? ?
- Focus just on the most important aspect(s) of the experience. Write in detail about the event(s) or sight(s) that impressed you the most—or the individual(s) who most influenced your thinking.
- Conclude by explaining what you learned or how your thinking changed.

EDITING
- Exchange your essay with another student; read each other's work first to evaluate and respond with comments on content and then to correct any errors in spelling or grammar. Suggest ways for improving or strengthening each other's essay.

REWRITING
- As you rewrite, concentrate on clarifying your information and sharpening your images. Don't forget to read your essay aloud to check your transitions from one sentence or thought to the next.

PUBLISHING
- Include any visuals that you feel complement or enhance your essay: a photo, sketch, illustration, graphic, or perhaps even a souvenir. Be sure to tie each visual to the content of your essay with an appropriate caption.

Fokus Chat: Andere Länder, andere Sitten

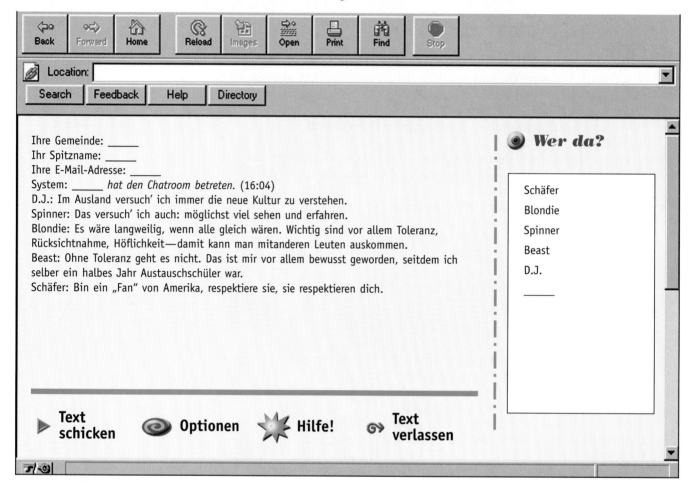

Ihre Gemeinde: _____
Ihr Spitzname: _____
Ihre E-Mail-Adresse: _____
System: _____ *hat den Chatroom betreten.* (16:04)
D.J.: Im Ausland versuch' ich immer die neue Kultur zu verstehen.
Spinner: Das versuch' ich auch: möglichst viel sehen und erfahren.
Blondie: Es wäre langweilig, wenn alle gleich wären. Wichtig sind vor allem Toleranz, Rücksichtnahme, Höflichkeit—damit kann man mitanderen Leuten auskommen.
Beast: Ohne Toleranz geht es nicht. Das ist mir vor allem bewusst geworden, seitdem ich selber ein halbes Jahr Austauschschüler war.
Schäfer: Bin ein „Fan" von Amerika, respektiere sie, sie respektieren dich.

Wer da?

Schäfer
Blondie
Spinner
Beast
D.J.
_____

▶ **Text schicken**   **Optionen**   **Hilfe!**   **Text verlassen**

WORTSCHATZ

Substantive	Nouns	Verben	Verbs
Reisen	*Traveling*	**ab•fliegen, flog ab, ist abgeflogen**	to take off, to depart by plane
die **Abfahrt, -en**	departure	**an•kommen, kam an, ist angekommen**	to arrive
die **Ankunft, ⸚**	arrival	**aus•halten (hält aus), hielt aus, ausgehalten**	to put up with
die **Bemerkung, -en**	remark, comment		
die **Fahrt, -en**	trip, journey	**begrüßen**	to greet
die **Flugkarte, -n**	airline ticket	**sich gewöhnen an** (+ *acc.*)	to get used to
die **Rückfahrkarte, -n**	return ticket	**landen, ist gelandet**	to land
die **Verspätung, -en**	delay	**stören**	to disturb
der **Flughafen, ⸚**	airport	**umarmen**	to hug
der/die **Reisende** (*decl. adj.*)	traveler	**sich verabschieden**	to take leave
der **Reisepass, ⸚e**	passport		
der **Schalter, -**	counter	**Adjekive und Adverbien**	**Adjectives and adverbs**
der **Warteraum, *pl.* Warteräume**	waiting area	**anders**	different(ly)
das **Terminal, -s**	airline terminal	**aufgeregt**	excited
		einfach	simple, simply; one-way
In Deutschland ist es anders	*It's different in Germany*	**fremd**	foreign; strange
die **Begrüßung, -en**	greeting	**geschlossen**	closed
die **Lockerheit**	informality, relaxed manner	**merkwürdig**	peculiar, odd
die **Party, -s**	party	**richtig**	correct, right
die **Sorge, -n**	worry		
die **Umarmung, -en**	hug	**Sonstiges**	**Other**
der **Ladenschluss**	store closing time	**hin und zurück**	round trip
das **Händeschütteln, -**	handshake	**sich auf den Weg machen**	to get on one's way
das **Vorurteil, -e**	prejudice		

WIEDERHOLUNG 8

VIDEOTHEK

A Stumpfs und Sanders. Bringen Sie die Bilder in die richtige Reihenfolge. Beschreiben Sie dann, was in jedem Bild passiert.

a.

b.

c.

d.

e.

f.

g.

h.

i.

B Wer sagt das? Schreiben Sie danach, wann das gesagt wurde.

1. „Wir haben eine neue Couchgarnitur."
2. „Vielleicht ist was mit Kai passiert."
3. „So geht es nicht weiter."
4. „Kein Wunder nach dem langen Flug."
5. „Kai und ich waren einkaufen im Bahnhof."
6. „Ja, ich habe eine gute und eine schlechte Nachricht. Welche zuerst?"
7. „Es tut mir Leid, Heiner, es tut mir Leid. Ich bin aufgehalten worden. Ich musste zu meinem Chef und . . ."
8. „Er ist zu Hause und kümmert sich um das Kind."
9. „250. Nur weil Sie's sind."

Frau Stumpf
Heiner
der Verkäufer auf dem Flohmarkt
der Restaurator
Jnéz
Roswita

VOKABELN

A Einkaufen. Wohin müssen diese Leute gehen, um die folgenden Sachen zu kaufen?

MODELL: Roswita sucht gesundes Essen, das frei von Pestiziden ist. → Sie muss in ein Reformhaus gehen.

1. Vera braucht Briefmarken.
2. Max braucht Hundefutter.
3. Nina will ein besonderes Kleid für Samstagabend.
4. Klara sucht ein Geschenk für ihre Mutter, die gern Briefe schreibt.
5. Die Schäfers suchen ein Gemälde für das Wohnzimmer.
6. Markus sucht einen Diamantring.

B Was wissen Sie über Sport? Ergänzen Sie die Sätze.

1. Eine Person, die ernsthaft Sport treibt, nennt man einen _____ / eine _____.
2. _____ ist ein anderes Wort für das Team.
3. Während eines Fußballspiels wollen die Spieler viele _____ machen.
4. Alle Fußballspieler wollen eine _____ gewinnen.
5. Zum _____ braucht man Eis.
6. Zum _____ braucht man einen Berg und viel Schnee.
7. Viele Zuschauer genießen ein gutes _____—mit Autos oder mit _____!

C Am Flughafen. Ergänzen Sie die Sätze.

1. Wann fliegt die Maschine nach Italien ab? Wann kommt die Maschine von der Schweiz an? Für diese Informationen sucht man die Tafel mit den Worten _____ und _____.
2. In den größeren Flughäfen können _____ fast alles erledigen—einkaufen gehen, sich erholen und sogar Geschenke kaufen.
3. Im _____ wartet man, bis man in die Maschine einsteigen kann.
4. Normalerweise kosten _____ weniger, wenn man sie für hin und zurück bucht.
5. Der dichte Luftverkehr führt oft zu _____.
6. Wenn man ins Ausland reist, braucht man einen _____.

D Am Bahnhof. Ergänzen Sie die fehlenden Wörter.

PETER: Ich möchte mit dem nächsten Zug von Regensburg nach Rom fahren.
BEAMTER: Der nächste Zug _____ um 22.00 Uhr _____[1].
PETER: Um wie viel Uhr _____ ich in Rom _____[2]?
BEAMTER: Morgen um 6.15 Uhr. Aber Sie müssen in Mailand umsteigen.
PETER: Eine _____[3] nach Rom, bitte.
BEAMTER: Eine einfache Fahrt oder _____[4]?
PETER: Einfach bitte.
BEAMTER: Dann brauchen Sie keine _____[5].

Fahrkarte
hin und zurück
abfahren
ankommen
Rückfahrkarte

STRUKTUREN

A Die Klassenarbeit ist gestohlen worden! Wer war es? Alle werden gefragt und haben ein Alibi. Benutzen Sie das Imperfekt.

MODELL: Karin / im Kino sein →
Karin war es nicht! Sie war im Kino!

1. Jana / ein Buch lesen
2. Fred / vor dem Fernseher sitzen
3. Herr Schneider / zu Hause sein
4. Frau Pieper / im Bett schlafen
5. Stefan / einen Brief schreiben
6. Sascha / am Telefon sprechen

B Ein schönes Wochenende. Schreiben Sie über ein aktives Wochenende, das Sie einmal erlebten. Benutzen Sie mindestens zehn Verben im Imperfekt. Benutzen Sie auch das Plusquamperfekt, wenn Sie einen Satz mit **bevor** oder **nachdem** schreiben.

> lesen aufwachen schwimmen
>
> laufen gehen fahren
>
> essen wandern
>
> schlafen
>
> mitbringen
>
> ? fernsehen mitkommen

C Wie wäre Ihr Leben als . . . Denken Sie an eine weltberühmte Figur (zum Beispiel einen Sportler / eine Sportlerin, einen Schauspieler / eine Schauspielerin, einen Politiker / eine Politikerin). Wie wäre Ihr Leben, wenn Sie diese Person wären? Schreiben Sie fünf Sätze. Benutzen Sie den Konjunktiv.

MODELL: Mein Leben als Leonardo DiCaprio: Ich würde viele Fans haben. . . .

D Wie wäre die Welt besser? Schreiben Sie fünf Sätze.

MODELL: Niemand hat Hunger. →
Die Welt wäre besser, wenn niemand Hunger hätte.

1. Es gibt keine Umweltverschmutzung.
2. Menschen sind höflicher.
3. Alle können andere Sprachen.
4. Es gibt keine Obdachlosen.
5. Alle arbeiten.
6. Rassismus und Sexismus existieren nicht mehr.
7. Es gibt keine Kriege mehr.

E Was hätten sie gemacht, wenn sie in der Lotterie gewonnen hätten? Sagen Sie, was die folgenden Menschen mit dem vielen Geld gemacht hätten.

MODELL: er (Herr Stumpf) →
Wenn er in der Lotterie gewonnen hätte, wäre er nach Mexiko geflogen.
oder: ?

1. Sie (Frau Stumpf)
2. du (Inéz)
3. ich
4. wir
5. ihr (Heiner und Roswita)

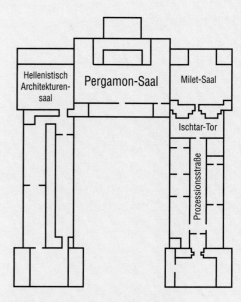

? Geschenke für alle kaufen
Studiengebühren bezahlen
Geld sparen
die Eltern in die Karibik schicken

F Sommerpläne. Schreiben Sie die Sätze um. Benutzen Sie **zu** mit Infinitiv.

MODELL: Ron möchte einen Sprachkurs in Deutschland machen. →
Ron plant, einen Sprachkurs in Deutschland zu machen.
oder: Ron hat vor, einen Sprachkurs in Deutschland zu machen.

1. Silvia möchte ihre Tante in Wien besuchen.
2. Jens und Mario wollen nach Österreich fahren.
3. Josef will ein neues Haus kaufen.
4. Melanie möchte neue Menschen in Regensburg kennen lernen.
5. Lars will jeden Morgen früh aufstehen.

G Haben Sie schon für den Sommer geplant? Fragen Sie drei Mitstudenten/Mitstudentinnen, und berichten Sie dann der Klasse darüber.

EINBLICKE

David und Sandra sind Schüler der zwölften Klasse am Eichsfeld Gymnasium in Duderstadt. Ihr Leistungskurs Kunst macht eine Projektwoche in Berlin. David und Sandra gehören zur Arbeitsgruppe, die einen Bericht über das Pergamonmuseum schreiben soll. David und Sandra erforschen drei wichtige Kunstwerke: den Pergamonaltar, das Markttor zu Milet und die Prozessionsstraße.

Pergamonmuseum—das erste Ausstellungsgeschoss

A Welches Bild zeigt welches Kunstwerk?

1.

2.

3.

B Hören Sie noch einmal zu. Was wissen Sie jetzt über die Kunstwerke im Pergamonmuseum?

1. Die Hauptattraktion im Museum ist _____.
2. Die Stadt Pergamon liegt in der heutigen _____.
3. Der Pergamonaltar war ein _____ an Zeus und Athene.
4. Das Milettor ist _____ hoch.
5. Das Milettor und der Pergamonaltar sind über _____ alt.
6. Die Prozessionsstraße aus Babylon hat man _____ vor Christus gebaut.

PERSPEKTIVEN

● Lesen Sie gern Detektivromane oder sehen Sie gern Fernsehkrimis? Welche Detektivromane für Kinder kennen Sie?

„Der Beschützer der Diebe" von Andreas Steinhöfel hat als Hauptcharaktere drei Jugendliche: Dags, Guddie und Olaf. Sie müssen ihre Sommerferien zu Hause in Berlin verbringen. Eines Tages treffen sich die drei am Zoo und verfolgen als „Spiel" anderer Leute. Guddie gelangt ans Pergamonmuseum und sieht, wie ein Mann im hellgrauen Mantel entführt wird und einen Zettel auf den Boden fallen lässt. Auf dem Zettel war eine Zickzacklinie eingezeichnet:

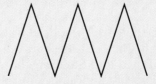

Was könnte die Zickzacklinie darstellen? Die Kinder meinen, ein Kunstwerk wird aus dem Pergamonmuseum gestohlen und die Zeichnung führt sie zu diesem Kunstwerk. Auf welchem Kunstwerk könnte dieses Zickzackmuster sein?

aus: „Beschützer der Diebe"

„Wir sollten davon ausgehen, dass die Zickzacklinie alles mögliche darstellen kann", sagte Olaf leise. „Die Zacken einer Krone, die Form einer Kette um den Hals einer Statue, eine Verzierung . . . "

„Meinst du, der Mann im Anzug hat herausgefunden, dass etwas von
5 hier gestohlen werden soll?"

„Könnte sein. Aber dann muss es sich um etwas Kleines handeln, das leicht transportiert werden kann." Olaf deutete auf den Pergamonaltar. „Nicht so was wie das da"

„Also müssen wir die beiden Seitenflügel absuchen", sagte Guddie.
10 Die Frau an der Kasse hatte ihnen erklärt, dass sich im linken Seitenflügel des Museums die Antikensammlung befand, während der rechte fast ausschließlich vorderasiatischer Kunst vorbehalten war. „Welchen willst du nehmen?"

Olaf entschied sich für den linken. Als Guddie den rechten
15 Seitenflügel betrat, stockte ihr unwillkürlich der Atem. In dem riesigen Raum befanden sich ausgesuchte Beispiele römischer Architektur— Säulen, die bis hoch unter die Decke ragten, ein friesverzierter Giebel, ein im Boden eingelassenes Mosaik. Aber all das verblasste gegen die Fassade eines Tores, das über eine Höhe von annähernd zwanzig und
20 eine Breite von knapp dreißig Metern eine komplette Wand des Saales einnahm. *Markttor von Milet*, informierte ein davor angebrachtes Schild. *Erbaut um 120 n. Chr.*

Die Fassade diente als Eingang in den angrenzenden Saal, wo sich ein weiteres Tor befand, eingerahmt und flankiert von blaugekachelten
25 Mauern, in die mosaikartig rotgoldene Löwen eingelassen waren—die Prozessionsstraße der Ischtar, einer babylonischen Göttin, wie Guddie auf einem weiteren Schild las. Obwohl das Tor von gigantischen Ausmaßen war, gefiel es ihr nicht halb so gut wie das Tor von Milet im ersten Saal.

WORTSCHATZ ZUM LESEN

darstellen	*to represent*
die Zacke	*point; prong*
die Krone	*crown*
die Verzierung	*decoration*
der Seitenflügel	*wing (of a building)*
vorderasiatisch	*Middle Eastern*
unwillkürlich	*instinctively*
die Säule	*column*
der Rundbogen	*round arch*
blaugekachelt	*blue-tiled*
der Löwe	*lion*
die Göttin	*goddess*
das Ausmaß	*proportion*

A Welche Beschreibungen passen zu welchem Ausstellungsstück?

1. der Pergamonaltar
2. das Markttor von Milet
3. die Prozessionsstraße der Ischtar

B Im Pergamonmuseum. Beantworten Sie die Fragen.

1. Welches Ausstellungsstück hat dem Museum seinen Namen gegeben?
2. Was befindet sich im linken Seitenflügel des Museums?
3. Wie kommt man in den Saal, wo sich die Prozessionsstraße der Ischtar befindet?
4. Welches Ausstellungsstück gefällt Guddie am besten?
5. Welches Ausstellungsstück würde Sie am meisten interessieren?

blaugekachelte Mauern

Höhe von 20 Metern

Rundbögen

mosaikartig rotgoldene Löwen

Treppe aus Marmor

APPENDIX A

Grammar Tables

1. Personal Pronouns

	SINGULAR					PLURAL		
NOMINATIVE	ich	du / Sie	sie	er	es	wir	ihr / Sie	sie
ACCUSATIVE	mich	dich / Sie	sie	ihn	es	uns	euch / Sie	sie
DATIVE	mir	dir / Ihnen	ihr	ihm	ihm	uns	euch / Ihnen	ihnen

2. Definite Articles and *der*-Words

	SINGULAR			PLURAL
	FEMININE	MASCULINE	NEUTER	
NOMINATIVE	die	der	das	die
ACCUSATIVE	die	den	das	die
DATIVE	der	dem	dem	den
GENITIVE	der	des	des	der

Words declined like the definite article: **jeder, dieser, welcher**

3. Indefinite Articles and *ein*-Words

	SINGULAR			PLURAL
	FEMININE	MASCULINE	NEUTER	
NOMINATIVE	(k)eine	(k)ein	(k)ein	keine
ACCUSATIVE	(k)eine	(k)einen	(k)ein	keine
DATIVE	(k)einer	(k)einem	(k)einem	keinen
GENITIVE	(k)einer	(k)eines	(k)eines	keiner

Words declined like the indefinite article: all possessive adjectives (**mein, dein, sein, ihr, unser, euer, Ihr**).

4. Question Pronouns

	PEOPLE	THINGS AND CONCEPTS
NOMINATIVE	wer	was
ACCUSATIVE	wen	was
DATIVE	wem	
GENITIVE	wessen	

5. Attributive Adjectives without Articles

	SINGULAR			PLURAL
	FEMININE	MASCULINE	NEUTER	
NOMINATIVE	gute	guter	gutes	gute
ACCUSATIVE	gute	guten	gutes	gute
DATIVE	guter	gutem	gutem	guten
GENITIVE	guter	guten	guten	guter

6. Attributive Adjectives with *der*-Words

	SINGULAR			PLURAL
	FEMININE	MASCULINE	NEUTER	
NOMINATIVE	die gute	der gute	das gute	die guten
ACCUSATIVE	die gute	den guten	das gute	die guten
DATIVE	der guten	dem guten	dem guten	den guten
GENITIVE	der guten	des guten	des guten	der guten

7. Attributive Adjectives with *ein*-Words

	SINGULAR			PLURAL
	FEMININE	MASCULINE	NEUTER	
NOMINATIVE	eine gute	ein guter	ein gutes	keine guten
ACCUSATIVE	eine gute	einen guten	ein gutes	keine guten
DATIVE	einer guten	einem guten	einem guten	keinen guten
GENITIVE	einer guten	eines guten	eines guten	keiner guten

8. Prepositions

ACCUSATIVE	DATIVE	ACCUSATIVE/DATIVE	GENITIVE
durch	aus	an	außerhalb
für	außer	auf	innerhalb
gegen	bei	hinter	trotz
ohne	mit	in	während
um (. . . herum)	nach	neben	wegen
	seit	über	
	von	unter	
	zu	vor	
		zwischen	

9. Relative and Demonstrative Pronouns

	SINGULAR			PLURAL
	FEMININE	MASCULINE	NEUTER	
NOMINATIVE	die	der	das	die
ACCUSATIVE	die	den	das	die
DATIVE	der	dem	dem	denen
GENITIVE	deren	dessen	dessen	deren

10. Weak Masculine Nouns

These nouns add **-(e)n** in the accusative, dative, and genitive.
A. *International nouns ending in **-t** denoting male persons:* Komponist, Patient, Polizist, Präsident, Soldat, Student, Tourist
B. *Nouns ending in **-e** denoting male persons or animals:* Drache, Junge, Neffe, Riese
C. *The following nouns:* Elefant, Herr, Mensch, Nachbar, Name

	SINGULAR	PLURAL
NOMINATIVE	der Student der Junge	die Studenten die Jungen
ACCUSATIVE	den Studenten den Jungen	die Studenten die Jungen
DATIVE	dem Studenten dem Jungen	den Studenten den Jungen
GENITIVE	des Studenten des Jungen	der Studenten der Jungen

11. Principal Parts of Irregular Verbs

The following is a list of the most important irregular verbs that are used in this book. Included in this list are the modal auxiliaries. Since the principal parts of two-part verbs follow the forms of the base verb, two-part verbs are generally not included, except for a few high-frequency verbs whose base verb is not commonly used. Thus you will find **einladen** listed, but not **zurückkommen.**

INFINITIVE	(3RD PERS. SG. PRESENT)	SIMPLE PAST	PAST PARTICIPLE	MEANING
anbieten		bot an	angeboten	*to offer*
anfangen	(fängt an)	fing an	angefangen	*to begin*
backen		backte	gebacken	*to bake*
beginnen		begann	begonnen	*to begin*
begreifen		begriff	begriffen	*to comprehend*
beißen		biss	gebissen	*to bite*
bitten		bat	gebeten	*to ask, beg*
bleiben		blieb	(ist) geblieben	*to stay*
bringen		brachte	gebracht	*to bring*
denken		dachte	gedacht	*to think*

INFINITIVE	(3RD PERS. SG. PRESENT)	SIMPLE PAST	PAST PARTICIPLE	MEANING
dürfen	(darf)	durfte	gedurft	to be allowed
einladen	(lädt ein)	lud ein	eingeladen	to invite
empfehlen	(empfiehlt)	empfahl	empfohlen	to recommend
entscheiden		entschied	entschieden	to decide
essen	(isst)	aß	gegessen	to eat
fahren	(fährt)	fuhr	(ist) gefahren	to drive
fallen	(fällt)	fiel	(ist) gefallen	to fall
finden		fand	gefunden	to find
fliegen		flog	(ist) geflogen	to fly
geben	(gibt)	gab	gegeben	to give
gefallen	(gefällt)	gefiel	gefallen	to like; to please
gehen		ging	(ist) gegangen	to go
genießen		genoss	genossen	to enjoy
geschehen	(geschieht)	geschah	ist geschehen	to happen
gewinnen		gewann	gewonnen	to win
haben	(hat)	hatte	gehabt	to have
halten	(hält)	hielt	gehalten	to hold; to stop
hängen		hing	gehangen	to hang
heißen		hieß	geheißen	to be called
helfen	(hilft)	half	geholfen	to help
kennen		kannte	gekannt	to know
kommen		kam	(ist) gekommen	to come
können	(kann)	konnte	gekonnt	can; to be able
lassen	(lässt)	ließ	gelassen	to let; to allow
laufen	(läuft)	lief	(ist) gelaufen	to run
leihen		lieh	geliehen	to lend; to borrow
lesen	(liest)	las	gelesen	to read
liegen		lag	gelegen	to lie
mögen	(mag)	mochte	gemocht	to like
müssen	(muss)	musste	gemusst	must; to have to
nehmen	(nimmt)	nahm	genommen	to take
nennen		nannte	genannt	to name
raten	(rät)	riet	geraten	to advise
reiten		ritt	(ist) geritten	to ride
scheinen		schien	geschienen	to seem; to shine
schlafen	(schläft)	schlief	geschlafen	to sleep
schließen		schloss	geschlossen	to close
schreiben		schrieb	geschrieben	to write
schwimmen		schwamm	(ist) geschwommen	to swim
sehen	(sieht)	sah	gesehen	to see
sein	(ist)	war	(ist) gewesen	to be
singen		sang	gesungen	to sing
sitzen		saß	gesessen	to sit

INFINITIVE	(3RD PERS. SG. PRESENT)	SIMPLE PAST	PAST PARTICIPLE	MEANING
sollen	(soll)	sollte	gesollt	*should, ought; to be supposed*
sprechen	(spricht)	sprach	gesprochen	*to speak*
stehen		stand	gestanden	*to stand*
steigen		stieg	ist gestiegen	*to rise; to climb*
sterben	(stirbt)	starb	(ist) gestorben	*to die*
tragen	(trägt)	trug	getragen	*to carry; to wear*
treffen	(trifft)	traf	getroffen	*to meet*
trinken		trank	getrunken	*to drink*
tun		tat	getan	*to do*
umsteigen		stieg um	(ist) umgestiegen	*to change; to transfer*
vergessen	(vergisst)	vergaß	vergessen	*to forget*
vergleichen		verglich	verglichen	*to compare*
verlieren		verlor	verloren	*to lose*
wachsen	(wächst)	wuchs	(ist) gewachsen	*to grow*
waschen	(wäscht)	wusch	gewaschen	*to wash*
werden	(wird)	wurde	(ist) geworden	*to become*
wissen	(weiß)	wusste	gewusst	*to know*
wollen	(will)	wollte	gewollt	*to want*
ziehen		zog	(ist/hat) gezogen	*to move; to pull*

12. Common Inseparable Prefixes of Verbs

be-	besichtigen, besuchen, bezahlen
er-	erleben, erlösen
ver-	vergessen, vermieten, versprechen

13. Conjugation of Verbs

In the charts that follow, the pronoun **Sie** (*you*) is listed with the third-person plural **sie** (*they*).

Present Tense

Auxiliary Verbs

	sein	haben	werden
ich	bin	habe	werde
du	bist	hast	wirst
sie/er/es	ist	hat	wird
wir	sind	haben	werden
ihr	seid	habt	werdet
Sie/sie	sind	haben	werden

Regular Verbs, Irregular Verbs, Mixed Verbs

	REGULAR		IRREGULAR		MIXED
	fragen	**finden**	**geben**	**fahren**	**wissen**
ich	frage	finde	gebe	fahre	weiß
du	fragst	findest	gibst	fährst	weißt
sie/er/es	fragt	findet	gibt	fährt	weiß
wir	fragen	finden	geben	fahren	wissen
ihr	fragt	findet	gebt	fahrt	wisst
Sie/sie	fragen	finden	geben	fahren	wissen

Simple Past Tense

Auxiliary Verbs

	sein	**haben**	**werden**
ich	war	hatte	wurde
du	warst	hattest	wurdest
sie/er/es	war	hatte	wurde
wir	waren	hatten	wurden
ihr	wart	hattet	wurdet
Sie/sie	waren	hatten	wurden

Regular Verbs, Irregular Verbs, Mixed Verbs

	REGULAR	IRREGULAR		MIXED
	fragen	**geben**	**fahren**	**wissen**
ich	fragte	gab	fuhr	wusste
du	fragtest	gabst	fuhrst	wusstest
sie/er/es	fragte	gab	fuhr	wusste
wir	fragten	gaben	fuhren	wussten
ihr	fragtet	gabt	fuhrt	wusstet
Sie/sie	fragten	gaben	fuhren	wussten

Wissen and the Modal Verbs

			MODAL VERBS				
	wissen	**dürfen**	**können**	**müssen**	**sollen**	**wollen**	**mögen**
ich	wusste	durfte	konnte	musste	sollte	wollte	mochte
du	wusstest	durftest	konntest	musstest	solltest	wolltest	mochtest
sie/er/es	wusste	durfte	konnte	musste	sollte	wollte	mochte
wir	wussten	durften	konnten	mussten	sollten	wollten	mochten
ihr	wusstet	durftet	konntet	musstet	solltet	wolltet	mochtet
Sie/sie	wussten	durften	konnten	mussten	sollten	wollten	mochten

Present Perfect Tense

	sein	**haben**	**geben**	**fahren**
ich	bin	habe	habe	bin
du	bist	hast	hast	bist
sie/er/es	ist	hat	hat	ist
wir	sind ⎬ gewesen	haben ⎬ gehabt	haben ⎬ gegeben	sind ⎬ gefahren
ihr	seid	habt	habt	seid
Sie/sie	sind	haben	haben	sind

Past Perfect Tense

	sein	**haben**	**geben**	**fahren**
ich	war	hatte	hatte	war
du	warst	hattest	hattest	warst
sie/er/es	war	hatte	hatte	war
wir	waren ⎬ gewesen	hatten ⎬ gehabt	hatten ⎬ gegeben	waren ⎬ gefahren
ihr	wart	hattet	hattet	wart
Sie/sie	waren	hatten	hatten	waren

Subjunctive

Present Tense: Subjunctive I (Indirect Discourse Subjunctive)

	sein	haben	werden	fahren	wissen
ich	sei	—	—	—	wisse
du	sei(e)st	habest	—	—	—
sie/er/es	sei	habe	werde	fahre	wisse
wir	seien	—	—	—	—
ihr	sei(e)t	habet	—	—	—
Sie/sie	seien	—	—	—	—

For the forms left blank, the subjunctive II forms are preferred in indirect discourse.

Present Tense: Subjunctive II

	fragen	sein	haben	werden	fahren	wissen
ich	fragte	wäre	hätte	würde	führe	wüsste
du	fragtest	wär(e)st	hättest	würdest	führ(e)st	wüsstest
sie/er/es	fragte	wäre	hätte	würde	führe	wüsste
wir	fragten	wären	hätten	würden	führen	wüssten
ihr	fragtet	wär(e)t	hättet	würdet	führ(e)t	wüsstet
Sie/sie	fragten	wären	hätten	würden	führen	wüssten

Past Tense: Subjunctive I (Indirect Discourse)

	fahren		wissen	
ich	sei		—	
du	sei(e)st		habest	
sie/er/es	sei	gefahren	habe	gewusst
wir	seien		—	
ihr	sei(e)t		habet	
Sie/sie	sei(e)n		—	

Past Tense: Subjunctive II

	sein	geben	fahren
ich	wäre	hätte	wäre
du	wär(e)st	hättest	wär(e)st
sie/er/es	wäre	hätte	wäre
wir	wären } gewesen	hätten } gegeben	wären } gefahren
ihr	wär(e)t	hättet	wär(e)t
Sie/sie	wären	hätten	wären

Passive Voice

	einladen		
	Present	*Simple Past*	*Present Perfect*
ich	werde	wurde	bin
du	wirst	wurdest	bist
sie/er/es	wird	wurde	ist
wir	werden } eingeladen	wurden } eingeladen	sind } eingeladen worden
ihr	werdet	wurdet	seid
Sie/sie	werden	wurden	sind

Imperative

	sein	geben	fahren	arbeiten
FAMILIAR SINGULAR	sei	gib	fahr	arbeite
FAMILIAR PLURAL	seid	gebt	fahrt	arbeitet
FORMAL	seien Sie	geben Sie	fahren Sie	arbeiten Sie

APPENDIX B

Alternate Spelling and Capitalization

With the German spelling reform, some words now have an alternate old spelling along with a new one. The vocabulary lists at the end of each chapter in this text present the new spelling. Listed here are some common words that are affected by the spelling reform, along with their traditional alternate spellings. This list is not a complete list of words affected by the spelling reform.

NEW	ALTERNATE
Abschluss (¨e)	Abschluß (Abschlüsse)
auf Deutsch	auf deutsch
dass	daß
Erdgeschoss (-e)	Erdgeschoß (Erdgeschosse)
essen (isst), aß, gegessen	essen (ißt), aß, gegessen
Esszimmer (-)	Eßzimmer (-)
Fitness	Fitneß
Fluss (¨e)	Fluß (Flüsse)
heute Abend / . . . Mittag / . . . Morgen / . . . Nachmittag / . . . Vormittag	heute abend / . . . mittag / . . . morgen / . . . nachmittag / . . . vormittag
lassen (lässt), ließ, gelassen Lass uns doch . . .	lassen (läßt), ließ, gelassen Laß uns doch . . .
morgen Abend / . . . Mittag / . . . Nachmittag / . . . Vormittag	morgen abend / . . . mittag / . . . nachmittag / vormittag
müssen (muss), musste, gemusst	müssen (muß), mußte, gemußt
passen (passt), gepasst	passen (paßt), gepaßt
Rad fahren (fährt Rad), fuhr Rad, ist Rad gefahren	radfahren (fährt Rad), fuhr Rad, ist radgefahren
Samstagabend / -mittag / -morgen / -nachmittag / -vormittag	Samstag abend / . . . mittag / . . . morgen / . . . nachmittag / . . . vormittag
Schloss (¨er)	Schloß (Schlösser)
spazieren gehen (geht spazieren), ging spazieren, ist spazieren gegangen	spazierengehen (geht spazieren), ging spazieren, ist spazierengegangen
Stress	Streß
vergessen (vergisst), vergaß, vergessen	vergessen (vergißt), vergaß, vergessen
wie viel	wieviel

VOCABULARY

GERMAN-ENGLISH

This cumulative vocabulary list contains nearly all the German words that appear in the textbooks for **Fokus Deutsch** *Beginning German 1* and *Beginning German 2*. Exceptions include identical or very close cognates with English that are not part of the active vocabulary. Chapter numbers indicate active vocabulary items from the end-of-chapter **Wortschatz** lists.

Entries for strong and mixed verbs include all principal parts, including the third-person singular of the present tense if it is irregular: **fahren (fährt), fuhr, ist gefahren; trinken, trank, getrunken.** All two-part verbs also include the third-person singular of the present tense: **aufmachen (macht auf).**

The vocabulary list also includes the following abbreviations.

acc.	accusative
adj.	adjective
coll.	colloquial
coord. conj.	coordinating conjunction
dat.	dative
decl. adj.	declined adjective
fig.	figurative
form.	formal
gen.	genitive
indef. pron.	indefinite pronoun
inform.	informal
(**-n** *masc.*)/(**-en** *masc.*)	masculine noun ending in **-n** or **-en** in all cases but the nominative singular
pl.	plural
sg.	singular
subord. conj.	subordinating conjunction

A

ab (+ *dat.*) from; from . . . on; beginning; **Fahrverbindungen ab Kloster** connections from the monastery; **für die Kids ab zehn** for kids age ten and older; **ab 1850** from 1850 on; **ab und zu** every once in a while

der Abbau reduction; **Abbau der Aggression** stress reduction

abbauen (baut ab) to dismantle; to decompose; to reduce

abbiegen (biegt ab), bog ab, abgebogen to turn (22)

das Abc alphabet

der Abend (-e) evening; **am Abend** in the evening; **gestern Abend** last night; **guten Abend!** good evening; **heute Abend** this evening; **jeden Abend** every night; **morgen Abend** tomorrow evening

das Abendessen (-) dinner (19)

das Abendkleid (-er) evening gown

abends (in the) evenings

das Abenteuer (-) adventure (9)

abenteuerlich adventurous

aber (*coord. conj.*) but, however

abfahren (fährt ab), fuhr ab, ist abgefahren to depart

die Abfahrt (-en) departure (24)

der Abfall (-̈e) garbage (20)

die Abfallberatung waste management

die Abfallmenge volume of waste

abfliegen (fliegt ab), flog ab, ist

A-13

abgeflogen to take off, to depart by plane (24)

abführen (führt ab) to remove

abgeben (gibt ab), gab ab, abgegeben to give up (19)

abgefahren (*adj.*) departed

abgelehnt (*adj.*) declined

abgeschlossen (*adj.*) completed, closed

abgeschnitten (*adj.*) cut

abgeschrieben (*adj.*) copied

abgezogen (*adj.*) skinned, peeled, blanched

abhängig dependent(ly) (13)

abhauen: hau ab! (*slang*) beat it!

abholen (holt ab) to pick up (23)

das Abi = Abitur

die Abifete (-n) Abitur graduation party

das Abitur (-e) *exam at the end of secondary school* (Gymnasium) (10)

der Abiturient (-en *masc.***) / die Abiturientin (-nen)** *person who has passed the Abitur*

abkaufen (kauft ab) to buy

abkriegen (kriegt ab): (*coll.*) to get

abladen (lädt ab), lud ab, abgeladen to unload

ablehnen (lehnt ab) to decline, reject

die Ablehnung (-en) rejection

abonnieren to subscribe to (21)

(sich) abreagieren (reagiert ab) to unwind, relax; **zum Abreagieren** for relaxation

abreisen (reist ab), ist abgereist to depart (8)

abreißen, riss ab, abgerissen to tear down (*a building*)

abrunden (rundet ab) to round up; to complete

die Absage (-n) rejection

der Absatz (¨e) heel (*of a shoe*) (21); paragraph, section (*in a text*)

abschaffen (schafft ab), schuf ab, abgeschaffen to get rid of (20)

der Abschied (-e) farewell

abschließen (schließt ab), schloss ab, abgeschlossen to finish, conclude

der Abschluss (¨e) completion of studies, degree

abschmecken (schmeckt ab) to taste

abschneiden (schneidet ab), schnitt ab, abgeschnitten to cut

der Abschnitt (¨e) section

abschreiben (schreibt ab), schrieb ab, abgeschrieben to copy (*in writing*)

absolut absolute(ly)

absolvieren to complete

absprechen (spricht ab), sprach ab, abgesprochen to agree, to make arrangements

absuchen (sucht ab) to search

die Abteilung (-en) department

abträglich (+ *dat.*) detrimental

sich abwechseln (wechselt ab) to take turns, alternate

abwechselnd alternately

abwechslungsreich variable, changeable (14)

abziehen (zieht ab), zog ab, abgezogen to skin, peel

ach! oh!; **ach ja!** oh right!; **ach so!** I see!; **ach, was!** come on!, **ach wo!** not at all!

acht eight; **es ist acht Uhr** it's eight o'clock (E)

die Acht (-) attention

achten auf (+ *acc.*) to pay attention to

die Achterbahn (-en) roller coaster

achtzehn eighteen (E)

achtzig eighty (E); **die achtziger Jahre** the eighties

der Ackerbau agriculture

der ADAC = Allgemeiner Deutscher Automobil Club

das Adjektiv (-e) adjective

der Adler (-) eagle

die Adresse (-n) address

adrett neat(ly)

das Adverb (*pl.*** Adverbien)** adverb

die Aerobiübung (-en) aerobic exercise, aerobics

der Affe (-n *masc.***)** ape, monkey

(das) Afrika Africa

der Afrikaner (-) / die Afrikanerin (-nen) African (*person*) (18)

der Agent (-en *masc.***) / die Agentin (-nen)** secret agent, spy

die Agentur (-en) agency

die Aggression (-en) aggression

(das) Ägypten Egypt

ägyptisch (*adj.*) Egyptian

aha! I see!

ähnlich similar(ly); **etwas Ähnliches** something similar

Ahnung: keine Ahnung! I have no idea!

ahoi! ahoy!

der Ahornsirup maple syrup

das Airbrushing airbrushing

die Akademie (-n) academy

akademisch academic(ally)

der Akkusativ accusative case

die Akkusativpräposition (-en) accusative preposition

das Akkusativpronomen (-) pronoun in the accusative case

aktiv active(ly)

das Aktiv active voice

die Aktivität (-en) activity

aktuell current, topical (21)

der Akzent (-e) accent

akzeptieren to accept

alarmieren to call

albern silly

das Alibi (-s) alibi

der Alkohol alcohol

all, all- all; **all das** all that; **all das Zeug** all that stuff; **all ihr jungen Leute** all you young people

alle all; **alle zusammen!** everybody!, all together! (E); **ein Drittel aller Schüler** a third of all the students; **vor allem, vor allen Dingen** above all

die Allee (-n) avenue

allein(e) alone (4)

aller-: am aller- (+ *superlative*) the very most; **am allerschönsten** the most beautiful of all

allerdings however; to be sure

die Allergie (-n) allergic reaction, allergy

das Allergiepotential (-e) potential for allergies

allergisch allergic

der Allergologe (-n *masc.***) / die**

Allergologin (-nen) allergy specialist

alles everything; **alles Gute!** all the best!; **alles klar!** everything ok!; **alles Liebe, deine Mutti** love, Mom (*closing in letters*); **das ist alles** that's all!

allgemein general(ly); **Allgemeiner Deutscher Automobil Club** *German automobile association*; **im Allgemeinen** in general, generally

alljährlich annual(ly), every year

die Allmacht omnipotence

der Allmächtige (*decl. adj.*) Almighty One

der Alltag everyday routine

alltäglich daily, ordinary, mundane

das Alltagsleben everyday life

allzu all too; **allzu wenig** all too few; **allzu menschlich** all too human

der Almanach almanac

die Alpen (*pl.*) the Alps (17)

der Alpengipfel (-) alpine peak

das Alphabet (-e) alphabet

der Alptraum (-träume) nightmare

als (*subord. conj.*) when; **als ich jung war** when I was young; than; **länger als** longer than; **als Gast** as a guest

also well; thus; therefore; so (12)

alt (älter, ältest-) old (1)

der Altar (-e) altar

die Altbatterie (-n) empty battery

der Altbaubezirk (-e) historic district (*of a city*)

die Altbauwohnung (-en) pre-1945 building (4)

der/die Alte (*decl. adj.*) old one

der Altenpfleger (-) / die Altenpflegerin (-nen) old people's nurse

das Alter (-) age

alternativ alternative

die Alternative (-n) alternative

das Altersheim (-e) home for the elderly

das Altglas recyclable glass

die Altkleidersammlung (-en) collection of old clothes

altmodisch old-fashioned

das Altpapier recyclable paper

die Altstadt (-e) old part of town

am = an dem

der Amazonas Amazon river

(das) Amerika America

die Amerikafahrt (-en) trip to America

der Amerikafan (-s) America nut, *person who likes everything about America*

der Amerikaner (-) / die Amerikanerin (-nen) American (*person*) (18)

amerikanisch (*adj.*) American

das Amt (-er) bureau, agency

das Amtsgeschäft (-e) business matter, transaction

die Amtstätigkeit (-en) job responsibility

an (+ *acc./dat.*) at; near; up to; to; on (11); **am Internet surfen** to surf the internet (18); **an _____ vorbei** past _____ (22)

analysieren to analyze

die Ananas (-) pineapple

der Anbau cultivation, growing; **kontrolliert biologischer Anbau** organic cultivation / growing

anbei enclosed (*in letters*)

anbieten (bietet an), bot an, angeboten to offer

der Anbieter (-) / die Anbieterin (-nen) supplier

der Anblick (-e) sight

anbringen (bringt an), brachte an, angebracht to install; to put forward

ander- other; **alles andere** everything else; **eins nach dem anderen** one thing at a time; **etwas anderes** something else; **unter anderem** among other things

die/der/das andere (*decl. adj.*) other (one)

andererseits on the other hand

(sich) ändern to change (10)

anders different(ly) (24); **anders herum** the other way around

anderswohin in a different place

anderthalb one and a half

aneinander to each other

die Anekdote (-n) anecdote

die Anerkennung (-en) recognition

anfällig prone

der Anfang (-e) beginning, start; **am Anfang** in the beginning; **von Anfang an** from the beginning; **Anfang des zwanzigsten Jahrhunderts** at the beginning of the twentieth century

anfangen (fängt an), fing an, angefangen to begin (23)

anfangs in the beginning

der Anfangsbuchstabe (-n *masc.*) initial

das Anführungszeichen (-) quotation mark

die Angabe (-n) information

das Angebot (-e) offer (23)

angeboten (*adj.*) offered

angebracht (*adj.*) attached; suitable

angehen (geht an), ging an, angegangen to concern; **was die Frauen angeht** as far as the women are concerned

die Angelegenheit (-en) matter

angeln to fish (8)

angenehm pleasant(ly) (10)

angestellt employed (1)

der/die Angestellte (*decl. adj.*) employee

angestrebt desired, sought after

angetan: von jemandem angetan sein to be attracted to someone

angreifen (greift an), griff an, angegriffen to attack

der Angriff (-e) attack; **bereit zum Angriff** ready to attack

die Angst (-e) fear (20); **Angst haben** to be afraid; **keine Angst!** don't be afraid!

ängstlich timid(ly); anxious(ly)

anhalten (hält an), hielt an, angehalten to stop (14)

anhören (hört an) to listen to

anklagen (klagt an) to accuse

ankommen (kommt an), kam an, ist angekommen to arrive (24)

ankreuzen (kreuzt an) to cross, check off

A-15

ankündigen (kündigt an) to announce
die Ankunft (-̈e) arrival (24)
anlegen (legt an) dock (*a boat*)
anmachen (macht an) to turn on; **Licht anmachen** turn on a light
anmalen (malt an) to paint on; **ein Clowngesicht anmalen** to paint on a clown's face
das Anmeldeformular (-e) registration form
sich anmelden (meldet an) to register (19)
die Anmeldung (-en) registration
annähernd approximately
die Anonymität anonymity
der Anorak (-s) winter jacket (7)
anorganisch inorganic
(sich) anpassen (passt an) (+ *dat.*) to adapt to
anprobieren (probiert an) to try on (*clothes*) (7)
anrechnen (rechnet an) to count; to take into account
die Anreise (-n) arrival
der Anruf (-e) phone call
anrufen (ruft an), rief an, angerufen to call on the phone (7)
der Anrufer (-) / die Anruferin (-nen) caller
ans = an das
anschauen (schaut an) to look at; to watch (21)
anschaulich vivid(ly), clear(ly)
sich anschnallen (schnallt an) to fasten (20)
das Anschreiben (-) letter
sich ansehen (sieht an), sah an, angesehen to look at; to watch (21)
das Ansehen reputation, recognition
ansonsten otherwise
ansprechen (spricht an), sprach an, angesprochen to address
der Ansprechpartner (-) / die Ansprechpartnerin (-nen) contact person
anstellen (stellt an) to hire

anstreben (strebt an) to strive for something
anstrengend strenuous (23)
der Anthropologe (-n *masc.***) / die Anthropologin (-nen)** anthropologist
die Antike antiquity
die Antikensammlung (-en) collection of classical antiquities
antiquarisch antique (22)
die Antiquität (-en) antique
antun: (jemandem etwas) antun (tut an), tat an, angetan to do (something to someone)
die Antwort (-en) answer
der Antwortbrief (-e) response letter
antworten to answer
der Anwalt (-̈e) / die Anwältin (-nen) lawyer (13)
die Anweisung (-en) instruction
die Anzeige (-n) advertisement (14)
anzeigen (zeigt an) to sue
(sich) anziehen (zieht an), zog an, hat angezogen to put on (clothes) (7)
der Anzug (-̈e) dress suit (7)
anzünden (zündet an) to light (17)
apart distinctive(ly), unusual(ly)
der Apfel (-̈) apple (16)
der Apfelsaft (-̈e) apple juice
der Apfelstrudel (-) apple strudel (15)
der Apostel (-) apostle
die Apotheke (-n) drugstore (*for prescription drugs*) (16)
der Apotheker (-) / die Apothekerin (-nen) pharmacist
der Apparat (-e) apparatus, appliance, gadget; (*phone*) **am Apparat!** speaking!
der April April (5); **am dreizehnten April** on April thirteenth; **im April** in April
das Aquarium (*pl.*** Aquarien)** aquarium
die Arbeit (-en) work; exam; **an die Arbeit!** back to work!
arbeiten to work (2)
der Arbeiter (-) / die Arbeiterin (-nen) blue collar worker

die Arbeiterfamilie (-n) blue collar family
der Arbeitgeber (-) / die Arbeitgeberin (-nen) employer (14)
der Arbeitnehmer (-) / die Arbeitnehmerin (-nen) employee (14)
das Arbeitsamt (-̈er) department of labor, employment office
die Arbeitsatmosphäre (-n) work atmosphere
die Arbeitserfahrung (-en) work experience (14)
die Arbeitsgemeinschaft (-en) association, agency, society
die Arbeitsgruppe (-n) team, workshop
die Arbeitslage (-n) employment situation (*in a society*)
arbeitslos unemployed (1)
der/die Arbeitslose (*decl. adj.***)** unemployed person
das Arbeitslosengeld (-er) unemployment benefit
die Arbeitslosenzahl (-en) unemployment rate
die Arbeitslosigkeit unemployment (20)
die Arbeitsmoral work ethic
der Arbeitsplatz (-̈e) workplace (13)
die Arbeitssituation (-en) employment situation
die Arbeitssuche job search; **auf Arbeitssuche sein** to be looking for a job
der Arbeitstag (-e) work day
Arbeits- und Studienaufenthalte in Afrika *organization for work and study exchange programs to Africa*
der Arbeitsvertrag (-̈e) employment contract
die Arbeitswelt (-en) the world of work (13)
das Arbeitszimmer (-) (home) office, study
der Architekt (-en *masc.***) / die Architektin (-nen)** architect (13)
die Architektur (-en) architecture
(das) Argentinien Argentina

der Ärger anger; **aus Ärger** out of anger

ärgern to annoy, make angry (10); **sich ärgern** to be annoyed (16)

das Argument (-e) argument, point

arm (ärmer, ärmst-) poor

der Arm (-e) arm (6)

die Armbanduhr (-en) wristwatch

der/die Arme (*decl. adj.*) poor person; **den Armen helfen** to help the poor

die Armee (-n) army

armenisch (*adj.*) Armenian

die Armenküche (-n) soup kitchen (*for the homeless*)

ärmlich poor, shabby, meager

die Armut poverty (20)

arrangieren to arrange

die Art (-en) kind of, type of

der Artikel (-) article (*in a newspaper*) (10)

der Arzt (⸚e) / die Ärztin (-nen) doctor, physician (6); **zum Arzt gehen** to see a doctor

ASA = Arbeits- und Studienaufenthalte in Afrika

die Asche ash

(das) Aschenputtel Cinderella (12)

der Asiat (-en *masc.***) / die Asiatin (-nen)** Asian (*person*) (18)

(das) Asien Asia

der/die Asoziale (*decl. adj.*) social outcast

der Aspekt (-e) aspect

der Assistent (-en *masc.***) / die Assistentin (-nen)** assistant

die Assoziation (-en) association (*cognitive process*)

assoziieren to associate

der Ast (⸚e) branch (*of a tree*)

die Ästhetik aesthetics

das Asthma asthma

der Atem breath

(das) Athen Athens (Greece)

der Athlet (-en *masc.***) / die Athletin (-nen)** athlete

athletisch athletic

der Atlantik Atlantic (Ocean)

der Atlas (*pl.* **Atlanten**) atlas

die Atmosphäre (-n) atmosphere

die Atomkraft nuclear power

der Atommüll nuclear waste

die Attraktion (-en) attraction

attraktiv attractive(ly)

das Attraktive (*decl. adj.*) attractive (thing)

auch also, as well, too

auf (*+ acc./dat.*) on, upon; onto, to; at; in, into; **auf bald** see you soon; **auf das Gewicht achten** to watch one's figure; **(sich) auf den Weg machen** to get underway, leave; **auf der Straße** in the street; **auf Deutsch** in German; **auf die Frage antworten** to answer the question; **auf die Reise gehen** to travel; **auf eine Idee kommen** to have an idea; **auf einmal** suddenly, at once (12); **auf etwas achten** to pay attention to something; **auf jemanden zukommen** to approach someone; **auf jeden Fall** in any case; **auf nach Köln!** on to Cologne!; **auf Rezept** by prescription; **auf Urlaub** on vacation; **auf Widerruf** without commitment; **auf Wiedersehen!** good-bye!

aufbauen (baut auf) to build

das Aufbauen the process of building

der Aufenthalt (-e) stay (7); layover

der Aufenthaltsraum (⸚e) club room (10)

auffallen (fällt auf), fiel auf, ist aufgefallen to stand out; **mir ist aufgefallen** I have noticed

die Aufgabe (-n) task, job, responsibility, assignment (10)

aufgeben (gibt auf), gab auf, aufgegeben to give up (18)

aufgeregt (*adj.*) agitated, upset (24)

aufgrund (*+ gen.*) because of, due to

aufhalten (hält auf), hielt auf, aufgehalten to hold up; **ich bin aufgehalten worden** I was held up

aufhören (hört auf) to stop, to quit (7)

der Aufkleber (-) sticker

auflockern (lockert auf) loosen up

(sich) auflösen (löst auf) to dissolve; to disintegrate

aufmachen (macht auf) to open (6); **machen Sie die Bücher auf!** open your books! (E)

die Aufnahme (-n) exposure

aufnehmen (nimmt auf), nahm auf, aufgenommen to record (video) (21)

aufpassen auf (passt auf) to pay attention, be careful (9); **aufpassen (auf jemanden)** to keep an eye (on someone) (23)

aufräumen (räumt auf) to straighten up (23)

sich aufregen (regt auf) to be upset, to worry

aufregend exciting (21)

die Aufregung (-en) excitement

(sich) aufrichten (richtet auf) to straighten up; to restore

aufs = auf das

der Aufsatz (⸚e) essay, paper

aufscheuchen (scheucht auf) to startle

aufschließen (schließt auf), schloss auf, aufgeschlossen to unlock

der Aufschnitt (-e) cold cuts

aufschreiben (schreibt auf), schrieb auf, aufgeschrieben to write down

aufspringen (springt auf), sprang auf, ist aufgesprungen to jump up

aufstehen (steht auf), stand auf, ist aufgestanden to get up (7)

aufstellen (stellt auf) to put up (right side up/in a vertical position)

der Aufstieg (-e) advancement

die Aufstiegschance (-n) career opportunity

die Aufstiegsmöglichkeit (-en) opportunity for advancement

auftauen (taut auf) to thaw

der Auftrag (⸚e) order, instructions; **im Auftrag** on behalf of

das Auftreten appearance, manners

der Auftritt (-e) performance, appearance (*on stage*)

aufwachen (wacht auf) ist aufgewacht to wake up (12)
aufwachsen (wächst auf), wuchs auf, ist aufgewachsen grow up
aufzählen (zählt auf) to list, count
der Aufzug (¨e) elevator (8)
das Auge (-n) eye (6)
der Augenarzt (¨e) / die Augenärztin (-nen) optometrist
der Augenblick (-e) moment; **im Augenblick** at the moment
der August August (5)
der Augustinermönch (-e) Augustine monk
das Au Pair (-s) au pair
aus (+ *dat.*) out; out of; of; from (12); **aus Liebe** out of love; **von (Paris) aus** from (Paris) (*with a destination*); **aus vollem Herzen lachen** to laugh out loud; **es ist aus!** it's over
ausbilden (bildet aus) to train
die Ausbildung (-en) education, training
der Ausbildungsgang (-gänge) educational background (14)
der Ausbildungsplatz (¨e) position as trainee, apprenticeship
die Ausbildungsstelle (-n) training position (13)
ausbrechen (bricht aus), brach aus, ist ausgebrochen to break out
(sich) ausdenken (denkt aus), dachte aus, ausgedacht to think up, invent
der Ausdruck (¨e) expression
ausdrücken (drückt aus) to express (21)
auseinander brechen (bricht auseinander), brach auseinander, ist auseinander gebrochen to break apart
ausfahren (fährt aus), fuhr aus, ist ausgefahren to go out (*in a boat*)
ausflippen (flippt aus) to flip out
der Ausflug (¨e) trip (10)
ausführen (führt aus) to carry out, perform
ausfüllen (füllt aus) to fill out (8)

die Ausgabe (-n) edition
der Ausgangspunkt (-e) point of departure
ausgeben (gibt aus), gab aus, ausgegeben to spend (*money*)
ausgedacht (*adj.*) invented
ausgeflippt (*adj.*) flipped out, crazy
ausgehen (geht aus), ging aus, ist ausgegangen to go out; **wie ist die Geschichte ausgegangen?** how did the story end?
ausgeklügelt sophisticated, refined
ausgesprochen extremely
ausgestattet equipped; **mit Dusche und W.C. ausgestattet** with shower and toilet
aushalten (hält aus), hielt aus, ausgehalten to put up with (24)
aushelfen (hilft aus), half aus, ausgeholfen to help out
die Aushilfe (-n) help, temp, substitute
(sich) auskennen (kennt aus), kannte aus, ausgekannt to know one's way around
ausklügeln to think up, design
(mit jemandem) auskommen (kommt aus), kam aus, ist ausgekommen to get along (with someone)
die Auskunft (¨e) information (7)
auslachen (lacht aus) to ridicule, to laugh (*about someone*)
das Ausland foreign country; **im Ausland** abroad
der Ausländer (-) / die Ausländerin (-nen) foreigner (20)
die Ausländerfeindlichkeit xenophobia (20)
der Ausländerhass xenophobia
das Auslandspraktikum (-praktika) internship abroad
das Auslandsstudium (-studien) study abroad program
auslegen (legt aus) to lay out
ausleihen (leiht aus), lieh aus, ausgeliehen to lend; to borrow
ausmachen (macht aus) to turn off; **(mit jemandem) ausmachen** to make plans (with someone); (*visual*) to make out, to be able to

see; **die Fischschwärme ausmachen** to locate the fish
das Ausmaß (-e) size, measure, degree
ausmisten (mistet aus) to clean (animal cages)
auspacken (packt aus) to unpack
die Ausrede (-n) excuse
ausreichen (reicht aus) to be enough, to suffice
ausreichend sufficient(ly), enough
sich ausruhen (ruht aus) to rest, to relax
die Aussage (-n) statement
ausschlafen (schläft aus), schlief aus, ausgeschlafen to sleep in
ausschließlich only, exclusive(ly)
aussehen (sieht aus), sah aus, ausgesehen to look, appear
der Außenseiter (-) outsider
außer (+ *dat.*) except (for), besides (12)
außerdem besides that, moreover, on top of that
außerhalb (+ *gen.*) outside of
(sich) äußern to express (oneself) (10)
sich aussetzen (setzt aus) (+ *dat.*) to expose oneself
die Aussicht (-en) view
der Aussiedler (-) / die Aussiedlerin (-nen) emigrant
sich ausspannen (spannt aus) to unwind, relax
die Aussprache (-n) pronunciation
aussprechen (spricht aus), sprach aus, ausgesprochen to pronounce; to express verbally
ausstatten (stattet aus) to equip with, to furnish
die Ausstattung (-en) equipment
aussteigen (steigt aus), stieg aus, ist ausgestiegen to get off (*a train, car, etc.*) (7)
die Ausstellung (-en) exhibition, fair, show
das Ausstellungsstück (-e) show piece
die Ausstrahlung aura, charisma
sich etwas aussuchen (sucht aus) to choose something for oneself (21)

A-18

der Austausch exchange, interaction

das Austauschprogramm (-e) exchange program

der Austauschschüler (-) / die Austauschschülerin (-nen) exchange student

(das) Australien Australia

austreten (tritt aus), trat aus, ist ausgetreten to leave (*an organization or the like*)

ausüben (übt aus) to practice, exercise; **einen Beruf ausüben** to practice a profession (13)

die Auswahl selection, choice

der Auswanderer (-) / die Auswandererin (-nen) emigrant

sich ausweinen (weint aus) to cry oneself out

ausziehen (zieht aus), zog aus, ist ausgezogen to move out

der/die Auszubildende (*decl. adj.*) trainee (13)

der Auszug (ᵁe) excerpt

das Auto (-s) car (7); **Auto fahren** to drive a car

das Autoabgas (-e) car exhaust

die Autobahn (-en) freeway

die Autofahrt (-en) car trip

die Autofirma (-firmen) automobile shop/company

autofrei no cars allowed

der Automat (-en *masc.*) vending machine

automatisch automatic(ally)

der Automechaniker (-), die Automechanikerin (-nen) car mechanic

die Automobilindustrie (-n) automobile industry

die Autonummer (-n) license plate number

die Autopanne (-n) automobile breakdown

der Autor (-en *masc.*), **die Autorin (-nen)** author, writer (13)

der Autounfall (ᵁe) car accident

die Autoversicherung (-en) car insurance

der/die Azubi = Auszubildende

der/die Auszubildende (*decl. adj.*) trainee, apprentice

B

das Baby (-s) baby

der Babybrei (-e) baby food

babylonisch (*adj.*) Babylonian

das Babysitten babysitting

der Bach (ᵁe) creek

backen (bäckt), backte, gebacken to bake

der Bäcker (-) / die Bäckerin (-nen) baker

die Bäckerei (-en) bakery (16)

der Background (-s) background

das Backpulver (-) baking powder

die Backwaren (*pl.*) baked goods

das Bad (ᵁer) bath; bathroom

der Badeanzug (ᵁe) swimsuit, bathing suit (7)

das Badebecken (-) pool

die Badehose (-n) swim trunks (7)

baden to bathe; to swim (for recreation)

der Badespaß fun of bathing/swimming

das Badetuch (ᵁer) bath towel

die Badewanne (-n) bathtub (3)

das Badezimmer (-) bathroom (3)

das BAföG = Bundesausbildungs-förderungsgesetz

die Bahn (-en) rail (7); **mit der Bahn** by train

der Bahnhof (ᵁe) train station (7); **am Bahnhof** at the station

der Bahnsteig (-e) platform (7)

bald soon (12); **bis bald!** see you soon!

der Balken (-) beam

der Balkon (-e) balcony

der Ball (ᵁe) ball (17)

die Banane (-n) banana (16)

das Band (ᵁer) ribbon; assembly line

der Band (ᵁe) volume (*of a book*)

die Band (-s) band, rock group

die Bank (-en) bank (*financial institution*); **auf die Bank** to the bank (4)

der Bankkaufmann (-leute) / die

Bankkauffrau (-en) bank manager

die Bar (-s) bar

die Baseballkappe (-n) baseball cap

die Basis basis

der Basketball (ᵁe) basketball

das Basketballspiel (-e) basketball game

basteln to tinker, build things (*as a hobby*)

das Basteln crafts

das Batikkleid (-er) tie-dyed dress

die Batterie (-n) battery

der Bau building, process of building

der Bauarbeiter (-) / die Bauarbeiterin (-nen) construction worker

die Baubranche construction business

der Bauch (ᵁe) abdomen (6)

die Bauchschmerzen (*pl.*) stomachache

bauen to build, construct

das Bauernhaus (ᵁer) farmhouse (4)

der Bauernhof (ᵁe) farm

baufällig run-down, dilapidated

das Bauland development area

der Baum (ᵁe) tree

die Baumwurzel (-n) tree root

(das) Bayern Bavaria (17)

der Beamte (-n *masc.*) **/ die Beamtin (-nen)** civil servant, government employee

beantworten to answer

bearbeiten to work on

der Becher (-) mug

bedauern to regret (20)

bedeuten to mean (17)

die Bedeutung (-en) meaning

bedienen to operate (*something*); to serve (*someone*)

die Bedienung (-en) service (15)

die Bedingung (-en) condition, requirement

sich beeilen to hurry

beeindrucken to impress

beeinflussen to influence (21)

die Beere (-n) berry

der Befehl (-e) order, command
(sich) befinden, befand, befunden to be (located)
befragen to question, interrogate
die Befreiung (-en) liberation
begehren to desire
begeistern to amaze, excite
begeistert (*adj.*) amazed, excited
die Begeisterung (-en) amazement, excitement
der Beginn (-e) beginning
beginnen, begann, begonnen to begin, start
begreiflich comprehensible
begrenzt (*adj.*) limited
begründen to give reasons for, justify
der Begründer (-) / die Begründerin (-nen) founder
begrüßen to greet (24)
die Begrüßung (-en) greeting (24)
behalten (behält), behielt, behalten to keep, hold (16)
beharrlich persistent
behaupten to claim, make a statement
der/die Behörde (*decl. adj.*) official (18)
behüten to protect
bei (+ *dat.*) at, at the place of; for; by; near; with; when (12)
das Beiboot (-e) small boat
beide, beides both; **die beiden** the two of them
beige beige, tan (2)
beigeben (gibt bei), gab bei, beigegeben to add
die Beilage (-n) side dish (15)
beim = bei dem
das Bein (-e) leg (6)
beinahe almost
der Beinbruch: Hals- und Beinbruch! good luck!, break a leg!
das Beispiel (-e) example; **zum Beispiel** for example, for instance
beispielsweise for example, for instance
beistehen (steht bei), stand bei, beigestanden (+ *dat.*) to help (*someone*)

bekannt famous, popular, known
der/die Bekannte (*decl. adj.*) acquaintance
die Bekanntschaft (-en) acquaintance
sich beklagen to complain
die Bekleidung clothing
bekommen, bekam, bekommen to get, receive (15)
bekümmert worried, sad
beladen (belädt), belud, beladen to load
belegen to sign up for, take (a course) (11)
belehren to instruct, advise, teach
beleidigen to offend (10)
(das) Belgien Belgium (9)
beliebt popular, famous
bellen to bark
bemerken to notice; to remark
die Bemerkung (-en) remark (24)
benachbart neighboring
sich benehmen (benimmt), benahm, benommen to behave
benennen, benannte, benannt to name, call
benoten to grade
benötigen to need, require
benutzen to use
das Benzin gasoline, fuel
beobachten to watch, observe
bequem comfortable, convenient
der Berater (-) / die Beraterin (-nen) consultant
berechnen to calculate
der Bereich (-e) area, field
bereit ready
bereiten to prepare; **Probleme bereiten** to cause problems
die Bereitschaft readiness, willingness
bereitwillig eager(ly), willing(ly)
der Berg (-e) mountain (4); **in die Berge fahren** to go to the mountains
bergsteigen: bergsteigen gehen, ging, ist gegangen to go mountain climbing
das Bergsteigen hiking, climbing
der Bergwanderer (-) person who hikes in the mountains

der Bericht (-e) report, statement (21)
berichten to report (21)
der Berliner (-) / die Berlinerin (-nen) Berliner (*person*)
die Berliner Mauer Berlin Wall (18)
der Bernstein amber
der Beruf (-e) occupation, profession; **einen Beruf ausüben** to practice a profession (13)
beruflich occupational(ly); professional(ly) (18); **was machen Sie beruflich?** what do you do for a living?
der Berufsberater (-) / die Berufsberaterin (-nen) career counselor
die Berufsberatung (-en) career counseling
das Berufsbild (-er) job outline
die Berufserfahrung work experience
die Berufsfachschule (-n) trade school (11)
das Berufsleben professional life
die Berufspraxis practical job experience
die Berufsschule (-n) career school
berufstätig employed (23)
der Berufswechsel (-) career change
der Berufswunsch (ⁿe) professional goal
das Berufsziel (-e) professional goal
(sich) beruhigen to calm down, comfort
beruhigend calming
berühmt famous, popular
berühren to touch
die Besatzung (-en) military occupation; crew (*on a ship*)
die Besatzungstruppe (-n) troop of the occupying army
beschädigt (*adj.*) damaged (22)
sich beschäftigen (mit) to be occupied with (13)
bescheiden modest(ly)
die Bescheidenheit modesty

A-20

beschließen, beschloss, beschlossen to decide, resolve
der Beschluss (ˆe) resolution, decision, order
beschränken to limit, restrict
beschreiben, beschrieb, beschrieben to describe
die Beschreibung (-en) description
sich beschweren (über + *acc.***)** to complain (about) (22)
beseitigen to remove
die Beseitigung (-en) removal
besetzen to occupy
besetzt (*adj.*) occupied; **hier ist besetzt** this seat is taken (15)
besichtigen to visit (*as a sightseer*) (8)
die Besichtigung (-en) guided tour
besiegen to defeat
der Besitz ownership, possessions
besitzen, besaß, besessen to own
der Besitzer (-) / die Besitzerin (-nen) owner (14)
das Besondere (*decl. adj.*) what is special, special (thing)
besonders especially
besorgen to tend to, get done
besorgt (*adj.*) worried
die Besorgung (-en) errand
besprechen (bespricht), besprach, besprochen to discuss (18)
besser better
bessern to improve
Besserung: gute Besserung! get well soon!
best-: am besten best
das Besteck (-e) silverware (19)
bestehen, bestand, bestanden to pass (*an exam*) (10); **bestehen aus** to consist of
bestehend existing
besteigen, bestieg, bestiegen to climb (23)
bestellen to order (15)
bestens: es geht mir bestens I'm doing really well
bestimmt surely, certainly
Bestimmtes: etwas Bestimmtes something specific
die Bestnote (-n) highest possible grade

bestrafen to punish (10)
die Bestrafung (-en) punishment
bestreichen to spread
der Besuch (-e) visit; **zu Besuch kommen** to come visit
besuchen to visit (8); **die Schule besuchen** to attend school
der Besucher (-) / die Besucherin (-nen) visitor
beteiligt (*adj.*) involved
betrachten to look at; **Kunstwerke betrachten** to look at art objects (8)
betreffen (betrifft), betraf, betroffen to concern
betreffend relevant, in question
betreten (betritt), betrat, betreten to step into
betreuen to take care of, be in charge of
der Betreuer (-) / die Betreuerin (-nen) caretaker, person who takes care of someone
die Betreuung (-en) care
der Betrieb (-e) commercial enterprise, business, corporation
die Betriebswirtschaft business administration
betroffen (*adj.*) upset, dismayed
betrübt (*adj.*) distressed, sad
betrügen, betrog, betrogen to betray, deceive
das Bett (-en) bed (3)
betteln to beg
das Bettzeug bedding
beunruhigen to worry; to disturb
beurteilen to judge, assess
bevor (*subord. conj.*) before
bevorzugen to prefer
bewältigen to cope with, to manage, to get over
(sich) bewegen to move
die Bewegung (-en) movement
sich bewerben um (bewirbt), bewarb, beworben to apply for (14)
der Bewerber (-) / die Bewerberin (-nen) applicant (14)
die Bewerbung (-en) application (14)
der Bewerbungsbrief (-e) application cover letter

die Bewerbungsunterlagen (*pl.*) application material / portfolio
bewerten to evaluate
der Bewohner (-) / die Bewohnerin (-nen) inhabitant, resident
bewundern to marvel at
bewusst conscious, consciously
bezahlen to pay (4)
bezeichnen to mark; to indicate; to describe; **bezeichnen als** to call
sich beziehen auf, bezog, bezogen to relate (to); to refer (to)
die Beziehung (-en) relationship, relation
beziehungsweise or, respectively, or rather, that is to say
der Bezirk (-e) area, district
Bezug: in Bezug auf (+ *acc.*) in relation to; concerning, regarding, as to
bezweifeln to doubt
die Bibelübersetzung (-en) translation of the Bible
die Bibliothek (-en) library (10)
der Bibliothekar (-e) / die Bibliothekarin (-nen) librarian (13)
bieder conventional, conservative
die Biene (-n) bee
das Bier (-e) beer
der Biergarten (ˆ) beer garden
die Biersorte (-n) kind of beer
das Bierzelt (-e) beer tent
das Biest (-er) beast
bieten, bot, geboten to offer
das Bild (-er) picture
bilden to build, form
bildhaft pictorial, like an image
bildlich pictorial
der Bildschirm (-e) screen, display; **Bildschirmseiten im Internet** pages on the Internet
die Bildung education (11); **(-en)** formation, derivation
das Billiard billiards (8); *Billard spielen* to play billiards (8)
billig cheap, inexpensive (2)
Bio = Biologie
der Bioladen (ˆ) health food store
die Biologie biology (11)

der Biologieprofessor (-en) / die Biologieprofessorin (-nen) biology professor
die Biologievorlesung (-en) biology lecture
biologisch organic(ally)
der Biomarkt (-̈e) organic market
das Bioprodukt (-e) organic product
die Biotonne (-n) container for biodegradable waste
die Birne (-n) pear
bis until, till, to; **bis bald** see you later; **bis dann** see you later; **bis jetzt** until now; **bis morgen** see you tomorrow
der Bischof (-̈e) / die Bischöfin (-nen) bishop
bisher until now
bisschen: ein bisschen a little bit
das Bistum (-̈er) diocese
bitte please; **bitte noch einmal!** once more, please! (E)
bitten um (+ *acc.*) to ask for
bitter bitter(ly)
bladen to rollerblade (23)
blasen (bläst), blies, geblasen to blow
das Blatt (-̈er) leaf; **ein Blatt Papier** sheet of paper
blau blue (2)
der Blaue Reiter *group of Expressionist artists*
blaugekachelt tiled in blue
blauweiß bluish white
bleiben, blieb, ist geblieben to stay, remain; **zu Hause bleiben** to stay at home
der Bleistift (-e) pencil (E)
der Blick (-e) look, view, eye contact
blicken to look
der Blickpunkt (-e) viewpoint
blind blind
blinken to shine
der Blitz (-e) lightning; **es blitzt** it's lightning (5)
blitzschnell at lightning speed, fast as lightning
der Block (-s) block, unit
blockieren to block
blöd (*coll.*) dumb, stupid (2)

der Blödmann idiot
blond blond, fair
bloß only
blühen to bloom
die Blume (-n) flower (5)
das Blumengeschäft (-e) flower shop
der Blumenkohl cauliflower (19)
die Bluse (-n) blouse (7)
der Blutdruck blood pressure
die Blütezeit (-en) the golden age
der Bluthochdruck high blood pressure
der Bock (-̈e) buck, ram
der Boden (-̈) floor
der Bodensee Lake Constance
die Bodenvergiftung (-en) soil contamination
die Bohne (-n) bean (15)
bombardieren to bomb, bombard
das Bonbon (-s) candy, treat
(der) Bonifatius St. Boniface
Bonner: in seiner Bonner Villa in his villa in Bonn
das Boot (-e) boat
der Bootsrand (-̈er) edge of the boat
Bord: an Bord on board; **von Bord** off board
böse naughty; evil; mean; angry (1)
die Boutique boutique (22)
brach fallow
das Brandenburger Tor Brandenburg Gate
(das) Brasilien Brazil
der Braten (-) roast
braten (brät), briet, gebraten to fry (19)
die Bratkartoffeln fried potatoes (15)
die Bratwurst (-̈e) *type of sausage*
brauchen to need (2)
braun brown (2)
brav obedient, well behaved (1)
der Brei (-e) mush, porridge, baby food
breit wide
die Breite (-n) width
brennen, brannte, gebrannt to burn, be on fire
brennend burning
das Brett (-er) board (19); **das schwarze Brett** bulletin board

die Brezel (-n) pretzel (15)
der Brief (-e) letter (2); **Briefe schreiben** to write letters
der Brieffreund (-e) / die Brieffreundin (-nen) pen pal
die Briefmarke (-n) stamp
das Briefpapier stationery
der Briefwechsel (-) correspondence
die Brille (-n) pair of glasses
bringen, brachte, gebracht to bring (5)
der Brokkoli broccoli (19)
die Broschüre (-n) brochure
das Brot (-e) bread (16)
das Brötchen (-) roll (16)
der Brotkrümel (-) bread crumb
der Brotteller (-) bread plate
der Bruder (-̈) brother (1)
das Brüderchen (-) little brother
das Bruderherz (-ens, -en) beloved brother
brummen to hum
der Brunnen (-) well
(das) Brüssel Brussels
der Bube (-n *masc.***)** boy
das Buch (-̈er) book (E)
buchen to book (7)
das Bücherregal (-e) bookshelf
die Buchhandlung (-en) bookstore (16)
der Buchstabe (-n *masc.***)** letter (of the alphabet)
die Bucht (-en) bay (9)
die Bude (-n) (*coll.*) room, pad
das Buffet (-s) buffet
bügeln to iron
die Bühne (-n) stage
die Bulette (-n) meat patty
(das) Bulgarien Bulgaria
bummeln to stroll
der Bund federal government
der Bund = die Bundeswehr German army
die Bundesallee street name
das Bundesausbildungs- förderungsgesetz *federal law in Germany that provides financial aid to students*
die Bundeshauptstadt federal capital

der Bundeskanzler (-) federal chancellor
das Bundesland (¨er) federal state (17)
die Bundesliga national league (*soccer*)
der Bundesligafan (-s) soccer fan
das Bundesligaspiel (-e) national league soccer game
die Bundesrepublik Deutschland Federal Republic of Germany (17)
der Bundesstaat (-en) federal state
die Bundeswehr German army
das Bündnis (-se) confederation
der Bungalow (-s) bungalow
bunt colorful, multicolored
die Burg (-en) castle, fort; **Burgen besichtigen** to visit castles (8)
der Bürger (-) / die Bürgerin (-nen) citizen
der Bürgerkrieg (-e) civil war
der Bürgermeister (-) / die Bürgermeisterin (-nen) mayor
das Büro (-s) office, study (13)
die Büroparty (-s) office party
der Büroschreibtisch (-e) office desk
der Bus (-se) bus (7); **mit dem Bus** by bus
die Busfahrt (-en) bus ride
die Bushaltestelle (-n) bus stop
die Busverbindung (-en) bus connection
die Butter butter
bzw. = beziehungsweise respectively

C
ca. = circa approximately
das Café (-s) café, coffee shop (4)
die Cafeteria (Cafeterien) cafeteria (10)
der Campingplatz (¨e) campground
der Campus campus
die CD (-s) compact disc
die CD-Sammlung (-en) CD collection
der CD-Spieler (-) CD player
das Center (-) center
der Champignon (-s) mushroom (15)
die Chanukka Hanukkah (5)

chaotisch chaotic(ally)
der Charakter (-e) character, nature
chatten to chat (*on the Internet*)
der Chef (-s) / die Chefin (-nen) boss, supervisor (13)
der Chefkoch (¨e) / die Chefköchin (-nen) master chef
die Chemie chemistry (11)
der Chemielehrer (-) / die Chemielehrerin (-nen) chemistry teacher
der Chemikant (-en *masc.***) / die Chemikantin (-nen)** chemical technician, lab assistant
der Chemiker (-) / die Chemikerin (-nen) chemist
chemisch chemical(ly)
der Chinese (-n *masc.***) / die Chinesin (-nen)** Chinese person (18)
das Cholesterin cholesterol
der Cholesterinwert (-e) cholesterol level
Christi Himmelfahrt Ascension Day
der Christkindlmarkt (¨e) Christmas market
der Christmarkt (¨e) Christmas market
Christus: nach Christus A.D.; **vor Christus** B.C.
circa circa, about
der Clown (-s) / die Clownin (-nen) clown
das Clowngesicht (-er) clown face
der Club (-s) club
die Cola (-s) coke
die Colaflasche (-n) coke bottle
die Collage (-n) collage
die Comedyserie (-n) sitcom show
der Computer (-) computer
die Computerkenntnisse (*pl.*) computer literacy
der Computerkurs (-e) computer class
das Computerspiel (-e) computer game (2)
der Container (-) container, dumpster (20)
die Cordjacke (-n) cord jacket

die Couch (-s) couch
die Couchgarnitur (-en) living room furniture set
der Cousin (-s) / die Cousine (-n) cousin (1)
der Cowboyhut (¨e) cowboy hat
das Currypulver (-) curry powder
die Currywurst (¨e) *sausage prepared with curry and served with ketchup*

D
da there; **da drüben** over there
dabei by it, by that; with it, with that; **gerade dabei sein** to be in the process of doing something
das Dach (¨er) roof
der Dachboden (¨) attic
das Dächermeer (-e) sea of roofs, roofs of a city
die Dachrinne (-n) gutter
dafür for it
dagegen against it
daher therefore, thus
dahin there, to it
dahinkommen (kommt dahin), kam dahin, ist dahingekommen to come there
dahinter behind it
damals at that time, earlier
die Dame (-n) lady
damit with it, with that; **damit** (*subord. conj.*) so that, in order that
der Dampf steam
die Dampfmaschine (-n) steam engine
danach after it, afterwards, later
daneben next to it, besides that
(das) Dänemark Denmark (9)
dänisch (*adj.*) Danish
der Dank gratitude, thanks; **vielen Dank!** thanks a lot!
dankbar grateful
die Dankbarkeit gratitude
danke! thanks!
danken to thank
dann then, afterwards, later (12); **also dann!** all right then!; **bis dann!** see you later!

dannen: von dannen (*obsolete*) (from) thence, away

daran on it, with it, about it; **denken Sie daran** think about it

darauf after it, after that; **darauf kommen** to think of (something); **darauf reagieren** to react to it; **es kommt darauf an** it depends

daraus out of it; out of that

darin in it, within

darstellen (stellt dar) to depict, portray, represent; **dramatisch darstellen** to act out

darüber about it, about that; **darüber hinaus** moreover, what's more

darüberlegen (legt darüber) to lay over

darübersieben (siebt darüber) to sift over

darum therefore, thus, for this reason

dass (*subord. conj.*) that

dasselbe the same

die Daten (*pl.*) data

die Datenbank (-en) data base

die Datenflut flood of data, masses of data

der Dativ dative case

die Dativpräposition (-en) dative preposition

das Dativpronomen (-) dative pronoun

das Datum (*pl.* **Daten**) date

dauerhaft permanent

dauern to last (7)

dauernd constantly

der Daumen (-) thumb; **ich halte dir die Daumen** I'll keep my fingers crossed for you

davon from it, of it about it

davor in front of it, before it

dazu to it, with it, for it; **und noch dazu** and also, besides

dazugeben (gibt dazu), gab dazu, dazugegeben to add (to it)

die DDR = Deutsche Demokratische Republik

das Deck (-s) deck (*on a ship*)

die Decke (-n) ceiling

decken to cover; **den Tisch decken** to set the table

die Definition (-en) definition

deftig substantial(ly), solid(ly)

(sich) dehnen to expand, to widen

dekorieren to decorate, ornate

die Delikatesse (-n) delicacy

die Demo (-s) = Demonstration

die Demonstration (-en) demonstration (10)

demonstrieren to demonstrate (10)

denken, dachte, gedacht to think (6)

das Denkmal (¨er) monument, memorial

denn (*coord. conj.*) because, for

dennoch anyway, still

deponieren to deposit

depressiv depressing

deprimiert depressed

derartig of that kind; **der einzige derartige Fall** the only case of that kind

derselbe the same

deshalb (*subord. conj.*) therefore

der Designer (-) / die Designerin (-nen) designer

der Despot (-en *masc.*) tyrant

der Detektiv (-e) / die Detektivin (-nen) detective

der Detektivroman (-e) detective novel

deuten auf to point to

deutsch (*adj.*) German

das Deutsch German (*language*) (11)

das Deutschbuch (¨er) German textbook

der/die Deutsche (*decl. adj.*) German citizen (18)

die Deutsche Demokratische Republik German Democratic Republic

die Deutsche Mark German mark (*currency*)

der Deutschkurs (-e) German class

(das) Deutschland Germany (9)

die Deutschlandreise (-n) tour of Germany

das Deutschlehren teaching German

der Deutschlehrer (-) / die Deutschlehrerin (-nen) German teacher

deutschsprachig German-speaking

der Deutschstudent (-en *masc.*) / **die Deutschstudentin (-nen)** German student, student of German

die Deutschstunde (-n) German class, German hour

der Deutschunterricht German instruction, German class

der Dezember December (5)

der Dialekt (-e) dialect

der Dialog (-e) dialogue

der Diamantring (-e) diamond ring

die Diät (-en) diet (to lose weight); **Diät halten** to be on a diet, to diet

dicht tight(ly); dense(ly); heavy; heavily

dick fat, thick

der Dieb (-e) / die Diebin (-nen) thief (12)

der Diebstahl (¨e) theft

die Diele (-n) entryway, hall (3)

dienen to serve

der Dienst (-e) service, duty (14); **zu Diensten** (*archaic*) at your service

der Dienstag (-e) Tuesday (E)

dieser, diese, dies(es) this

der Diesel diesel fuel

dieselbe the same

die Diktatur (-en) dictatorship

das Dilemma (-s) dilemma (23)

das Ding (-e) thing; **vor allen Dingen** above all, most importantly

das Diplom (-e) diploma

die Diplomarbeit (-en) thesis

das Diplomzeugnis (-se) degree grade report

direkt direct(ly)

der Direktor (-en) / die Direktorin (-nen) director

die Disko = Diskothek

die Diskoklamotten (*pl.*) disco outfit

die Diskothek (-en) club, disco

die Diskrepanz (-en) discrepancy

diskriminieren to discriminate
die Diskussion (-en) discussion
diskutieren to discuss, debate (10); **diskutieren über** (+ *acc.*) to discuss
DM = Deutsche Mark
doch (*coord. conj.*) but, however (*particle*) **nimm doch zwei Aspirin!** why don't you take two aspirin?; **das ist doch Quatsch!** that really is nonsense!; (*affirmative response to negative question*) **kommst du nicht?— doch!** aren't you coming?—yes, I am!
der Doktor (-en) / die Doktorin (-nen) doctor
der Dolmetscher (-) / die Dolmetscherin (-nen) interpreter (13)
der Dom (-e) cathedral
dominieren to dominate
das Dominospiel (-e) domino game
der Donner (-) thunder; **es donnert** it's thundering. (5)
der Donnerstag (-e) Thursday (E)
doof stupid, dumb
das Doppelhaus (¨er) duplex (4)
die Doppelhaushälfte (-n) part of a duplex
das Doppelzimmer (-) double room (8)
das Dorf (¨er) very small town, village (4)
das Dornröschen Sleeping Beauty
dort there; **dort drüben** over there
dorthin there
die Dose (-n) can (20)
dösen to doze (16)
dösend dozing
der Dozent (-en *masc.***) / die Dozentin (-nen)** instructor (*at a university*)
der Drache (-n *masc.***)** dragon (12)
das Drama (*pl.* **Dramen)** drama
dramatisch dramatic(ally)
der Dramaturg (-en *masc.***) / die Dramaturgin (-nen)** literary and artistic director
dran = daran; (gut) dran sein to be (well) off

sich drängen to push, to press, to urge
drauf = darauf; gut drauf sein to be in a good mood
draußen outside
das Drehrestaurant (-s) revolving restaurant
drei three (E)
dreieinhalb three and a half
die Dreierarbeit (-en) (group) work for three people
die Dreiergruppe (-n) group of three
dreijährig three-year-old
dreimal three times
das Dreimannzelt (-e) three-man tent
dreimonatig three-month-long
dreißig thirty (E)
dreiwöchig three-week-long
dreizehn thirteen (E)
drin = darin
drinnen within, in there, inside
dringend urgent(ly)
dritt- third; **zu dritt** in a group of three
das Drittel (-) third
die Drogerie (-n) drug store (16)
drohen to threaten
drüben: dort drüben, da drüben over there
drüber = darüber
drücken: die Daumen drücken to keep one's fingers crossed (*for good luck*)
du (*inform. sg.*) you (1)
sich ducken to duck
der Duft (¨e) scent
duftend aromatic
dumm stupid, dumb
die Düne (-n) dune
der Dünger (-) fertilizer
dunkel dark (2)
das Dunkel darkness; **im Dunkeln** in the dark
dünn thin(ly)
der Dunst mist, haze
durch (+ *acc.*) through, by (5); **quer durch** all through, all over
durchaus by any means, indeed; **durchaus nicht** by no means

der Durchbruch (¨e) breakthrough
durchfallen (fällt durch), fiel durch, ist durchgefallen to fail; **beim Examen durchfallen** to fail the exam (10)
durchführbar feasible
durchhalten (hält durch), hielt durch, durchgehalten to survive; to hold out till the end
durchkauen (kaut durch) to plough through
durchlesen (liest durch), las durch, durchgelesen to read through
durchmachen (macht durch) to experience, endure
durchproben (probt durch) to rehearse
durchschneiden, schnitt durch, durchgeschnitten to cut in two, cut in half
der Durchschnitt (-e) average; **im Durchschnitt** on average
die Durchschnittsnote (-n) average grade
durchsetzen (setzt durch) to carry through, to achieve
die Durchsetzung (-en) carrying through, achievement
dürfen (darf), durfte, gedurft to be allowed to; may; **was darf's sein?** what will you have? (15)
der Durst thirst
die Dusche (-n) shower (3)
duschen to shower
das Dutzend (-e) dozen
dynamisch dynamic(ally)
der Dynamo (-s) generator

E

eben (*particle*) **warum eben das?** why that of all things?; (*adj.*) flat, even; just now
ebenfalls as well, likewise
ebenso the same way
echt genuine(ly), real(ly); **echt gut** really good (2); **echt klasse!** really great (10)
die Ecke (-n) corner (22)
das Edelweiß (-e) edelweiss (*alpine flower*)

die EDV = elektronische Datenverarbeitung
effektiv effective(ly)
effizient efficient(ly)
egal equal; **es ist mir egal** it's all the same to me (18)
die Ehe (-n) marriage (23)
die Ehefrau (-en) wife
ehemalig former (18)
der Ehemann ("-er) husband
das Ehepaar (-e) married couple
eher rather
ehrgeizig ambitious(ly)
ehrlich honest(ly), sincere(ly)
die Ehrlichkeit (-en) honesty (14)
das Ei (-er) egg
die Eiernudel (-n) egg noodle
die Eifersucht jealousy
eifersüchtig jealous
der Eiffelturm Eiffel Tower
eifrig eager(ly), keen(ly)
eigen own (4)
die Eigeninitiative self-initiative (14)
die Eigenschaft (-en) quality, property, characteristic
eigentlich actual(ly), real(ly) (21)
die Eigentumswohnung (-en) condominium (4)
eilfertig zealous
der Eimer (-) bucket
einander each other, one another
einbauen (baut ein) to install
einbeziehen (in) (bezieht ein), bezog ein, einbezogen to include (in); to apply (to)
einbiegen (in) (biegt ein), bog ein, eingebogen to turn (drive) in (22)
der Einblick (-e) insight
einchecken (checkt ein) to check in
der Eindruck ("-e) impression
eineinhalb one and a half
einerseits . . . andererseits on the one hand . . . on the other hand
eines Tages one day
einfach simple, simply; one-way (24)
einfallen (fällt ein), fiel ein, ist eingefallen (+ *dat.*) to remember; to think of; **sich einfallen lassen**

to think (*of something*), come up (*with something*)
das Einfamilienhaus ("-er) single-family house (4)
einflussreich influential
einführen (führt ein) to introduce
die Einführung (-en) introduction
der Eingang ("-e) entrance
eingeben (gibt ein), gab ein, eingegeben to put in
eingeschult werden to start school, be enrolled in first grade
einhalten (hält ein), hielt ein, eingehalten to keep, maintain
die Einheit (-en) unit; unification; unity (18)
einige some
sich einigen to come to an agreement
einigermaßen relative
einiges some, quite a bit
die Einigung (-en) agreement
der Einkauf ("-e) shopping; **Einkäufe machen** to go shopping
einkaufen (kauft ein) to shop, go shopping
der Einkäufer (-) / die Einkäuferin (-nen) shopper, buyer
der Einkaufsbummel (-) shopping trip; **einen Einkaufsbummel machen** to go shopping (leisurely)
die Einkaufsliste (-n) shopping list (16)
die Einkaufsstraße (-n) shopping street, street with lots of shops
die Einkaufstasche (-n) shopping bag
das Einkaufszentrum (-zentren) shopping center
einkleiden (kleidet ein) to dress up; to clothe
das Einkommen (-) income (13)
einladen (lädt ein), lud ein, eingeladen to invite
die Einladung (-en) invitation
einlassen (lässt ein), ließ ein, eingelassen to let in; to finish
sich einleben (lebt ein) to get accustomed to a place

einmal once; **auf einmal** suddenly, unexpectedly; **es war einmal . . .** once upon a time . . . (12); **noch einmal** once again, one more time
einmalig unique, wonderful
einnehmen (nimmt ein), nahm ein, eingenommen to take up
einnehmend likeable
einpacken (packt ein) to pack; to wrap (7)
einrahmen (rahmt ein) to frame
einrichten (richtet ein) to furnish, decorate (*an apartment or house*) (4)
eins one (E); **er will auch eins** he wants one, too; **es ist eins** it's one o'clock
einsam lonely
der Einsatz ("-e) use
einschätzen (schätzt ein) to estimate; to assess
einschlafen (schläft ein), schlief ein, ist eingeschlafen to fall asleep (3)
das Einschlafen: zum Einschlafen boring
einschließen (schließt ein), schloss ein, eingeschlossen to include
sich einschreiben (schreibt ein) to enroll, sign up (19)
einschüchtern (schüchtert ein) to intimidate
einsetzen (setzt ein) to put in, insert; to use
einst(ens) once, one day, one time
einsteigen (steigt ein), stieg ein, ist eingestiegen to get on (*a train, car, etc.*) (7)
die Einstellung (-en) attitude (18)
einteilen (teilt ein) to divide
der Eintopf ("-e) stew
die Eintrittskarte (-n) ticket, admission
einverstanden sein to be in agreement (18)
der Einwohner (-) / die Einwohnerin (-nen) inhabitant, citizen (17)
das Einwohnermeldeamt ("-er) residents' registration office

A-26

einzeichnen (zeichnet ein) to draw in; to mark
das Einzelbad (¨-er) single bath
einzeln single, individual
das Einzelzimmer (-) single room (8)
einziehen (zieht ein), zog ein, ist eingezogen to move in
einzig only (23)
das Eis ice, ice cream (15)
der Eisbecher (-) ice cream sundae
das Eisbein (-e) pork knuckle
der Eisenstock (¨-e) metal club
eisern (*adj.*) iron
das Eishockey ice hockey
das Eiswasser ice water
der Eiszapfen (-) icicle
das Eiweiß egg white; protein
eiweißhaltig containing protein
eklig disgusting, repulsive
elegant elegant(ly)
die Eleganz elegance
der Elektriker (-) / die Elektrikerin (-nen) electrician
der Elektroniker (-) / die Elektronikerin (-nen) electronic technician, electrical engineer
die elektronische Datenverarbeitung electronic data processing
das Element (-e) element
elf eleven (E)
die Eltern (*pl.*) parents (1)
das Elternhaus (¨-er) parental house, house in which one grew up
das Elternschlafzimmer (-) parents' bedroom, master bedroom
die E-Mail (-s) e-mail
emanzipiert emancipated, liberated
emigrieren to emigrate
empfehlen (empfiehlt), empfahl, empfohlen to recommend
die Empfehlung (-en) recommendation
empfinden, empfand, empfunden to feel, experience emotionally
die Empfindung (-en) emotions
das Ende end; **am Ende** in the end;

ohne Ende never ending; **zu Ende schreiben** to finish writing
enden to end, finish
endgültig final(ly)
endlich finally (10)
der Endsieg (-e) final victory
die Energie (-n) energy
eng narrow, small, tight
sich engagieren (für + acc.) to be involved (in), active (in)
engagiert (für + acc.) active(ly) interested (in)
der Engel (-) angel
(das) England England (9)
der Engländer (-) / die Engländerin (-nen) English person (18)
das Englisch English (*language*) (11); **auf Englisch** in English; **was heißt das auf Englisch?** what does that mean in English?
die Englischkenntnisse (*pl.*) knowledge of English
der Enkel (-) / die Enkelin (-nen) grandchild (1)
das Enkelkind (-er) grandchild (1)
entdecken to discover
die Ente (-n) duck
entfernen to remove
entfernt away (from)
sich entfremden to alienate (oneself)
entführen to kidnap, abduct
entgegensetzen (setzt entgegen) to counteract; to set against
enthalten (enthält), enthielt, enthalten to contain
entlang: _____ entlang along _____ (22)
entlanggehen (geht entlang), ging entlang, ist entlanggegangen to go along (22)
entlarven to unmask; to find out about
entscheiden, entschied, entschieden to decide (14)
die Entscheidung (-en) decision
sich entschließen, entschloss, entschlossen to decide (19)
(sich) entschuldigen to excuse (oneself); **entschuldigen Sie!** excuse me!

entsetzt (*adj.*) shocked
entsorgen to remove
der Entsorger (-) person or authority who removes waste
sich entspannen to relax
die Entspannung (-en) relaxation
entsprechen (entspricht), entsprach, entsprochen (+ *dat.*) to correspond to something
entstehen, entstand, entstanden to develop, evolve
die Entstehung (-en) development, evolution
enttäuschen to disappoint
enttäuscht (*adj.*) disappointed
entweder . . . oder either . . . or
entwerfen (entwirft), entwarf, entworfen to design
entwickeln to develop (20)
die Entwicklung (-en) development
das Entwicklungsland (¨-er) developing country
entzwei apart, into pieces
entzweireißen (reißt entzwei), riss entzwei, entzweigerissen to tear into pieces
die Enzyklopädie (-n) encyclopedia
die Epik epic poetry
erbauen to build
der Erbprinz (-en *masc.***)** prince, heir to the throne
die Erbse (-n) pea (15)
die Erbsensuppe (-n) pea soup
die Erbswurst *pea-based meal compressed into the shape of a sausage*
die Erde (-n) Earth
das Erdgeschoss (-e) ground floor (*in a building*) (8)
die Erdkunde geography (11)
die Erdnussbutter peanut butter
der Erdteil (-e) continent
der Erdton (¨-e) earth tone
das Ereignis (-se) occurrence, incident, event
erfahren (erfährt), erfuhr, erfahren to learn, hear about
die Erfahrung (-en) experience
erfinden, erfand, erfunden to invent (21)

A-27

der Erfinder (-) / die Erfinderin (-nen) inventor
die Erfindung (-en) invention
der Erfolg (-e) success (13)
erfolgreich successful(ly)
die Erfolgskurve (-n) success rate
erforderlich necessary
erforschen to explore
erfreuen to please, delight
ergänzen to complete
das Ergebnis (-se) result, outcome
ergreifen, ergriff, ergriffen to seize; to grasp, grip
erhalten (erhält), erhielt, erhalten to receive
erheben, erhob, erhoben to raise, lift
erhellen to lighten up
erhellend lightening up, brightening
erhitzen to heat (19)
erhöhen to raise, increase
sich erholen to recover, recuperate
die Erholung (-en) recreation, recovery
sich erinnern (an + *acc.***)** to remember
die Erinnerung (-en) memory
erjagen to chase; to hunt
sich erkälten to catch a cold
erkältet sein to have a cold
die Erkältung (-en) cold (6)
erkennen, erkannte, erkannt to recognize
die Erkenntnis (-se) insight, understanding
erklären to explain (21)
die Erklärung (-en) explanation
sich erkundigen (über) to inquire, to ask (about)
erlauben to allow
erlaubt (*adj.*) allowed
erleben to experience (8)
das Erlebnis (-se) experience
die Erlebnisgastronomie eating as a culinary experience
erledigen to run an errand; to take care (of something)
erledigt (*adj.*) done, taken care of
erleichtern to relieve
erlernen to learn; to acquire
erlisten to list

erlösen to save (12)
ermöglichen to make possible, enable
ermüden to get tired
ermüdend tiring (21)
ermutigen to encourage
(sich) ernähren to feed, nourish (oneself)
die Ernährung (-en) diet
ernst serious(ly) (1); **ist das dein Ernst?** are you serious?
ernsthaft serious(ly)
die Ernte (-n) harvest
das Erntedankfest (-e) Thanksgiving (5)
eröffnen to open
erraffen to grab
erraten (errät), erriet, erraten to guess
errechnen to calculate
erregen to excite, arouse
die Erregung (-en) excitement, arousal
erreichen to reach, arrive at
erscheinen, erschien, ist erschienen to seem, appear
die Erscheinung (-en) appearance
ersetzen to replace, substitute
erst not until; only; first **erst einmal** first of all
erst- first; **am ersten Juni** on the first of June; **der erste beste Mann** first suitable man **der erste Stock** the second floor (8); **zum ersten Mal** for the first time
erstellen to put together; to compile
erstens first (*in a list of points given*)
erstmals for the first time
der Erstsemestler (-) / die Erstsemestlerin (-nen) first-semester student at a university
ertappen to catch
erteilen to teach (20); **jemandem eine Lehre erteilen** to teach someone a lesson
ertragen (erträgt), ertrug, ertragen to bear, cope with
erträglich bearable
ertrinken, ertrank, ertrunken to drown
erübrigen: es erübrigt sich it

becomes irrelevant, it is no longer an issue
erwachen (*poetic*) to wake up
der/die Erwachsene (*decl. adj.*) adult
erwählen to choose
erwähnen to mention
erwarten to expect (14)
die Erwartung (-en) expectation
(sich) erweisen to prove
erweitern to expand, widen
erweitert (*adj.*) expanded, widened
erwerben (erwirbt), erwarb, erworben to buy; to obtain
erwischen to catch
das Erz (-e) ore
erzählen to tell, narrate
der Erzähler (-) / die Erzählerin (-nen) narrator
die Erzählung (-en) story, tale
der Erzbischof (-̈e) archbishop
erziehen, erzog, erzogen to bring up, educate (20)
der Erzieher (-) / die Erzieherin (-nen) educator, teacher, child care person
die Erziehung (-en) upbringing
das Erziehungsgeld (-er) child benefit
der Erziehungsurlaub (-e) family leave (23)
es it (1); **es gibt** there is/are; **es war einmal . . .** once upon a time . . . (12)
der Esel (-) donkey
der Essay (-s) essay
essen (isst), aß, gegessen to eat (3)
die Essensabfälle (*pl.*) table scraps, garbage
die Essensreste (*pl.*) table scraps
die Essgewohnheiten (*pl.*) eating habits
der Esstisch (-e) dinner table (3)
das Esszimmer (-) dining room (3)
sich etablieren to establish oneself
etabliert (*adj.*) established
die Etage (-n) floor (*in a building*)
etwa about, roughly
etwas something; a little, some
euch (*acc./dat. inform. pl.*) you; **wie geht es euch?** how are you? (5)

die Euphorie (-n) euphoria
(das) Europa Europe
**der Europäer (-) / die Europäerin
(-nen)** European (*person*) (18)
europäisch (*adj.*) European; **die
Europäische Union** European
Union
eventuell possibly
ewig eternal(ly), forever
die Ewigkeit eternity
das Examen (-) exam
das Examensergebnis (-se) exam
results
das Exemplar (-e) specimen
die Existenz (-en) existence
existieren to exist
exotisch exotic(ally)
expandieren to expand
der Experte (-n *masc.*) **/ die
Expertin (-nen)** expert
explodieren to explode
das Exponat (-e) exhibit
exportieren to export
expressionistisch expressionist
exquisit exquisite(ly)
extra special(ly), additional(ly),
extra
der Extremismus extremism
exzellent excellent(ly)

F
die Fabrik (-en) factory (4)
der Fabrikationsverkauf (ːe)
factory outlet
das Fach (ːer) (school) subject (11)
der Fachbereich (-e) subject area
der Fachhändler (-) specialty store
fachlich technical, specialist,
professional
**der Fachmediziner (-) / die
Fachmedizinerin (-nen)**
specialist
die Fachoberschule (-en)
specialized high school (11)
die Fachrichtung (-en) subject area
das Fachwerkhaus (ːer) half-
timbered house
die Fackel (-n) torch
die Fähigkeit (-en) qualification
die Fahne (-n) flag

fahren (fährt), fuhr, ist gefahren
to ride, drive, go (3)
**der Fahrer (-) / die Fahrerin
(-nen)** driver
der Fahrgast (ːe) passenger (7)
die Fahrkarte (-n) ticket
der Fahrkartenschalter (-) ticket
counter (7)
der Fahrplan (ːe) schedule (7)
das Fahrrad (ːer) bicycle; **mit dem
Fahrrad fahren** to go by
bicycle (7)
die Fahrradpanne (-n) broken
bicycle
die Fahrstunde (-n) driving lessons
die Fahrt (-en) trip, journey (24);
gute Fahrt! have a good trip! (14)
der Fahrtweg (-e) driving time,
distance
die Fahrverbindung (-en)
connection
das Faktum (*pl.*** Fakten)** fact
der Fall (ːe) case; **auf jeden Fall** in
any case; **auf keinen Fall** under
no circumstance
fallen (fällt), fiel, ist gefallen to
fall
falls in case
falsch false(ly), wrong(ly)
faltenfrei without wrinkles,
wrinkle-free
familiär familial; familiar
die Familie (-n) family (1)
der Familienalltag daily family
routine
das Familiendokument (-e) family
document
das Familienerbstück (-e) family
heirloom
das Familienfoto (-s) family photo
der Familienfragebogen (ː) family
questionnaire
die Familiengeschichte (-n) family
history
das Familienleben family life
das Familienmitglied (-er)
member of the family
die Familienrolle (-n) family role,
role in the family
der Familienstand marital
status (14)

der Fan (-s) fan
der Fang (ːe) catch
die Fantasie (-n) fantasy (14)
fantasielos unimaginative,
uncreative
fantastisch fantastic(ally)
die Farbe (-n) color
färben to dye; to color
der Farbfilm (-e) roll of color film
der Farbstoff (-e) dye, stain
der Fasching Mardi Gras (17)
die Fassade (-n) facade, front of a
building
fassen to grasp; (*fig.*) to believe
fast almost, nearly
faszinierend fascinating
die Fata Morgana mirage
faul lazy (1)
faulenzen to laze about, be lazy
das Fax (-e) fax
das Faxgerät (-e) fax machine
die Faxmöglichkeit (-en)
possibility to fax
FC = Fußballclub soccer club
der Februar February (5)
die Fee (-n) fairy (12)
fegen to sweep
fehlen (+ *dat.*) to lack; to be
missing (21)
fehlend missing
der Fehler (-) error, mistake
feiern to celebrate (5)
der Feiertag (-e) holiday (5)
fein fine(ly)
feindlich hostile
feindselig hostile
die Feinkost delicacies
das Feld (-er) field (9)
das Fell (-e) fur
der Felsen (-) rock
feminin feminine
der Feminismus feminism
das Fenster (-) window (E)
die Ferien (*pl.*) holidays, vacation
das Feriencamp (-s) vacation camp
der Ferienplatz (ːe) vacation spot,
holiday resort
die Ferienwohnung (-en) vacation
apartment (8)
fern far, distant
das Fernglas (ːer) binoculars

fernsehen (sieht fern), sah fern, ferngesehen to watch television/TV (2)

das Fernsehen: im Fernsehen schauen to watch television/TV

der Fernseher (-) television/TV set (3)

der Fernsehkrimi (-s) detective show on television/TV

das Fernsehprogramm (-e) television/TV program, television/TV channel

die Fernsehsendung (-en) television/TV program

die Fernsehstation (-en) television/TV station

das Fernsehstudio (-s) television/TV production studio

die Fernsehumfrage (-n) television/TV survey

fertig ready, done, finished

fest certain(ly) (13)

das Fest (-e) festival; party (5); celebration; holiday

festlegen (legt fest) to determine, set

festlich festive(ly) (17)

der Festsaal (-säle) great hall, celebration hall

das Festspiel (-e) culture festival

feststellen (stellt fest) to ascertain, to establish

die Festwochen (*pl.*) festival weeks

das Festzelt (-e) festival tent

die Fete (-n) (*coll.*) party

das Fett (-e) fat

fetthaltig containing fat, fatty

das Feuer (-) fire

die Feuerbrunst (-̈e) heat of fire, lust

feuerfarben (*adj.*) the color of fire

das Feuerwerk (-e) fireworks (5)

das Feuerzeug (-e) lighter

das Fieber (-) fever (6)

die Figur (-en) figure, shape

der Film (-e) film

der Filzstift (-e) felt-tip pen, marker

finanziell financial(ly) (13)

finanzieren to finance; to sponsor

finden, fand, gefunden to find

der Finger (-) finger (6)

der Fingernagel (-̈) finger nail

(das) Finnland Finland (9)

die Firma (*pl.* **Firmen**) firm, company (13)

der Firmenwagen (-) company car

der Firmenwechsel (-) change of company

der Fisch (-e) fish (19)

fischen to fish

der Fischer (-) / die Fischerin (-nen) fisherman

das Fischerboot (-e) fishing boat

die Fischerei fishing, fishing industry

die Fischermütze (-n) fisherman's hat

das Fischrestaurant (-s) seafood restaurant

der Fischschwarm (-̈e) swarm of fish

die Fischspezialität (-en) seafood specialty

fit fit; **sich fit halten (hält), hielt, gehalten** to keep fit (23)

die Fitness fitness

das Fitnesscenter (-) gym, fitness center

flach flat, even

das Fladenbrot (-e) pita bread

das Flair flair

flankieren to flank; to accompany

die Flasche (-n) bottle (20)

das Fleisch meat (19)

fleißig industrious(ly) (1)

flexibel flexible (18)

die Fliege (-n) fly

fliegen, flog, ist geflogen to fly (7)

fliehen, floh, ist geflohen to flee, escape

fließen, floss, ist geflossen to flow (17)

flink quick(ly)

das Flinserlkostüm (-e) *Austrian Fasching (Karneval) costume*

die Flinserlmusik *Austrian Fasching (Karneval) music*

die Flinten pulver flasche (-n) gunpowder sack

der Flohmarkt (-märkte) flea market (22)

der Florist (-en *masc.***) / die Floristin (-nen)** florist

die Flöte (-n) flute

die Flucht (-en) flight, escape

der Flug (-̈e) flight (*in an airplane*)

der Flugbegleiter (-) / die Flugbereiterin (-nen) flight attendant (13)

das Flugblatt (-̈er) flyer

der Flughafen (-̈) airport (24)

die Flugkarte (-n) airline ticket (24)

das Flugzeug (-e) airplane (7); **mit dem Flugzeug fliegen** to fly (by airplane)

der Flur (-e) corridor, hall

der Fluss (-̈e) river (9)

flüstern to whisper

die Flut (-en) flood

föderalistisch federal

der Fokus focus

die Folge (-n) episode

folgen (+ *dat.*) to follow (14)

folgend following

die Foltermethode (-n) method of torture

fordern to demand; to ask; to require

die Forelle (-n) trout (15)

die Form (-en) form, shape

formal formal(ly)

förmlich formal(ly); literal(ly)

das Formular (-e) form (8)

forschen to research

die Forschung (-en) research

fortsetzen (setzt fort) to continue

das Foto (-s) photo

der Fotoapparat (-e) camera

der Fotograf (-en *masc.***) / die Fotografin (-nen)** photographer (13)

fotografieren to photograph (2)

das Fotografieren photography

fotokopieren to photocopy

das Fotokopiergerät (-e) photocopy machine

die Frage (-n) question

der Fragebogen (-̈) questionnaire

fragen to ask (8); **fragen nach** to ask about

der Fragenkatalog (-e) battery of questions

das Fragewort (¨er) question word, interrogative pronoun

der Franken (-) franc (*currency in France and Switzerland*)

das Frankenreich Frankish Empire

das Fränkische Reich Frankish Empire

(das) Frankreich France (9)

der Franzose (-n *masc.***) / die Französin (-nen)** French person

das Französisch French (*language*) (11)

die Frau (-en) woman; wife (1)

die Frauenpower women's power (*feminist motto*)

der Frauensakko (-s) women's blazer (7)

die Frechheit (-en) offensive behavior; **das ist eine Frechheit!** what nerve! (10)

die Fregatte (-n) frigate, type of ship

frei free; **ist hier noch frei?** is this seat taken? (15); **wann sind Sie frei?** when do you have time?

das Freibad (¨er) outdoor pool

die Freibühne (-n) outdoor theater

die Freiheit (-en) freedom, liberty (23)

die Freiheitsstatue Statue of Liberty

das Freiheitssymbol (-e) symbol of freedom

der Freiherr (-en, -n *masc.***)** baron

die Freistunde (-n) free hour

der Freitag (-e) Friday (E)

der Freitagabend (-e) Friday evening

freiwillig voluntarily

die Freizeit free time (16)

die Freizeitaktivität (-en) pastime, hobby

der Freizeitbereich (-e) recreation industry

die Freizeitbeschäftigung (-en) pastime, hobby

das Freizeitzentrum (-zentren) recreation center

fremd foreign; strange (24)

der/die Fremde (*decl. adj.*) stranger

die Fremdsprache (-n) foreign language

die Fremdsprachenkenntnisse (*pl.*) foreign language skills

fressen (frisst), fraß, gefressen (*animals*) to eat

die Freude (-n) joy, happiness

freudig joyful(ly), happy (happily)

sich freuen auf (+ *acc.*) to look forward to (18); **sich freuen über** (+ *acc.*) to be happy about

der Freund (-e) / die Freundin (-nen) close friend; boyfriend/girlfriend (1)

der Freundeskreis (-e) circle of friends

freundlich friendly (1)

die Freundschaft (-en) friendship

der Frieden peace

die Friedensarbeit (-en) work for peace

friedlich peaceful(ly)

frieren to freeze, be cold

der Fries (-e) frieze

friesverziert (*adj.*) decorated with friezes

frisch fresh(ly) (5)

frischgefangen freshly caught

die Froschprinzessin (-en) frog princess

der Friseur (-e) / Friseurin (-nen), die Friseuse (-n) hairdresser

die Frisur (-en) hairstyle

froh glad, happy (1); **frohe Weihnachten!** merry Christmas!

fröhlich happy, in good spirits

die Front (-en) front, frontage

die Frontlänge (-n) length of the front

der Frosch (¨e) frog

das Fröschchen (-) little frog

der Froschkönig (-e) frog king (12)

die Froschprinzessin (-nen) frog princess

die Frucht (¨e) fruit

das Fruchtkonzentrat (-e) fruit concentrate

der Fruchtsaft (¨e) fruit juice

früh early (16)

der Früheinwohner (-) early inhabitant

früher earlier, before, in earlier times

das Frühjahr (-e) spring

der Frühling (-e) spring (5)

der Frühlingsmarkt (¨e) spring market

der Frühlingstag (-e) spring day

das Frühstück (-e) breakfast

frühstücken to have breakfast

der Frühstückstisch (-e) breakfast table

das Frühstückszimmer (-) breakfast room

die Frühzeit prehistory

die Frustphase (-n) phase of frustration

frustrieren to frustrate

frustriert (*adj.*) frustrated

fügen to put; to join

fühlen to feel; **sich wohl fühlen** to feel well; to be comfortable

führen to lead; to guide; to manage

führend leading

die Führerhörigkeit obedience to a leader

der Führerschein (-e) driver license

die Fülle (-n) abundance

fünf five (E)

fünfeinhalb five and a half

fünfzehn fifteen (E)

fünfzig fifty (E); **die fünfziger Jahre** the fifties

Funk: Funk und Fernsehen radio and television; **per Funk** by radio

die Funktion (-en) function

funktionieren to function

für (+ *acc.*) for (5)

furchtbar terrible, terribly; awful(ly)

sich fürchten vor (+ *dat.*) to be afraid (of) (19)

fürs = für das

der Fuß (¨e) foot (6); **zu Fuß gehen** to walk (4)

der Fußball (¨e) soccer ball

der Fußball soccer; **Fußball spielen** to play soccer (2)

der Fußballfanatiker (-) / die

Fußballfanatikerin (-nen) soccer fanatic, soccer nut

das Fußballländerspiel (-e) European championship soccer game

das Fußballspiel (-e) soccer game (16)

die Fußgängerzone (-n) pedestrian zone (20)

füttern (*animals*) to feed

das Futur future tense

G

die Gabe (-n) gift, present

die Gabel (-n) fork (19)

gähnen to yawn

die Galerie (-n) gallery (22)

der Gallier (-) / die Gallierin (-nen) Gaul

ganz whole, complete, very; really; **ganz Deutschland** all of Germany; **ganz am Ende** at the very end; **ganz und gar (nicht)** absolutely (not)

gar nicht absolutely not, not at all; **gar nichts** absolutely nothing, nothing at all

die Garage (-n) garage

garantieren to guarantee

die Gardine (-n) curtain

garnieren to garnish

garstig nasty

der Garten (¨) garden (4)

die Gartenarbeit (-en) garden work

die Gartenmauer (-n) garden wall

die Gasse (-n) alley

der Gast (¨e) guest (8)

das Gäste-WC guest bathroom

die Gastfamilie (-n) host family

der Gastgeber (-) / die Gastgeberin (-nen) host/hostess

das Gasthaus (¨er) restaraunt, inn (15)

der Gasthof (¨e) hotel; restaurant (15)

das Gastland (¨er) host country

die Gastmutter (¨) host mother

der Gastronom (-en *masc.***) / die Gastronomin (-nen)** restaurant owner, restauranteur

die Gaststätte (-n) restaurant (15)

die Gaststube (-n) lounge

der Gastvater (¨) host father

der Gastwirt (-e) restaurant owner

der Gaumen (-) gums, palate

das Gebäude (-) building

geben (gibt), gab, gegeben to give (3); **es gibt** there is/are

das Gebirge mountains, alpine region (9)

die Gebirgshose (-n) pants for the mountains

die Gebirgskette (-n) mountain range

geblümt (*adj.*) flowered (21)

geboren born; **wann sind Sie geboren?** when were you born? (14)

die Geborgenheit security

gebrauchen to use

gebrochen (*adj.*) broken

die Gebrüder Grimm Brothers Grimm

die Gebühr (-en) fee

gebunden sein an (*+ acc.*) to be tied to, bound by

das Geburtsdatum (-daten) date of birth

das Geburtshaus (¨er) birth house

das Geburtsjahr (-e) year of birth

der Geburtsort (-e) place of birth (14)

der Geburtstag (-e) birthday (5)

das Geburtstagsessen (-) birthday meal

die Geburtstagsfeier (-n) birthday party

die Gedächtniskirche *war memorial church in Berlin*

der Gedanke (-n *masc.***)** thought

die Gedankenwiedergabe (-n) representation of thought, expression of thought

das Gedicht (-e) poem

die Gedichtsammlung (-en) poetry collection, anthology

die Geduld patience

geeignet suitable, appropriate (22)

die Gefahr (-en) danger

gefährlich dangerous (7)

gefallen (gefällt), gefiel, gefallen (*+ dat.*) to please, to be pleasing to, to like

der Gefallen (-) favor

gefangen (*adj.*) caught, captured

gefärbt (*adj.*) tinted, colored (21)

das Geflügel poultry

das Gefühl (-e) feeling

gegen (*+ acc.*) against (5)

die Gegend (-en) vicinity, neighborhood

gegeneinander against each other

der Gegensatz (¨e) opposite, contradiction

der Gegenstand (¨e) thing, inanimate object

das Gegenteil (-e) opposite

gegenüber opposite; **gegenüber von** _____ opposite _____ (22); **jemandem gegenüber** toward someone

gegenübertreten (tritt gegenüber), trat gegenüber, ist gegenübergetreten to face; to step in front of

gegründet (*adj.*) founded

das Gehalt (¨er) salary (13)

der Gehaltsvorschlag (¨e) proposed salary

das Geheimnis (-se) secret

geheimnisvoll strange, secretive

gehen, ging, gegangen to go (2); **wie geht's?** how are you?; **mir geht's auch gut** I am well, too; **das geht zu weit!** that's too much!, that pushes it over the top! (10)

gehören (*+ dat.*) to belong (to) (21)

der Geist (-er) spirit; mind

geistig spiritual, mental

der/die Gejagte (*decl. adj.*) hunted person

gelb yellow (2)

das Geld (-er) money

der Geldschein (-e) bill, banknote

die Gelegenheit (-en) opportunity (13)

gelten (gilt), galt, gegolten to be regarded

gelingen, gelang, gelungen (*+ dat.*) to succeed; **gut gelungen** came out well

das Gemälde (-) painting (22)

gemein mean, malicious

die Gemeinde (-n) community, town
gemeinsam together, common
gemischt (*adj.*) mixed
das Gemüse (-) vegetable (5)
die Gemüsesorte (-n) (kind of) vegetable
gemustert (*adj.*) patterned, printed (21)
das Gemüt (-er) mood, soul, mind
gemütlich comfortable (16)
die Gemütlichkeit informal atmosphere
genau exact(ly), precise(ly)
genehmigen to authorize; to approve
der General (-̈e) general
die Generation (-en) generation
(das) Genf Geneva
genial ingenious(ly), brilliant(ly)
das Genie (-s) genius
genießen, genoss, genossen to enjoy
der Genitiv genitive case
genmanipuliert genetically manipulated
die Gentechnologie genetic engineering
genug enough
genügen to suffice
genügend sufficient(ly)
geöffnet (*adj.*) open
die Geographie geography
geographisch geographical(ly)
geologisch geological(ly)
das Gepäck baggage (7)
die Gepäckaufbewahrung (-en) baggage check (7)
gepflegt (*adj.*) cultured; neat; well-kept
geplant (*adj.*) planned
gepunktet polka-dotted (21)
gerade just, at the moment; straight, even; **gerade noch** just barely; **nicht gerade** not really
geradeaus straight ahead (22)
geraspelt (*adj.*) grated, shredded
das Gerät (-e) appliance, gadget, machine
das Geräusch (-e) sound, noise
gerecht fair (10)

das Gericht (-e) dish, recipe
gering small, insignificant
geringschätzig contemptuous, disparaging
germanisch Germanic
gern (lieber, am liebst-) gladly; willingly; with pleasure; **ich hätte gern . . .** I'd like . . . (15); **ich schwimme gern** I like swimming; **ja, gern!** yes, please! my pleasure! **was machen Sie gern?** what do you like to do?
gesammelt (*adj.*) collected
die Gesamtschule (-n) general education high school (11)
das Geschäft (-e) store; business
die Geschäftsfrau (-en) businesswoman
der Geschäftsmann (-leute) businessman (13)
geschändet (*adj.*) blemished
geschehen (geschieht), geschah, ist geschehen to happen
das Geschehen (-) event, happening
gescheit intelligent, sensible (21)
das Geschenk (-e) gift (5)
die Geschichte (-n) story; history (11)
der Geschichtslehrer (-) / die Geschichtslehrerin (-nen) history teacher
das Geschirr (*sg.*) dishes; **Geschirr spülen** to wash dishes
die Geschirrspülmaschine (-n) dishwasher (3)
das Geschlecht (-er) gender, sex
geschlossen (*adj.*) closed (24)
der Geschmack (-̈e) taste
geschockt (*adj.*) shocked
geschwind(e) quickly
die Geschwister (*pl.*) siblings (1)
geschwungen (*adj.*) curved
der Geselle (-n *masc.***)** journeyman; guy
die Gesellschaft (-en) company, society, association; **Gesellschaft mit begrenzter Haftung** company with limited liability
das Gesetz (-e) law
gesetzlich legal(ly)
gesichert (*adj.*) secured, safe

das Gesicht (-er) face (6)
der Gesichtsausdruck (-̈e) facial expression
gespannt (*adj.*) **(auf)** excited (about)
gesperrt closed
das Gespräch (-e) conversation
gestalten to design; to create
die Gestapo gestapo
gestern yesterday (8)
gestört (*adj.*) interrupted
gestresst (*adj.*) under stress, stressed out
gesucht (*adj.*) wanted, sought after
die/der/das Gesuchte (*decl. adj.*) person/thing wanted
gesund healthy (1)
die Gesundheit health (6)
das Gesundheitskonzept (-e) health concept
das Getränk (-e) drink, beverage
das Getreide grain, cereals
gestreift (*adj.*) striped (21)
getrennt (*adj.*) separate, separated
das Getue to-do, fuss
die Gewähr für etwas leisten to ensure, guarantee something
die Gewalttätigkeit (-en) act of violence (20)
das Gewerbe (-) trade
das Gewicht (-e) weight
der Gewinn (-e) gain, profit
gewinnen, gewann, gewonnen to win (23)
gewiss certain
das Gewissen conscience
gewissenhaft conscientious(ly)
das Gewitter (-) thunderstorm
sich gewöhnen an (+ *acc.*) to get used to (24)
die Gewohnheit (-en) habit
gewöhnlich usual(ly), normal(ly)
das Gewürz (-e) spice, seasoning
gewürzt (*adj.*) seasoned
gezwungen (*adj.*) obliged, forced
der Giebel (-) gable, pediment
gießen, goss, gegossen to pour (19)
gigantisch gigantic
der Gipfel (-) summit (17)
die Gitarre (-n) guitar

der Glanz (-e) gleam, shine, glitter, sparkle
glänzen to shine
das Glas (-̈er) glass (19)
gläsern glass(y)
die Glasflasche (-n) glass bottle
glatt smooth
glauben to believe (14)
gleich immediately; equal, same
gleichaltrig of the same age
gleichberechtigt with equal eights
die Gleichberechtigung equality (23)
die/der/das Gleiche (*decl. adj.*) same (one/person/thing)
gleichzeitig simultaneous(ly) (21)
das Gleis (-e) track (7); **auf Gleis drei** on track three
gleiten, glitt, ist geglitten to glide, slide
gleitende Arbeitszeit flextime
der Gletscher (-) glacier (17)
die Gliederung (-en) outline, structure
der Globus globe
die Glocke (-n) bell
das Glück happiness, luck; **viel Glück!** good luck! (5); **zum Glück** luckily
glücken (+ *dat.*) to be a success, be successful
glücklich happy (1)
der Glücksbringer (-) lucky charm
der Glücksstern (-e) lucky star
die Glückszahl (-en) lucky number
GmbH = Gesellschaft mit begrenzter Haftung company with limited liability
die Gnade (-n) mercy, grace
gnadenlos merciless
gnädig merciful(ly), gracious(ly); **gnädige Frau** *polite form of address; antiquated, but still used in Austria*
das Goethehaus Goethe's birth house
das Gold gold
golden gold(en)
der Goldschmied (-e) goldsmith
das Golf golf; **Golf spielen** to play Golf (8)
gönnen: jemandem etwas gönnen to grant someone something

der Gott (-̈er) God, god; **grüß Gott!** (*in southern Germany, Austria, and Switzerland*) hello!
gottlob thank God
grad/grade = gerade
das Grafengeschlecht (-er) aristocratic lineage
grafisch graphic(ally), schematic(ally)
die Grammatik (-en) grammar
graphisch graphic(ally), schematic(ally)
das Gras (-̈er) grass
grässlich hideous, horrible
gratulieren to congratulate (17); **gratuliere!** congratulations! (5)
grau grey (2)
grausam cruel
greifen, griff, gegriffen to grab; to grasp
die Grenze (-n) border, limit (17)
grenzen an (+ *acc.*) to border on (17)
der Grenzübergang (-̈e) border crossing (18)
der Grieche (-n *masc.***) / die Griechin (-nen)** Greek person (18)
(das) Griechenland Greece (9)
griechisch (*adj.*) Greek
das Griechisch Greek (*language*)
grillen to barbecue
das Grillfest (-e) barbecue
die Grippe (-n) cold, flu (6)
(das) Grönland Greenland
groß (größer, größt-) big; large; tall (1)
großartig magnificent(ly)
(das) Großbritannien Great Britain (9)
die Größe (-n) size (21)
die Großeltern (*pl.*) grandparents (1)
der Größenwahnsinn megalomania
größenwahnsinnig megalomaniac(al)
der Großherzog (-̈e) / die Großherzogin (-nen) grand duke / grand duchess
das Großherzogtum (-̈er) grand duchy

die Großmutter (-̈) grandmother (1)
die Großstadt (-̈e) big city, metropolis (4)
die Großtante (-n) great aunt
die Großtat (-en) great achievement
die/der/das Größte (*decl. adj.*) biggest, tallest, largest (one)
der Großvater (-̈) grandfather (1)
großzügig generous(ly)
grün green (2)
der Grund (-̈e) reason (18)
gründen to found
das Grundgesetz Basic Law
die Grundschule (-n) elementary school (11)
grunzen to grunt
die Gruppe (-n) group
die Gruppenarbeit (-en) group work
die Gruppierung (-en) grouping
der Gruß (-̈e) greeting; **herzliche Grüße! liebe Grüße! schöne Grüße! viele Grüße!** best wishes!
grüßen to greet; **grüß Gott!** (*in southern Germany, Austria, and Switzerland*) hello!
gucken (*coll.*) to watch; to look (14); **guck mal!** watch!, look!
der Gummibär (-en *masc.***)** gummi bear
günstig inexpensive, cheap
die Gurke (-n) cucumber (19)
der Gürtel (-) belt (7)
gut (besser, best-) good; **gute Besserung!** get well soon!; **gute Fahrt!** have a nice trip! (14); **guten Abend!** good evening!; **guten Morgen!** good morning! (E); **guten Rutsch ins neue Jahr!** happy New Year!; **guten Tag!** hello! (E); **gute Reise!** have a nice trip! (5)
das Gute goodness, the good; **etwas Gutes** something good
gutmütig good-natured(ly)
der Gymnasiallehrer (-) / die Gymnasiallehrerin (-nen) teacher in Gymnasium
der Gymnasiast (-en *masc.***) / die**

Gymnasiastin (-nen) student in Gymnasium
das Gymnasium (Gymnasien) secondary school (10)
die Gymnastik gymnastics

H

ha! ha!
das Haar (-e) hair (6)
haben (hat), hatte, gehabt to have (2); **ich hätte gern . . .** I'd like . . . (15)
hacken to chop, to mince; to grind
das Hackfleisch ground meat
der Hafen (⁻) harbor
die Hafenstadt (⁻e) port, harbor city
der Hahn (⁻e) rooster
halb half; **eine halbe Stunde** half an hour; **es ist halb sechs** it's five-thirty
die Halbinsel (-n) peninsula (9)
die Halbkugel (-n) hemisphere
der Hals (⁻e) neck; throat (6)
die Halsschmerzen (*pl.*) sore throat (6)
der Halsbruch: Hals- und Beinbruch! break a leg! good luck!
das Halsweh sore throat
halt (*particle*): **dann müsst ihr halt mit dem Bus fahren** in that case you'll have to take the bus
halten (hält), hielt, gehalten to hold; **halten für** to consider, to regard (20); **halten von** to have an opinion; **was halten Sie davon?** what do you think about it?, what's your opinion?; **jemand auf dem laufenden halten** to keep someone informed
die Haltung (-en) opinion, attitude, view
der Hamburger (-) / die Hamburgerin (-nen) person from Hamburg
der Hamburger Dom festival in Hamburg
die Hand (⁻e) hand (6)
die Handarbeit (-en) handicraft
der Handball handball

das Handbuch (⁻er) handbook, reference work
der Handel trade, commerce
handeln von to deal with, be about (21)
die Handelsfirma (-firmen) trading company
das Händeschütteln handshake (24)
der Händler (-) / die Händlerin (-nen) trader, retailer, wholesaler
die Handschmerzen (*pl.*) pain in the hand
die Handschrift (-en) handwriting; manuscript
der Handschuh (-e) glove (21)
die Handtasche (-n) handbag, pocketbook, purse
das Handtuch (⁻er) towel
der Hang inclination, interest
hängen to hang (up)
hängen, hing, gehangen to hang, be in a hanging position
(das) Hannover Hanover
die Hanse Hanseatic League
die Hansekogge (-n) Hanseatic cog (*type of ship*)
das Hanseschiff (-e) Hanseatic ship
die Hansestadt (⁻e) Hanseatic city
hassen to hate
hässlich ugly (1)
hasten to hurry, hasten
häufig frequent(ly)
die Hauptattraktion (-en) main attraction
der Hauptbahnhof (⁻e) main train station
das Hauptfach (⁻er) major subject (11)
das Hauptgebäude (-) main building
das Hauptgericht (-e) entree (15)
die Hauptsache (-n) the main thing, mainly
hauptsächlich mainly, primarily
die Hauptschule (-n) general education high school (11)
der Hauptsitz (-e) head quarters
die Hauptstadt (⁻e) capital (17)
das Hauptthema (-themen) main topic

der Haupttyp (-en) the main kind, type
das Haus (⁻er) house (4); **nach Haus(e) gehen** to go home; **zu Haus(e)** at home
die Hausarbeit (-en) housework, household chore
die Hausaufgabe (-n) homework (10)
der Hausbewohner (-) / die Hausbewohnerin (-nen) resident
das Häuschen (-) little house
die Hausfrau (-en) housewife
der Haushalt (-e) household; **den Haushalt machen** to take care of the household (23)
das Haushaltsgerät (-e) household appliance (20)
der Haushaltshelfer (-) / die Haushaltshelferin (-nen) household help
häuslich domestic
der Hausmann (⁻er) househusband (23)
das Hausmärchen (-) folk tale
der Hausmeister (-) / die Hausmeisterin (-nen) maintenance person, janitor
die Hausmeisterstelle (-n) position as building maintenance person
der Hausmüll household waste
die Hausnummer (-n) house number
das Haustier (-e) pet
die Haut skin
die Hautfarbe (-n) color of skin
heben, hob, gehoben to lift
das Heft (-e) notebook (E)
heftig hard, strong(ly)
die Heide (-n) heath (9)
die Heidelandschaft (-en) heath landscape
heil whole, healed, in order
heilig holy; **heilig sprechen (spricht), sprach, gesprochen** to canonize
das Heim (-e) home; **trautes Heim** home sweet home
die Heimat (-en) home, sense of belonging

das Heimatgefühl (-e) sense of home

das Heimatland (¨er) home country

heimatlich familiar

das Heimatmuseum (-museen) local history museum

die Heimatstadt (¨e) hometown

heimlich secret(ly)

das Heimweh homesickness

die Heirat (-en) marriage

heiraten to get married (12)

der Heiratsantrag (¨e) marriage proposal

heiß hot (5)

heißen, hieß, geheißen to be called (1)

heiter clear (weather) (5)

die Hektik hectic, rush

der Held (-en *masc.***) / die Heldin (-nen)** hero, heroine

die Heldentat (-en) heroic deed, feat

helfen (hilft), half, geholfen to help (13)

hell light, bright (2)

hellblau light blue

hellhörig werden to prick up one's ears, pay close attention

das Hemd (-en) shirt (7)

die Hemisphäre (-n) hemisphere

herausfinden, fand heraus, herausgefunden to find out

die Herausforderung (-en) challenge

herausgeben (gibt heraus), gab heraus, herausgegeben to publish; to edit

der Herausgeber (-) / die Herausgeberin (-nen) editor

herausragend outstanding

herbei hither, here

der Herbst fall, autumn (5); **im Herbst** in the fall

der Herd (-e) stove (3)

die Herde (-n) herd, flock

herein! come in!

hereinrollen (rollt herein) to roll in

herkommen (kommt her), kam her, ist hergekommen to come here

die Herkunft (¨e) origin, background

der Herr (-en, -n *masc.***)** gentleman; Mr.

herrlich wonderful, divine

herrschen to rule, govern

herstellen (stellt her) to manufacture; to produce

herum around; **anders herum** the other way around; **um (Köln) herum** around (Cologne)

hervor forth

das Herz (-en, -en) heart; **am Herzen liegen** to be very dear

herzaubern (zaubert her) to conjure forth

der Herzinfarkt (-e) heart attack

herzlich warm, kind; **herzliche Grüße!** best wishes!; **herzlichen Glückwunsch!** congratulations!; **herzlichen Glückwunsch zum Geburtstag!** happy birthday! (5); **herzlich Willkommen** welcome (5)

(das) Hessen Hesse (17)

der Heurigen (-n *masc.***)** wine restaurant

heute today (5)

heutig today's

heutzutage these days, nowadays

die Hexe (-n) witch (12)

hier here; **ist hier noch frei?** is this seat taken?

die Hilfe help, assistance; **mit Hilfe** (+ *gen.*) with the help of

hilfsbereit willing to help, helpful

das Hilfsverb (-en) auxiliary verb

der Himmel sky, heaven (9)

die Hin- und Rückfahrt (-en) round-trip

hin und zurück (*adv.*) round trip (24)

hinaus out, outside (*away from the speaker*)

hinauslaufen (läuft hinaus), lief hinaus, ist hinausgelaufen to run out(side) (away from the speaker)

hineinsehen (sieht hinein), sah hinein, hineingesehen to look in(side) (*away from the speaker*)

hinfahren (fährt hin), fuhr hin, ist hingefahren to go there, drive there

hinkommen, kam hin, ist hingekommen to get there

(sich) hinlegen (legt hin) to put down (16)

hinrichten (richtet hin) to execute

hinschmeißen (schmeißt hin), schmiss hin, hingeschmissen to fling down; to quit

sich hinsetzen (setzt hin) to take a seat, sit down

hinstellen (stellt hin) to put

hinter (+ *acc./dat.*) behind

der Hintergrund (¨e) background

das Hinterhaus *living quarters at the back of or behind a house and accessible only through a courtyard*

hinterlassen (hinterlässt), hinterließ, hinterlassen to leave (*something*) behind

historisch historical(ly)

die Hitze (-n) heat

das Hobby (-s) hobby, pastime

der Hobbykoch (¨e) hobby chef

hoch (höher, höchst-) high; **bis ins hohe Alter** to old age; **Kopf hoch!** keep your chin up!

das Hochdeutsch standard German

hochgehen (geht hoch), ging hoch, ist hochgegangen to go up

das Hochhaus (¨er) skyscraper (4)

der Hochschulabschluss (¨e) university degree

die Hochschule (-n) college (11)

die Hochschulreife (-n) exam for admission to higher education institutions

das Hochschulstudium (-studien) program at an institution of higher education

das Hochschulwissen university knowledge

die/der/das Höchste (*decl. adj.*) highest (one)

hochtreiben (treibt hoch), trieb hoch, hochgetrieben to drive up, raise

der Hof (¨e) court; farm

hoffen to hope

hoffentlich hopefully
die Hoffnung (-en) hope
höfisch courtly
höflich polite(ly), courteous(ly)
die Höflichkeit (-en) courtesy
hohl hollow
höhlen to hollow out
holen to get, fetch
der Holocaust holocaust
das Holz (¨er) wood
die Homöopathie homeopathic medicine
hören to hear; to listen (2)
der Hörer (-) / die Hörerin (-nen) listener
der Horizont (-e) horizon
der Hörsaal (-säle) auditorium (19)
der Hörtext (-e) listening comprehension text
die Hose (-n) pants, trousers (7)
das Hotel (-s) hotel (8)
die Hotelbar (-s) hotel bar
der Hotelfachmann (¨er) / die Hotelfachfrau (-en) hotel manager
das Hotelzimmer (-) hotel room
Hrsg. = Herausgeber
hübsch pretty, good-looking
der Hubschrauber (-) helicopter
der Huf (-e) hoof
der Hügel (-) hill (9)
die Hügellandschaft (-en) hills, hilly landscape
der Hummer (-) lobster (15)
der Hund (-e) dog
das Hundefutter dog food
hundemüde dead tired
hundert one hundred (E)
hundertprozentig one hundred percent
der Hunger hunger (20); **hast du Hunger?** are you hungry?
die Hungersnot (¨e) famine
husten to cough (6)
der Husten (-) cough
der Hut (¨e) hat (7)
das Hütchen (-) little hat
die Hütte (-n) cabin
die Hymne (-n) hymn

I

ICE = Intercityexpresszug high speed train
ich I (1)
ideal ideal(ly)
das Ideal (-e) ideal
die Idee (-n) idea (10)
(sich) identifizieren mit to identify with
idyllisch idyllic, picturesque
ihrerseits on her part, herself; on their part, themselves
die Illustration (-en) illustration
der Imbiss (-e) snack, fast food
der Imbissstand (¨e) snack stand (15)
die Imbissstube (-n) hot dog stand
der Imperativ (-e) imperative
das Imperfekt imperfect
imposant impressive
die Impression (-en) impression
in (+ *acc./dat*) in, into; **in der Nähe** in the vicinity (17)
indem by (+ *gerund*)
der Inder (-) / die Inderin (-nen) person from India (18)
indirekt indirect(ly)
individuell individual(ly)
die Industrie (-n) industry
die Industrieanlage industrial facilities
das Industrielabor (-s) industrial lab
ineinander in/with each other
die Infektion (-en) infection
der Infinitiv (-e) infinitive
die Info (-s) (= Information)
die Informatik computer science (11)
der Informatiker (-) / die Informatikerin (-nen) computer programmer (13)
die Information (-en) information
das Informationsamt (¨er) information office (22)
der Informationsbroker (-) information broker
informieren to inform; **sich informieren** to get information
die Infrastruktur (-en) infrastructure

der Ingenieur (-e) / die Ingenieurin (-nen) engineer (13)
die Ingenieurswissenschaften mechanical engineering (*as a subject*)
der Inhalt (-e) content
die Initiative (-n) initiative
inklusive including, included
innen within, inside
der Innenarchitekt (-en *masc.*) / die Innenarchitektin (-nen) interior designer
die Inneneinrichtung (-en) interior decoration
die Innenstadt (¨e) inner city, downtown area
die Innentür (-en) interior door
das Innere (*decl. adj.*) interior, inside
innerhalb (+ *gen.*) within, inside
innovativ innovative
insbesondere in particular
die Insel (-n) island (9)
insgesamt altogether
das Institut (-e) institute
das Instrument (-e) instrument, device
die Integration (-en) integration
integrieren to integrate
intelligent intelligent(ly)
die Intelligenz intelligence
intensiv intensive(ly)
die Interaktion (-en) interaction
der Intercity (*also:* **InterCity**) *train between major cities*
der Intercityexpresszug *high-speed train between major cities*
interessant interesting (1)
das Interesse (-n) interest (14); **Interesse haben an** (+ *dat.*) to be interested in, to have interest in
interessieren to interest, **sich interessieren für** to be interested in (13)
das Internat (-e) boarding school
international international(ly)
das Internet Internet
die Interpretation (-en) interpretation
interpretieren to interpret
das Interview (-s) interview

interviewen to interview
investieren to invest
die Investition (-en) investment
inzwischen in the meantime, meanwhile
irgendein some, any
irgendetwas something, anything
irgendwas = irgendetwas
irgendwie somehow, some way
irgendwo somewhere, anywhere
(das) Irland Ireland (9)
die Ironie irony
ironisch ironic; ironically
ironisieren to treat ironically
(das) Island Iceland (9)
(das) Italien Italy (9)
der Italiener (-) / die Italienerin (-nen) Italian (*person*) (18)
italienisch (*adj.*) Italian

J

ja yes; **ja, gern!** yes, please!; **ja** (*particle*) **ist ja echt super** that's really great; **wir wissen ja, wie schwer du arbeitest** we do know, after all, how hard you work
die Jacke (-n) jacket (7)
das Jackett (-s) jacket (7)
die Jagd (-en) hunt
der Jagdhund (-e) hunting dog
der Jäger (-) / die Jägerin (-nen) hunter
das Jahr (-e) year; **im kommenden Jahr** next year, **im Jahr(e) 1750** in 1750; **jedes Jahr** every year; **mit sechs Jahren** when (s)he was six years old; **vor einem Jahr** a year ago
die Jahreszeit (-en) season (5)
das Jahrhundert (-e) century; **im achtzehnten Jahrhundert** in the eighteenth century
-jährig: ein 16-jähriger Schüler a sixteen-year old student (11)
jährlich annual(ly)
der Jahrmarkt (¨e) fair
(das) Jamaika Jamaica
der Januar January (5)
die Jazzmusik jazz
je = jemals ever
die Jeans (-) jeans (7)

die Jeanshose (-n) jeans
jeder, jede, jedes each, every, any; **auf jeden Fall** in any case
jedenfalls in any case
jedoch however
jemals ever
jemand someone, anyone
jetzt now
jeweilig the respective
jeweils (for) each
der Job (-s) job
jobben to have a temporary job
das Jobinterview (-s) job interview
joggen to jog (8)
der Jogginganzug (¨e) jogging suit (7)
der Joghurt (-s) yogurt
der Journalismus journalism
der Journalist (-en *masc.*) / die Journalistin (-nen) journalist (13)
der Jude (-n *masc.*) / die Jüdin (-nen) Jew
die Jugend (-en) youth
das Jugendfreizeitheim (-e) youth retreat house
der Jugendfreund (-e) / die Jugendfreundin (-nen) childhood friend
die Jugendgruppe (-n) youth group
die Jugendherberge (-n) youth hostel (8)
jugendlich youthful
der/die Jugendliche (*decl. adj.*) young adult
das Jugendmagazin (-e) youth magazine
das Jugendmuseum (-museen) youth museum
der Jugendreiseveranstalter (-) / die Jugendreiseveranstalterin (-nen) youth travel organizer
das Jugendzentrum (-zentren) youth social organization
der Juli July (5)
jung, jünger, jüngst- young (1)
der Junge (-n *masc.*) boy
die Jungfrau Virgo
der Jüngling (*antiquated*) young man
der Juni June (5)

der Junker (-) squire
Jura law (studies)
der Juwelier (-e) jeweler
das Juweliergeschäft (-e) jewelry store (22)

K

das Kabel (-) cable, wire, cord
das Kabelfernsehen cable television/TV
die Kachel (-n) tile
der Kachelofen (¨) tiled stove
der Kaffee (-s) coffee (16); **Kaffee trinken** to drink coffee (2)
die Kaffeemaschine (-n) coffeemaker
der Kaffeetopf (¨e) coffeepot
das Kaffeetrinken coffee drinking
der Kaiser (-) / die Kaiserin (-nen) emperor/empress
das Kajak (-s) kayak
der Kakao cocoa
das Kalbfleisch veal
der Kalender (-) calender
(das) Kalifornien California
die Kalkulation (-en) calculation
kalt cold (5)
die Kamera (-s) camera
der Kamerad (-en *masc.*) fellow soldier, comrade
der Kamillentee (-s) chamomile tea
der Kampf (¨e) fight, struggle, combat
kämpfen (um) to fight (for)
(das) Kanada Canada
der Kanadier (-) / die Kanadierin (-nen) Canadian (*person*) (18)
kanadisch Canadian
die Kanalisation sewer system
der Kandidat (-en *masc.*) / die Kandidatin (-nen) candidate
das Kaninchen (-) rabbit
der Kanton (-e) canton
der Kapitän (-e) captain (14)
das Kapitel (-) chapter
kaputt broken, out of order
die Kardinalzahl (-en) cardinal number
der Karfreitag Good Friday
die Karibik Caribbean

kariert checkered (21)
der Karneval carnival (5), Mardi Gras (5)
das Karnevalsfest (-e) traditional festival (related to Mardi Gras)
die Karotte (-n) carrot (19)
die Karriere (-n) career (13)
die Karrierechance (-n) career opportunity
die Karte (-n) card; ticket; menu; map; **Karten spielen** to play cards (2)
der Kartendienst (-e) map service
das Kartenhaus (¨er) house made out of cards
die Kartoffel (-n) potato (15)
die Kartoffelsuppe (-n) potato soup
der Käse cheese (16)
der Käsekuchen (-) cheesecake (15)
die Kasse (-n) cashier, cash register
der Kasus (-) case
die Kategorie (-n) category
katholisch (*adj.*) Catholic
die Katze (-n) cat
das Katzenfutter cat food
kauen to chew
kaufen to buy, purchase
das Kaufhaus (¨er) department store (16)
der Kaufmann (-leute) / die Kauffrau (-en) salesperson, businessperson, manager (13)
kaum hardly; barely
keeken (*dialect*) to look
die Kegelbahn (-en) bowling alley
der Kegler (-) / die Keglerin (-nen) bowler
kein no, not a, not any (3)
kein(e)s none
keineswegs! by no means!
der Keller (-) cellar, basement
der Kellner (-) / die Kellnerin (-nen) waitperson (15)
kennen, kannte, gekannt to know, be acquainted with (8)
kennen lernen to get to know; to meet
die Kenntnisse (*pl.*) knowledge (14)
die Kerze (-n) candle (17)

die Kette (-n) chain
die Kettenreaktion (-en) chain reaction
kicken to kick
die Kids (*pl.*) kids
die Kieler Woche sailing event in Kiel
der Kilometer (-) kilometer
das Kind (-er) child (1); **als Kind** as a child
der Kinderbetreuer (-) / die Kinderbetreuerin (-nen) child-care worker
die Kindererziehung child care, upbringing
der Kindergarten (¨) kindergarten (11)
das Kindergeld child benefit
die Kindersachen (*pl.*) children's clothes and toys
das Kinder(schlaf)zimmer (-) child's room (3)
die Kindheit (-en) childhood
das Kinn (-e) chin (6)
das Kino (-s) movie theater (4); **ins Kino gehen** to go see a movie (2)
der Kinofilm (-e) movie
die Kirche (-n) church (5)
die Kirsche (-n) cherry
die Kirschtorte (-n) cherry cake
das Kirschwasser (-) cherry liquor
der Kitsch junk
die Klammern (*pl.*) parentheses
die Klamotten (*pl.*) (*slang*) clothes (21)
klappen to work out
klar clear; **alles klar?** everything clear?
die Klarinette (-n) clarinet
klasse! great!; **echt klasse!** really great! (10)
die Klasse (-n) class, grade (10)
der Klassenkamerad (-en *masc.***) / die Klassenkameradin (-nen)** classmate
das Klassenprofil (-e) class profile
die Klassenumfrage (-n) class survey
das Klassenzimmer (-) classroom (10)
die Klassik classicism

die Klausur (-en) exam (10)
das Klavier (-e) piano (3)
die Kleckergefahr (*silly*) danger of spilling
kleckern to spill
der Klee clover
das Kleeblatt (¨er) leaf of clover
das Kleid (-er) dress (7)
der Kleiderschrank (¨e) closet, dresser
der Kleiderstil (-e) dress style
die Kleidung clothes (21)
das Kleidungsstück (-e) piece of clothing (7)
klein small; short; little (1)
die Kleinanzeige (-n) small ad (*in a paper*) (21)
die Kleingruppe (-n) small group
die Kleinigkeit (-en) small thing, trivial matter
die Kleinstadt (¨e) small town (4)
klettern to climb (8)
die Kletterwand (¨e) climbing wall
klicken to klick
das Klima (-s) climate
der Klimawechsel (-) change of climate
klingeln to ring (23)
das Klinikum (Kliniken) clinic, infirmary, hospital
klopfen to knock (19); to pat
der Klub (-s) club
km = Kilometer
der Knabe (-n *masc.***)** boy
knapp short, tight; barely, shy of
die Kneipe (-n) pub (15)
das Knie (-) knee
der Knoblauch garlic (15)
der Knochen (-) bone
der Knödel (-) dumpling
Knopfdruck: per Knopfdruck by pushing a button
der Koch (¨e) / die Köchin (-nen) chef, cook
kochen to cook (2)
die Kochkunst (¨e) art of cooking, cooking skills
der Kochtopf (¨e) pot
der Koffer (-) suitcase
das Kofferpacken packing suitcases

der Kofferraum (¨e) trunk of a car
die Kogge (-n) cog (*type of ship*)
die Kohle (-n) coal
der Kollege (-n *masc.*) / **die Kollegin** (-nen) colleague (13)
(das) Köln Cologne; **der Kölner Dom** cathedral in Cologne
(das) Kolumbien Colombia
die Kombination (-en) combination
kombinieren to combine
komisch funny, comical, strange (10)
kommen, kam, ist gekommen to come (2)
kommend coming, next
der Kommentar (-e) comment; **kein Kommentar!** no comment!
der Kommilitone (-n *masc.*) / **die Kommilitonin** (-nen) fellow student
die Kommode (-n) dresser, chest of drawers (3)
die Kommunikation communication
die Kommunikationswissen-schaften (*pl.*) mass communication (*as a subject*)
kommunikativ communicative
kommunizieren to communicate
komplett complete, whole
das Kompliment (-e) compliment
kompliziert (*adj.*) complicated
komponieren to compose
der Komponist (-en *masc.*) / **die Komponistin** (-nen) composer
die Komposition (-en) composition
kompostieren to compost (20)
der Kompromiss (-e) compromise
die Konditorei (-en) pastry shop (16)
die Konfitüre (-n) preserves
der Konflikt (-e) conflict
konfrontieren to confront
der König (-e) / **die Königin** (-nen) king/queen (12)
das Königspaar (-e) the royal couple
der Königssohn (¨e) prince
die Königstochter (¨) princess
konjugieren to conjugate

der Konjunktiv subjunctive
konkret concrete
die Konkurrenz competition
können (kann), konnte, gekonnt to be able to
die Konsequenz (-en) consequence (10)
konservativ conservative(ly)
konsultieren to consult
der Konsum consumption
das Konsumgut (¨er) consumer item
konsumieren to consume
der Kontakt (-e) contact
kontaktieren to contact
der Kontext (-e) context
der Kontrast (-e) contrast
kontrollieren to control
die Konversation (-en) conversation
das Konzentrationslager (-) concentration camp
konzentriert (*adj.*) concentrated
das Konzert (-e) concert; **ins Konzert gehen** to go to a concert (2)
die Kooperative (-n) cooperative
der Kopf (¨e) head (6)
der Kopfhörer (-) headphones
das Kopfkissen (-) pillow (3)
das Kopfnicken nodding
der Kopfsalat (-e) lettuce
die Kopfschmerzen (*pl.*) headache
kopfschüttelnd shaking one's head; **der Fremde setzte sich kopfschüttelnd** the foreigner sat down shaking his head
die Kopie (-n) copy
kopieren to copy
das Kopiergerät (-e) copy machine
der Korb (¨e) basket
die Kordhose (-n) corduroy pants
der Körper (-) body (6)
körperlich physical(ly)
der Körperteil (-e) body part (6)
korrekt correct(ly)
die Korrespondenz (-en) correspondence
korrespondieren to correspond
korrigieren to correct
kosmopolit cosmopolitan

der Kosmos cosmos
die Kost diet, board
kosten to cost
köstlich delicious
das Kostüm (-e) costume (5); woman's suit (7)
kotzen (*vulgar*) to vomit
die Krabbe (-n) shrimp
der Krabbencocktail (-s) shrimp cocktail (15)
der Krach noise, racket; **mit Ach und Krach** (*formulaic*) barely
die Kraft (¨e) power, strength
krähen to cry (*of a crow or rooster*)
krank sick, ill (1)
der Krankenbesuch (-e) visit with a sick person
das Krankenhaus (¨er) hospital, infirmary (6)
der Krankenpfleger (-) / **die Krankenpflegerin** (-nen) nurse (6)
die Krankenschwester (-n) nurse (*female*)
der Krankenwagen (-) ambulance (6)
die Krankheit (-en) illness (20)
das Krankheitssymptom (-e) symptom of a disease
das Kraut (¨er) herb
der Kräutertee (-s) herbal tea
die Krawatte (-n) tie (7)
kreativ creative(ly)
die Kreativität creativity
die Kreide (-n) chalk (E)
die Kreidefelsen (*pl.*) chalk cliffs
der Kreis (-e) circle
der Kreislauf circulation
die Kreuzfahrt (-en) cruise
das Kreuzfahrtschiff (-e) cruise ship
die Kreuzung (-en) intersection (22)
der Krieg (-e) war (20)
kriegen (*coll.*) to get (20)
der Krimi (-s) detective novel or film
der/die Kriminelle (*decl. adj.*) criminal
dir Krimiserie (-n) detective story (on television)

kringelig crinkly, frizzy; **sich kringelig lachen** to laugh oneself silly
die Kritik (-en) criticism
kritisch critical(ly)
kritisieren to criticize
die Krone (-n) crown
krumm crooked, bent
(das) Kuba Cuba
die Küche (-n) kitchen (3); cuisine
der Kuchen (-) cake (16)
die Küchenerfindung (-en) kitchen invention
der Küchenschrank (⁻e) kitchen cabinet
kucken (*coll.*) to look
die Kugel (-n) ball
der Kugelschreiber (-) ballpoint pen (E)
kühl cool (5)
das Kühlhaus (⁻er) walk-in refrigerator
der Kühlschrank (⁻e) refrigerator (3)
kulinarisch culinary
die Kultur (-en) culture
der Kulturbesitz (-e) cultural property
der Kulturbeutel (-) toilet bag
kulturell cultural(ly)
die Kulturgeschichte (-n) cultural history
die Kulturhauptstadt (⁻e) cultural capital
der Kulturspiegel (-) culture mirror
sich kümmern um to take care of
die Kümmernis (-se) trouble, worry
der Kumpel (-) (*coll.*) buddy, friend
der Kunde (-n *masc.*) / die Kundin (-nen) customer
der Kundendienst (-e) customer service
künftig future
die Kunst (⁻e) art (11)
die Kunstausstellung (-en) art exhibit, art show
das Kunstbild (-er) painting
der Kunsthistoriker (-) / die

Kunsthistorikerin (-nen) art historian
die Kunsthochschule (-n) art academy
der Künstler (-) / die Künstlerin (-nen) artist (13)
die Künstlervereinigung (-en) art association
das Künstlerviertel (-) artists' quarter (*in a city*)
künstlich artificial(ly)
der Kunstmarkt (⁻e) art exhibition, auction
das Kunstobjekt (-e) art object
der Kunstsalon (-s) art studio, gallery
das Kunstwerk (-e) work of art; **ein Kunstwerk betrachten** to look at a work of art (8)
die Kuppel (-n) dome, cupola
die Kur (-en) health cure, treatment (*at a spa*) **eine Kur machen** to go to a spa (8)
der Kurort (-e) health spa, resort
der Kurpark (-s) park at a health resort
der Kurs (-e) course (11)
kurz short (1)
kurzerhand on the spot, without further ado
die Kurzgeschichte (-n) short story
das Kurzinterview (-s) short interview
die Kusine (-n) (*female*) cousin
der Kuss (⁻e) kiss
küssen to kiss
die Küste (-n) coast (9)
die Kutsche (-n) carriage
der Kutter (-) cutter, boat

L

das Label (-s) label
das Labor (-s) laboratory (10)
lächeln to smile
lachen to laugh
lächerlich ridiculous(ly)
der Lachs (-e) salmon (15)
die Lackhose (-n) patent leather pants
lackieren to varnish; to paint
laden (lädt), lud, geladen to load

der Laden (⁻) store (16)
der Ladenschluss store closing time (24)
die Ladenschlusszeit store hours
die Lage (-n) situation; location (18)
das Lagerfeuer (-) campfire
die Lakritze licorice
die Lakritzfabrik (-en) licorice factory
das Lakritzprodukt (-e) licorice product
die Lakritzschnecke (-n) licorice (shaped like a spiral)
das Lamm (⁻er) lamb (3)
der Lammrücken (-) rack of lamb
die Lampe (-n) lamp
das Land (⁻er) country, countryside (4); **auf dem Land** in the country (4)
landen, ist gelandet to land (24)
länderspezifisch (*adj.*) specific to a country
das Landesamt state office
die Landesgrenze (-n) national border
die Landeshauptstadt (⁻e) capital
die Landessprache (-n) national language
die Landfläche (-n) land, space, area
der Landgraf (-en *masc.*) / die Landgräfin (-nen) count/countess
die Landkarte (-n) map
das Landleben life in the country
die Landschaft (-en) countryside, landscape
lang (länger, längst-) long; tall (1); **lange schlafen** to sleep in; **seit langem** for a long time
langsam slow(ly)
langweilen to bore; **sich langweilen** to be bored
langweilig boring (1)
der Lärm noise (20)
lassen (lässt), ließ, gelassen to let; to have (*something done*)
(das) Latein Latin (*language*)
(das) Lateinamerika Latin America
die Lateinstunde (-n) Latin class
das Laub foliage, leaves
laufen (läuft), lief, ist gelaufen to

run; to walk (3); **Schi laufen** to ski; **Schlittschuh laufen** to ice skate; **um die Wette laufen** to race; **wie läuft es?** how is it going?
die Laune (-n) mood
laut loud(ly) (1)
der Laut (-e) sound
lauten to sound; **wie lautet die Frage?** what's the question?
läuten to ring (10)
lauter pure, nothing but
leben to live (12)
das Leben (-) life
lebend(ig) living, alive
die Lebensart (-en) way of life
die Lebensgröße life-size, actual size
das Lebensjahr (-e) year of one's life
der Lebenslauf (ᐨe) résumé, curriculum vitae (CV) (14)
die Lebensmittel (*pl.*) groceries (19)
das Lebensmittelgeschäft (-e) grocery store
die Lebenszeit lifetime
die Leber liver
der Leberkäs(e) Bavarian meat loaf (15)
der Lebkuchen (-) gingerbread (17)
lecker (*coll.*) delicious, tasty (19)
das Leder leather (21)
der Lederball (ᐨe) leather ball
der Lederhandschuh (-e) leather glove
die Lederhose (-n) leather shorts, lederhosen
ledig single, unmarried
lediglich only
leer empty
legen to lay (down)
die Legende (-n) legend
das Lehrangebot (-e) course offerings (*in a school or university*)
der Lehrassistent (-en *masc.***) / die Lehrassistentin (-nen)** teaching assistant
der Lehrberuf (-e) profession, craft
das Lehrbuch (ᐨer) textbook

die Lehre (-n) traineeship, apprenticeship
lehren to teach (11)
der Lehrer (-) / die Lehrerin (-nen) teacher (E)
das Lehrerpult (-e) teacher's desk
das Lehrerzimmer (-) teacher's office, staff room
der Lehrling (-e) apprentice (13)
die Lehrlingsstelle (-n) apprenticeship, position as an apprentice
der Lehrmeister (-) / die Lehrmeisterin (-nen) master
die Lehrstelle (-n) apprenticeship
die Lehrveranstaltung (-en) class, lecture
die Lehrzeit (-en) (period of) apprenticeship
leicht light, easy (2)
das Leid (-en) sorrow, grief; **es tut mir Leid** I'm sorry
leiden, litt, gelitten to suffer; **sie konnten ihn nicht leiden** they couldn't stand him
die Leidenschaft (-en) passion
leider unfortunately
leihen, lieh, geliehen (+ *dat.*) to borrow, to lend; **kannst du mir ein bisschen Geld leihen?** can you lend me some money?
der Lein flax
das Leinen linen
leise soft(ly), quiet(ly)
das Leistungsfach (ᐨer) main subject
der Leistungskurs (-e) main subject class
die Leistungsübersicht grade report, transcript
der Leitartikel (-) lead article
leiten to guide
der Leiter (-) / die Leiterin (-nen) supervisor; leader; head
die Leitung administration
das Leitungswasser tap water
die Lektion (-en) lesson
lenken to steer, guide
lernen to learn (8); to study (10)
die Lernsoftware instructional software

das Lernziel (-e) learning goal
lesen (liest), las, gelesen to read (3)
der Leser (-) / die Leserin (-nen) reader
die Leseratte (-n) bookworm
der Leserbrief (-e) letter to the editor (21)
die Leserschaft (-en) readers, audience
leuchten to shine
die Leute (*pl.*) people
das Licht (-er) light
das Lichtbild (-er) photograph
die Lichterkette (-n) chain of lights (*line of people carrying candles*)
lieb lovely, nice; **liebe Daniela!** dear Daniela!; **lieber Lars!** dear Lars
lieben to love
das Liebesdrama (-dramen) romantic drama
das Liebesdreieck (-e) love triangle
das Liebesgedicht (-e) love poem
die Liebesgeschichte (-n) love story
das Liebespaar (-e) couple
der Liebesroman (-e) romantic novel
Lieblings- favorite
(das) Liechtenstein Liechtenstein (9)
das Lied (-er) song (17)
liegen, lag, gelegen to lie, be situated (2); **in der Sonne liegen** to sunbathe (8)
die Liegewiese (-n) lawn for sunbathing
lila purple (2)
die Limo = Limonade
die Limonade (-n) carbonated soft drink (15)
die Linguistik linguistics (11)
die Linie (-n) line
links to the left (8)
der Lippenstift (-e) lipstick
(das) Lissabon Lisbon
die Liste (-n) list
der Liter (-) liter
die Literatur (-en) literature (11)
die Literaturgeschichte (-n) literary history

die Literaturvorlesung (-en) lecture on literature
loben to praise
die Lockerheit (-en) informality, relaxed manner (24)
der Löffel (-) spoon (19)
logisch logic(ally)
die Logistik logistics
der Logistiker (-) / die Logistikerin (-nen) logistics expert
das Logo (-s) logo
sich lohnen to be worthwhile; to pay off
das Lokal (-e) restaurant
die Lokalnachrichten (*pl.*) local news (21)
die Lorelei *a legendary maiden who lived on a cliff above the Rhine* (17)
los: was ist los? what's up?, what's wrong?; **ich muss los** I have to be off
lose loose
lösen to solve
losfahren (fährt los), fuhr los, ist losgefahren to depart (14)
losgehen, ging los, ist losgegangen to leave
die Lösung (-en) solution
der Lotse (-n *masc.***)** pilot, navigator, guide
die Lotterie (-n) lottery
der Löwe (-n *masc.***)** lion
die Lücke (-n) gap, blank
die Luft air (4)
die Luftkrankheit (-en) air sickness
der Luftverkehr air traffic
die Luftverschmutzung air pollution
die Lüge (-n) lie (10)
lügen to lie, tell an untruth
die Lust (¨e) pleasure; **Lust haben** to feel like
lustig fun, cheerful (17)
das Lustschloss (¨er) pleasure castle
der Lutscher (-) lollipop
(das) Luxemburg Luxemburg (9)
die Luxuskreuzfahrt (-en) luxury cruise
die Luxusreise (-n) luxury vacation

M

machen to do, make (2)
mächtig strong, mighty
der Machtinstinkt (-e) power instinct
das Mädchen (-) girl
die Made (-n) maggot
der Magen (¨) stomach; **mit leerem Magen** on an empty stomach
mähen to mow
die Mahlzeit (-en) meal
des Make-up makeup
der Mai May (5)
der Maifeiertag (-e) May Day
(das) Mailand Milan
die Makrele (-n) mackerel
mal = einmal (*softening particle*); **schreib mal wieder!** come on, write again!; (*adverb*) ever
das Mal (-e) time, instance; **zum ersten Mal** for the first time
malen to paint
der Maler (-) / die Malerin (-nen) painter
die Malerei (-en) painting
die Mama (-s) (*coll.*) mother
mancher, manche, manches some, a few
manchmal sometimes
die Mandel (-n) almond
mangeln an (+ *dat.*) to lack
mangelnd lacking
der Mann (¨er) man; husband (1)
die Männerwelt man's world
die Mannschaft (-en) team (23)
der Mantel (¨) coat (7)
das Märchen (-) fairy tale (12)
die Märchenfigur (-en) fairy tale figure (12)
die Mark mark (*German currency*)
das Marketing marketing
der Marketingspezialist (-en *masc.***) / die Marketingspezialistin (-nen)** marketing expert
markieren to mark
der Markt (¨e) market
die Marktkaufleute (*pl.*) market vendors
der Marktplatz (¨e) marketplace
das Markttor (-e) market gate

das Markttreiben having a market
die Marktwirtschaft (-en) market economy (18)
die Marmelade (-n) jam (16)
der Marmor marble
(das) Marokko Morocco
die Marschmusik march music
der März March (5)
die Maschine (-n) machine
der Maschinenbau mechanical engineering (11)
der Maschinenraum (¨e) engine room
die Maske (-n) mask
der Massageraum (¨e) massage room
mäßig moderate(ly)
das Material (Materialien) material
der Materialfluss flow of materials
die Mathe(matik) math(ematics) (11)
die Mathe(matik)arbeit (-en) math(ematics) test
die Matrone (-n) matron
die Mauer (-n) wall (18); **der Berliner Mauer** the Berlin Wall
der Mauerstein (-e) brick of a wall
die Maus (¨e) mouse
der Mechaniker (-) / die Mechanikerin (-nen) mechanic (13)
(das) Mecklenburg-Vorpommern Mecklenburg-Western Pomerania (17)
die Medien (*pl.*) media (21)
das Medikament (-e) medication (6)
die Medizin medicine
medizinisch medical, medicinal
das Meer (-e) ocean, sea (9)
die Meeresatmosphäre (-n) atmosphere of the ocean
die Meeresverschmutzung pollution of the ocean
die Meerschaumpfeife (-n) meerschaum pipe
das Mehl flour
mehr more; **nicht mehr** not anymore
mehren to augment; to increase

A-43

mehrere several, various
die Mehrwegflasche (-n) reusable bottle
die Meile (-n) mile
der Meilenstein (-e) mile stone
meinen to mean; to think
die Meinung (-en) opinion (10)
die Meinungsforschung public opinion research
die Meinungsfreiheit freedom of speech (18)
meist most(ly)
meistens most of the time, most often
der Meister (-) / die Meisterin (-nen) master craftsman
die Meisterschaft (-en) championship (23)
das Meisterwerk (-e) masterpiece
die Menge (-n) amount, quantity; **eine Menge** a lot
die Mensa (Mensen) university cafeteria (19)
der Mensch (-en *masc.***)** person; human being (4)
die Menschenhand human hand
menschlich human; **Menschliches** that which is human
merken to notice (20)
das Merkmal (-e) characteristic
merkwürdig peculiar, odd (24)
messbar measurable
das Messer (-) knife (19)
das Messezentrum (-zentren) convention center
das Metall (-e) metal
der Meteorologe (-n *masc.***) / die Meteorologin (-nen)** meteorologist
der/das Meter (-) meter
die Metropole (-n) metropolis
die Metzgerei (-en) butcher's shop (16)
der Mexikaner (-) / die Mexikanerin (-nen) Mexican (18)
mexikanisch (*adj.*) Mexican
(das) Mexiko Mexico
miauen to meow
mich (*acc.*) me (5)
die Mickymaus Mickey Mouse
die Miene (-n) expression, face

die Miete (-n) rent (4)
mieten to rent (4)
das Mietshaus (-̈er) apartment building (4)
die Mikrowelle (-n) microwave (3)
die Milch milk
mild mild(ly)
das Militär military
die Milliarde (-n) billion
die Million (-en) million
mindestens at least
das Mineralwasser mineral water (15)
das Miniatur-Modell miniature model
der Minidialog (-e) mini-dialogue
das Minidrama mini-drama
das Minimum minimum
der Minnesänger (-) minnesinger
die Minute (-n) minute
mischen to mix
miserabel bad, terrible
missmutig depressed, in low spirits
missverstehen, missverstand, missverstanden to misunderstand (21)
Mist: so ein Mist! (*vulgar*) what a nuisance!
mit (+ *dat.*) with; along; by (12)
mitarbeiten (arbeitet mit) to work together with
der Mitarbeiter (-) / die Mitarbeiterin (-nen) co-worker (13)
der Mitbewohner (-) / die Mitbewohnerin (-nen) roommate
mitbringen (bringt mit), brachte mit, mitgebracht (+ *dat.*) to bring along, take along
miteinander with each other, together
mitfahren (fährt mit), fuhr mit, ist mitgefahren to ride with, ride together
das Mitglied (-er) member
mithelfen (hilft mit), half mit, mitgeholfen to help out
mitkommen (kommt mit), kam mit, ist mitgekommen to come along (7)

das Mitleid pity, compassion, sympathy
mitmachen (macht mit) to participate
mitnehmen (nimmt mit), nahm mit, mitgenommen to take along (23)
der/die Mitreisende (*decl. adj.*) travel companion
der Mitschüler (-) / die Mitschülerin (-nen) fellow student (10)
der Mitstudent (-en *masc.***) / die Mitstudentin (-nen)** fellow student (*at a university*)
der Mittag (-e) noon; **zu Mittag essen** to have lunch
das Mittagessen (-) lunch
die Mitte (-) middle (22)
mitteilen (teilt mit) to tell, inform, communicate
das Mittel (-) means; **ohne künstliche Mittel** without artificial ingredients
das Mittelalter Middle Ages
mittendrin in the middle
mitten in right in the middle of
die Mitternacht (-̈e) midnight
der Mittwoch Wednesday (E)
die Möbel furniture (3)
das Möbelstück (-e) piece of furniture
die Mobilität mobility (18)
möblieren to furnish; **möbliert** furnished (4)
möchten: ich möchte I would like
das Modalverb (-en) modal verb
die Mode (-n) fashion
der Modeexperte (-n *masc.***)** fashion expert
das Modell (-e) model
modellieren to sculpt
das Modellschiff (-e) model ship
der Moderator (-en) / die Moderatorin (-nen) host of a television or radio show
modern modern
der Modetrend (-s) fashion trend
modisch stylish(ly) (21)
mogeln to cheat
das Mogeln cheating

mögen (mag), mochte, gemocht to like
möglich possible (10)
die Möglichkeit (-en) possibility
möglichst viele as many as possible
moin! (*dialect*) hello!
die Molkerei (-en) dairy
das Molkereiprodukt (-e) dairy product
der Moment (-e) moment; factor (23)
momentan at the moment
der Monat (-e) month (5)
monatlich monthly (4)
der Mönch (-e) monk
das Mönchsgut (-̈er) monastic estate
der Mond (-e) moon
das Monstrum monstrosity, monstrous thing
der Montag (-e) Monday (E)
das Moor (-e) bog, moor
das Moped (-s) moped
morgen tomorrow; **bis morgen** until tomorrow
der Morgen morning; **am Morgen** in the morning; **guten Morgen** good morning; **jeden Morgen** every morning; **heute Morgen** this morning
morgens in the morning(s)
das Mosaik (-e) mosaic
mosaikartig like a mosaic
motivieren to motivate
das Motorrad (-̈er) motorcycle (7)
der Motorradstiefel (-) motorcycle boot
der Motorradunfall (-̈e) motorcycle accident
der Motorwagen (-) automobile
das Motto motto
die Mozartkugel (-n) *marzipan- and nougat-filled chocolate ball*
müde tired; **tot müde** (*coll.*) dead tired
die Mühe (-n) effort
die Mühle (-n) mill
der Müll garbage, waste (20)
die Mülldeponie (-n) landfill
der Mülleimer (-) garbage can

die Müllgebühr (-en) garbage collection fee
die Mülltonne (-n) garbage can
die Mülltrennung garbage sorting
Multi-Kulti multicultural
multikulturell multicultural
(das) München Munich
der Mund (-̈er) mouth (6)
mündlich oral(ly)
mundtot machen to silence (*somebody*)
munter lively, bright
die Münze (-n) coin
das Museum (*pl.* **Museen**) museum
der Museumsbesucher (-) visitor to a museum
die Musik music (5); **Musik hören** to listen to music (2)
musikalisch musical(ly)
der Musikant (-en *masc.***) / die Musikantin (-nen)** musician
der Musiker (-) / die Musikerin (-nen) professional musician
die Musikhochschule (-n) conservatory
müssen (muss), musste, gemusst to have to, must
der Mut courage
mutig courageous(ly) (20)
die Mutter (-̈) mother
der Mutterkomplex (-e) mother complex
die Muttersprache (-n) native language
der Muttertag (-e) Mother's Day (5)
die Mutti (-s) mommy, mom
die Mütze (-n) cap, hat (7)
der Mythos (Mythen) myth

N

nach (+ *dat.*) after; according to; to (*place*) (12); **nach Hause** (*going*) home; **von . . . nach . . .** from . . . to . . .
der Nachbar (-n *masc.***) / die Nachbarin (-nen)** neighbor (4)
das Nachbarbundesland (-̈er) neighboring state
die Nachbildung (-en) replica
nachdem (*subord. conj.*) after
nachdenken (denkt nach), dachte

nach, nachgedacht to reflect, contemplate
nachdenklich pensive(ly), contemplative(ly)
der Nachdruck stress, emphasis
nacheinander after each other
nachfragen (fragt nach) to inquire, ask
nachher afterwards, later
der Nachkriegsroman (-e) postwar novel
die Nachkriegszeit (-en) postwar era
der Nachmittag (-e) afternoon; **am Nachmittag** in the afternoon
nachmittags in the afternoon(s)
die Nachricht (-en) news (22)
die Nachrichtensendung (-en) news show
die Nachspeise (-n) dessert (15)
nächst- next
die Nacht (-̈e) night
der Nachteil (-e) disadvantage
der Nachtisch (-e) dessert
der Nachtmusikant (-en *masc.***) / die Nachtmusikantin (-nen)** night musician
nachts at night
der Nachttisch (-e) nightstand (3)
die Nachtwanderung (-en) night walk
nachweisbar provable
nachweisen (weist nach), wies nach, nachgewiesen to prove
nachwürzen (würzt nach) to season to taste, to season again
der Nagelschuh (-e) hobnailed boot
nagen to gnaw
nah(e) (näher, nächst-) near, close (7)
die Nähe vicinity, closeness; **in der Nähe** in the vicinity (17)
sich nähern to approach, draw near
die Nahrung nourishment (20)
das Nahrungsmittel (-) food
der Nährwert (-e) nutritional value
na ja! well!
der Name (-n *masc.***)** name
der Namenszug (-̈e) signature
nämlich namely

NASA-mäßig NASA-type (*person*)
die Nase (-n) nose (6)
nass wet
die Nation (-en) nation
national national(ly)
die Nationalität (-en) nationality
der Nationalpark (-s) national park
der Nationalsozialismus National Socialism
die Nationalspeise (-n) national dish
die Natur nature (9)
die Naturfaser (-n) natural fiber
natürlich natural(ly)
das Naturprodukt (-e) organic product
die Naturwissenschaft (-en) natural science
der Neandertaler (-) Neanderthal Man
der Nebel (-) fog (5)
der Nebelmantel (¨) blanket of fog
neben (+ *acc./dat.*) next to
nebenan next door
nebenbei on the side
nebeneinander next to each other
das Nebenfach (¨er) minor subject (11)
die Nebenkosten (*pl.*) additional expenses
neblig foggy (5)
nee! (*coll.*) no!
der Neffe (-n *masc.***)** nephew (1)
negativ negative(ly)
das Negativ negative
negieren to negate
nehmen (nimmt), nahm, genommen to take (3); **Rücksicht nehmen auf** to be considerate of
der Neid envy
(sich) nennen, nannte, genannt to name, call, mention
der Nerv (-en) nerve
nerven to get on (someone's) nerves
die Nervensäge (-n) (*person who is a*) pain in the neck
nervös nervous(ly)
die Nervosität nervousness, tension
nett nice(ly) (1)
das Netz (-e) net

neu new (2)
die Neubauwohnung (-en) post-1945 building (4)
neuerdings recently, as of late
neugekauft (*adj.*) newly purchased
die Neugier(de) curiosity
neugierig curious(ly) (1)
das Neujahr New Year's Day (5)
neulich recently, the other day
neun nine (E)
neunzehn nineteen (E)
neunzig ninety (E); **die neunziger Jahre** the nineties
(das) Neuseeland New Zealand
nicht not (3)
die Nichte (-n) niece (1)
nichts nothing
nicken to nod
nie never
nieder low; down
die Niederlande the Netherlands (9)
der Niederländer (-) / die Niederländerin (-nen) Dutch (*person*) (18)
die Niederlassung (-en) branch, subsidiary
(das) Niedersachsen Lower Saxony (17)
niedrig low
niemals never
niemand nobody, no one
die Niere (-n) kidney
niesen to sneeze (6)
das Niesen sneezing (6)
der Nikolaus Santa Claus (17)
das Nikotin nicotine
der Nil Nile River
nimmer (*coll.*) no more, never again
nimmermehr never again
nirgends nowhere
der Nobelpreis (-e) Nobel prize
das Nobelquartier (-e) extravagant accommodations
noch still; **immer noch** still; **ist hier noch frei?** is this seat taken?; **noch dazu** in addition to that; **noch einmal** one more time, once again; **noch nicht** not yet; **noch nie** never; **was noch?** what else?

noch mal once again
der Nomade (-n *masc.***)** nomad
der Nominativ nominative case
nominieren to nominate
der Nonkonformismus nonconformism
(das) Nordafrika North Africa
(das) Nordamerika North America
norddeutsch (*adj.*) northern German
der Norden north; **im Norden** in the north
nördlich (von) north (of)
der Nordosten northeast
nordöstlich (von) northeast (of)
der Nordpol North Pole
(das) Nordrhein-Westfalen North Rhine-Westphalia (17)
die Nordsee North Sea
die Nordwestküste (-n) northwest coast
die Norm (-en) norm
normal normal
normalerweise normally
(das) Norwegen Norway (9)
die Note (-n) grade (10)
das Notenheft (-e) sheet music
der Notfall (¨e) emergency (6)
notieren to note, write down
nötig necessary
das Nötigste most essential (thing)
die Notiz (-en) note (10)
der November November (5)
die Nudel (-n) noodle (19)
null zero (E)
die Nummer (-n) number
das Nummernschild (-er) license plate (20)
nun now
(das) Nürnberg Nuremberg; **die Nürnberger Brawurst (¨e)** pork sausage
die Nuss (¨e) nut
nutzen to use
nützlich helpful, practical

O

ob (*subord. conj.*) whether, if
obdachlos homeless
der/die Obdachlose (*decl. adj.*) homeless person (20)

die Obdachlosigkeit homelessness (20)

oben above; upstairs

die Oberfläche (-n) surface

oberflächlich superficial(ly) (21)

das Objekt (-e) object

das Objektpronomen (-) object pronoun

das Obst fruit (5)

obwohl (*subord. conj.*) even though, although

der Ochse (-n *masc.*) bull, ox

oder (*coord. conj.*) or

der Ofen (⸚) stove, furnace

offen open (16)

öffentlich public(ly); open(ly) (23)

die Öffentlichkeit public

offiziell official(ly)

der Offizier (-e) officer (14)

öffnen to open

die Öffnungszeiten (*pl.*) business hours

oft (öfter, öftest-) often (4)

ohne (+ *acc.*) without (5)

das Ohr (-en) ear (6)

die Ohrenschmerzen (*pl.*) earache

der Ökonom (-en *masc.*) economist

ökonomisch economic(al)

der Oktober October (5)

das Oktoberfest *autumn festival in southern Germany* (17)

die Olive (-n) olive

der Ölteppich (-e) oil spill

die Oma (-s) (*coll.*) grandma

der Onkel (-) uncle (1)

die Oper (-n) opera

operieren to operate on; perform surgery (6)

der Opernsänger (-) / die Opernsängerin (-nen) opera singer

opfern to sacrifice

optimal optimal(ly)

optimistisch optimistic(ally)

die Option (-en) option

orange orange (2)

die Orange (-n) orange

der Orangensaft orange juice

das Orchester (-) orchestra

der Orden (-) order

ordentlich neat, orderly

ordnen to order

die Ordnung (-en) order

das Organ (-e) organ

das Organisationstalent (-e) organizational skills

der Organisator (-en) / die Organisatorin (-nen) organizer

organisch organic(ally) (20)

organisieren to organize

die Orgel (-n) (*music*) organ

das Orgelspiel organ playing

sich orientieren an (+ *dat.*) to orientate oneself; to inform oneself; to adapt to

die Orientierung (-en) orientation

die Orientierungswoche (-n) orientation week

das Original (-e) original

der Originalschauplatz (⸚e) original location

das Originalzitat (-e) direct quote

originell original(ly) (22)

der Ort (-e) place, town (4)

der Ortseingang (⸚e) town entrance

die Ostalgie (*sarcastic*) nostalgia for the former GDR

ostdeutsch eastern German

(das) Ostdeutschland eastern part of Germany

der Osten east; **im Osten** in the east

die Osterblume (-n) Easter lily

das Osterei (-er) Easter egg

die Osterferien (*pl.*) Easter holidays

der Ostermontag Easter Monday

das Ostern Easter

(das) Österreich Austria (9)

der Österreicher (-) / die Österreicherin (-nen) Austrian person (18)

österreichisch (*adj.*) Austrian

(das) Osteuropa eastern Europe

osteuropäisch eastern European

ostfriesisch East Frisian

(das) Ostfriesland East Frisia

östlich (von) east (of)

die Ostsee Baltic Sea

die Ostseeküste Baltic coast

der Overheadprojektor (-en) overhead projector (E)

der Ozean (-e) ocean, sea

das Ozon ozone

das Ozonloch hole in the ozone layer

der Ozonwert (-e) ozone level

P

paar: ein paar some, a few, a couple

das Paar (-e) couple

das Päckchen (-) package

die Packung (-en) pack, packaging, box, bag

das Paddelboot (-e) paddle boat

paddeln to paddle

das Paket (-e) package

der Palast (⸚e) palace

die Palme (-n) palm tree

die Panik panic

das Panorama (Panoramen) panorama

der Panoramablick (-e) panoramic view

der Papa (-s) daddy

das Papier (-e) paper (E); **Papiere** (*pl.*) documents

die Pappe cardboard

die Paprika bell pepper

der Paprika paprika

die Parade (-n) parade

das Paradies (-e) paradise

der Paragraf (-en *masc.*) paragraph, section

das Parfum (-s) fragrance

der Park (-s) park

der Parkplatz (⸚e) parking space, parking lot

die Parole (-n) motto, slogan, password

die Partei (-en) political party

die Partikel (-n) particle

das Partizip (-ien) participle

der Partner (-) / die Partnerin (-nen) partner

die Partnerarbeit (-en) partner work

das Partnergespräch (-e) partner conversation

die Partnerschaft (-en) partnership

die Party (-s) party (24)

die Partyvorbereitung (-en) party preparation

A-47

der Pass (¨e) passport
der Passagier (-e) / die
Passagierin (-nen) passenger
der Passant (-en *masc.*) / die
Passantin (-nen) passerby,
bystander
passen (+ *dat.*) to fit (21)
passend matching, fitting,
appropriate, proper
passieren, ist passiert to
happen (9)
das Passiv passive voice
patentieren to patent
der Patient (-en *masc.*) / die
Patientin (-nen) patient (6)
pauken to cram, study hard (10)
die Pauschalreise (-n) package
holiday/tour
die Pause (-n) break (10)
das Pausenbrot (-e) snack,
sandwich (10)
der Pazifik Pacific (Ocean)
der Pazifische Ozean Pacific Ocean
das Pech bad luck
der Peiniger (-) / die Peinigerin
(-nen) torturer, tormentor
peinlich embarrassing
die Pension (-en) bed-and-breakfast
inn (8)
der Pensionsinhaber (-) / die
Pensionsinhaberin (-nen)
innkeeper, owner of a bed and
breakfast inn
die Peperoni (*pl.*) chilis
perfekt perfect(ly)
das Perfekt present perfect tense
die Peripherie (-n) periphery
die Person (-en) person
der Personalchef (-s) personnel
manager
die Personenbeschreibung (-en)
description of a person
der Personenkraftwagen (-)
private car
persönlich personal(ly) (14)
die Persönlichkeit (-en)
personality
die Perspektive (-n) perspective
pessimistisch pessimistic(ally)
das Pestizid (-e) pesticide
der Pfad (-e) path

der Pfadfinder (-) / die
Pfadfinderin (-nen) pathfinder
die Pfalz Palatinate; das pfälzische
Essen traditional food of the
Palatinate
die Pfandflasche (-n) deposit bottle
die Pfanne (-n) pan (19)
der Pfarrer (-) priest, minister
der Pfeffer pepper (15)
die Pfefferminze peppermint
die Pfeife (-n) pipe
pfeifen, pfiff, gepfiffen to
whistle (20)
der Pfeifenkopf (¨e) pipe bowl
der Pfennig (-e) pfennig (*German
currency*)
das Pferd (-e) horse (23)
das Pferdefuhrwerk (-e) horse-
drawn carriage
die Pferdekutsche (-n) horse-
drawn carriage
das Pfingsten Pentecost
der Pfingstmontag day after
Pentecost
die Pflanze (-n) plant
die Pflege (-n) care, attention
pflegen to maintain, take care of;
Konversation pflegen to make
conversation
die Pflicht (-en) duty (14)
die Pfote (-n) paw
das Pfund (-e) pound (= 500g)
das Phänomen (-e) phenomenon
die Phantasie (-n) imagination,
creativity
phantasiebegabt imaginative
phantastisch fantastic(ally)
die Pharmaindustrie (-n)
pharmaceutical industry
der Philosoph (-en *masc.*) /
die Philosophin (-nen)
philosopher (13)
die Philosophie (-n) philosophy
das Photo (-s) photo
der Photoamateur (-e) / die
Photoamateurin (-nen) hobby
photographer
der Photograph (-en *masc.*) / die
Photographin (-nen)
photographer
die Physik physics (11)

der Physiker (-) / die Physikerin
(-nen) physicist (13)
das Physiklehrbuch (¨er) physics
textbook
der Physiklehrer (-) / die
Physiklehrerin (-nen) physics
teacher
das Physikstudium university
program in physics
die Physikvorlesung (-en) physics
lecture
physisch physical(ly)
der Pianist (-en *masc.*) / die
Pianistin (-nen) pianist
das Picknick (-s) picnic (9)
der Pilz (-e) mushroom (9)
der Pionier (-e) / die Pionierin
(-nen) pioneer
der Pirat (-en *masc.*) / die Piratin
(-nen) pirate
das Piratengesicht (-er) pirate face
die Pizza (-s) pizza
das Pizzabacken pizza baking
die Pizzeria (-s) pizza restaurant
der PKW = Personenkraftwagen
die Plage (-n) plague
das Plakat (-e) poster
der Plan (¨e) plan (16)
planen to plan
der Planet (-en *masc.*) planet
die Planung (-en) planning
die Planwirtschaft planned
economy (18)
das Plastik plastic
der Plastiksack (¨e) plastic bag
die Plastiktüte (-n) plastic bag (20)
der Plateauschuh (-e) platform shoe
der Platz (¨e) place, space, seat
das Plätzchen (-) cookie (16)
platzieren to place
plaudern to chat (10)
plötzlich suddenly (12)
plündern to plunder
das Plusquamperfekt past perfect
der Pole (-n *masc.*) / die Polin
(-nen) Polish person (18)
(das) Polen Poland
die Politik politics (21)
der Politiker (-) / die Politikerin
(-nen) politician (13)
politisch political(ly)

A-48

die Polizei police (20)
polnisch (*adj.*) Polish
die Pommes frites (*pl.*) french fries (15)
populär popular
das Portemonnaie wallet
die Portion (-en) portion
das Porträt (-s) portrait
der Porträtmaler (-) / die Porträtmalerin (-nen) portrait artist
(das) Portugal Portugal (9)
das Porzellan china, porcelain
positiv positive(ly)
die Posse (-n) trick, joke
die Post post office; mail (4)
das Postamt (¨er) post office
das Poster (-) poster
das Postfach (¨er) post office box
die Postkarte (-n) postcard
(das) Prag Prague
prägen to mint; to impress
pragmatisch pragmatic(ally)
prahlen to boast
das Praktikum (*pl.* **Praktika**) internship (19)
der Praktikumsplatz (¨e) intern position
die Praktikumsstelle (-n) intern position
praktisch practical(ly)
prall blazing
die Präposition (-en) preposition
das Präsens present tense
die Präsentation (-en) presentation
präsentieren to present
das Präteritum preterit, past tense
die Praxis practice
der Preis (-e) price
die Preiselbeere (-n) cranberry
die Preiselbeermarmelade (-n) cranberry preserves
preiswert economical; inexpensive (7)
die Pressefreiheit freedom of the press
pressen to press; to squeeze; to cast
das Prestige prestige (14)
(das) Preußen Prussia
preußisch (*adj.*) Prussian
primitiv primitive(ly)

der Prinz (-en *masc.***)** prince (12)
die Prinzessin (-nen) princess
das Prinzip (-ien) principle
privat private(ly)
die Privatisierung (-en) privatization
pro per; every
probieren to try (15)
das Problem (-e) problem (20)
problematisch problematic(ally)
problemlos without problem
die Produktionsmenge (-n) output
produktiv productive(ly)
produzieren to produce
der Professor (-en) / die Professorin (-nen) professor
das Programm (-e) station, channel (21)
progressiv progressive(ly)
das Projekt (-e) project
der Projektleiter (-) / die Projektleiterin (-nen) project manager
die Projektwoche (-n) project week
die Promenade (-n) promenade
prominent popular, famous
prompt prompt(ly)
das Pronomen (-) pronoun
das Proseminar (-e) seminar
die Protestaktion (-en) protest
protestantisch (*adj.*) Protestant
protestieren to protest (10)
das Protokoll (-e) transcript, record, minutes
der Protokollführer (-) / die Protokollführerin (-nen) secretary, clerk
die Provinz (-en) province
die Prozession (-en) procession
die Prüfung (-en) exam (10)
der Psychiater (-) / die Psychiaterin (-nen) psychiatrist
der Psychologe (-n *masc.***) / die Psychologin (-nen)** psychologist (13)
die Psychologie psychology (11)
die Psychotherapie psychotherapy
das Publikum audience, public
der Puck (-s) puck
der Pulli = Pullover
der Pullover (-) sweater (7)

der Punkt (-e) point
pünktlich punctual(ly) (14)
die Pute (-n) turkey
putzen to clean; **die Nase putzen** to blow one's nose (6)
die Pyramide (-n) pyramid

Q

der Quadratfuß (-) square foot
der Quadratkilometer (-) square kilometer
quaken to quack
die Qualifikation (-en) qualification (14)
die Qualität (-en) quality
das Quartal (-e) quarter (11)
quasi- quasi-
quasseln to babble
der Quatsch nonsense
das Quecksilber mercury
die Quizsendung (-en) quiz show

R

sich rächen to avenge, seek revenge
das Rad (¨er) wheel, bicycle; **mit dem Rad fahren** to go by bike; **Rad fahren (fährt), fuhr, ist gefahren** to bicycle (4)
radeln to bicycle
der Radfahrer (-) / die Radfahrerin (-nen) bicyclist
das Radio (-s) radio
das Radioprogramm (-e) radio show
die Radtour (-en) bike ride
ragen to rise, tower, loom
der Rahmen (-) context (18)
die Rakete (-n) rocket
der Rand (¨er) edge, top rim, brim
die Rangliste (-n) ranking, list
der Rasen (-) lawn; **den Rasen mähen** to mow the lawn (16)
rasend fast, swift
der Rasierapparat (-e) electric shaver
der Rasierpinsel shaving brush
der Rassismus racism
der Rat advice
raten (rät), riet, geraten (+ *dat.*) to advise; to guess (13)
das Ratespiel (-e) guessing game

der **Ratgeber (-), Ratgeberin
(-nen)** adviser, counsellor (21)
das **Rathaus (¨er)** city hall
die **Ratte (-n)** rat
der **Rattenfänger von Hameln**
Pied Piper of Hamelin
der **Rauch** smoke
rauchen to smoke
die **Raucherecke (-n)** smoking area
die **Räucherei (-en)** smokehouse
räuchern to smoke (*something*)
der **Raum (¨e)** room, space, area
das **Raumschiff (-e)** spaceship
**rausfinden (findet raus), fand
raus, rausgefunden** to find out
reagieren to react
die **Realität (-en)** reality
die **Realschule (-n)** general
education high school (11)
recherchieren to research,
investigate
der **Rechner (-)** computer,
calculator
die **Rechnung (-en)** bill (15)
recht rather, quite, pretty; **recht
sein** (+ *dat.*) to agree; to approve
das **Recht (-e)** right; law; **Recht
haben** to be right (10)
rechteckig square, rectangular
rechts to the right, on the right (8);
nach rechts to the right
rechtwinklig right-angled
sich recken to stretch
recyceln to recycle (16)
das **Recyclingprogramm (-e)**
recycling program
der **Redakteur (-e) / die
Redakteurin (-nen)** editor
die **Redaktion (-en)** editorial board
die **Rede (-n)** speech
die **Redefreiheit** freedom of speech
reden to talk; **reden über** (+ *acc.*)
to talk about; **reden von** to talk
about/of (10)
reduzieren to reduce
das **Referat (-e)** term paper
das **Reflexiv (-e)** reflexive
(pronoun)
der **Reformator (-en)** (*hist.*)
Reformer

das **Reformhaus (¨er)** health food
store (22)
reformieren to reform
das **Regal (-e)** shelf (3)
regelmäßig regular
(sich) regen to move, stir
der **Regen** rain (5)
der **Regenbogen (¨)** rainbow
(sich) regenerieren to regenerate,
revitalize
der **Regenmantel (¨)** raincoat (7)
der **Regenschirm (-e)** umbrella
der **Regentropfen (-)** raindrop
das **Regenwetter** rainy weather
die **Regierung (-en)** government
regional regional(ly)
der **Regionalzug (¨e)** *short distance
train with frequent stops*
der **Regisseur (-e) / die
Regisseurin (-nen)** director (*of a
film or play*)
regnen to rain; **es regnet** it's
raining (5)
regnerisch rainy
regulär regular(ly)
die **Regung (-en)** movement, motion
reiben to rub
reich rich(ly)
das **Reich (-e)** empire
reichen to suffice, be enough
der **Reichstag** Parliament
reif ripe, mature
der **Reifen (-)** tire
die **Reihe (-n)** row, line
die **Reihenfolge (-n)** order,
sequence
das **Reihenhaus (¨er)** row house (4)
rein pure(ly)
die **Reinigungskraft (¨e)** cleaning
power
**reinkommen (kommt rein), kam
rein, ist reingekommen** to get in,
to come in
**reinlassen (lässt rein), ließ rein,
reingelassen** to let in
reinlich clean(ly), neat(ly), tidy
der **Reis** rice (15)
die **Reise (-n)** trip, journey
der **Reisebericht (-e)** travel
report

die **Reisefreiheit** freedom to
travel (18)
der **Reiseführer (-) / die
Reiseführerin (-nen)** courier;
(*masc.*) guidebook
reisen to travel (9)
der/die **Reisende (-n)** (*decl. adj.*)
traveler (24)
der **Reisepass (¨e)** passport (24)
der **Reisetipp (-s)** travel tip
die **Reisevorbereitung (-en)** travel
preparation
das **Reiseziel (-e)** destination
reißen, riss, gerissen to tear, rip
reiten, ritt, ist geritten to ride
(*an animal*) (8)
der **Reitstall (¨e)** horse stables,
barn
die **Reklame (-n)** advertisement
(21)
relativ relative(ly)
das **Relativpronomen (-)** relative
pronoun
der **Relativsatz (¨e)** relative clause
relaxen (*coll.*) to relax
die **Religion (-en)** religion (11)
rennen, rannte, ist gerannt to run
das **Rennen (-)** race (23)
renovieren to remodel (*a building*)
der **Rentner (-) / die Rentnerin
(-nen)** retired person
reparieren to repair
der **Reporter (-) / die Reporterin
(-nen)** reporter (media)
repräsentieren to represent
die **Republik (-en)** republic
reservieren to reserve
die **Reservierung (-en)** reservation
(8)
die **Residenz (-en)** residence;
(royal) capital
der **Respekt** respect
respektabel respectable
respektieren to respect
die **Ressource (-n)** resource
der **Rest (-e)** rest, remnant
das **Restaurant (-s)** restaurant (4)
der **Restaurantbesitzer (-) / die
Restaurantbesitzerin (-nen)**
owner of a restaurant

spannend exciting; tense (23)
sparen to save
der Spaß fun; **Spaß machen** (+ *dat.*) to be fun; **das macht mir Spaß** that is fun (5); **viel Spaß!** have fun! (5)
spät late (16) **wie spät ist es?** what time is it?
spätestens at the latest
spazieren gehen, ging, ist gegangen to go for a walk (2)
der Spaziergang (⸚e) walk; **einen Spaziergang machen** to take a walk
der Speck bacon (15)
die Spedition (-en) shipping company, trucking line
die Speditionsabteilung (-en) shipping department
die Speditionsfirma (-firmen) shipping company
der Speditionskaufmann (-leute) / die Speditionskauffrau (-en) shipping agent
der Speicher (-) storage
die Speise (-n) dish
die Speisekarte (-n) menu (15)
spekulieren to speculate
der Sperrmüll bulky garbage (*for special collection*)
der Spezialist (-en *masc.*) / die Spezialistin (-nen) specialist
die Spezialität (-en) specialty (15)
speziell special(ly); specific(ally)
spezifisch specific(ally)
der Spickzettel (-) cheat sheet
der Spiegel (-) mirror (3)
das Spiel (-e) game
spielen to play (8); **Streiche spielen** (+ *dat.*) to play tricks
der Spieler (-) / die Spielerin (-nen) player
der Spielfilm (-e) movie (on television)
das Spielzeug (-e) toy (17)
das Spielzimmer (-) playroom
der Spießer (-) bourgeois, narrow-minded person
spießig (*adj.*) bourgeois
der Spinat spinach
die Spindel (-n) spindle

die Spinne (-n) spider
spinnen to spin; (*fig.*) to be crazy; **der spinnt doch!** he's crazy! (10)
der Spinner (-) crazy person
der Spitzbube (-n *masc.*) imp, little boy
die Spitze (-n) top, highest point
der Spitzname (-n *masc.*) nickname
spontan spontaneous(ly)
der Sport sports, exercise (11); **Sport treiben, trieb, getrieben** to play sports (23)
die Sportart (-en) kind of sport (23)
die Sporthalle (-n) sport center (16)
die Sporthochschule (-n) physical education academy
der Sportlehrer (-) / die Sportlehrerin (-nen) physical education teacher
der Sportler (-) / die Sportlerin (-nen) athlete (23)
sportlich athletic
der Sportplatz (⸚e) sports field (10)
der Sportschuh (-e) sneaker (7)
der Sprachatlas (-atlanten) language atlas
sprachbegabt linguistically talented, good at languages
die Sprache (-n) language; **die Sprache verschlagen** (+ *dat.*) to leave speechless
die Sprachkenntnisse (*pl.*) foreign language skills, language proficiency
der Sprachkurs (-e) language course
das Sprachlabor (-s) language lab (10)
der Sprachspiegel (-) language mirror
die Sprachwissenschaft linguistics
die Spraydose (-n) spray can
sprechen (spricht), sprach, gesprochen to speak (3)
sprechend speaking; **sprechende Tiere** speaking animals
der Sprecher (-) / die Sprecherin (-nen) speaker, spokesperson, representative

die Sprechstunde (-n) office hours
die Sprechstundenhilfe (-n) secretary in a doctor's office
springen, sprang, ist gesprungen to jump
die Springform (-en) springform (pan)
die Spritze (-n) vaccine, shot (6)
spröd(e) rough; recalcitrant; aloof; austere
der Spruch (⸚e) saying
das Sprudelwasser carbonated water
das Sprungbrett (-er) springboard
die Spur (-en) trace
der Staat (-en) state
staatlich (*adj.*) governmental; by the state
die Staatsgrenze (-n) state border
stabil stable
das Stadion (Stadien) stadium
die Stadt (⸚e) city (4)
das Stadtbad (⸚er) municipal pool, public swimming pool
der Städtebund confederation of cities
die Städteerkundung (-en) exploration of a city
das Stadtgebiet (-e) city area
städtisch municipal
das Stadtleben city life
die Stadtmitte (-n) downtown area, town center
der Stadtmusikant (-en *masc.*) / die Stadtmusikantin (-nen) musician
der Stadtpark (-s) public park
der Stadtplan (⸚e) city map
der Stadtteil (-e) part of town, neighborhood
das Stadtviertel (-) quarter, neighborhood (4)
der Stahl steel
der Stahlarbeiter (-) / die Stahlarbeiterin (-nen) steelworker
das Stahlwerk (-e) steel mill
der Stammbaum (⸚e) family tree
das Stammlokal (-e) favorite restaurant

der Stammtisch (-e) table for regulars (*at a restaurant or bar*)
ständig permanent(ly), constant(ly)
der Standpunkt (-e) viewpoint
die Standuhr (-en) grandfather clock (3)
der Star (-s) star
stark (stärker, stärkst-) strong(ly)
die Station (-en) station
die Statistik (-en) statistics
statt (+ *gen.*) instead of
stattfinden (findet statt), fand statt, stattgefunden to take place (17)
die Statue (-n) statue
der Stau (-s) traffic jam
der Staub dust; **Staub saugen** to vacuum
staunen to be astonished, amazed
staunend amazing(ly)
der/die Staunende (*decl. adj.*) amazed person
stechen (sticht), stach, gestochen to stab, pierce, sting
stecken to stick, to be located
der Stefansdom St. Stephen's Cathedral (*in Vienna*)
stehen, stand, ist gestanden to stand (16); (+ *dat.*) to suit (21)
stehlen (stiehlt), stahl, gestohlen to steal
die Steiermark Styria
steif stiff(ly)
steigen, stieg, ist gestiegen to climb
steigend increasing
die Steilküste (-n) steep coast (*with rocks and cliffs*)
der Stein (-e) stone, rock
die Steinzeit Stone Age
die Stelle (-n) position (13)
stellen to put, place (*upright*)
das Stellenangebot (-e) job offer (14)
die Stellensuche (-n) job search (14)
stemmen to lift (*weights*)
sterben (stirbt), starb, ist gestorben to die (12)
die Stereoanlage (-n) stereo system (3)

stereotyp stereotyped, stock
der Stern (-e) star
das Sternzeichen (-) sign of the zodiac
stet constant, steady
steuerbar controllable, controlled
das Steuerbord starboard
steuern to steer; to direct
der Stiefel (-) boot (7)
die Stiefmutter (¨) stepmother (12)
der Stiefsohn (¨e) stepson (12)
die Stieftochter (¨) stepdaughter (12)
der Stiefvater (¨) stepfather (12)
der Stier (-e) bull
der Stift (-e) pen
der Stil (-e) style
still quiet, silent, still
die Stille silence
die Stimme (-n) voice
stimmen to be correct, to be true; **das stimmt** that's correct
die Stimmung (-en) mood, atmosphere (17)
stinken, stank, gestunken to stink
stinkig stinky
stinklangweilig deadly boring
stinksauer very angry
der Stock (-werke) floor, story (*in a building*) (8); **im dritten Stock** on the fourth floor
stocken to falter; to hesitate
das Stockwerk (-e) floor, level (*in a building*)
der Stoff (-e) substance, stuff, fabric
der Stoffwechsel metabolism
stöhnen to groan
stolz proud(ly)
stopfen to stuff
das Stoppelfeld (-er) wheatfield after harvest
stören to disturb (24)
(der) Störtebeker *legendary sailor*
die Story (-s) story
stoßen (stößt), stieß, gestoßen to push, shove
die Strafe (-n) punishment
der Strahl (-en) ray, beam
der Strand (¨e) beach (4)

der Strandkorb (¨e) covered beach chair
strapaziös stressful, exhausting
die Straße (-n) street; **sie wohnt in der Schiller-Straße** she lives on Schiller Street
die Straßenbahn (-en) streetcar (22)
das Straßenfest (-e) street festival
der Straßenkünstler (-) / die Straßenkünstlerin (-nen) street artist
das Straßenschild (-er) street sign
die Strategie (-n) strategy
strategisch strategic, strategical(ly)
die Strecke (-n) stretch, distance; **auf der Strecke bleiben** to be left behind, get lost
der Streich (-e) prank (14)
streichen, strich, gestrichen to strike, cross out
der Streik (-s) strike
streiken to go on strike
der Streit argument, confrontation
streiten, stritt, gestritten to argue (23)
streng strict(ly) (20)
der Stress stress
stressig stressful
der Strom electricity
die Strophe (-n) verse, line
der Strudel (-) strudel
die Struktur (-en) structure
die Strumpfhose (-n) panty hose (21)
die Stube (-n) room
das Stück (-e) piece
das Stückchen (-) little piece
der Student (-en *masc.*) **/ die Studentin (-nen)** (university) student (E)
der Studentenalltag everyday life of a student
der Studentenball (¨e) dance, ball for students
das Studentenleben student life
das Studentenwerk student administration
das Studentenwohnheim (-e) student dormitory (19)
das Studentenzimmer (-) student room

der Studienaufenthalt (-e) study abroad program
die Studienberatung student advising
die Studiendauer length of a university studies program
die Studiengebühren (*pl.*) tuition (19)
der Studienplatz (-̈e) place in a university program
die Studientour (-en) field trip
studieren to study (8); to be a student at a university (11)
das Studio (-s) studio
das Studium (Studien) university course of studies (19)
der Stuhl (-̈e) chair (E)
der Stummfilm (-e) silent movie
der Stummfilmstar (-s) star in a silent movie
die Stunde (-n) hour (23)
der Stundenplan (-̈e) schedule (10)
stur stubborn(ly)
die Sturheit stubbornness
der Sturm (-̈e) storm
der Stützpunkt (-e) military outpost
das Subjekt (-e) subject
das Substantiv (-e) noun
die Suche (-n) search
suchen to search, seek (9)
die Sucht addiction
die Suchterscheinung (-en) symptom of addiction
(das) Südafrika South Africa
(das) Südamerika South America
(das) Südbaden province in South West Germany
der Süden south; **im Süden** in the south
der Südflügel (-) south wing
südlich (von) south (of)
der Südosten southeast
südöstlich (von) southeast (of)
der Südwesten southwest
südwestlich (von) southwest (of)
sühnen to atone
summen to hum
super (*coll.*) great; **das ist super!** that's great!

der Superlativ superlative
die Superlativform (-en) superlative forms
der Supermarkt (-̈e) supermarket (4)
superschlacksig (*coll.*) uncoordinated, unorthodox in movement
die Suppe (-n) soup (15)
surfen to surf; **im Web surfen** to surf the web
süß sweet (19); **etwas Süßes** something sweet
die Süßigkeiten (*pl.*) candy
das Sweatshirt (-s) sweatshirt
das Symbol (-e) symbol (16)
die Sympathie (-n) fondness; sympathy
sympathisch nice, congenial (1)
das Symptom (-e) symptom
das System (-e) system (19)
die Szene (-n) scene

T

der Tabak (-e) tobacco
die Tabaksdose (-n) tobacco box
die Tabelle (-n) table
die Tablette (-n) pill
die Tafel (-n) blackboard (E)
der Tag (-e) day (E); **der Tag der Deutschen Einheit** Day of German Unity (5); **eines Tages . . .** one day . . .
das Tagebuch (-̈er) diary
der Tagebucheintrag (-̈e) diary entry
tagelang for days
der Tagesablauf (-̈e) course of the day, daily routine
die Tagesetappe (-n) leg of a journey
das Tageslicht daylight
die Tagesschau *German public television news show*
täglich daily (21)
tagsüber in the course of the day, during the day
das Tal (-̈er) valley (9)
das Talent (-e) talent
talentiert talented

der Taler (-) thaler (*old unit of currency*)
tanken to pump gas
die Tankstelle (-n) gas station
die Tante (-n) aunt (1)
der Tanz (-̈e) dance
tanzen to dance (2)
die Tanzmusik dance music
der Tanzsaal (-säle) dancing hall
der Tanzschuh (-e) dancing shoe
die Tasche (-n) bag, pocket (7)
das Taschengeld pocket money
die Tasse (-n) cup
die Tat (-en) deed, crime; **auf frischer Tat ertappt** caught in the act
der Täter (-) / die Täterin (-nen) culprit, criminal
tätig sein to work
die Tätigkeit (-en) activity (13)
die Tätowierung (-en) tattoo
die Tatsache (-n) fact
tatsächlich really, indeed, as a matter of fact
taub deaf
die Taube (-n) pigeon
der Taubenzuchtverein (-e) pigeon breeders' club
tauschen to exchange, switch
tausend one thousand (E)
das Taxi taxicab
der Taxifahrer (-) / die Taxifahrerin (-nen) cabdriver
das Team (-s) team (23)
der Teamwerker (-) team worker
die Technik (-en) technology (11)
der Techniker (-) / die Technikerin (-nen) technician
technisch technical(ly)
die Technologie (-n) technology
technologisch technological(ly)
der Teddybär (-en *masc.***)** teddy bear
der Tee (-s) tea (2)
der Teig dough, batter
der Teil (-e) part; **zum Teil** partly, in part
teilen to share, split, separate
teilnehmen (nimmt teil), nahm teil, teilgenommen to participate (20)

A-57

die Teilung (-en) division, separation
das Telefon (-e) telephone (3)
das Telefonbuch (¨er) phone book
telefonieren (mit) to be on the phone (with), call
die Telefonnummer (-n) phone number
der Teller (-) plate (19)
die Tendenz (-en) tendency
das Tennis tennis; **Tennis spielen** to play tennis (2)
der Tennisplatz (¨e) tennis court
der Tennisschläger (-) tennis racket
der Teppich (-e) rug, carpet (3)
der Termin (-e) appointment, date
das Terminal (-s) airline terminal (24)
die Terrasse (-n) terrace, patio (16)
teuer (teurer, teuerst-) expensive (2)
der Text (-e) text
die Texttafel (-n) text table
thailändisch (*adj.*) Thai
das Theater (-) theater; **ins Theater gehen** to go to the theater (2)
die Theaterdekoration (-en) props, stage set, stage background
das Theaterstück (-e) theater play
die Theaterwissenschaften (*pl.*) drama (*as a subject*)
das Thema (Themen) topic; **zum Thema** on the topic (of)
die Theologie theology
theoretisch theoretical(ly)
das Thermometer (-) thermometer (6)
die These (-n) hypothesis, thesis
der Thunfisch (-e) tuna (15)
(das) Thüringen Thuringia (17)
thüringisch (*adj.*) Thuringian
tief deep(ly)
tiefblau deep blue
die Tiefkühlpizza (-s) frozen pizza
das Tier (-e) animal
der Tierarzt (¨e) / die Tierärztin (-nen) veterinarian
die Tierhandlung (-en) pet store (22)

die Tierpraxis (-praxen) veterinarian's practice
der Tiger tiger
die Tinte (-n) ink
das Tintenfass (¨er) ink bottle
der Tipp (-s) tip
der Tisch (-e) table
das Tischtennis table tennis (8)
der Titel (-) title
tja well
der Toast (-s) toast
die Tochter (¨) daughter (1)
die Tochterfirma (-firmen) subsidiary
der Tod (-e) death
die Todeszahlen (*pl.*) death statistics
tödlich deadly, fatal
die Toilette (-n); toilet bowl; bathroom (3)
tolerant tolerant
die Toleranz (-en) tolerance
toll (*coll.*) great (2)
die Tomate (-n) tomato (16)
die Tomatensoße (-n) tomato sauce, marinara sauce (19)
der Ton (¨e) sound
die Tonne (-n) container, bin; ton
der Topf (¨e) pot (19)
topfit fit
das Tor (-e) goal; gate (23)
die Torte (-n) cake
die Tortenplatte (-n) cake platter
die Tortur (-en) ordeal
tot dead
total total(ly)
töten to kill (12)
die Tour (-en) tour
der Tourenverlauf (¨e) course of a trip, route
der Tourismus tourism
der Tourist (-en *masc.***) / die Touristin (-nen)** tourist
der Touristenbetreuer (-) / die Touristenbetreuerin (-nen) tourist attendant, guide
das Touristikcamp (-s) tourist camp, resort
touristisch touristic
die Tradition (-en) tradition
traditionell traditional(ly)

tragen (trägt), trug, getragen to carry; to wear (5)
tragisch tragic(ally)
der Trainer (-) / die Trainerin (-nen) coach
trainieren to train, exercise (16)
das Training training; exercise (23)
der Transporter (-) van
transportieren to transport
das Transportmittel (-) means of transportation
das Transportschiff (-e) freight ship
die Traube (-n) grape
der Traubensaft grape juice (15)
die Trauer mourning, grief
der Traum (¨e) dream
träumen to dream
das Traumhaus (¨er) dream house
die Traumkarriere (-n) dream career, job (14)
traurig sad (1)
traut beloved, familiar; **trautes Heim** home sweet home
der Treff (-s) joint, bar, disco
treffen (trifft), traf, getroffen to meet
der Treffpunkt (-e) meeting place
treiben, trieb, getrieben: Sport treiben to exercise
der Trenchcoat (-s) trenchcoat (7)
der Trend (-s) trend
trendig trendy
trennen to divide (17)
die Treppe (-n) staircase (8)
das Treppenhaus (¨er) staircase
treten (tritt), trat, ist getreten to kick, step
der Trick (-s) trick (14)
der Trickfilm (-e) animated film
der Trimm-dich-Pfad exercise trail
trinken, trank, getrunken to drink (2)
das Trinkgeld (-er) tip
die Trinkkur: eine Trinkkur machen *to drink mineral waters for healing purposes*
trocken dry
die Trockenkonserve (-n) dried food
trocknen (+ *acc.*) to dry
der Trommler (-) drummer

A-58

der Tropfen (-) drop
trostlos desolate
trotz (+ *gen.*) in spite of
trotzdem anyway, in spite of that
(das) Tschechien Czech Republic
tschechisch (*adj.*) Czech
tschüss! (*inform.*) bye!
das T-Shirt (-s) T-shirt (7)
tun (tut), tat, getan to do
die Tür (-en) door (E)
der Türke (-n *masc.***) / die Türkin
   (-nen)** Turk (18)
die Türkei Turkey
türkisch (*adj.*) Turkisch
der Turm (ⁱe) tower
das Turnier (-e) tournament;
   competition
der Türsteher (-) bouncer
die Tüte (-n) bag
der Typ (-en *masc.***)** (*coll.*) guy, dude
typisch(erweise) typical(ly)

U

die U-Bahn (-en) subway (22)
übel bad; **übel dran sein** to have it
   bad, be in a bad situation
üben to practice
über (+ *acc./dat.*) above; about; over
überall everywhere
der Überblick (-e) overview
überbrücken to bridge
überdurchschnittlich above
   average
**übereinstimmen mit (stimmt
   überein)** to agree with
überfliegen, überflog, überflogen
   to skim (21)
überfüllt (*adj.*) crowded
überhaupt (nicht) (not) at all
**überlassen (überlässt), überließ,
   überlassen** to leave to; **sich
   selbst über lassen sein** to be left
   to one's own devices
überlastet (*adj.*) overwhelmed
überleben to survive
(sich) überlegen to consider, think
   about
der Übermensch (-en *masc.***)**
   superman
übermorgen the day after
   tomorrow

übernachten to spend the night
die Übernachtung (-en) overnight
   stay (8)
**übernehmen (übernimmt),
   übernahm, übernommen** to take
   over
überraschen to surprise (17)
überrascht (*adj.*) surprised (14)
die Überraschung (-en) surprise (14)
überreden to persuade, convince
übers = über das
die Überschrift (-en) heading
übersetzen to translate
die Übersetzungsarbeit (-en)
   translation work
übersichtlich clear, clearly laid out
**überstehen, überstand,
   überstanden** to overcome
die Überstunde (-n) overtime
   hour (22)
**übertreiben, übertrieb,
   übertrieben** to exaggerate
übertrieben (*adj.*) exaggerated (20)
überwältigen to overwhelm,
   overpower
überweisen, überwies, überwiesen
   to transfer, refer
überzeugen to convince
überzeugt sein (von) to be
   convinced (by)
übrig left over
übrigens by the way (22)
die Übung (-en) exercise
das Ufo (-s) UFO
die Uhr (-en) clock; watch; **um
   acht Uhr** at eight o'clock; **wie viel
   Uhr ist es?** what time is it? (E)
die Uhrzeit (-en) time
um (+ *acc.*) around (5); **um . . .
   herum** around; **um Köln herum**
   around Cologne (5); **um wieviel
   Uhr** at what time; **um (. . .) zu
   . . .** in order to
umarmen to embrace, hug (24)
die Umarmung (-en) hug (24)
**umfallen (fällt um), fiel um, ist
   umgefallen** to fall over, collapse
umfassend comprehensive,
   thorough
die Umfrage (-n) survey, opinion
   poll

der Umgang interaction
umgeben von surrounded by
die Umgebung (-en) surroundings,
   vicinity (4)
der Umlaut (-e) umlaut
ums = um das
der Umsatz (ⁱe) turnover
die Umsatzdaten turnover data
**umschreiben (schreibt um),
   schrieb um, umgeschrieben** to
   rewrite
umsonst for nothing, free
**umsteigen (steigt um), stieg um,
   ist umgestiegen** to change
   (*trains*) (7)
die Umwelt environment (20)
das Umweltamt (ⁱer)
   environmental agency
umweltbedingt conditioned by the
   environment
die Umweltbelastung (-en) damage
   to the environment
die Umweltforschung
   environmental research
umweltfreundlich environmentally
   friendly (20)
die Umweltpolitik environmental
   politics
das Umweltproblem (-e)
   environmental problem
das Umweltprojekt (-e)
   environmental project
der Umweltschutz protection of the
   environment
der Umweltsünder (-) polluter (20)
der Umweltverschmutzer (-)
   polluter
die Umweltverschmutzung
   environmental pollution
**umziehen (zieht um), zog um, ist
   umgezogen** to move (4)
der Umzug (ⁱe) parade (17)
die Umzugsfirma (-firmen) moving
   company
unabhängig independent(ly)
die Unabhängigkeit
   independence
unangebracht inappropriate(ly)
unangenehm unpleasant(ly)
unabhängig independent(ly)
unbedeutend insignificant(ly)

A-59

unbedingt in any case, no matter what, absolutely (11)
unbefangen outgoing, uninhibited (1)
unbekannt unknown
unbequem uncomfortable
und (*coord. conj.*) and; **und so weiter** and so forth, et cetera
undankbar ungrateful
unecht fake
unendlich never-ending
unfair unfair
der Unfall (¨e) accident
unfreundlich unfriendly (1)
ungarisch (*adj.*) Hungarian
(das) Ungarn Hungary
ungeduldig impatient(ly)
ungefähr approximately (11)
ungeheuer extreme(ly); **es war ungeheuer kalt** it was extremely cold
ungenießbar inedible, undrinkable
ungerecht unfair(ly) (10)
ungewöhnlich unusual(ly) (14)
unglaublich unbelievable, unbelievably
unglücklich unhappy, unhappily (1)
unheilvoll fateful(ly), ominous(ly), disastrous(ly)
unheimlich scary, spooky, eerie, eerily; uncanny, uncannily
unhöflich impolite(ly)
die Uni (-s) = **Universität**
der Uniabschluss (¨e) university degree
die Uniform (-en) uniform
das Unileben student life, life as a student
uninteressant uninteresting
uninteressiert uninterested
universell universal(ly)
die Universität (-en) university (11)
die Universitätsstadt (¨e) university town
unklar unclear
unmenschlich inhuman(ly)
unmöglich impossible; impossibly
die UNO UN (United Nations)
unordentlich untidy; untidily
die Unordnung (-en) mess
Unrecht haben to be wrong

unregelmäßig irregular(ly), uneven(ly)
unromantisch unromantic(ally) (1)
unruhig restless(ly), fidgety
unschätzbar inestimable; inestimably
unsicher insecure(ly), uncertain(ly)
der Unsinn nonsense
unsympathisch not nice, uncongenial(ly) (1)
unten below, down there
unter (+ *acc./dat.*) under(neath)
unterbrechen (unterbricht), unterbrach, unterbrochen to interrupt
unterbringen (bringt unter), brachte unter, untergebracht to accommodate
unterdrücken to oppress, suppress, hold back, restrain
der Untergang decline, demise, downfall, sinking
sich unterhalten (unterhält), unterhielt, unterhalten to converse, talk
unterhaltsam entertaining (21)
die Unterhaltung (-en) conversation, entertainment
das Unterhemd (-en) undershirt (21)
unterkriegen: lass dich nicht unterkriegen! keep your chin up!
die Unterkunft (¨e) accommodation
unternehmen (unternimmt), unternahm, unternommen to do, undertake (9)
das Unternehmen (-) commercial enterprise
die Unternehmung (-en) activity
der Unterricht instruction; class (10)
unterrichten to teach, give lessons (11)
die Unterrichtsstunde (-n) lesson
unterrühren (*cooking*) to fold in
unterscheiden to distinguish
der Unterschied (-e) difference
der Unterschlupf (¨e) cover, shelter, hiding place
unterschreiben, unterschrieb, unterschrieben to sign

die Unterschrift (-en) signature, autograph
unterstützen to support
untersuchen to examine (6)
die Untersuchung (-en) examination, survey
der Untertitel (-) subtitle
die Unterwäsche underwear (7)
unterwegs underway, on the road
untrennbar inseparable; inseparably
untypisch atypical(ly)
unverdrossen undeterred(ly)
unvergesslich unforgettable; unforgettably
unvergleichbar incomparable, incomparably
unvernünftig unreasonable; unreasonably
unverschämt shameless(ly), unconscionable; unconscionably (10)
die Unverschämtheit (-en) impudence; **das ist eine Unverschämtheit!** that's outrageous! (10)
unverträglich intolerable; intolerably
die Unverträglichkeit (-en) intolerance, allergy
unvollständig incomplete(ly)
unwichtig unimportant(ly)
unwillkürlich spontaneous(ly), instinctive(ly)
unzählig countless
unzufrieden discontented(ly), unhappy; unhappily
der Urlaub (-e) vacation (17); **Urlaub machen** to go on vacation; **in Urlaub fahren** to go on vacation
der Urlauber (-) / die Urlauberin (-nen) tourist
die Urlaubsatmosphäre holiday atmosphere
die Urlaubsfreude (-n) holiday mood
der Urlaubsort (-e) vacation spot
die Ursache (-n) cause; **keine Ursache!** don't mention it!
der Ursprung (¨e) origin

die **USA** USA
usw. = **und so weiter** and so on

V

der **Valentinstag** Valentine's Day (5)
der **Vanillinzucker** vanilla sugar
die **Vase (-n)** vase
der **Vater (ː)** father (1)
der **Vatertag** Father's Day
der **Vati (-s)** daddy, dad
der **Vegetarier (-) / die Vegetarierin (-nen)** vegetarian (*person*)
vegetarisch (*adj.*) vegetarian
(das) Venedig Venice (Italy)
sich verabschieden to take leave (24)
verändern to change, alter
die **Verantwortung (-en)** responsibility (14)
verärgert upset, angry
das **Verb (-en)** verb
verbannen to banish, to exile
verbessern to improve
die **Verbform (-en)** verb form
verbieten, verbot, verboten to prohibit (20)
verbinden, verband, verbunden to connect, bind
die **Verbindung (-en)** connection
verblassen to fade, pale
verboten (*adj.*) forbidden, not allowed; **Rauchen verboten!** no smoking!
verbrauchen to use (20); to consume
der **Verbrecher (-) / die Verbrecherin (-nen)** criminal
die **Verbrecherjagd (-en)** chase after criminals
verbreiten to distribute (20)
verbrennen, verbrannte, verbrannt to burn
verbringen to spend (*time*) (5)
verbunden (*adj.*) allied (18)
verderben (verdirbt), verdarb, verdorben to spoil, ruin
verdienen to earn (13)
verehren to admire
der **Verehrer (-) / die Verehrerin (-nen)** admirer
vereinbaren to agree; to arrange

vereinigen to unite, combine
vereinigt (*adj.*) united; **die Vereinigten Staaten von Amerika** United States of America
die **Vereinigung (-en)** uniting, organization, union
der **Vereinsraum (ːe)** club room
das **Verfahren (-)** trial, process, method
verfassen to write, compose
verfolgen to follow; to persecute
die **Vergangenheit (-en)** past
vergeben (vergibt), vergab, vergeben to give, assign
vergessen (vergisst), vergaß, vergessen to forget (9)
vergiften to poison (12)
vergiftet (*adj.*) poisoned
der **Vergleich (-e)** comparison; **im Vergleich mit** in comparison with
vergleichen, verglich, verglichen to compare
das **Vergnügen** pleasure; **mit Vergnügen** with pleasure
der **Vergnügungspark (-s)** amusement park
sich verhalten (verhält), verhielt, verhalten to act, behave
das **Verhältnis (-se)** relationship
sich verheiraten mit to get married to (23)
verhüllen to veil, to mask, to disguise
verjüngen rejuvenate
verjüngt (*adj.*) rejuvenated
verkaufen to sell
der **Verkäufer (-) / die Verkäuferin (-nen)** vendor, salesperson
der **Verkaufsingenieur (-e) / die Verkaufsingenieurin (-nen)** sales engineer
die **Verkaufsunterlagen** (*pl.*) sales documents
der **Verkehr** traffic
der **Verkehrsingenieur (-e) / die Verkehrsingenieurin (-nen)** traffic engineer
das **Verkehrsmittel (-)** means of transportation

die **Verkleidungsparty (-s)** costume party
verkürzen to shorten
verkürzt (*adj.*) shortened
der **Verlag (-e)** publisher
verlangen to demand (14)
verlängern to extend, lengthen; to renew
die **Verlängerung (-en)** extention, lengthening
verlassen (verlässt), verließ, verlassen to leave (14)
verlegen sheepish(ly)
verleihen, verlieh, verliehen to lend
(sich) verletzen to hurt (oneself)
sich verlieben (in) to fall in love (with)
verliebt (*adj.*) in love
verlieren, verlor, verloren to lose
die **Verlosung (-en)** raffle
verlustig: etwas (+ *gen.*) **verlustig gehen** to forfeit, to lose
sich vermählen (*antiquated*) to marry, web
vermehren to expand
die **Vermehrung** increase, reproduction, breeding
vermeiden, vermied, vermieden to avoid
vermieten to rent out (4)
der **Vermieter (-) / die Vermieterin (-nen)** landlord, landlady
vermindern to reduce (20)
vermischen to mix (19)
vermissen to miss
vermittelst (*antiquated*) by means of, with
die **Vermittlungsagentur (-en)** agency; **Au-Pair-Vermittlungsagentur** au pair agency
vernünftig reasonable, reasonably (10)
verpacken to wrap, to package
die **Verpackung (-en)** packaging (20)
das **Verpackungsmaterial (-ien)** packaging material

der Verpackungsmüll packaging waste
verpassen to miss
die Verpflegung food
die Verpflichtung (-en) responsibility
verraten (verrät), verriet, verraten to reveal, tell (a secret)
verregnet (*adj.*) rainy
verrückt crazy, mad (17)
die Verrücktheit (-en) madness, craziness
versagen to fail
versalzen to put too much salt in
versalzen (*adj.*) too salty
(sich) versammeln to assemble, gather together
verschenken to give away
verschieden different (22)
verschlucken to swallow
verschmutzen to soil; to pollute, contaminate
verschollen lost, missing
verschreiben, verschrieb, verschrieben to prescribe (*medication*)
verschwenden to waste
die Verschwendung (-en) waste, wastefulness
verschwinden, verschwand, verschwunden to disappear (20)
versetzen to transfer (16)
die Versetzung (-en) transfer
versichern to assure
versiert (*adj.*) experienced, practiced
die Version (-en) version
versorgen to provide for, support
die Versorgung care, supply
verspätet belated, late
die Verspätung (-en) delay (24)
versprechen (verspricht), versprach, versprochen to promise
der Verstand reason; (common) sense
verständnisvoll understanding(ly)
verstecken to hide
verstehen, verstand, verstanden to understand; **verstanden?** understood?

verstreut (*adj.*) scattered
der Versuch (-e) attempt, experiment, try
versuchen to try
verteilen to distribute
vertieft in depth
der Vertrag (¨e) contract
sich vertragen (verträgt), vertrug, vertragen to get along
verträumt dreamy, dreamily
vertraut sein mit to be aquainted with
vertreten (vertritt), vertrat, vertreten to represent, substitute, step in
der Vertreter (-) / die Vertreterin (-nen) salesperson, representative
die Vertreterfirma (-firmen) distributor, wholesaler
verursachen to cause (18)
verurteilen to condemn, convict, sentence
verwandeln in (+ *acc.*) to turn (into) (12)
verwandelt (*adj.*) transformed (12)
der/die Verwandte (*decl. adj.*) relative, relation
die Verwandtschaft (-en) relatives, relations
verwenden to use (20)
verwickelt (*adj.*) entangled
verwirklichen to realize, put into effect
verwirren to confuse
verwirrt (*adj.*) confused
(sich) verwöhnen to pamper
verwunden to injure, wound
verwundet (*adj.*) injured
verwünschen to cast a spell on (12)
verwünscht (*adj.*) enchanted (12)
verzaubern to cast a spell, do magic
verzeihen, verzieh, verziehen to forgive
verzichten (auf + *acc.***)** to do without (21)
verzweifeln to despair
die Verzweiflung (-en) desperation
der Vetter (-n) (*male*) cousin
das Video (-s) video
der Videotext videotext

die Videothek (-en) video store
viel (mehr, meist-) a lot, much
viele many
vielfältig diverse
vielfarbig multicolored
vielleicht perhaps, maybe (11)
vielmehr . . . rather . . .
vielseitig versatile, diversified, multifaceted
vier four (E)
die Vierergruppe (-n) group of four
die Viererkabine (-n) cabin for four (*on a ship*)
viermal four times
viert: zu viert the four of us
das Viertel (-) quarter
vierzehn fourteen (E)
vierzig forty (E)
die Villa (Villen) villa
violett violet
das Vitamin (-e) vitamin
der Vogel (¨) bird
die Vokabel (-n) vocabulary item
die Vokabelliste (-n) vocabulary list
der Vokabeltest (-s) vocabulary test
das Volk (¨er) people
das Volksfest (-e) fair
voll full(y) (15); **aus vollem Herzen** wholeheartedly
vollenden to complete
voller full of
der Volleyball volleyball
völlig total(ly)
vollkommen total(ly)
vollständig complete(ly)
die Vollverpflegung food
vom = von dem
von (+ *dat.*) from; of; by (12)
vor (+ *acc./dat*) before; in front of; ago; **vor allem** above all, most importantly; **vor allen Dingen** above all, most importantly; **vor drei Jahren** three years ago
Voraus: im Voraus in advance
voraussetzen (setzt voraus) to presuppose; to require
vorbehalten (behält vor), behielt vor, vorbehalten to reserve
vorbei over

A-62

vorbeikommen (kommt vorbei), kam vorbei, ist vorbeigekommen to drop by (7)
vorbereiten to prepare
die Vorbereitung (-en) preparation
vorderasiatisch Near Eastern
(das) Vorderasien Near East
das Vordiplom (-e) exam, first diploma
vorgefertigt (*adj.*) prefabricated
vorhaben (hat vor), hatte vor, vorgehabt to plan, intend (23)
vorher before, beforehand
vorherig preceding, prior
vorhin earlier, before
vorkommen (kommt vor), kam vor, ist vorgekommen to occur, happen
vorläufig temporary; temporarily
vorlesen (liest vor), las vor, vorgelesen to read (aloud)
die Vorlesung (-en) lecture (19); **Vorlesung halten** to give a lecture
der Vorlesungssaal (-säle) lecture hall
die Vorliebe (-n) liking
der Vorname (-n *masc.*) first name
vorne: von vorne from the beginning
der Vorort (-e) suburb (4)
der Vorsatz (̈e) resolution
der Vorschlag (̈e) suggestion (14)
vorschlagen (schlägt vor), schlug vor, vorgeschlagen to suggest (22)
vorsortieren (sortiert vor) to presort, preorganize
die Vorspeise (-n) starter, first course (15)
vorspielen (spielt vor) to act out, perform
sich (*dat.*) **etwas vorstellen** (+ *dat.*) to imagine something; **ich kann es mir nicht vorstellen** I can't imagine it; **sich** (*acc.*) **vorstellen** to interview for a job; to introduce oneself (13)
die Vorstellung (-en) performance, show; attitude, view

das Vorstellungsgespräch (-e) interview (13)
der Vorteil (-e) advantage
der Vortrag (̈e) lecture, talk; **einen Vortrag halten** to give a lecture (19)
das Vorurteil (-e) prejudice (24)
vorwiegend primarily, predominantly
der Vorwurf (̈e) reproach, accusation
vorziehen (zieht vor), zog vor, vorgezogen to prefer (20)
der Vorzug (̈e) advantage

W

wachen to wake; to guard
wachsen to grow
die Wade (-n) calf (*lower leg*)
der Wagen (-) car
die Wahl (-en) election (18)
wählen to elect, choose
wahnsinnig crazy; like crazy
wahr true
wahren to look after, protect
während (+ *gen.*) during
während (*adj.*) lasting
die Wahrheit (-en) truth
wahrscheinlich probable, probably
die Währung (-en) currency (18); **die Währungsreform (-en)** monetary reform, currency reform
die Währungsunion monetary union (18)
der Wal (-e) whale
der Wald (̈er) forest (9)
die Waldlandschaft (-en) forest landscape
das Waldsterben dying of the forest
der Waldweg (-e) forest path (20)
wallen to surge, seethe
das Wallis Valais
walten to prevail, reign, rule
die Walze (-n) roller
die Wand (̈e) wall (E)
wandern to go for a hike (2)
der Wanderschuh (-e) hiking boot
die Wandersmann (-leute) traveler, wayfarer
der Wanderstock (̈e) walking stick
die Wanderung (-en) hike

die Wange (-n) cheek (6)
wann when
die Waren (*pl.*) goods (22)
das Warenhaus (̈er) warehouse (16)
warm (wärmer, wärmst-) warm (5)
die Warnung (-en) warning
(das) Warschau Warsaw
warten (auf) (+ *acc.*) to wait (for)
der Warteraum (-räume) waiting area (24)
der Wartesaal (-säle) waiting room
was what; **was darf's sein?** what will you have? (15)
das Waschbecken (-) sink (3)
die Wäsche laundry
waschen (wäscht), wusch, gewaschen to wash (16)
die Waschküche (-n) laundry room
die Waschmaschine (-n) washing machine
der Waschtag (-e) laundry day
das Wasser (-) water (16)
das Wasserglas (̈er) water glass
die Wasserratte (-n) water rat (*person who likes to swim*)
die Wasserwaage (-n) level
die Watte (-n) wadding, cotton-swab
das WC (-s) restroom, toilet
die Web-Seite (-n) web page
wechseln to exchange
wecken to waken (16)
der Wecker (-) alarm clock
weder . . . noch . . . neither . . . nor . . .
weg away
der Weg (-e) way (22); **sich auf den Weg machen** to get on one's way (24)
wegbleiben (bleibt weg), blieb weg, ist weggeblieben to stay away
wegbrausen (braust weg) (*coll.*) to zoom away
wegen (+ *gen.*) because of
wegfahren (fährt weg), fuhr weg, ist weggefahren to drive off, leave
weggehen (geht weg), ging weg, ist weggegangen to go away
wegkommen (kommt weg), kam

A-63

weg, ist weggekommen to get away

weglaufen (läuft weg), lief weg, ist weggelaufen to run away

wegschicken (schickt weg) to send away

wegschmeißen (schmeißt weg), schmiss weg, weggeschmissen (*coll.*) to throw away

wegwerfen (wirft weg), warf weg, weggeworfen to throw away

die Wegwerfflasche (-n) disposable bottle (20)

wegziehen (zieht weg), zog weg, ist weggezogen to move away (4)

wehen to blow

wehren (+ *dat.*) to fight; **wehret den Anfängen!** nip it in the bud!

wehtun (+ *dat.*) to hurt; **das tut mir weh** it hurts me (6)

weich soft(ly)

sich weigern to resist; to refuse

das Weihnachten (-) Christmas (5)

der Weihnachtsbaum (⁻e) Christmas tree

der Weihnachtsmarkt (⁻e) Christmas fair

der Weihnachtstag: zweiter Weihnachtstag Boxing Day (*legal holiday in Canada for giving boxed gifts to service workers*)

weil (*subord. conj.*) because

die Weile (-n) while; **eine Weile** a while (16)

der Wein (-e) wine; **eine Flasche Wein** a bottle of wine

weinen to cry, weep

die Weisheit (-en) wisdom

weiß white (2)

weit far (7); **das geht zu weit!** that's too much!, that pushes it over the top!

weiter farther, further

die Weiterentwicklung (-en) further development, advancement

weitergeben (gibt weiter), gab weiter, weitergegeben to pass on

weiterhin furthermore

weitgehend mostly, for the most part

welche, welcher, welches which

die Welle (-n) wave

der Wellenkamm (⁻e) crest of a wave

die Welt (-en) world; **die Neue Welt** the New World

weltbekannt known all over the world

weltberühmt world-famous

die Weltkarte (-n) world map

der Weltkonzern (-e) international corporation

der Weltkrieg (-e) world war

die Weltreise (-n) world tour

die Weltstadt (⁻e) cosmopolitan city

weltweit worldwide

wem (*dat.*) to whom

wen (*acc.*) who, whom

die Wende the change (*in reference to the reunification of Germany in 1989*) (18)

(ein) wenig (a) little

wenige few

wenigstens at least

wenn (*subord. conj.*) whenever, when, if

wer who

die Werbesendung (-en) commercial (21)

der Werbespot (-s) television commercial

der Werbespruch (⁻e) slogan

die Werbung (-en) advertisement (21)

werden (wird), wurde, ist geworden to become (9)

werfen (wirft), warf, geworfen to throw

das Werk (-e) manufacturing plant (16); work (*in literature, art, music*)

die Werkstatt (⁻e) workshop

der Werktag (-e) weekday

das Werkzeug (-e) tool

der Wert (-e) value

wert sein to be worth

wertvoll valuable (22)

das Wesen (-) being; creature; essence; nature

die Wespe (-n) wasp

(das) Westdeutschland West Germany

der Westen west; **im Westen** in the west

die Westküste west coast

westlich (von) west (of)

der Westteil (-e) western part

die Wette (-n) bet

wetten to bet

das Wetter (-) weather (5)

die Wetterlage (-n) weather situation

der Wettkampf (⁻e) competition

der Wettstreit competition

WG = Wohngemeinschaft

wichtig important (23)

der Widerruf (-e) revocation, withdrawal, cancellation

der Widerstand resistance

die Widerstandsbewegung (-en) resistance movement

wie how; **wie schade!** too bad!; **wie viel** how much; **um wie viel Uhr?** at what time?; **wie viele** how many

wieder again; **immer wieder** again and again

der Wiederaufbau reconstruction, rebuilding

die Wiederentdeckung (-en) rediscovery

wiederholen to repeat

die Wiederholung (-en) repetition

das Wiederhören: auf Wiederhören! (*phone*) good-bye!

das Wiedersehen: auf Wiedersehen! good-bye!

die Wiedervereinigung reunification (18)

(das) Wien Vienna; **die Wiener Festwochen** (*pl.*) arts festival in Vienna; **das Wiener Schnitzel** veal cutlet (15)

die Wiese (-n) meadow (9)

wieso why

der Wildreis wild rice

willkommen welcome

die Willkür arbitrariness, capriciousness, despotism

die Willkürherrschaft (-en) tyranny

willkürlich arbitrary; arbitrarily; random(ly)

der Wind (-e) wind (5)

die Windel (-n) diaper

windig windy (5)

die Windstille (-n) calm, absence of wind

der Winkel (-) angle

der Winter (-) winter (5)

der Wintermantel (¨) winter coat

wirken to work, have an effect, act

wirklich really (10)

die Wirklichkeit (-en) reality (14)

die Wirtschaft (-en) economics (11); economy

der Wirtschaftsingenieur (-e) / die Wirtschaftsingenieurin (-nen) person holding a university degree in engineering and business administration

die Wirtschaftskraft economic power

die Wirtschaftswissenschaften (*pl.*) economics

das Wirtshaus (¨er) inn, restaurant (15)

wissen (weiß), wusste, gewusst to know (a fact) (8)

die Wissenschaft (-en) science, scholarship

der Wissenschaftler (-) / die Wissenschaftlerin (-nen) scientist, scholar

der Witz (-e) joke

witzig funny, witty

wo where

woanders somewhere else

die Woche (-n) week (E); **nächste Woche** next week, **seit Wochen** for weeks

die Wochenbelastung (-en) weekly stress

die Wochenendaktivität (-en) weekend activity

das Wochenende (-n) weekend; **am Wochenende** on the weekend

die Wochenendehe (-n) weekend marriage

der Wochentag (-e) weekday (E)

wöchentlich weekly

wofür for what

woher where from

wohin to where; **wohin?** where to?; **wo wollen Sie denn hin?** where do you want to go to?

wohl probably

sich wohl fühlen (fühlt wohl) to feel well (6); be comfortable

wohnen to live (*in a place*) (8)

die Wohngemeinschaft (-en) shared housing, commune

das Wohnhaus (¨er) residential building

das Wohnheim (-e) dormitory

der Wohnheimplatz (¨e) room in a dormitory

die Wohnkosten (*pl.*) housing costs

der Wohnort (-e) place where one lives

der Wohnraum (¨e) living space

die Wohnung (-en) apartment, dwelling (3)

die Wohnungssuche (-n) housing search

das Wohnzimmer (-) living room (3)

sich wölben to bulge, swell, vault

die Wolke (-n) cloud (5)

der Wolkenkratzer (-) skyscraper

wolkig cloudy (5)

die Wolle wool

wollen (will), wollte, gewollt to want

der Wollmantel (¨) wool coat

womit with what

woran on what; of what

worauf on what

woraus from what; out of what

das Wort (¨er) word

das Wörterbuch (¨er) dictionary

der Wortsalat (-e) word search (puzzle)

der Wortschatz vocabulary

wortschlau clever with words

worüber about what; above what

worum around what; about what

wovor before what; of what

das Wrack (-s) wreck

die Wunde (-n) wound, injury (6)

das Wunder (-) miracle

wunderbar wonderful(ly)

sich wundern to be surprised

wunderschön very beautiful

der Wunsch (¨e) wish

wünschen (+ *dat.*) to wish (17); **sich wünschen** to desire

der Würfel (-) die, cube

die Wurst (¨e) sausage (15)

wurstförmig shaped like a sausage

der Wurstmarkt sausage festival

der Wurstsalat (-e) sausage salad

die Wurstwaren (*pl.*) sausage products

die Wurzel (-n) root

würzen to season

wuschelig fuzzy

die Wüste (-n) desert

wütend angry; angrily

Y

der Yuppie (-s) yuppie

Z

die Zacke (-n) point, prong, tooth

zäh tough (19)

die Zahl (-en) number

zahlen to pay for (15)

zählen to count

zahlreich numerous

zahm tame

zähmen to tame

der Zahn (¨e) tooth (6)

der Zahnarzt (¨e) / die Zahnärztin (-nen) dentist (13)

die Zauberkraft (¨e) magic power

das Zaubermeer (-e) magic ocean

zehn ten (E)

das Zeichen (-) sign

die Zeichensprache sign language

die Zeichentrickserie (-n) cartoon

zeichnen to draw (13)

die Zeichnung (-en) drawing

der Zeigefinger (-) index finger

zeigen to show (6)

die Zeile (-n) (*written*) line

die Zeit time

das Zeitalter (-) era

die Zeiteinteilung (-en) time management

zeitlich timewise, temporal(ly)

der Zeitpunkt (-e) moment, point in time

die Zeitschrift (-en) magazine, periodical (21)

die **Zeitung** (**-en**) newspaper; **in der Zeitung** in the newspaper
der **Zeitungsartikel** (**-n**) newspaper article
das **Zeitungspapier** (old) newspaper; newsprint
das **Zelt** (**-e**) tent (8)
zelten to camp (9)
der **Zement** cement
die **Zensur** (**-en**) grade
der **Zentimeter** (**-**) centimeter
der **Zentner** (**-**) (*metric system*) hundredweight (100 kg)
zentral central(ly) (4)
der **Zentralrechner** (**-**) main computer in a network
das **Zentrum** (*pl.* **Zentren**) center
zerreißen, zerriss, zerrissen to tear
zerschmettern to shatter; to crush
zerstören to destroy
zerstückeln to cut into pieces
der **Zettel** (**-**) piece of paper, note
das **Zeug** gear, junk, stuff
das **Zeugnis** (**-se**) report card (10)
die **Zeugniskopie** (**-n**) grade report, transcript
die **Zickzacklinie** (**-n**) zigzag line
die **Ziege** (**-n**) goat
ziehen, zog, gezogen to pull (4)
das **Ziel** (**-e**) goal, target
die **Zielgruppe** (**-n**) target group
ziemlich rather, quite (2)
die **Zigarette** (**-n**) cigarette
die **Zigarettenschachtel** (**-n**) pack of cigarettes
die **Zigarre** (**-n**) cigar
das **Zimmer** (**-**) room (3)
die **Zimmerpflanze** (**-n**) indoor plant (3)
zischen to hiss
das **Zitat** (**-e**) quotation
zitieren to quote
der **Zivi** (**-s**) = **Zivildienstleistender**
die **Zivilbevölkerung** (**-en**) civilian population
der **Zivildienst** (**-e**) social service (*as an alternative to military service*)
der/die **Zivildienstleistende** (*decl.*

adj.) *person who chooses to do social service as an alternative to military service*
der **Zivilist** (**-en** *masc.*) / die **Zivilistin** (**-nen**) civilian
der **Zoff** (*coll.*) argument, conflict (*between people*)
die **Zone** (**-n**) zone
der **Zoo** (**-s**) zoo
zoologisch zoological(ly)
zu (*adj.*) closed (16); (*prep.* + *dat.*) to (12); (*adv.*) too; **zu Hause** (at) home; **zu Fuß** on foot (4)
züchtig modest, chaste
der **Zucker** sugar
zueinander with each other, with one another
zuerst first
die **Zuflucht** (**-̈e**) refuge, last resort
zufrieden content (19)
die **Zufriedenheit** (**-en**) contentedness
der **Zug** (**-̈e**) train (7)
zugeben (**gibt zu**), **gab zu**, **zugegeben** to admit
zugleich at the same time
die **Zugspitze** *highest mountain in Germany*
zuhören (**hört zu**) to listen
die **Zukunft** (**-̈e**) future
zukünftig future
zukunftsorientiert future-oriented
die **Zukunftsstrategie** (**-n**) strategy for the future
zulassen (**lässt zu**), **ließ zu**, **zugelassen** to allow
zuletzt finally, in the end
die **Zulieferfirma** (**-firmen**) supplier
zum = **zu dem**
zumachen (**macht zu**) to close (6)
zunehmen (**nimmt zu**), **nahm zu**, **zugenommen** to increase; to put on (*weight*)
zur = **zu der**
zurecht: du hast dir zurecht Sorgen gemacht your worries were well-founded
zurechtkommen (**kommt zurecht**), **kam zurecht, ist**

zurechtgekommen to get by, to get along
sich zurechtmachen (**macht zurecht**) to prepare, get ready (*by dressing and grooming oneself*)
(das) **Zürich** Zurich
zurück back; **hin und zurück** round trip (24)
zurückbleiben (**bleibt zurück**), **blieb zurück, ist zurückgeblieben** to stay behind
zurückbringen (**bringt zurück**), **brachte zurück, zurückgebracht** to take back
zurückkehren (**kehrt zurück**), **kehrte zurück, ist zurückgekehrt** to return
zurückkommen (**kommt zurück**), **kam zurück, ist zurückgekommen** to come back (7)
(**sich**) **zurückziehen** (**zieht zurück**), **zog zurück**, **zurückgezogen** to withdraw, move back
die **Zusage** (**-n**) acceptance, positive response to a request
zusammen together (4)
die **Zusammenarbeit** (**-en**) cooperation
zusammenfassen (**fasst zusammen**) to put together, summarize
die **Zusammenfassung** (**-en**) summary
sich zusammenfinden (**findet zusammen**), **fand zusammen, zusammengefunden** to gather, assemble
zusammenhalten (**hält zusammen**), **hielt zusammen, zusammengehalten** to keep together (23)
zusammenpassen (**passt zusammen**) to go together
zusammensetzen (**setzt zusammen**) to put together, assemble
die **Zusammensetzung** (**-en**) composition
zuschauen (**schaut zu**) to watch

A-66

der Zuschauer (-) spectator (23)
zuschicken (schickt zu) to send
zuschließen (schließt zu), schloss zu, zugeschlossen to close, shut, lock
zuständig responsible, in charge
zustechen (sticht zu), stach zu, zugestochen to stab, pierce
die Zutat (-en) ingredient
zuverlässig reliable; reliably (14)
die Zuverlässigkeit reliability (14)
zwanzig twenty (E)
zwar (*emphatic*) **er braucht zwar Kraft, aber auch Intelligenz** he does need strength, but he also needs intelligence; **zwar sitzt man viel im Stau, aber das Auto hat Vorteile** in spite of the traffic jams, the car has advantages; **und zwar . . .** namely . . .
zwei two (E)
das Zweierkajak (-s) kayak for two
zweimal twice
zweit: zu zweit by twos, in pairs
zweit-: der zweite Stock the third floor (8)
zweitrangig secondary
der Zwerg (-e) dwarf (12)
die Zwiebel (-n) onion (15)
die Zwiebelsuppe (-n) onion soup
der Zwiebelturm (¨e) onion dome
der Zwilling (-e) twin (1)
zwischen (+ *acc./dat.*) between
der Zwischenhändler (-) / die Zwischenhändlerin (-nen) middleman
die Zwischenprüfung (-en) mid-diploma exam (19)
zwitschern to chirp
zwölf twelve (E)
der Zynismus cynicism

ENGLISH-GERMAN

This vocabulary list contains all the words from the end-of-chapter **Wortschatz** lists in *Fokus Deutsch* *Beginning German 1* and *Beginning German 2*.

A

absolutely unbedingt (20)
activity die Tätigkeit (-en) (13)
act of violence die Gewalttätigkeit (-en) (20)
actor der Schauspieler (-) / die Schauspielerin (-nen) (13)
actually eigentlich (21)
adventure das Abenteuer (-) (9)
advertisement die Anzeige (-n) (14)
advertising die Reklame, die Werbung (21)
advice columnist der Ratgeber (-) / die Ratgeberin (-nen) (21)
to advise raten (rät), riet, geraten (13)
African (*person*) der Afrikaner (-) / die Afrikanerin (-nen) (18)
against gegen (+ *acc.*) (5)
agreement: to be in agreement einverstanden sein (18)
air die Luft (4)
airline ticket die Flugkarte (-n) (24)
airplane das Flugzeug (-e) (7)
airport der Flughafen (¨) (24)
all together alle zusammen! (E)
allied verbunden (18)
alone allein (4)
along _____ entlang (22)
the Alps die Alpen (*pl.*) (17)
ambulance der Krankenwagen (-) (6)
American (*person*) der Amerikaner (-) / die Amerikanerin (-nen) (18)
angry böse (1); sauer (22)
to annoy ärgern (10)
antique antiquarisch (22)
apartment die Wohnung (-en) (3)
apartment building das Mietshaus (¨er) (4)
to appear, look aussehen (sieht aus), sah aus, ausgesehen (7)
appetizer die Vorspeise (-n) (15)
apple der Apfel (¨) (16)

apple strudel der Apfelstrudel (-) (15)
applicant der Bewerber (-) / die Berwerberin (-nen) (14)
application die Bewerbung (-en) (14)
to apply for sich bewerben um (bewirbt), bewarb, beworben (13)
apprentice der Lehrling (-e) (13)
approximately ungefähr (22)
April der April (5)
architect der Architekt (-en *masc.*) / die Architektin (-nen) (13)
to argue streiten, stritt, gestritten (23)
arm der Arm (-e) (6)
around um . . . herum (+ *acc.*) (5)
arrival die Ankunft (¨e) (24)
to arrive ankommen (kommt an), kam an, ist angekommen (24)
art die Kunst (¨e) (11)
article der Artikel (-) (10)
artist der Künstler (-) / die Künstlerin (-nen) (13)
Asian (*person*) der Asiat (-en *masc.*) / die Asiatin (-nen) (18)
to ask fragen (8)
assignment die Aufgabe (-n)
at once auf einmal (12)
athlete der Sportler (-) / die Sportlerin (-nen) (23)
attorney der Anwalt (¨e) / die Anwältin (-nen) (13)
August der August (5)
aunt die Tante (-n) (1)
Austria (das) . . . sterreich (9)
Austrian (*person*) der Österreicher (-) / die Österreicherin (-nen) (18)
author der Autor (-en) / die Autorin (-nen) (13)
awful scheußlich (1)

B

back der Rücken (-) (6)
backpack der Rucksack (¨e) (7)

bacon der Speck (15)
bad schlecht (1)
bag die Tasche (-n) (7)
baggage das Gepäck (7)
baggage check die Gepäckaufbewahrung (7)
bakery die Bäckerei (-en) (16)
ball der Ball (¨e) (17)
ballpoint pen der Kugelschreiber (-) (E)
banana die Banane (-n) (16)
bank die Bank (-en) (4)
bathroom das Badezimmer (-) (3)
bathtub die Badewanne (-n) (3)
Bavaria (das) Bayern (17)
Bavarian meatloaf der Leberkäs (15)
bay Bucht (-en) (9)
to be about handeln von (21)
to be sein (1); **to be called** heißen (hieß) (1); **to be crazy** spinnen (der spinnt doch!) (10); **to be right/wrong** Recht/ Unrecht haben (10)
to be afraid of sich fürchten vor (+ *dat.*) (19)
to be annoyed sich ärgern (16)
to be interested in sich interessieren für (13)
to be missing fehlen (+ *dat.*) (21)
to be occupied with sich beschäftigen mit (13)
beach der Strand (¨e) (4)
bean die Bohne (-n) (15)
to beat schlagen (schlägt), schlug, geschlagen (19)
beautiful schön (1)
to become werden (wird), wurde, ist geworden (9)
bed das Bett (-en) (3)
bed and breakfast inn die Pension (-en) (8)
bedroom das Schlafzimmer (-n) (3)

to begin anfangen (fängt an), fing an, angefangen (23)
Belgium (das) Belgien (9)
to believe glauben (14)
to belong to gehören (+ *dat.*) (21)
belt der Gürtel (-) (7)
Berlin Wall die Berliner Mauer (18)
to bicycle das Fahrrad (¨er) (7); **go by bicycle** mit dem Fahrrad fahren (7)
big groß (1)
bill die Rechnung (-en) (15)
biology die Biologie (11)
birthday der Geburtstag (-e) (5)
black schwarz (2)
blackboard die Tafel (-n) (E)
blouse die Bluse (-n) (7)
to blow one's nose sich die Nase putzen (6)
blue blau (2)
board das Brett (-er) (19)
body part der Körperteil (-e) (6)
body der Körper (-) (6)
to book buchen (7)
book das Buch (¨er) (E)
bookstore die Buchhandlung (-en) (16)
boot der Stiefel (-) (7)
border die Grenze (-n) (17)
border crossing der Grenzübergang (18)
to border on grenzen an (+ *acc.*) (17)
boring langweilig (2)
born: when were you born? geboren: wann sind Sie geboren? (14)
boss der Chef (-s) / die Chefin (-nen) (13)
bottle die Flasche (-n) (20)
boutique die Boutique (-n) (22)
bread das Brot (-e) (16)
break die Pause (-n) (10)
bright hell (2)
to bring bringen, brachte, gebracht (5)
to bring up erziehen, erzog, erzogen (20)
broadcast die Sendung (-en) (21)
broccoli der Brokkoli (19)
brother der Bruder (¨) (1)

brown braun (2)
building: post-1945 building die Neubauwohnung (-en); **pre-1945 building** die Altbauwohnung (-en) (4)
bulletin board das schwarze Brett (19)
bus der Bus (-se) (7)
businessman / businesswoman der Geschäftsmann (-leute) / die Geschäftsfrau (-en) (13)
butcher's store die Metzgerei (-en) (16)
by the way übrigens (22)

C

café das Café (-s) (4)
cafeteria die Cafeteria (-s) (10)
cake der Kuchen (-) (16)
call on the phone anrufen (ruft an), rief an, angerufen (7)
camp zelten (9)
Canadian (*person*) der Kanadier (-) / die Kanadierin (-nen) (18)
candle die Kerze (-n) (17)
cap die Mütze (-n) (7)
capital city die Hauptstadt (¨e) (17)
captain der Kapitän (-e) (14)
car das Auto (-s) (7)
carbonated soft drink die Limonade (-n) (15)
career die Karriere (-n) (13)
Carnival der Fasching (17)
carrot die Karotte (-n) (19)
to cast a spell on verwünschen (12)
castle die Burg (-en) (8); das Schloss (¨er) (12)
cauliflower der Blumenkohl (19)
to cause verursachen (18)
to celebrate feiern (5)
center die Mitte (-n) (22)
central zentral (4)
certain(ly) fest (13)
chair der Stuhl (¨e) (E)
chalk die Kreide (E)
champagne der Sekt (15)
championship die Meisterschaft (-en) (23)
to change (trains) umsteigen (steigt um), stieg um, ist umgestiegen (7)

to change ändern (10)
channel das Programm (-e) (21)
to chat plaudern (10)
cheap billig (2)
checkered kariert (21)
cheek die Wange (-n) (6)
cheerful lustig (17)
cheese der Käse (16)
cheesecake der Käsekuchen (-) (15)
chemistry die Chemie (11)
child das Kind (-er) (1)
child's room das Kinderzimmer (-) (3)
chin das Kinn (-e) (6)
Chinese (*person*) der Chinese (-n *masc.*) / die Chinesin (-nen) (18)
to choose something for oneself sich etwas aussuchen (21)
Christmas das Weihnachten (-) (5)
Cinderella das Aschenputtel (12)
city die Stadt (¨e) (4)
class die Klasse (-n) (10)
classified ad die Kleinanzeige (-n) (21)
classroom das Klassenzimmer (-) (10)
clean sauber (4)
to clean sauber machen (23)
clear (*weather*) heiter (5)
to climb klettern (8); besteigen, bestieg, bestiegen (23)
clock die Uhr (-en) (E)
to close zumachen (macht zu) (6); **close your books!** machen Sie die Bücher zu! (E)
close by nah (7)
closed zu, geschlossen (16)
closet der Schrank (¨e) (3)
clothes (*slang*) die Klamotten (*pl.*) (21)
clothing die Kleidung (21)
cloud die Wolke (-n) (5)
cloudy wolkig (5)
club room der Vereinsraum (¨e) (10)
coast die Küste (-n) (9)
coat der Mantel (¨) (7)
coffee der Kaffee (2)
coffee table der Sofatisch (-e) (3)

cold die Erkältung (-en) (6)
cold kalt (5)
collection station die Sammelstelle (-n) (20)
college die Hochschule (-n)
college prep school das Gymnasium (Gymnasien)
colored gefärbt (21)
to come kommen, kam, ist gekommen (2); **to come along** mitkommen (kommt mit), kam mit, ist mitgekommen (7); **to come back** zurückkommen (kommt zurück), kam zurück, ist zurückgekommen (7)
comfortable gemütlich (16)
comment die Bemerkung (-en) (24)
company die Firma (Firmen) (13)
to complain about sich beschweren über (+ *acc.*) (22)
to compost kompostieren (20)
computer game das Computerspiel (-e) (2)
computer programmer der Informatiker (-) / die Informatikerin (-nen) (13)
computer science die Informatik (11)
concert das Konzert (-e) (2)
condominium die Eigentumswohnung (-en) (4)
congenial sympathisch (1)
to congratulate gratulieren (17)
to consider halten für (hält), hielt, gehalten (20)
container der Container (-) (20)
context der Rahmen (-) (18)
to cook kochen (2)
cookie das Plätzchen (-) (16)
cool kühl (5)
corner die Ecke (-n) (22)
correct richtig (24)
cough der Husten (6)
country das Land (-er) (4)
courageous(ly) mutig (20)
course der Kurs (-e) (11)
courtyard der Schulhof (-e) (10)
cousin (*male*) der Cousin (-s) (1); (*female*) die Kusine (-n) (1)
coworker der Mitarbeiter (-) / die Mitarbeiterin (-nen) (13)

to cram pauken (10)
crazy verrückt (17)
cream die Sahne (15)
crossing die Kreuzung (-en) (22)
cucumber die Gurke (-n) (19)
cuisine die Küche (-n) (15)
curious neugierig (1)
currency union die Währungsunion (18)
currency die Währung (-en) (18)
current aktuell (21)
curriculum vitae (CV) der Lebenslauf (-e) (14)
to cut schneiden, schnitt, geschnitten (19)

D

daily täglich (21)
damaged beschädigt (22)
to dance tanzen (2)
dangerous gefährlich (7)
dark dunkel (2)
daughter die Tochter (-) (1)
day der Tag (-e) (E)
to deal with handeln von (21)
December der Dezember (5)
to decide entscheiden, entschied, entschieden (14)
to decorate schmücken (17)
delay die Verspätung (-en) (24)
delicious lecker (19)
to demand verlangen (14)
to demonstrate demonstrieren (10)
demonstration die Demonstration (-en) (10)
Denmark (das) Dänemark (9)
dentist der Zahnarzt (-e) / die Zahnärztin (-nen) (13)
to depart abreisen (reist ab), ist abgereist (8); losfahren (fährt los), fuhr los, ist losgefahren (14); **to depart by plane** abfliegen (fliegen ab), flog ab, ist abgeflogen
department store das Kaufhaus (-er) (16)
departure die Abfahrt (-en) (24)
dependent(ly) abhängig (13)
desk der Schreibtisch (-e) (E)
dessert die Nachspeise (-n) (15)
to develop entwickeln (20)

to die sterben (stirbt), starb (ist gestorben) (12)
different verschieden (22)
difficult schwer (2)
dilemma das Dilemma (-s) (23)
dining room das Esszimmer (-) (3)
dinner table der Esstisch (-e) (3)
dinner das Abendessen (-) (19)
dirty schmutzig (4)
to disappear verschwinden, verschwand, verschwunden (20)
to discuss diskutieren (10); besprechen (bespricht), besprach, besprochen (18); diskutieren über (+ *acc.*) (20)
dishwasher die Geschirrspülmaschine (-n) (3)
disposable bottle die Wegwerfflasche (-n) (20)
to distribute verbreiten (20)
to disturb stören (24)
to divide trennen (17)
divorce die Scheidung (-en) (23)
to do machen (2); unternehmen (unternimmt, unternommen) (9)
to do without verzichten (auf + *acc.*) (21)
door die Tür (-en) (E)
dormitory das Studentenwohnheim (-e) (19)
double room das Doppelzimmer (-) (8)
to doze dösen (16)
dragon der Drache (-n *masc.*) (12)
to draw zeichnen (13)
dress das Kleid (-er) (7)
dresser die Kommode (-n) (3)
to drive fahren (fährt), fuhr, ist gefahren (3)
to drop by vorbeikommen (kommt vorbei), kam vorbei, ist vorbeigekommen (7)
drugstore (*for prescription drugs*) die Apotheke (-n); (*for over-the-counter drugs and sundries*) die Drogerie (-n) (16)
dumb blöd (2)
duplex das Doppelhaus (-er) (4)
Dutch (*person*) der Niederländer (-) / die Niederländerin (-nen) (18)
dwarf der Zwerg (-e) (12)

A-71

E

ear das Ohr (-en) (6)
early früh (16)
easy leicht (2)
to eat essen (isst), aß, gegessen (3)
economy die Wirtschaft (11)
to educate erziehen, erzog, erzogen (20)
education die Bildung (11)
eight acht (E)
eighteen achtzehn (E)
eighty achtzig (E)
election die Wahl (-en) (18)
elementary school die Grundschule (-n) (11)
elevator der Aufzug (ᵘe) (8)
emergency der Notfall (ᵘe) (6)
employed angestellt (1); berufstätig (23)
employee der Arbeitnehmer (-) / die Arbeitnehmerin (-nen) (14)
employer der Arbeitgeber (-) / die Arbeitgeberin (-nen) (14)
enchanted verwünscht (12)
engineer der Ingenieur (-e) / die Ingenieurin (-nen) (13)
England (das) England (9)
English (*language*) das Englisch (11)
English (*person*) der Engländer (-) / die Engländerin (-nen) (18)
to enroll sich einschreiben (19)
entertaining unterhaltsam (21)
entree das Hauptgericht (-e) (15)
environment die Umwelt (20)
environmental umweltfreundlich (20)
equality die Gleichberechtigung (23)
European (*person*) der Europäer (-) / die Europäerin (-nen) (18)
evil böse (1)
exaggerated übertrieben (20)
exam after secondary school das Abitur (10)
exam die Klausur (-en); die Prüfung (-en) (10)
to examine untersuchen (6)
excited aufgeregt (24)
exciting aufregend (21)

exercise das Training (23)
to exercise trainieren (16)
to expect erwarten (14)
expensive teuer (2)
to experience erleben (8)
to explain erklären (21)
to express ausdrücken (drückt aus) (21)
eye das Auge (-n) (6)

F

face das Gesicht (-er) (6)
factor das Moment (-e) (23)
factory die Fabrik (-en) (4)
to fail (*an exam*) durchfallen (fällt durch), fiel durch, ist durchgefallen (10)
fairy die Fee (-n) (12)
fairy tale das Märchen (-) (12)
fairy tale figure die Märchenfigur (-en) (12)
Fall der Herbst (5)
to fall asleep einschlafen (schläft ein), schlief ein, ist eingeschlafen (16)
family die Familie (1)
family home das Einfamilienhaus (ᵘer) (4)
family leave der Erziehungsurlaub (-e) (23)
fantasy die Fantasie (-n) (14)
farmhouse Bauernhaus (ᵘer) (4)
to fasten anschnallen (schnallt an) (20)
father der Vater (ᵘ) (1)
fear die Angst (ᵘe) (20)
February der Februar (5)
Federal Republic of Germany die Bundesrepublik Deutschland (17)
to feel well sich wohl fühlen (6)
fellow student der Mitschüler (-) / die Mitschülerin (-nen) (10)
festival das Fest (-e) (5)
festive festlich (17)
fever das Fieber (-) (6)
field das Feld (-er) (9)
fifteen fünfzehn (E)
fifty fünfzig (E)
to fill out ausfüllen (füllt aus) (8)
finally endlich (10); schließlich (10)
financial(ly) finanziell (13)

to find finden, fand, gefunden (2)
finger der Finger (-) (6)
Finland (das) Finnland (9)
fireworks das Feuerwerk (-e) (5)
firm die Firma (Firmen) (13)
first floor der zweite Stock (8)
to fish angeln (8)
fish der Fisch (-e) (19)
to fit passen (+ *dat.*) (21)
five fünf (E)
flea market der Flohmarkt (ᵘe) (22)
flexible flexibel (18)
flight attendant der Flugbegleiter (-) / die Flugbegleiterin (-nen) (13)
floor der Stock (Stockwerke) (8)
to flow fließen, floss, geflossen (17)
flower die Blume (-n) (5)
flowered geblümt (21)
flu die Grippe (6)
to fly fliegen, flog, ist geflogen (7)
fog der Nebel (5)
foggy neblig (5)
to follow folgen (+ *dat.*) (14)
food die Lebensmittel (*pl.*) (19)
foot der Fuß (ᵘe) (6)
for für (+ *acc.*) (5)
foreign fremd (24)
foreigner der Ausländer (-) / die Ausländerin (-nen) (20)
forest der Wald (ᵘer) (9)
forest path der Waldweg (-e)
to forget vergessen (vergisst), vergaß, vergessen (9)
fork die Gabel (-n) (19)
form das Formular (-e) (8)
former ehemalig (18)
forty vierzig (E)
four vier (E)
fourteen vierzehn (E)
France (das) Frankreich (9)
free time die Freizeit (-en) (16)
freedom die Freiheit (-en) (23)
freedom of opinion die Meinungsfreiheit (18)
freedom of the press die Pressefreiheit (18)
freedom of travel die Reisefreiheit (18)
French fries die Pommes frites (*pl.*) (15)

French (*language*) das Französisch (11)
fresh frisch (5)
Friday der Freitag (E)
fried potato die Bratkartoffel (-n) (15)
friend der Freund (-e) / die Freundin (-nen) (1)
friendly freundlich (1)
frog king der Froschkönig (12)
fruit das Obst (5)
to fry braten (brät) (19)
full voll (15)
fun lustig (17)
to furnish möblieren (4)
furniture die Möbel (*pl.*) (3)

G

gallery die Galerie (-n) (22)
garbage der Abfall (⏜e), der Müll (20)
garden der Garten (⏜) (4)
garlic der Knoblauch (15)
gate das Tor (-e) (23)
general education high school die Gesamtschule (-n); die Hauptschule (-n); die Realschule (-n) (11)
geography die Erdkunde (11)
German (*language*) das Deutsch (11)
German (*person*) der/die Deutsche (*decl. adj.*) (18)
German school system das deutsche Schulsystem (11)
German Unity Day der Tag der deutschen Einheit (5)
to get bekommen, bekam, bekommen (15); kriegen (20)
to get off (*a train, car, etc.*) aussteigen (steigt aus), stieg aus, ist ausgestiegen (7)
to get on (*a train, car, etc.*) einsteigen (steigt ein), stieg ein, ist eingestiegen (7)
to get on one's way sich auf den Weg machen (24)
to get rid of abschaffen (schafft ab), schuf ab, abgeschaffen (20)
to get up aufstehen (steht auf), stand auf, ist aufgestanden (7)
to get used to sich gewöhnen an (+ *acc.*) (24)

gingerbread der Lebkuchen (17)
to give geben (gibt), gab, gegeben (3); (*as a gift*) schenken (5)
to give a lecture einen Vortrag halten (19)
to give up abgeben (gibt ab), gab ab, abgegeben (19); aufgeben (gibt auf), gab auf, aufgegeben (18)
glacier der Gletscher (-) (17)
glad froh (1)
glass das Glas (⏜er) (19)
glove der Handschuh (-e) (21)
goal das Tor (-e) (23)
to go gehen, ging, ist gegangen; **to go to the movies/theater** ins Kino/Theater gehen; **to go to a concert** ins Konzert gehen (2); **to go for a walk** spazieren gehen (2); fahren (fährt), fuhr, ist gefahren; **to go by bicycle/bus/ car/motorcycle/ship/train** mit dem Fahrrad/Bus/Auto/Motorrad/ Schiff/Zug (der Bahn) fahren (7); **to go to a spa** Kur machen (8)
to go along entlanggehen (geht entlang) ging entlang, ist entlanggegangen (22)
good gut (1); **good morning!** guten Morgen! (E)
goods die Waren (*pl.*) (22)
grade die Note (-n) (10)
grandchild das Enkelkind (-er) (1)
granddaughter die Enkelin (-nen) (1)
grandfather der Großvater (⏜) (1)
grandfather clock die Standuhr (-en) (3)
grandmother die Großmutter (⏜) (1)
grandparents die Großeltern (*pl.*) (1)
grandson der Enkel (-) (1)
grape juice der Traubensaft (15)
gray grau (2)
Great Britain (das) Großbritannien (9)
great! echt Klasse! (10); super! (2); toll! (2)
Greece (das) Griechenland (9)
Greek (*person*) der Grieche (-n *masc.*) / die Griechin (-nen) (18)

green grün (2)
to greet begrüßen (24)
greeting die Begrüßung (-en) (24)
ground level das Erdgeschoss (8)
guest der Gast (⏜e) (8)

H

hair das Haar (-e) (6)
hallway die Diele (-n) (3)
hand die Hand (⏜e) (6)
handshake das Händeschütteln (-) (24)
Hanukkah die Chanukka (5)
to happen passieren, ist passiert (9)
happy glücklich (1)
hat der Hut (⏜e) (7)
to have haben (hat), hatte, gehabt (2)
to have fun Spaß machen (5)
head der Kopf (⏜e) (6)
headline die Schlagzeile (-n) (21)
health die Gesundheit (6)
health attendant der Krankenpfleger (-) / die Krankenpflegerin (-nen) (6)
health food store das Reformhaus (-häuser) (22)
healthy gesund (1)
to hear hören (6)
to heat erhitzen (19)
heaven der Himmel (9)
heavy schwer (10)
heel der Absatz (⏜e) (21)
hello! guten Tag! (E)
to help helfen (hilft) (13)
Hesse (das) Hessen (17)
high school: general education high school die Gesamtschule (-n); die Hauptschule (-n); die Realschule (-n) **specialized high school** die Fachoberschule, (-n) (11)
to hike wandern, ist gewandert (2)
hill der Hügel (-) (9)
him (*acc.*) ihn (5)
history die Geschichte (11)
to hold behalten (behält), behielt, behalten (16)
holiday der Feiertag (-e) (5)
homeless person der/die Obdachslose (*decl. adj.*) (20)

homelessness die Obdachslosigkeit (20)
homework die Hausaufgabe (-n) (10)
honesty die Ehrlichkeit (14)
horse das Pferd (-e) (23)
hospital das Krankenhaus (¨er) (6)
hot heiß (5)
hot (*spicy*) scharf (19)
hotel das Hotel (-s) (8); der Gasthof (¨e) (15)
hour die Stunde (-n) (23)
house das Haus (¨er) (4)
household der Haushalt (-e); **to take care of the household** den Haushalt machen (23)
household appliance das Haushaltsgerät (-e) (20)
househusband der Hausmann (¨er) (23)
houseplant die Zimmerpflanze (-n)
hug die Umarmung (-en) (24)
to hug umarmen (24)
human being der Mensch (-en *masc.*) (4)
hundred hundert (E)
hunger der Hunger (20)
to hurt wehtun (tut weh), tat weh, wehgetan (6)

I

I ich (1)
ice cream das Eis (15)
ice skating Schlittschuh laufen (läuft), lief, ist gelaufen (23)
Iceland (das) Island (9)
idea die Idee (-n) (10)
illness die Krankheit (-en) (20)
immediately sofort (22)
important wichtig (23)
impossible unmöglich (10)
in the vicinity in der Nähe (17)
income das Einkommen (-) (13)
independent(ly) selbständig (13)
Indian (*person*) der Inder (-) / die Inderin (-nen) (18)
industrious fleißig (1)
influence beeinflussen (21)
informality die Lockerheit (24)
information die Auskunft (¨e) (7)

inhabitant der Einwohner (-) / die Einwohnerin (-nen) (17)
injection die Spritze (-n) (6)
inn: bed and breakfast inn die Pension (-en) (8)
inn das Gasthaus (-er); das Wirtshaus (¨er) (15)
instruction der Unterricht (10)
intelligent gescheit (21)
to intend vorhaben (hat vor), hatte vor, vorgehabt (23)
interest das Interesse (-n) (14)
interesting interessant (1)
internship das Praktikum (*pl.* Praktika) (19)
interpreter der Dolmetscher (-) / die Dolmetscherin (-nen) (13)
to introduce sich vorstellen (13)
to invent erfinden, erfand, erfunden (21)
to invite einladen (lädt ein), lad ein, eingeladen (7)
Ireland (das) Irland (9)
island die Insel (-n) (9)
it es (1)
Italian (*person*) der Italiener (-) / die Italienerin (-nen) (18)
Italy (das) Italien (9)

J

jacket das Frauensakko (-s) (7); die Jacke (-n) (7); das Jackett (-s) (7)
jam die Marmelade (-n) (16)
January der Januar (5)
jeans die Jeans (*pl.*) (7)
jelly die Marmelade (-n) (16)
jewelry der Schmuck (22)
jewelry store das Juweliergeschäft (-e) (22)
job interview das Vorstellungsgespräch (-e) (13)
job offer das Stellenangebot (-e) (14)
job search die Stellensuche (14)
to jog joggen (8)
jogging suit der Jogginganzug (¨e) (7)
journalist der Journalist (-en *masc.*) / die Journalistin (-nen) (13)
journey die Fahrt (-en) (24)

juice der Saft (¨e) (16)
July der Juli (5)
June der Juni (5)

K

to keep behalten (behält), behielt, behalten (16)
to keep fit sich fit halten (hält), hielt, gehalten (23)
to keep together zusammenhalten (hält zusammen), hielt zusammen, zusammengehalten (23)
key der Schlüssel (-) (8)
to kill töten (12)
kindergarten der Kindergarten (¨) (11)
king der König (-e) (12)
kitchen die Küche (-n) (3)
knife das Messer (-) (19)
to knock klopfen (19)
to know (*a fact*) wissen (weiß), wusste, gewusst; (*be acquainted with*) kennen, kannte, gekannt (8)
knowledge die Kenntnisse (*pl.*) (14)

L

laboratory das Labor (-s) (10)
to lack fehlen (+ *dat.*) (21)
lake der See (-n) (9)
to land landen, ist gelandet (24)
language die Sprache (-n) (11)
language lab das Sprachlabor (-s) (10)
to last dauern (7)
late spät (16)
lawn der Rasen (16)
lawyer der Anwalt (¨e) / die Anwältin (-nen) (13)
lazy faul (1)
to learn lernen (8)
leather das Leder (21)
to leave verlassen (verlässt), verließ, verlassen (14)
lecture die Vorlesung (-en), der Vortrag (¨e) (19)
lecture hall der Hörsaal (Hörsäle) (19)
left links (8)
leg das Bein (-e) (6)
letter der Brief (-e) (2)

letter to the editor der Leserbrief
(-e) (21)
librarian der Bibliothekar (-e) / die
Bibliothekarin (-nen) (13)
library die Bibliothek (-en) (10)
license plate das Nummernschild
(-er) (20)
lie Lüge (-n) (10)
to lie (*flat*) liegen, lag, gelegen (2)
light hell (2)
linguistics die Linguistik (11)
to listen to music Musik
hören (2)
literature die Literatur (11)
little klein (1)
to live (*exist*) leben (12); **to live**
(*reside*) wohnen (8)
living room das Wohnzimmer
(-) (3)
lobster der Hummer (-) (15)
local news die Lokalnachrichten
(*pl.*) (21)
location die Lage (-n) (18)
long lang (1)
to look at (*art*) betrachten (8)
to look at anschauen (schaut an);
sich ansehen (sieht an), sah an,
angeshen (21)
to look forward to sich freuen
auf (18)
loud laut (1)
Lower Saxony (das) Niedersachsen
(17)

M

mad verrückt (17)
magazine die Zeitschrift (-en) (21)
major subject das Hauptfach
(¨er) (11)
man der Mann (¨er) (1)
manufacturing plant das Werk
(-e) (16)
March der März (5)
Mardi Gras der Karneval (5); der
Fasching (17)
marital status der Familienstand
(14)
market economy die
Marktwirtschaft (-en) (18)
marriage die Ehe (-n) (23)
to marry heiraten (12)

math(ematics) die Mathe(matik)
(11)
May der Mai (5)
maybe vielleicht (11)
meadow die Wiese (-n) (9)
to mean bedeuten (17)
meat das Fleisch (19)
meatloaf, Bavarian der
Leberkäs (15)
mechanic der Mechaniker (-) / die
Mechanikerin (-nen) (13)
mechanical engineering der
Maschinenbau (11)
Mecklenburg-Western Pomerania
(das) Mecklenburg-Vorpommern
(17)
medication das Medikament
(-e) (6)
menu die Speisekarte (-n) (15)
metropolis die Großstadt (¨e) (4)
Mexican (*person*) der Mexikaner (-)
/ die Mexikanerin (-nen) (18)
microwave die Mikrowelle (-n) (3)
middle die Mitte (-n) (22)
milk die Milch (5)
mineral water das Mineralwasser
(15)
minor subject das Nebenfach
(¨er) (11)
mirror der Spiegel (-) (3)
to misunderstand missverstehen,
missverstand, missverstanden (21)
to mix vermischen (19)
moment der Moment (-e) (23)
Monday der Montag (E)
month der Monat (-e) (5)
monthly monatlich (4)
mood die Stimmung (-en) (17)
mother die Mutter (¨) (1)
Mother's Day der Muttertag (5)
motorcycle das Motorrad (¨er) (7)
mountain der Berg (-e) (4)
mountains das Gebirge (9)
mouth der Mund (¨er) (6)
to move umziehen (zieht um), zog
um, ist umgezogen (4)
to move away wegziehen (zieht
weg), zog weg, ist weggezogen (4)
movie theater das Kino (-s) (2)
to mow the lawn den Rasen
mähen (16)

mushroom der Pilz (-e) (9); der
Champignon (-s) (15)
mustard der Senf (15)

N

to nap dösen (16)
napkin die Serviette (-n) (19)
nature die Natur (9)
near nah (7)
neck der Hals (¨e) (6)
to need brauchen (2)
neighbor der Nachbar (-n *masc.*) /
die Nachbarin (-nen) (4)
neighborhood das Stadtviertel
(-) (4)
nephew der Neffe (-n *masc.*) (1)
nerve: what nerve! das ist eine
Frechheit! (10)
Netherlands die Niederlande (9)
new neu (2)
New Year's Day das Neujahr (5)
New Year's Eve das Silvester (5)
news die Nachricht (-en) (22)
nice nett (1)
niece die Nichte (-n) (1)
nightstand der Nachttisch (-e) (3)
nine neun (E)
nineteen neunzehn (E)
ninety neunzig (E)
no kein (3)
noise der Lärm (20)
noodle die Nudel (-n) (19)
North Rhine-Westphalia (das)
Nordrhein-Westfalen (17)
Norway (das) Norwegen (9)
nose die Nase (-n) (6)
not nicht; **not a/any** kein (3)
note die Notiz (-en) (10)
notebook das Heft (-e) (E)
to notice merken (20)
November der November (5)
nurse der Krankenpfleger (-) / die
Krankenpflegerin (-nen) (13)

O

occupation der Beruf (-e) (13)
occupational(ly) beruflich (18)
ocean das Meer (-e) (9)
October der Oktober (5)
odd merkwürdig (24)
to offend beleidigen (10)

offer das Angebot (-e) (23)
office das Büro (-s) (13)
officer der Offizier (-e) (14)
official der/die Behörde (*decl. adj.*) (18)
often oft (4)
old alt (1)
once more please! bitte noch einmal! (E)
once upon a time . . . es war einmal . . . (12)
one ein(s) (E)
one-way einfach (24)
onion die Zwiebel (-n) (15)
only einzig (23)
open offen (16)
to open aufmachen (macht auf), aufgemacht (6); **open your books!** machen Sie die Bücher auf! (E)
openly öffentlich (23)
to operate operieren (6)
opinion die Meinung (-en) (10)
opportunity die Gelegenheit (-en) (13)
opposite _____ gegenüber von _____ (22)
orange orange (2)
to order bestellen (15)
organic(ally) organisch (20)
original(ly) originell (22)
outgoing unbefangen (1)
outrage: that's an outrage! das ist eine Unverschämtheit! (10)
overhead projector der Overheadprojektor (-en) (E)
overnight stay die Übernachtung (-en) (8)
overtime hour die Überstunde (-n) (22)
own eigen (4)
owner der Besitzer (-) / die Besitzerin (-nen) (14)

P

to pack einpacken (packt ein) (7)
packaging die Verpackung (20)
pain der Schmerz (-en) (6)
painting das Gemälde (-) (22)
pajama der Schlafanzug (ˉe) (21)

pan die Pfanne (19)
pants die Hose (-n) (7)
panty hose die Strumpfhose (-n) (21)
paper das Papier (E)
parade der Umzug (ˉe) (17)
parents die Eltern (*pl.*) (1)
parka der Anorak (-s) (7)
to participate teilnehmen (nimmt teil), nahm teil, teilgenommen (20)
party die Party (-s) (24)
to pass bestehen, bestand, bestanden (10)
passenger der Fahrgast (ˉe) (7)
passport der Reisepass (ˉe) (24)
past _____ an _____ vorbei (22)
pastry shop die Konditorei (-en) (16)
patient der Patient (-en *masc.*) / die Patientin (-nen) (6)
patterned gemustert (21)
to pay zahlen (15)
to pay (for) bezahlen (4)
to pay attention aufpassen (passt auf) (7)
pea die Erbse (-n) (15)
peculiar merkwürdig (24)
pedestrian zone die Fußgängerzone (-n) (20)
pencil der Bleistift (-e) (E)
peninsula die Halbinsel (-n) (9)
pepper der Pfeffer (15)
perfect(ly) perfekt (23)
periodical die Zeitschrift (-en) (21)
personal persönlich (14)
pet store die Tierhandlung (-en) (22)
philosopher der Philosoph (-en *masc.*) / die Philosophin (-nen) (13)
photographer der Fotograf (-en *masc.*) / die Fotografin (-nen) (13)
physicist der Physiker (-) / die Physikerin (-nen) (13)
physics die Physik (11)
piano das Klavier (-e) (3)
to pick up abholen (holt ab) (23)
picnic das Picknick (-s) (9)
piece of clothing das Kleidungsstück (-e) (7)

pillow das Kopfkissen (-) (3)
pink rosa (2)
place der Ort (-e) (4)
place of birth der Geburtsort (14)
to plan vorhaben (hat vor), hatte vor, vorgehabt (23)
planned economy die Planwirtschaft (18)
plastic bag die Plastiktüte (-n) (20)
plate der Teller (-) (19)
platform der Bahnsteig (-e) (7)
to play spielen (8); **to play cards** Karten spielen (2); **to play golf** Golf spielen; **to play pool** Billard spielen (8); **to play tennis** Tennis spielen (2)
to play sports Sport treiben, trieb, getrieben (23)
please gefallen (gefällt), gefiel, gefallen (9)
point of view die Einstellung (-en) (18)
to poison vergiften (12)
police die Polizei (20)
Polish (*person*) der Pole (-n *masc.*) / die Polin (-nen) (18)
politician der Politiker (-) / die Politikerin (-nen) (13)
politics die Politik (21)
polka-dotted gepunktet (21)
polluter der Umweltsünder (20)
pork roast der Schweinebraten (-) (15)
Portugal (das) Portugal (9)
position die Stelle (-n) (13)
possible möglich (10)
post office die Post (4)
pot der Topf (ˉe) (19)
potato die Kartoffel (-n) (15)
pour gießen, goss, gegossen (19)
poverty die Armut (20)
prank der Streich (-e) (14)
to prefer vorziehen (zieht vor), zog vor, vorgezogen (20)
prejudice das Vorurteil (-e) (24)
prescription das Rezept (-e) (6)
present das Geschenk (-e) (5)
pretzel die Brezel (-n) (15)
prince der Prinz (-en *masc.*) (12)
princess die Prinzessin (-nen) (12)
printed gemustert (21)

professional(ly) beruflich (18)
to prohibit verbieten, verbot, verboten (20)
to promise versprechen (verspricht), versprach, versprochen (3)
to protect schützen (20)
to protest protestieren (10)
psychologist der Psychologe (-n masc.) / die Psychologin (-nen) (13)
psychology die Psychologie (11)
pub die Kneipe (-n) (15)
publicly öffentlich (23)
to pull ziehen, zog, gezogen (4)
punctual pünktlich (14)
to punish bestrafen (10)
purple lila (2)
to put on anziehen, (zieht an), zog an, angezogen (7)
to put up with aushalten (hält aus), hielt aus, ausgehalten (24)

Q
qualification die Qualifikation (-en) (14)
quarter das Quartal (-e) (11)
queen die Königin (-nen) (12)

R
race das Rennen (-) (23)
racism der Rassismus (20)
rain der Regen (5)
to rain regnen (es regnet) (5)
raincoat der Regenmantel (¨e) (7)
rather ziemlich (2)
raw roh (19)
to read lesen (liest), las, gelesen (3)
reality die Wirklichkeit (14)
real(ly) echt (10); **really good** echt gut (2)
really wirklich (10)
reason der Grund (¨e) (18)
to receive bekommen (15)
reception die Rezeption (-en) (8)
recliner der Sessel (-) (3)
to record (video) aufnehmen (nimmt auf), nahm auf, aufgenommen (21)
to recycle recyceln (16)
red rot (2)

to reduce vermindern (20)
refrigerator der Kühlschrank (¨e) (3)
to regard halten für (hält), hielt, gehalten (20)
to register anmelden (meldet an) (19)
to regret bedauern (20)
relaxed manner die Lockerheit (24)
reliability die Zuverlässigkeit (14)
reliable zuverlässig (14)
religion die Religion (-en) (11)
remark die Bemerkung (-en) (24)
rent die Miete (-n) (4)
to rent mieten; **to rent (out)** vermieten (4)
report der Bericht (-e) (21)
report card das Zeugnis (-se) (10)
to report berichten (21)
reservation die Reservierung (-en) (8)
responsibility die Verantwortung (-en) (14)
restaurant das Restaurant (-s) (4); die Gaststätte (-n), der Gasthof (¨e), das Gasthaus (¨er) das Wirtshaus (¨er) (15)
restorer der Restaurator (-en) / die Restauratorin (-nen) (22)
restroom die Toilette (-n) (3)
résumé der Lebenslauf (¨e) (14)
return ticket die Rückfahrkarte (-n) (24)
reunification die Wiedervereinigung (18)
Rhineland Palatinate Rheinland-Pfalz (17)
rice der Reis (15)
to ride (on horseback) reiten, ritt, geritten (8); **to ride a bicycle** Rad fahren (fährt Rad), fuhr Rad, ist Rad gefahren (4)
right richtig (24)
to ring klingeln (23)
river der Fluss (¨e) (9)
roll das Brötchen (-) (16)
roller skating das Rollschuhlaufen (23)
to rollerblade bladen (23)
romantic romantisch (1)
room das Zimmer (-) (3)

round trip hin und zurück (24)
row house das Reihenhaus (¨er) (4)
to row rudern (23)
rug der Teppich (-e) (3)
Rumpelstiltskin das Rumpelstilzchen (12)
to run laufen (läuft), lief, ist gelaufen (3)
Russian (person) der Russe (-n masc.) / die Russin (-nen) (18)

S
sad traurig (1)
safe(ly) sicher (13)
to sail segeln (2)
salad der Salat (15)
salary das Gehalt (¨er) (13)
salmon Lachs (-e) (15)
salt das Salz (15)
salty salzig (19)
same egal (18)
sandal die Sandale (-n) (7)
Santa Claus der Nikolaus (17)
satisfied zufrieden (19)
Saturday der Samstag (E)
sauerkraut das Sauerkraut (15)
sauna die Sauna (in die Sauna gehen) (8)
sausage die Wurst (¨e) (15)
to save erlösen (12)
Saxony (das) Sachsen (17)
Saxony-Anhalt Sachsen-Anhalt (17)
scarf der Schal (-s) (21)
schedule (daily) der Stundenplan (¨e) (10); **(travel)** der Fahrplan (¨e) (7)
school die Schule (-n) (10)
school bus der Schulbus (-se) (10)
school newspaper die Schülerzeitung (-en) (10)
seatbelt der Sicherheitsgurt (-e) (20)
secure(ly) sicher (13)
self-employed person der/die Selbstständige (decl. adj.) (14)
self-initiative die Eigeninitiative (14)
to send schicken (22)
sensible gescheit (21)
service die Bedienung (15)
service, duty der Dienst, (-e) (14)

shopping das Einkaufen (16)
shopping list die Einkaufsliste (-n) (16)
show die Sendung (-en) (21)
shrimp cocktail der Krabbencocktail (-s) (15)
side dish die Beilage (-n) (15)
sign das Schild (-er) (16)
to sign up einschreiben (schreibt ein), schrieb ein, eingeschrieben
to signify bedeuten (17)
silverware das Besteck (-e) (19)
simple; simply einfach (24)
simultaneous(ly) gleichzeitig (21)
singer der Sänger (-) / die Sängerin (-nen) (13)
situation die Lage (-n) (18)
size die Größe (-n) (21)
skills die Kenntnisse (*pl.*) (14)
to skim überfliegen, überflog, überflogen (21)
to slice schneiden, schnitt, geschnitten (19)
soccer game das Fußballspiel (-e) (16)
sole einzig (23)
song das Lied (-er) (17)
soup die Suppe (-n) (15)
sour sauer (22)
specialty die Spezialität (-en) (15)
spectator der Zuschauer (-) / die Zuschauerin (-nen) (23)
spicy scharf (19)
spoon der Löffel (-) (19)
sport center die Sporthalle (-n) (16)
sports der Sport (23)
to stand stehen, stand, gestanden; **to stand in line** Schlange stehen (16)
station (channel) das Programm (-e) (21)
stationery store das Schreibwarengeschäft (-e) (22)
step der Schritt (-e) (13)
to stop anhalten (hält an), hielt an, angehalten (14)
store der Laden (⸚) (16)
store closing time der Ladenschluss (24)
straight ahead geradeaus (22)

to straighten up aufräumen (räumt auf) (23)
strange fremd (24)
strenuous anstrengend (23)
strict(ly) streng (20)
striped gestreift (21)
student cafeteria die Mensa (*pl.* Mensen) (19)
student dormitory das Studentenwohnheim (-e) (19)
study fees die Studiengebühren (*pl.*) (19)
stylish modisch (21)
to subscribe to abonnieren (21)
subway die U-Bahn (-en) (22)
success der Erfolg (-e) (13)
to suggest vorschlagen (schlägt vor), schlug vor, vorgeschlagen (22)
suggestion der Vorschlag (⸚e) (14)
suited geeignet (22)
summit der Gipfel (-) (17)
superficial(ly) oberflächlich (21)
surprise die Überraschung (-en) (14)
to surprise überraschen (17)
surprised (*adj.*) überrascht (14)
sweet süß (19)
Swiss (*person*) der Schweizer (-) / die Schweizerin (-nen) (18)
symbol das Symbol (-e) (16)
system das System (-e) (19)

T

to take along mitnehmen (nimmt mit), nahm mit, mitgenommen (23)
to take care of sorgen für (23)
to take care of the household Haushalt machen (23)
to take leave sich verabschieden (24)
to take off abfliegen (fliegt ab), flog ab, ist abgeflogen (24)
to take place stattfinden (findet statt), fand statt, stattgefunden (17)
talk der Vortrag (⸚e) (19)
to taste: that tastes good (to me) schmecken das schmeckt (mir) gut (15)

tasty lecker (19)
tea der Tee (16)
team die Mannschaft (-en); das Team (-s) (23)
technology die Technik (-en) (13)
terminal (*airport*) das Terminal (-s) (24)
terrace die Terrasse (-n) (16)
Thuringia Thüringen (17)
tin can die Dose (-n) (20)
tinted gefärbt (21)
tiring ermüdend (21)
tomato die Tomate (-n) (16)
tomato sauce die Tomatensoße (-n) (19)
topical aktuell (21)
tough zäh (19)
toy das Spielzeug (-e) (17)
to train trainieren (16)
trainee der/die Auszubildende (*decl. adj.*) (13)
training das Training (23)
training position die Ausbildungsstelle (-n) (13)
to transfer versetzen (16)
traveler der/die Reisende (*decl. adj.*) (24)
traveling das Reisen (24)
trip die Fahrt (-en) (24)
trout die Forelle (-n) (15)
to try probieren (15)
tuition die Studiengebühren (19)
tuna der Thunfisch (-e) (15)
Turk der Türke (-n *masc.*) / die Türkin (-nen) (18)
to turn abbiegen (biegt ab), bog ab, abgebogen (22)
to turn (drive) in einbiegen (biegt ein), bog ein, eingebogen (22)

U

undershirt das Unterhemd (-en) (21)
unemployment die Arbeitslosigkeit (20)
unity die Einheit (18)
university course of studies das Studium (Studien) (19)
unusual ungewöhnlich (14)
urban train die S-Bahn (-en) (22)
to use verbrauchen; verwenden (20)

V

vacation der Urlaub (-e) (17)
valuable wertvoll (22)
variable abwechslungsreich (14)
vegetable das Gemüse (-) (19)
vicinity die Nähe; **in the vicinity** in der Nähe (17)
violence, act of die Gewalttätigkeit (-en) (20)

W

waiting area der Warteraum (¨e) (24)
waitperson der Kellner (-) / die Kellnerin (-nen) (15)

wake up aufwachen (wacht auf) (23)
to waken wecken (16)
wall die Mauer (-n) (18)
war der Krieg (-e) (20)
warehouse das Warenhaus (¨er) (16)
to wash waschen (wäscht), wusch, gewaschen (16)
to watch anschauen (schaut an); sich ansehen (sieht an), sah an, angesehen (21)
water das Wasser (16)
way der Weg (-e) (22)
welcome! herzlich Willkommen! (24)
while die Weile (16)

to whistle pfeifen, pfiff, gepfiffen (20)
to win gewinnen, gewann, gewonnen (23)
wine der Wein (15)
to wish wünschen (17)
work experience die Arbeitserfahrung (-en) (14)
workplace der Arbeitsplatz (¨e) (13)
world of work die Arbeitswelt (13)
written exam Klausur (19)

X

xenophobia die Ausländerfeindlichkeit (20)

INDEX

This index consists of two parts—Part 1: Grammar; Part 2: Topics. Everything related to grammar—terms, structures, usage, pronunciation, and so forth—appears in the first part. Topical subsections in the second part include Culture, Functions, Reading Strategies, Vocabulary, and Writing Strategies. Page numbers in italics refer to photos.

Part 1: Grammar

Part 2: Topics

Culture

About the Authors

Anke Finger is Assistant Professor of German at Texas A&M University. She received her Ph.D. in Comparative Literature at Brandeis University. She was a lecturer at Boston College and is a co-author of the Workbook and Lab Manual *Weiter!*, (Wiley) accompanying Isabelle Saluen's intermediate textbook *Weiter!*, (Wiley). As language coordinator of the first-year German program at Texas A&M University, her interests in second language acquisition include the teaching of cultural and oral proficiency and CALL. She has also written on comparative aspects of literature and art in German and American culture.

Rosemary Delia teaches German language, literature, and culture at Mills College in Oakland, California. She received her Ph.D. in German from the University of California at Berkeley. Her research and teaching focus on issues of gender, sexuality, and national identity in German culture. She is the co-author of an intermediate cultural and literary German text, *Mosaik: Deutsche Kultur und Literatur,* 3rd edition, (McGraw-Hill).

Daniela R. Dosch Fritz is receiving her Ph.D. in German Literature and Culture from the University of California at Berkeley. Her dissertation combines literary studies and second language acquisition research by employing theories of language and culture from both fields. She has taught German language and literature at the University of California at Berkeley, the University of Arizona in Tucson, and the Goethe-Institut in San Francisco.

Stephen L. Newton received his Ph.D. from the University of California at Berkeley in 1992. Since then he has been the Language Program Coordinator in the German Department at Berkeley. He has made contributions to various textbooks and conducted a variety of workshops to language teachers.

Lida Daves-Schneider received her Ph.D. from Rutgers, the State University of New Jersey. She has taught at the University of Georgia, the University of Arkansas at Little Rock, Rutgers, Riverside Community College, and Washington College where she taught German language and literature, film and teacher education courses, and served as language lab coordinator. She spent a year in Berlin on the Fulbright Teaching Exchange Program. She is presently teaching German at Ayala High School in Chino Hills, California. She has given numerous presentations and workshops, both in the United States and abroad, about foreign language methods and materials. She co-authored ancillary materials for *Deutsch: Na klar!* and was a contributing writer for the main text of the third edition.

Karl Schneider is a native of Germany. He has been a teacher for 22 years in the Chino Valley Unified School District. He has taught Reading, German, and English as a Second Language. From 1985 to 1990 he worked as Curriculum Coordinator for Foreign Languages. He has served several terms as Mentor teacher in his district. Mr. Schneider has participated in several statewide foreign language curriculum development projects. He has reviewed textbooks as well as national exams. Mr. Schneider has also been a presenter at local, state, and national conferences. He was co-founder of the Inland Empire Foreign Language Association and served as President of that organization.

About the Chief Academic and Series Developer

Robert Di Donato is professor of German and Chair of the German, Russian, and East Asian Languages Department at Miami University in Oxford, Ohio. He received his Ph.D. from the Ohio State University. He is lead author of *Deutsch: Na klar!*, a first-year German text, and has written articles about foreign language methodology. In addition, he has given numerous keynote speeches, workshops, and presentations, both in the United States and abroad, about foreign language methods and teacher education. He has also been a consultant for a number of college-level textbooks on foreign language pedagogy.